A GUERRA DOS CHIPS

Chris Miller

A GUERRA DOS CHIPS

Tradução: Roberto W. Nóbrega

GLOBOLIVROS

Copyright © 2023 by Editora Globo S.A.
Copyright © 2022 by Christopher Miller

Todos os direitos reservados. Nenhuma parte desta edição pode ser utilizada ou reproduzida — em qualquer meio ou forma, seja mecânico ou eletrônico, fotocópia, gravação etc. — nem apropriada ou estocada em sistema de banco de dados sem a expressa autorização da editora.

Texto fixado conforme as regras do Acordo Ortográfico da Língua Portuguesa (Decreto Legislativo nº 54, de 1995).

Título original: *Chip War: The fight for the world's most critical technology*

Editora responsável: Amanda Orlando
Assistente editorial: Isis Batista
Preparação de texto: Theo Cavalcanti
Revisão: Carolina Rodrigues, Pedro Siqueira e Bianca Marimba
Diagramação: Abreu's System
Capa: Delfin [Studio DelRey]
Imagem de capa: Studio DelRey/Midjourney

1ª edição, 2023

CIP-BRASIL. CATALOGAÇÃO NA PUBLICAÇÃO
SINDICATO NACIONAL DOS EDITORES DE LIVROS, RJ

M592g Miller, Chris
      A guerra dos chips : a batalha pela tecnologia que move o mundo / Chris Miller ; tradução Roberto W. Nóbrega. – 1. ed. – Rio de Janeiro : Globo Livros, 2023.
      480 p. ; 23 cm.

      Tradução de: Chip war : the fight for the world's most critical technology
      ISBN 978-65-5987-093-6

      1. Microeletrônica. 2. Indústria de circuitos integrados. 3. Inovações tecnológicas – Aspectos econômicos. 4. Relações internacionais. 5. Estados Unidos – Relações – China. 6. China – Relações – Estados Unidos. 7. Concorrência internacional. I. Nóbrega, Roberto W. II. Título.

                        CDD: 338.476213815
23-82647   CDU: 338.47:621.3.049.77

Meri Gleice Rodrigues de Souza – Bibliotecária – CRB-7/6439

Direitos exclusivos de edição em língua portuguesa para o Brasil adquiridos por Editora Globo S.A.
Rua Marquês de Pombal, 25 — 20230-240 — Rio de Janeiro — RJ
www.globolivros.com.br

Sumário

Pessoas citadas na obra 9
Glossário 11
Introdução 13

Parte i – Os chips da Guerra Fria

1. Do aço ao silício 27
2. O interruptor 33
3. Noyce, Kilby e o circuito integrado 37
4. Ao infinito e além 43
5. Morteiros e produção em massa 49
6. "Eu... quero... ficar... rico" 57

Parte ii – Os circuitos do mundo americano

7. Vale do Silício soviético 65
8. "Copiem-no" 71
9. O vendedor de transistores 75
10. *Transistor Girls* 83
11. Ataque de precisão 89
12. Habilidade no comando da cadeia de suprimentos 95

13. Os revolucionários da Intel 101
14. A estratégia de compensação do Pentágono 107

Parte iii – Liderança perdida?

15. "Essa competição é dura" 115
16. "Em guerra com o Japão" 119
17. "Despachando lixo" 125
18. O petróleo bruto da década de 1980 131
19. Espiral da morte 137
20. O Japão que sabe dizer não 145

Parte iv – eua ressurgentes

21. O rei das batatas fritas 155
22. Revolucionando a Intel 163
23. "O inimigo do meu inimigo": a ascensão da Coreia 169
24. "Este é o futuro" 175
25. A Diretoria T da kgb 181
26. "Armas de destruição em massa": o impacto da compensação 187
27. Herói de guerra 193
28. "A Guerra Fria acabou e vocês ganharam" 197

Parte v – Circuitos integrados, mundo integrado?

29. "Queremos uma indústria de semicondutores em Taiwan" 205
30. "Todas as pessoas devem fabricar semicondutores" 213
31. "Compartilhando o amor de Deus com os chineses" 221
32. Guerras de litografia 227
33. O dilema do inovador 235
34. Correndo mais rápido? 243

Parte vi – Internacionalizando inovação?

35. "Homens de verdade têm fábricas" 253
36. A revolução dos sem-fábrica 259
37. A Grande Aliança de Morris Chang 265
38. O silício da Apple 273

39. EUV 277
40. "Não há plano B" 285
41. Como a Intel esqueceu a inovação 289

PARTE VII – O DESAFIO DA CHINA
42. Fabricado na China 299
43. "Convocar o ataque" 303
44. Transferência de tecnologia 311
45. "Incorporações são propensas a acontecer" ... 319
46. A ascensão da Huawei 327
47. O futuro do 5G 335
48. A próxima compensação 341

PARTE VIII – O ESTRANGULAMENTO DE CHIPS
49. "Tudo em que estamos competindo" 353
50. Jinhua de Fujian 363
51. O ataque à Huawei 369
52. O momento *Sputnik* da China? 377
53. Escassez e cadeias de suprimentos 385
54. O dilema de Taiwan 395

CONCLUSÃO 405
AGRADECIMENTOS 413
NOTAS 417

Pessoas citadas na obra

Morris Chang: fundador da Taiwan Semiconductor Manufacturing Company (TSMC), a fabricante de chips mais importante do mundo; ex-executivo sênior da Texas Instruments.

Andy Grove: ex-presidente e CEO da Intel durante as décadas de 1980 e 1990; notabilizou-se por seu estilo agressivo e pelo sucesso em reviver a Intel; autor de *Só os paranoicos sobrevivem*.

Pat Haggerty: presidente da Texas Instruments; comandou a empresa em sua especialização na construção de microeletrônica, inclusive para os militares dos EUA.

Jack Kilby: coinventor do circuito integrado, em 1958; funcionário de longa data da Texas Instruments; ganhador do Prêmio Nobel.

Jay Lathrop: coinventor da fotolitografia, o processo de padronização de transistores utilizando produtos químicos especializados e luz; ex-Texas Instruments.

Carver Mead: professor do Instituto de Tecnologia da Califórnia (Caltech); consultor para Fairchild Semiconductor e Intel; pensador visionário sobre o futuro da tecnologia.

Gordon Moore: cofundador da Fairchild Semiconductor e da Intel; criador, em 1965, da "Lei de Moore", que previu que o poder de computação de cada chip dobraria a cada dois anos.

Akio Morita: cofundador da Sony; coautor de *O Japão que sabe dizer não*; representou os empresários japoneses no cenário mundial durante as décadas de 1970 e 1980.

Robert Noyce: cofundador da Fairchild Semiconductor e da Intel; coinventor do circuito integrado, em 1959; conhecido como o "Prefeito do Vale do Silício"; primeiro líder da Sematech.

William Perry: oficial do Pentágono de 1977 a 1981 e, posteriormente, Secretário de Defesa de 1994 a 1997, que defendeu a utilização de chips para produzir armas de precisão.

Jerry Sanders: fundador e CEO da AMD; o vendedor mais extravagante do Vale do Silício; um crítico agressivo daquilo que considerava práticas comerciais injustas dos japoneses na década de 1980.

Charlie Sporck: conduziu a internacionalização da montagem de chips enquanto liderava as operações de fabricação na Fairchild Semiconductor; posteriormente, CEO da National Semiconductor.

Ren Zhengfei: fundador da Huawei, gigante chinesa de telecomunicações e design de chips; sua filha, Meng Wanzhou, foi presa no Canadá em 2018 sob a acusação de descumprir a lei dos EUA e tentar escapar de suas sanções.

Glossário

Arm: empresa do Reino Unido que licencia, para projetistas de chips, a utilização de uma arquitetura de conjunto de instruções: um conjunto de regras básicas que regem como determinado chip opera. A arquitetura Arm é dominante em dispositivos móveis e está lentamente conquistando sua fatia de mercado em PCs e data centers.

Chip (também conhecido como "circuito integrado" ou "semicondutor"): um pequeno pedaço de material semicondutor, geralmente silício, com milhões ou bilhões de transistores microscópicos esculpidos.

CPU: unidade central de processamento; uma espécie de chip com "várias finalidades" que é o carro-chefe da computação em PCs, telefones e data centers.

Dram: memória dinâmica de acesso aleatório; um dos dois tipos principais de chip de memória, que é utilizado para armazenar dados temporariamente.

EDA: automação de design eletrônico; software especializado utilizado para projetar como milhões ou bilhões de transistores serão dispostos em um chip e para simular seu funcionamento.

FinFET: uma nova estrutura de transistores 3-D implementada pela primeira vez no início da década de 2010 para controlar melhor o funcionamento dos transistores à medida que seu tamanho diminuía para escalas nanométricas.

GPU: unidade de processamento de gráficos; um chip capaz de realizar processamento paralelo, tornando-o útil para gráficos e aplicações de inteligência artificial.

Chip lógico: um chip de processamento de dados.

Chip de memória: um chip de memorização de dados.

Nand: também chamado de "flash", o segundo maior tipo de chip de memória, utilizado para armazenamento de dados de longo prazo.

Fotolitografia: também conhecida como "litografia"; o processo de incisão de luz convencional ou ultravioleta através de máscaras padronizadas: a luz, então, interage com produtos químicos fotorresistentes para esculpir padrões em *wafers* de silício.

Risc-V: uma arquitetura de código aberto que cresce em popularidade por ser gratuita, ao contrário das Arm e x86. O desenvolvimento da Risc-V foi parcialmente financiado pelo governo dos EUA, mas ficou popular na China por não estar sujeita aos controles de exportação dos EUA.

Wafer de silício: um pedaço circular de silício ultrapuro, geralmente com vinte ou trinta centímetros de diâmetro, em que chips são esculpidos.

Transistor: um minúsculo "seletor" elétrico que é ligado (criando um 1) ou desligado (0), produzindo os uns e zeros que sustentam toda a computação digital.

x86: uma arquitetura de conjunto de instruções que é dominante em PCs e data centers. Intel e AMD são as duas principais empresas que produzem esses chips.

Introdução

O contratorpedeiro uss *Mustin* entrou pelo extremo norte do estreito de Taiwan em 18 de agosto de 2020 com o canhão de cinco polegadas apontado para o Sul à medida que iniciava uma missão solitária navegando pelo estreito para reafirmar que aquelas águas internacionais *não* eram controladas pela China — pelo menos, ainda não. Uma forte brisa sudoeste açoitava o convés à medida que rumava para o Sul. Nuvens elevadas projetavam sombras na água que pareciam alongar-se até as grandes cidades portuárias de Fucheu, Xiamen, Hong Kong e outros portos que pontilham a costa meridional chinesa. A Leste, a ilha de Taiwan se erguia a distância, uma vasta planície costeira densamente povoada dando lugar a altos picos escondidos entre as nuvens. A bordo do navio, um marinheiro com um boné da Marinha e uma máscara cirúrgica ergueu seu binóculo e esquadrinhou o horizonte. As águas estavam repletas de cargueiros comerciais que enviavam mercadorias das fábricas da Ásia para consumidores no mundo todo.

A bordo do uss *Mustin*,[1] estava sentada uma fileira de marinheiros em uma sala escura em frente a uma série de telas brilhantemente coloridas que exibiam dados de aviões, drones, navios e satélites que rastreavam a movimentação no Indo-Pacífico. No topo da ponte do *Mustin*, uma série de radares alimentava os computadores do navio. No convés, 96 células de lançamento estavam prontas, cada uma capaz de disparar mísseis que poderiam atingir com precisão aviões, navios ou submarinos a dezenas ou mesmo centenas de quilômetros de distância. Nas crises da Guerra Fria, os militares dos EUA usaram ameaças de força nuclear bruta para defender Taiwan. Hoje, contam com microeletrônica e ataques de precisão.

À medida que o USS *Mustin* navegava pelo estreito, repleto de armamentos computadorizados, o Exército de Libertação Popular anunciava uma série de exercícios com fogo real em torno de Taiwan como retaliação, praticando o que um jornal controlado por Pequim chamou de "operação de reunificação pela força".[2] Mas, nesse dia específico, os líderes chineses estavam menos preocupados com a Marinha dos EUA e mais com uma regulamentação obscura do Ministério de Comércio dos EUA intitulada Lista de Entidades, que limita a transferência de tecnologia dos EUA para o exterior. Anteriormente, a Lista de Entidades havia sido utilizada principalmente para impedir a venda de sistemas militares, como peças de mísseis ou materiais nucleares. Naquele momento, contudo, o governo dos EUA estava endurecendo drasticamente as regras que regem chips de computador, que se tornaram onipresentes tanto em sistemas militares como em bens de consumo.

O alvo era a Huawei, gigante chinesa de tecnologia que vende smartphones, equipamentos de telecomunicações, serviços de computação em nuvem e outras tecnologias avançadas. Os EUA temiam que os produtos da Huawei, por terem preços tão atraentes, em parte devido aos subsídios do governo chinês, em breve formassem a espinha dorsal das redes de telecomunicações da próxima geração. O domínio dos Estados Unidos na infraestrutura de tecnologia do mundo ficaria prejudicado. A influência geopolítica da China cresceria. Para combater essa ameaça, os EUA impediram a Huawei de comprar avançados chips de computador que utilizassem tecnologia norte-americana.

Logo, a expansão global da empresa parou. Linhas de produtos inteiras ficaram impossíveis de produzir. A receita caiu. Uma gigante corporativa encarava uma asfixia tecnológica. A Huawei descobriu que, como todas as outras empresas chinesas, dependia fatalmente de estrangeiros para fabricar os chips dos quais dependem todos os eletrônicos modernos.

Os Estados Unidos *ainda* dominam os chips de silício que batizaram o Vale do Silício, embora sua posição tenha enfraquecido perigosamente. A

China agora gasta mais dinheiro a cada ano importando chips do que em petróleo. Esses semicondutores são conectados a todas as espécies de dispositivos, de smartphones a geladeiras, que a China consome em seu território ou exporta para todo o mundo. Estrategistas de poltrona teorizam sobre o "Dilema de Malaca" da China — uma referência ao principal canal de navegação entre os oceanos Pacífico e Índico — e a capacidade do país de acessar suprimentos de petróleo e outras *commodities* em meio a uma crise. Pequim, no entanto, está mais preocupada com um bloqueio medido em bytes do que em barris. A China está dedicando suas melhores mentes e bilhões de dólares para desenvolver sua própria tecnologia de semicondutores em uma tentativa de se libertar do estrangulamento de chips[3] dos Estados Unidos.

Se Pequim for bem-sucedida, isso remodelará a economia global e redefinirá o equilíbrio do poder militar. A Segunda Guerra Mundial foi decidida por aço e alumínio, e logo depois veio a Guerra Fria, que foi definida pelas armas atômicas. A rivalidade entre Estados Unidos e China pode muito bem ser determinada pela capacidade da computação. Estrategistas em Pequim e Washington já percebem que toda tecnologia avançada — de aprendizado de máquina a sistemas de mísseis, de veículos automatizados a drones armados — exige chips com tecnologia de ponta, conhecidos mais formalmente como semicondutores ou circuitos integrados. Uma pequena quantidade de empresas controla sua produção.

Raramente pensamos nos chips, mas foram eles que criaram o mundo moderno. O destino das nações foi transformado com base em sua habilidade de aproveitar capacidade de computação. A globalização como a conhecemos não existiria sem o comércio de semicondutores e os produtos eletrônicos que eles possibilitam. A primazia militar dos Estados Unidos decorre em grande parte de sua capacidade de aplicar chips para utilizações militares. A tremenda ascensão da Ásia no último meio século foi construída sobre uma base de silício à medida que suas crescentes economias se especializaram na fabricação de chips e na montagem dos computadores e smartphones que esses circuitos integrados possibilitam.

No núcleo da computação, está a necessidade de muitos milhões de uns e zeros. Todo o universo digital é composto por esses dois números. Cada botão do seu iPhone, cada e-mail, fotografia e vídeo do YouTube —

todos são codificados, em última análise, em enormes sequências de uns e zeros. Mas esses números não existem de verdade. São expressões de correntes elétricas que ficam ou ligadas (1) ou desligadas (0). Um chip é uma sequência de milhões ou bilhões de *transistores*, minúsculos seletores elétricos que ligam e desligam para processar esses algarismos, memorizá-los e converter sensações do mundo real em forma de imagens, sons e ondas de rádio em milhões e milhões de uns e zeros.

Conforme o USS *Mustin* navegava para o sul, fábricas e instalações de montagem em ambos os lados do estreito produziam componentes para o iPhone 12, que estava a apenas dois meses de seu lançamento em outubro de 2020. Cerca de 25% da receita da indústria de chips são originários dos telefones;[4] grande parte do preço de um telefone novo paga os semicondutores em seu interior. Na última década, cada geração do iPhone foi alimentada por um dos chips processadores mais avançados do mundo. No total, são necessários mais de uma dúzia de semicondutores para fazer um smartphone funcionar, com diversos chips gerenciando a bateria, bluetooth, wi-fi, conexões de rede de celulares, áudio, câmera e o resto.

A Apple não fabrica absolutamente *nenhum* desses chips. Ela compra a maioria no mercado: chips de memória da japonesa Kioxia, chips de radiofrequência da californiana Skyworks e chips de áudio da Cirrus Logic, sediada em Austin, no Texas.[5] A Apple projeta internamente os ultracomplexos processadores que fazem funcionar o sistema operacional de um iPhone. Mas o colosso de Cupertino, na Califórnia, não pode fabricar esses chips. Nem qualquer empresa nos Estados Unidos, na Europa, no Japão ou na China. Atualmente, os processadores mais avançados da Apple — que são indiscutivelmente os semicondutores mais avançados do mundo — só podem ser produzidos por uma única empresa em um único prédio, a fábrica mais cara da história da humanidade, que, na manhã de 18 de agosto de 2020, estava a apenas algumas dezenas de quilômetros de distância da proa de estibordo do USS *Mustin*.[6]

Fabricar e miniaturizar semicondutores foi o maior desafio de engenharia do nosso tempo. Atualmente, nenhuma empresa fabrica chips com mais precisão que a Taiwan Semiconductor Manufacturing Company, mais conhecida como TSMC. Em 2020, à medida que o mundo cambaleava entre lockdowns provocados por um vírus cujo diâmetro media cerca de cem nanômetros — bilionésimos de um metro —, a instalação mais avançada da TSMC, a Fab 18, esculpia labirintos microscópicos de minúsculos transistores, gravando formas menores que a metade do tamanho de um coronavírus, um centésimo do tamanho de uma mitocôndria. A TSMC replicou esse processo em uma escala sem precedentes na história da humanidade. A Apple vendeu mais de 100 milhões de iPhones 12, cada um equipado com um chip de processador A14 com 11,8 bilhões de minúsculos transistores esculpidos em seu silício.[7] Em questão de meses, em outras palavras, para apenas um dos doze chips de um iPhone, a Fab 18 da TSMC fabricou bem mais de 1 quintilhão de transistores, ou seja, um número com dezoito zeros à direita. No ano passado, a indústria de chips produziu mais transistores que a quantidade combinada de todos os produtos produzidos por todas as outras empresas, em todas as outras indústrias, em toda a história da humanidade. Nada mais chega perto.

Há apenas sessenta anos, a quantidade de transistores de um chip com tecnologia de ponta não eram 11,8 bilhões, e sim 4.[8] Em 1961, ao sul de São Francisco, uma pequena empresa chamada Fairchild Semiconductor anunciou um novo produto chamado Micrologic, um chip de silício com quatro transistores embutidos. Logo a empresa desenvolveu maneiras de colocar uma dúzia de transistores em um chip, depois cem. O cofundador da Fairchild, Gordon Moore, percebeu em 1965 que a quantidade de componentes que poderiam caber em cada chip dobrava anualmente conforme os engenheiros aprendiam a fabricar transistores cada vez menores. Essa previsão — que a capacidade de computação dos chips cresceria de forma exponencial — veio a ser chamada de "Lei de Moore" e o levou a prever a invenção de dispositivos que, em 1965, pareciam impossivelmente futurísticos, como um "relógio de pulso eletrônico", "computadores domésticos" e até mesmo "equipamentos pessoais portáteis de comunicação". Olhando para a frente a partir de 1965, Moore previu uma década de crescimento exponencial — mas esse ritmo de progresso impressionante continuou por mais de meio século. Em 1970, a segunda empresa fundada por ele, a Intel, apresentou um chip de memória capaz de memorizar 1.024 pedaços de informação ("bits"). Custou cerca de 20 dólares, aproximadamente dois centavos por bit.[9] Atu-

A GUERRA DOS CHIPS 17

almente, 20 dólares podem comprar um pen drive capaz de memorizar bem mais que um bilhão de bits.

Quando pensamos no Vale do Silício hoje em dia, nossa mente evoca redes sociais e empresas de softwares em vez do material que batizou o vale. Ainda assim, a internet, a nuvem, as redes sociais e todo o mundo digital só existem porque os engenheiros aprenderam a controlar a movimentação mais minuciosa de elétrons enquanto eles correm pelas placas de silício. As gigantes de tecnologia não existiriam se o custo de processamento e memorização de uns e zeros não tivesse caído um bilhão de vezes no último meio século.

Essa incrível ascensão se deve, em parte, a brilhantes cientistas e físicos ganhadores do Prêmio Nobel. Mas não é toda invenção que cria uma iniciativa de sucesso, e não é toda iniciativa que desencadeia uma nova indústria que transforma o mundo. Os semicondutores se espalharam pela sociedade porque empresas desenvolveram novas técnicas para fabricá-los aos milhões, porque gerentes exigentes reduziram implacavelmente seus custos e porque empreendedores criativos imaginaram novas maneiras de utilizá-los. A criação da Lei de Moore é tanto uma história de especialistas em fabricação e em cadeia de suprimentos e gerentes de marketing como sobre físicos ou engenheiros elétricos.

As cidades ao sul de São Francisco — que só começaram a ser chamadas de Vale do Silício na década de 1970 — foram o epicentro dessa revolução porque combinavam conhecimento científico, know-how de fabricação e pensamento empresarial visionário. A Califórnia tinha muitos engenheiros treinados nas indústrias de aviação ou rádio que haviam se formado em Stanford ou Berkeley, e todos estavam ricos com dinheiro proveniente da defesa, pois os militares dos EUA buscaram solidificar sua vantagem tecnológica. Entretanto, a cultura californiana importava tanto quanto qualquer estrutura econômica. As pessoas que deixaram a Costa Leste dos Estados Unidos, a Europa e a Ásia para montar a indústria de chips frequentemente citaram uma ideia de oportunidades ilimitadas em sua decisão de se mudar para o Vale do Silício. Para os engenheiros mais inteligentes e os empreendedores mais criativos do mundo, simplesmente não havia lugar mais empolgante para se estar.

Após a indústria de chips ter tomado forma, provou-se impossível desalojá-la do Vale do Silício. A cadeia de suprimentos de semicondutores dos dias de hoje exige componentes originários de muitas cidades e países, porém quase todos os chips fabricados ainda têm uma conexão com o Vale do Silício ou são produzidos com ferramentas projetadas e fabricadas na Califórnia. A vasta reserva de conhecimento científico dos Estados Unidos, alimentada pelo financiamento de pesquisas do governo e fortalecida pela capacidade de atrair os melhores cientistas de outros países, forneceu o conhecimento básico que impulsiona os avanços tecnológicos. A rede de empresas de capital de risco do país e suas bolsas de valores forneceram o capital inicial de que novas empresas precisam para crescer — e impiedosamente expulsaram empresas falidas. Enquanto isso, o maior mercado consumidor do mundo nos EUA impulsionou o crescimento que financiou décadas de pesquisa e o desenvolvimento de novos tipos de chips.

Outros países consideraram impossível se manter por conta própria, mas conseguiram quando se integraram profundamente às cadeias de suprimentos do Vale do Silício. A Europa isolou ilhas de conhecimento em termos de semicondutores, principalmente na produção de máquinas-ferramentas necessárias para fabricar chips e no projeto de arquiteturas de chips. Os governos asiáticos de Taiwan, Coreia do Sul e Japão abriram caminho às cotoveladas para entrar na indústria de chips, subsidiando empresas, financiando programas de treinamento, mantendo suas taxas de câmbio desvalorizadas e impondo tarifas sobre chips importados. Essa estratégia rendeu determinadas habilidades que nenhum outro país pode replicar — mas eles conseguiram o que conseguiram em parceria com o Vale do Silício, continuando a depender fundamentalmente de ferramentas, softwares e clientes dos EUA. Enquanto isso, as empresas de chips mais bem-sucedidas dos Estados Unidos montaram cadeias de suprimentos que se estendem por todo o mundo, reduzindo custos e produzindo o conhecimento que tornou possível a Lei de Moore.

Atualmente, graças a essa lei, semicondutores vêm embutidos em todos os dispositivos que exigem capacidade computacional — e, na era da Internet das Coisas, isso significa praticamente *todos* os dispositivos. Mesmo produtos centenários como automóveis agora costumam incluir milhares de dólares em chips. A maior parte do PIB mundial é produzida com dispositivos que dependem de semicondutores. Para um produto que não existia há 75 anos, é uma ascensão extraordinária.

À medida que o USS *Mustin* navegava para o Sul em agosto de 2020, o mundo estava apenas começando a contar com nossa dependência de semicondutores — e nossa dependência de Taiwan, que fabrica os chips que produzem um terço da nova capacidade computacional que utilizamos a cada ano.[10] A TSMC de Taiwan monta quase todos os chips de processador mais avançados do mundo.[11] Quando a covid atropelou o mundo em 2020, também interrompeu a indústria de chips. Algumas fábricas foram temporariamente fechadas. As compras de chips para automóveis desabaram. A demanda por chips para PCs e data centers aumentou, já que grande parte do mundo se preparou para trabalhar em casa. Então, ao longo de 2021, uma série de acidentes — um incêndio em uma instalação japonesa de semicondutores; tempestades de gelo no Texas, um centro de fabricação de chips dos EUA; e uma nova rodada de lockdowns de covid na Malásia, onde muitos chips são montados e testados — intensificou essas interrupções. Subitamente, muitas indústrias distantes do Vale do Silício enfrentaram uma escassez debilitante de chips. Grandes montadoras, da Toyota à General Motors, tiveram de fechar fábricas durante semanas porque não conseguiam adquirir os semicondutores de que precisavam.[12] A escassez até mesmo dos chips mais simples provocou o fechamento de fábricas do outro lado do mundo. Parecia uma imagem perfeita da globalização fracassada.

Líderes políticos nos EUA, na Europa e no Japão não pensavam tanto em semicondutores havia décadas. Como todos nós, achavam que "tecnologia" significava mecanismos de busca ou rede social, não *wafers* de silício. Quando Joe Biden e Angela Merkel perguntaram por que as fábricas de automóveis de seus países estavam fechadas, a resposta estava envolta em cadeias de suprimentos de semicondutores de uma complexidade desconcertante. Um chip típico pode ser projetado com plantas da empresa de propriedade japonesa com sede no Reino Unido chamada Arm, por uma equipe de engenheiros na Califórnia e em Israel, utilizando softwares de projeto dos Estados Unidos. Quando um projeto é concluído, ele é enviado para uma instalação em Taiwan, que compra *wafers* de silício ultrapuro e gases especializados do Japão. O projeto é esculpido em silício utilizando algumas das máquinas mais precisas do mundo, que podem gravar, depositar e medir camadas de materiais com alguns átomos de espessura. Essas ferramentas são produzidas principalmente por cinco empresas — uma holandesa, uma japonesa e três californianas —, sem as quais os chips avançados são basicamente impossíveis de fabricar. Em seguida, o chip é embalado e testado, geralmente no Sudeste Asiático, antes de ser enviado à China para ser montado em um telefone ou computador.

Se qualquer uma das etapas do processo de produção de semicondutores for interrompida, o suprimento mundial de nova capacidade computacional estará em perigo. Na era da inteligência artificial, costuma-se dizer que dados são o novo petróleo. No entanto, a verdadeira limitação que enfrentamos não é a disponibilidade de dados, e sim a capacidade de processamento. É finita a quantidade de semicondutores que podem armazenar e processar dados. Produzi-los é incrivelmente complexo e terrivelmente dispendioso. Ao contrário do petróleo, que pode ser comprado de muitos países, nossa produção de capacidade computacional depende fundamentalmente de uma série de pontos de estrangulamento: ferramentas, produtos químicos e softwares que muitas vezes são produzidos por um punhado de empresas... e, às vezes, apenas por uma. Nenhuma outra faceta da economia é tão dependente de tão poucas empresas. Os chips de Taiwan fornecem 37% da nova capacidade computacional do mundo a cada ano. Duas empresas coreanas produzem 44% dos chips de memória do mundo.[13] A empresa holandesa ASML fabrica 100% das máquinas de litografia ultravioleta extrema do mundo, sem as quais chips de tecnologia de ponta são impossíveis de fabricar. A fatia de 40% da Opep na produção mundial de petróleo parece inexpressiva em comparação.

A rede global de empresas que produz por ano um trilhão de chips em escala nanométrica é um triunfo da eficiência. Também é uma vulnerabilidade impressionante. As interrupções da pandemia proporcionam um mero vislumbre do que um simples terremoto bem localizado poderia fazer com a economia global. Taiwan fica em cima de uma falha geológica que, pela última vez em 1999, produziu um terremoto de 7,3 graus na escala Richter. Felizmente, isso só derrubou a produção de chips por alguns dias. Mas é apenas uma questão de tempo até que um terremoto mais forte atinja Taiwan. Um terremoto devastador também pode atingir o Japão, país propenso a terremotos que produz 17% dos chips do mundo, ou o Vale do Silício, que atualmente produz alguns chips, mas fabrica máquinas cruciais para a produção de chips em instalações situadas em cima da falha de San Andreas.

No entanto, a movimentação sísmica que mais põe em risco o suprimento de semicondutores hoje em dia não é o choque entre placas tectônicas, e sim o choque entre grandes potências. Enquanto a China e os Estados Unidos lutam pela supremacia, Washington e Pequim estão com a ideia fixa de controlar o futuro da computação... e, em um nível assustador, esse futuro depende de uma pequena ilha que Pequim considera uma província rebelde e que os Estados Unidos se comprometeram a defender à força.

As interligações entre as indústrias de chips dos EUA, da China e de Taiwan são vertiginosamente complexas. Não há melhor ilustração disso que a pessoa que fundou a TSMC, uma empresa que, até 2020, tinha a Apple, dos EUA, e a Huawei, da China, como suas duas maiores clientes. Morris Chang nasceu na China continental; cresceu em Hong Kong na época da Segunda Guerra Mundial; foi educado em Harvard, no MIT e em Stanford; ajudou a construir a primeira indústria de chips dos Estados Unidos enquanto trabalhava para a Texas Instruments em Dallas; detinha uma autorização de segurança ultrassecreta dos EUA para desenvolver eletrônicos para as Forças Armadas norte-americanas; e fez de Taiwan o epicentro da fabricação mundial de semicondutores.[14] Alguns estrategistas de políticas externas em Pequim e Washington sonham em dissociar os setores de tecnologia dos dois países, mas a rede internacional ultraeficiente de projetistas de chips, fornecedores de produtos químicos e fabricantes de máquinas-ferramentas que pessoas como Chang ajudaram a construir não pode ser facilmente desfeita.

A menos, é claro, que algo exploda. Pequim recusou-se explicitamente a descartar a possibilidade de invadir Taiwan para "reunificá-la" com o continente. Mas não seria preciso nada tão dramático quanto um ataque anfíbio para enviar ondas de choque induzidas por semicondutores arrasando a economia global. Mesmo um bloqueio parcial pelas forças chinesas desencadearia interrupções devastadoras. Um único ataque de míssil na instalação de fabricação de chips mais avançada da TSMC poderia sem a menor

22 *Chris Miller*

dificuldade provocar centenas de bilhões de dólares em danos, pois acumularia atrasos na produção de telefones, data centers, automóveis, redes de telecomunicações e outras tecnologias.

Deixar a economia global refém de uma das disputas políticas mais perigosas do mundo pode parecer um erro de proporções históricas. Entretanto, a concentração da fabricação avançada de chips em Taiwan, na Coreia do Sul e em outros lugares do leste da Ásia não é acidental. Uma série de decisões deliberadas de funcionários do governo e executivos de empresas criou as distantes cadeias de suprimentos em que confiamos atualmente. A enorme mão de obra barata da Ásia atraiu fabricantes de chips em busca de trabalhadores de fábrica de baixo custo. Os governos e as corporações da região utilizaram instalações de montagem de chips em outros países para aprender sobre tecnologias mais avançadas e, por fim, domesticá-las. Os estrategistas de política externa de Washington adotaram complexas cadeias de suprimentos de semicondutores como uma ferramenta para vincular a Ásia a um mundo liderado pelos EUA. A inexorável demanda do capitalismo por eficiência econômica impulsionou uma pressão constante por cortes de custos e consolidação corporativa. O ritmo constante da inovação tecnológica que subscreveu a Lei de Moore exigia materiais, máquinas e processos cada vez mais complexos que só poderiam ser fornecidos ou financiados por meio dos mercados globais. E nossa gigantesca demanda por capacidade computacional só continua a crescer.

Com base em pesquisas em arquivos históricos em três continentes, de Taipei a Moscou, e mais de uma centena de entrevistas com cientistas, engenheiros, CEOs e funcionários públicos, este livro afirma que os semicondutores definiram o mundo em que vivemos, determinando a forma da política internacional, a estrutura da economia global e o equilíbrio do poder militar. Contudo, esse mais moderno dos dispositivos apresenta um histórico complexo e contestado. Seu desenvolvimento foi moldado não apenas por corporações e consumidores, mas também por governos ambiciosos e pelos imperativos da guerra. Para entender como nosso mundo passou a ser definido por quintilhões de transistores e por uma minúscula quantidade de empresas insubstituíveis, devemos começar olhando para trás, para as origens da era do silício.

PARTE I
OS CHIPS DA GUERRA FRIA

1
Do aço ao silício

Soldados japoneses descreveram a Segunda Guerra Mundial como um "tufão de aço". Certamente foi o que sentiu Akio Morita, um jovem e estudioso engenheiro de uma família de prósperos comerciantes de saquê.[1] Morita escapou por pouco das linhas de frente após ser designado para um laboratório de engenharia da Marinha japonesa. Porém, o tufão de aço arrasou também a terra natal de Morita quando bombardeiros *Superfortress B-29* dos EUA atacaram as cidades do Japão, destruindo grande parte de Tóquio e de outros centros urbanos. Somando-se à devastação, um bloqueio dos EUA gerou fome generalizada e levou o país a adotar medidas desesperadas. Os irmãos de Morita estavam sendo treinados como pilotos kamikaze quando a guerra acabou.

Do outro lado do mar da China Oriental, a infância de Morris Chang era pontuada pelo som de tiros e sirenes de ataque aéreo alertando para um ataque iminente.[2] Chang passou a adolescência fugindo dos exércitos japoneses que varreram a China, mudando-se para Cantão, depois para a colônia britânica de Hong Kong, depois para a capital da China à época da guerra, Xunquim, e depois de volta a Xangai após a derrota dos japoneses. Mesmo assim, a guerra não terminou de fato, pois guerrilheiros comunistas relançaram sua luta contra o governo chinês. Logo as forças de Mao Tsé-

-Tung marchavam sobre Xangai. Morris Chang tornava-se mais uma vez um refugiado, forçado a fugir para Hong Kong pela segunda vez.

Budapeste ficava do outro lado do mundo, porém Andy Grove sobreviveu ao mesmo tufão de aço que varreu a Ásia.[3] Andy (ou Andras Grof, como era conhecido à época) sobreviveu a diversas invasões de Budapeste. O governo de extrema direita da Hungria tratava judeus como a família Grove como cidadãos de segunda classe, mas, quando a guerra explodiu na Europa, seu pai foi convocado independentemente disso e enviado para lutar ao lado dos aliados nazistas da Hungria contra a União Soviética, onde foi dado como desaparecido em combate em Stalingrado. Então, em 1944, os nazistas invadiram a Hungria, sua aliada ostensiva, enviando colunas de tanques por Budapeste e anunciando planos de enviar judeus como Grove para campos de extermínio em escala industrial. Ainda criança, Grove ouviu os estampidos da artilharia novamente meses depois quando as tropas do Exército Vermelho marcharam pela capital da Hungria, "libertando" o país, estuprando a mãe de Grove e instalando um regime fantoche brutal no lugar dos nazistas.

Colunas de tanques sem fim, ondas de aeronaves, milhares de toneladas de bombas lançadas dos céus, comboios de navios entregando caminhões, veículos de combate, produtos petrolíferos, locomotivas, vagões, artilharia, munição, carvão e aço. A Segunda Guerra Mundial era um conflito de desgaste industrial. Era assim que os EUA queriam: uma guerra industrial era uma luta que os EUA venceriam. Em Washington, os economistas do Conselho de Produção de Guerra mediam o sucesso em termos de cobre e ferro, borracha e petróleo, alumínio e estanho, à medida que os EUA convertiam o poder de fabricação em poder militar.

Os EUA construíram mais tanques que todas as potências do Eixo juntas, mais navios, mais aviões e o dobro da produção de artilharia e metralhadoras do Eixo. Comboios de mercadorias industriais partiam dos portos dos EUA e atravessavam os oceanos Atlântico e Pacífico, fornecendo material essencial à Grã-Bretanha, à União Soviética, à China e aos outros aliados. A guerra foi travada por soldados em Stalingrado e marinheiros em Midway. Mas o poder de combate era produzido pelos estaleiros Kaiser, dos EUA, e pelas linhas de montagem de River Rouge.

Em 1945, transmissões de rádio por todo o mundo anunciaram que a guerra finalmente havia acabado. Fora de Tóquio, Akio Morita, o jovem engenheiro, vestia seu uniforme completo para ouvir o discurso de rendição do imperador Hirohito, embora tenha ouvido o discurso sozinho, e não na companhia de outros oficiais da Marinha, para não sofrer a pressão de cometer um suicídio ritual.[4] Do outro lado do mar da China Oriental, Morris Chang celebrava o fim da guerra e a derrota do Japão com um retorno imediato a uma vida de prazeres adolescentes, como tênis, filmes e jogos de cartas com amigos.[5] Na Hungria, Andy Grove e sua mãe saíam lentamente de seu abrigo antiaéreo, embora tenham sofrido tanto durante a ocupação soviética como durante a própria guerra.

O resultado da Segunda Guerra Mundial foi determinado pela produção industrial, mas já era claro que as novas tecnologias estavam transformando o poder militar. As grandes potências haviam fabricado aviões e tanques aos milhares, mas também haviam construído laboratórios de pesquisa que desenvolveram novos dispositivos como foguetes e radares. As duas bombas atômicas que destruíram Hiroshima e Nagasaki produziram muita especulação de que uma Era Atômica nascente poderia substituir uma era definida por carvão e aço.

Morris Chang e Andy Grove eram estudantes em 1945, jovens demais para pensar seriamente em tecnologia ou política. Akio Morita, no entanto, tinha vinte e poucos anos e havia passado os últimos meses da guerra desenvolvendo mísseis teleguiados por calor.[6] O Japão estava longe de lançar mísseis teleguiados viáveis, mas o projeto deu a Morita uma noção do futuro. Estava se tornando possível imaginar guerras vencidas não por rebitadores em linhas de montagem, e sim por armas que pudessem identificar alvos e se manobrar automaticamente. A ideia parecia ficção científica, mas Morita conhecia vagamente novos desenvolvimentos de computação eletrônica que poderiam possibilitar que máquinas "pensassem" por meio da resolução de problemas matemáticos como somar, multiplicar ou encontrar uma raiz quadrada.

Claro, a ideia de utilizar dispositivos de computação não era nova. As pessoas levantam e abaixam os dedos desde que o *Homo sapiens* aprendeu a contar. Os antigos babilônios inventaram o ábaco para manipular grandes números, e, durante séculos, as pessoas multiplicaram e dividiram movimentando contas de madeira para a frente e para trás nessas grades de madeira. Durante o final do século XIX e o início do século XX, o crescimento de grandes burocracias nos governos e nas empresas exigiu exércitos de "computadores" humanos,[7] trabalhadores de escritório armados com caneta, papel e, às vezes, calculadoras mecânicas simples: mecanismos capazes de somar, subtrair, multiplicar, dividir e calcular raízes quadradas básicas.

Esses verdadeiros computadores ambulantes eram capazes de tabular folhas de pagamento, rastrear vendas, coletar resultados de censos e filtrar dados sobre incêndios e secas necessários para precificar apólices de seguro. Durante a Grande Depressão, a Works Progress Administration* dos EUA, procurando empregar trabalhadores de escritório desempregados, criou o *Mathematical Tables Project.*** Diversas centenas de "computadores" humanos ficavam sentados em fileiras de mesas em um edifício de escritórios em Manhattan e tabulavam logaritmos e funções exponenciais. O projeto publicou 28 volumes com os resultados de funções complexas com títulos como *Tables of Reciprocals of the Integers from 100,000 to 200,009* [Tabelas de recíprocos dos números inteiros de 100.000 a 200.009], apresentando 201 páginas repletas de tabelas com números.

Grupos organizados de calculadoras humanas mostraram como a computação era promissora, mas mostraram também os limites da utilização de cérebros para calcular. Mesmo quando os cérebros eram aprimorados por meio da utilização de calculadoras mecânicas, os humanos trabalhavam lentamente. Uma pessoa que quisesse utilizar os resultados do *Mathematical Tables Project* precisava folhear as páginas de um dos 28 volumes para encontrar o resultado de um logaritmo ou expoente específico. Quanto mais cálculos eram necessários, mais páginas precisavam ser folheadas.

Enquanto isso, a demanda por cálculos continuou crescendo. Mesmo antes da Segunda Guerra Mundial, o dinheiro vinha sendo direcionado para

---

* Agência dos EUA criada no New Deal para empregar milhões de pessoas em projetos de obras públicas. (N. T.)

** Uma das maiores e mais sofisticadas organizações de computação que operavam antes da invenção do computador eletrônico digital. (N. T.)

projetos de produção de computadores mecânicos mais capazes, contudo a guerra acelerou a busca por capacidade de computação. Forças aéreas de diversos países desenvolveram miras de bombardeiros mecânicas para ajudar aviadores a atingir seus alvos. Equipes de bombardeiros entravam na velocidade e na altitude do vento girando botões, que movimentavam alavancas de metal que ajustavam espelhos de vidro. Esses botões e alavancas "computavam" altitudes e ângulos com mais exatidão que qualquer piloto era capaz de fazer, focando a mira enquanto o avião se aproximava de seu alvo. No entanto, as limitações eram óbvias. Essas miras de bombardeiros consideravam apenas algumas informações e forneciam um único dado: quando lançar a bomba. Em condições de teste perfeitas, as miras de bombardeiros dos EUA eram mais precisas que as suposições dos pilotos. Quando lançadas dos céus acima da Alemanha, entretanto, só 20% das bombas americanas caíram a menos de trezentos metros de seu alvo.[8] A guerra foi decidida pela quantidade de bombas lançadas e projéteis de artilharia disparados, não pelos botões dos computadores mecânicos que tentavam e geralmente fracassavam em guiá-los.

Mais precisão exigia mais cálculos. Os engenheiros acabaram começando a substituir as engrenagens mecânicas dos primeiros computadores por cargas elétricas. Os primeiros computadores elétricos utilizavam tubo de vácuo, um filamento de metal semelhante a uma lâmpada envolto em vidro. A corrente elétrica que passava pelo tubo podia ser ligada e desligada, desempenhando uma função não muito diferente de uma conta de ábaco movimentando-se para a frente e para trás por uma haste de madeira. Um tubo ligado era codificado como 1 enquanto um tubo de vácuo desligado era 0. Esses dois algarismos poderiam produzir qualquer número utilizando um sistema de contagem binária e, portanto, teoricamente, poderiam executar muitos tipos de computação.

Além disso, os tubos de vácuo possibilitaram a reprogramação desses computadores digitais. Engrenagens mecânicas como as da mira de bombardeiros eram capazes de realizar somente um único tipo de cálculo porque cada botão era fisicamente conectado a alavancas e engrenagens. As contas em um ábaco eram restringidas pelas hastes em que se movimentavam para a frente e para trás. No entanto, as conexões entre os tubos de vácuo poderiam ser reorganizadas, possibilitando que o computador executasse cálculos diversos.

Esse foi um salto na computação. Ou teria sido, se não fosse pelas traças. Como os tubos de vácuo brilhavam como lâmpadas, atraíam insetos e exigiam a frequente "retirada de insetos"[9] por seus engenheiros. Também como as lâmpadas, os tubos de vácuo queimavam com frequência. Um computador de última geração batizado de Eniac, montado para o Exército dos EUA na Universidade da Pensilvânia em 1945 para calcular trajetórias de artilharia, tinha 18 mil tubos de vácuo.[10] Em média, um tubo apresentava defeito a cada dois dias, parando a máquina por inteiro e fazendo com que os técnicos corressem para encontrar e trocar a peça quebrada. O Eniac era capaz de multiplicar centenas de números por segundo, mais rápido que qualquer matemático. No entanto, ocupava um cômodo inteiro porque cada um de seus 18 mil tubos era do tamanho de um punho. Claramente, a tecnologia de tubos de vácuo era complicada demais, lenta demais e nada confiável. Enquanto os computadores fossem monstruosidades infestadas de traças, só seriam úteis para utilizações de nicho, como quebra de códigos, a menos que os cientistas encontrassem um formato menor, mais rápido e mais acessível financeiramente.

2
O INTERRUPTOR

DURANTE MUITO TEMPO, William Shockley havia presumido que, se um "interruptor" melhor fosse algum dia descoberto, seria com a ajuda de um tipo de material chamado de semicondutor.[1] Shockley, que nascera em Londres, filho de um engenheiro de mineração itinerante, crescera entre as árvores frutíferas da sonolenta cidade californiana de Palo Alto. Filho único, tinha total convicção de sua superioridade sobre qualquer um ao seu redor — e mostrava isso para todos. Fez faculdade na Caltech, no Sul da Califórnia, antes de concluir o doutorado em física no MIT e começar a trabalhar na Bell Labs em Nova Jersey, que, à época, era um dos principais centros de ciência e engenharia do mundo. Todos os seus colegas consideravam Shockley detestável, mas também admitiam que era um físico teórico genial. Sua intuição era tão precisa que um dos colegas de trabalho de Shockley dizia que era como se ele pudesse realmente *ver* os elétrons à medida que aceleravam através de metais ou átomos ligados.[2]

Os semicondutores, área de especialização de Shockley, são uma classe singular de materiais. A maioria dos materiais ou permite que a corrente elétrica flua livremente (como fios de cobre) ou bloqueia a corrente (como vidro). Semicondutores são diferentes. Sozinhos, materiais semicondutores do tipo do silício e do germânio são como vidro, quase não conduzem eletricidade nenhuma. Mas, quando determinados materiais são adicionados e um campo elétrico é aplicado, a corrente pode começar a fluir. A adição de fósforo ou antimônio a materiais semicondutores como silício ou germânio, por exemplo, permite que uma corrente negativa flua.

A "dopagem" de materiais semicondutores com outros elementos apresentou uma oportunidade para novos tipos de dispositivos que poderiam criar e controlar correntes elétricas. Entretanto, dominar o fluxo de elétrons através de materiais semicondutores como silício ou germânio era um sonho distante enquanto suas propriedades elétricas permanecessem misteriosas e inexplicadas. Até o final da década de 1940, apesar de todo o conhecimento de física acumulado na Bell Labs, ninguém conseguia explicar por que as placas de materiais semicondutores agiam de maneira tão intrigante.

Em 1945, Shockley teorizou pela primeira vez sobre o que chamou de "válvula de estado sólido", esboçando em seu caderno um pedaço de silício ligado a uma bateria de noventa volts.[3] Ele levantou a hipótese de que colocar um pedaço de material semicondutor como o silício onde houvesse um campo elétrico poderia atrair "elétrons livres" armazenados dentro do aglomerado perto da borda do semicondutor. Se elétrons suficientes fossem atraídos pelo campo elétrico, a borda do semicondutor seria transformada em um material condutor, como um metal, que sempre possui grandes quantidades de elétrons livres. Se assim fosse, uma corrente elétrica poderia começar a fluir através de um material que antes não conduzia eletricidade nenhuma. Shockley logo construiu tal dispositivo, esperando que a aplicação e a remoção de um campo elétrico sobre o pedaço de silício pudessem fazê-lo funcionar como uma válvula, abrindo e fechando o fluxo de elétrons que atravessava o silício. Quando executou esse experimento, no entanto, foi incapaz de detectar um resultado. "Nada mensurável", explicou. "Bastante misterioso." Na verdade, os instrumentos simples da década de 1940 eram imprecisos demais para medir a minúscula corrente que fluía.

Dois anos depois, dois colegas de Shockley da Bell Labs criaram um experimento semelhante em uma espécie diferente de dispositivo. Enquanto Shockley era orgulhoso e detestável, seus colegas Walter Brattain, brilhante físico experimental de uma fazenda de gado na zona rural de Washington, e John Bardeen, um cientista treinado em Princeton que mais tarde se tornaria a única pessoa a conquistar dois prêmios Nobel de Física, eram modestos e tinham comportamentos tranquilos. Inspirados pela teorização de Shockley, Brattain e Bardeen montaram um dispositivo que aplicava dois filamentos de ouro, cada um ligado por fios a uma fonte de alimentação e a um pedaço de metal, a um bloco de germânio, com cada filamento encostando no germânio a menos de um milímetro de distância do outro. Na tarde de 16 de dezembro de 1947, na sede da Bell Labs, Bardeen e Brattain ligaram a alimentação e conseguiram controlar a corrente que atravessava o germânio.[4] As teorias de Shockley sobre materiais semicondutores provavam-se corretas.

A AT&T, que era proprietária da Bell Labs, integrava o ramo da telefonia, não da informática, e considerava esse dispositivo — logo batizado de "transistor" — útil principalmente por sua capacidade de amplificar sinais que transmitiam ligações telefônicas por sua ampla rede. Como os transistores podiam amplificar correntes, logo se percebeu que seriam úteis em dispositivos como aparelhos auditivos e rádios, substituindo tubos de vácuo menos confiáveis, que também eram utilizados para a amplificação de sinais. A Bell Labs logo começou a providenciar pedidos de patente para esse novo dispositivo.

Shockley ficou furioso por seus colegas terem descoberto um experimento para colocar suas teorias à prova e estava comprometido a superá-los. Ele se trancou em um quarto de hotel em Chicago durante duas semanas no Natal e começou a imaginar diversas estruturas de transistores com base em sua compreensão incomparável da física dos semicondutores. Quando chegou janeiro de 1948, ele havia conceitualizado uma nova espécie de transistor, composto por três pedaços de material semicondutor. Os dois pedaços externos teriam um excedente de elétrons; a peça ensanduichada entre eles teria um déficit. Se uma pequena corrente fosse aplicada à camada intermediária desse "sanduíche", uma corrente muito maior atravessaria todo o dispositivo. Essa conversão de uma pequena corrente em uma grande representava o mesmo processo de amplificação que o transistor de Brattain e Bardeen havia comprovado. Mas Shockley começou a perceber outras utilizações nas linhas da "válvula de estado sólido" que ele havia teorizado. Ele poderia ligar e desligar a corrente maior manipulando a pequena corrente aplicada no meio desse "sanduíche" de transistores. Ligava, desligava. Ligava, desligava. Shockley havia projetado um interruptor.[5]

Quando a Bell Labs organizou uma coletiva de imprensa em junho de 1948 para anunciar que seus cientistas haviam inventado o transistor, não foi fácil entender por que aqueles blocos de germânio entremeados com fios mereciam um anúncio especial. O *New York Times* enterrou a matéria na página 46. A revista *Time* fez melhor, publicando o invento sob a manchete "Little Brain Cell" [Pequena célula cerebral]. Contudo, mesmo Shockley, que nunca subestimava a própria importância, não poderia ter imaginado que em breve milhares, milhões e bilhões desses transistores seriam empregados em escala microscópica para substituir os cérebros humanos na tarefa de computar.[6]

3
Noyce, Kilby e o circuito integrado

O transistor só poderia substituir os tubos de vácuo se pudesse ser simplificado e vendido em escala. Teorizar e inventar transistores foi só o primeiro passo; agora, o desafio era fabricá-los aos milhares. Brattain e Bardeen tinham pouco interesse em negócios ou produção em massa. Eram pesquisadores de coração e, depois de ganharem o Nobel, continuaram suas carreiras dando aula e realizando experimentos. As ambições de Shockley, por outro lado, só cresciam. Para ele não bastava ser famoso, ele também almejava ser rico. Contava para os amigos que sonhava em ver seu nome não apenas em publicações acadêmicas como a *Physical Review*, como também no *Wall Street Journal*.[1] Em 1955, fundou a Shockley Semiconductor no subúrbio de Mountain View, Califórnia, em São Francisco, seguindo a rua que vinha de Palo Alto, onde sua mãe idosa ainda morava.

Shockley planejava construir os melhores transistores do mundo, o que foi possível porque a AT&T, proprietária da Bell Labs e da patente do transistor, ofereceu licenciar o dispositivo para outras empresas por 25 mil dólares,[2] uma pechincha para a tecnologia de eletrônicos mais avançada. Shockley presumia que haveria mercado para transistores, pelo menos para substituir os tubos de vácuo nos eletrônicos existentes. O tamanho potencial do mercado de transistores, no entanto, não era claro. Todos concordavam que os transistores eram uma peça de tecnologia inteligente baseada na física mais avançada, mas os transistores somente decolariam se fizessem algo melhor que os tubos de vácuo ou se pudessem ser produzidos de forma mais acessível. Shockley logo conquistaria o Prêmio Nobel por suas teorias sobre semicondutores, mas a questão de como tornar os transistores práticos e úteis era um dilema de engenharia, não uma questão de física teórica.

Os transistores logo começaram a ser utilizados no lugar de tubos de vácuo em computadores, mas o cabeamento entre milhares de transistores criava uma selva de complexidade. Jack Kilby, engenheiro da Texas Instruments, passou o verão de 1958 em seu laboratório no Texas concentrado em encontrar uma maneira de simplificar a complexidade criada por todos os fios que os sistemas com transistores exigiam. Kilby era de fala mansa, colegial, curioso e discretamente brilhante.[3] "Ele nunca era exigente", lembrou um colega. "Todo mundo sabia o que ele queria que acontecesse e todos se esforçavam ao máximo para que acontecesse." Outro colega, que adorava os frequentes almoços de churrasco com Kilby, dizia que ele era "o cara mais gentil que uma pessoa gostaria de conhecer".

Kilby foi uma das primeiras pessoas fora da Bell Labs a utilizar um transistor depois que seu primeiro empregador, a Centralab, com sede em Milwaukee, licenciou a tecnologia da AT&T.[4] Em 1958, Kilby deixou a Centralab para trabalhar na unidade de transistores da Texas Instruments. Com sede em Dallas, a Texas Instruments havia sido fundada para produzir equipamentos que utilizavam ondas sísmicas para ajudar petroleiros a decidir onde perfurar. Durante a Segunda Guerra Mundial, a empresa fora convocada pela Marinha dos EUA para construir dispositivos de sonar para rastrear submarinos inimigos.[5] Após a guerra, os executivos da Texas Instruments perceberam que essa perícia em eletrônica também poderia ser útil em outros sistemas militares, então contrataram engenheiros como Kilby para construí-los.

Kilby chegou a Dallas por volta do período de férias de julho da empresa, mas, como não havia acumulado tempo para férias, foi deixado sozinho no laboratório durante umas duas semanas. Com tempo para mexer à vontade, ele pensava em como reduzir a quantidade de fios necessários para unir transistores diferentes. Em vez de utilizar uma peça distinta de silício ou germânio para construir cada transistor, ele pensou em montar diversos componentes na mesma peça de material semicondutor.[6] Quando seus colegas voltaram das férias de verão, perceberam que a ideia de Kilby era revolucionária. Vários transistores poderiam ser construídos em uma única placa de silício ou germânio. Kilby chamou seu invento de "circuito integrado", mas ele ficou famoso coloquialmente como "chip", porque cada circuito integrado era composto por um pedaço de silício "lascado" de um *wafer* de silício circular.

Cerca de um ano antes, em Palo Alto, na Califórnia, um grupo de oito engenheiros empregados pelo laboratório de semicondutores de William Shockley dissera ao seu patrão dono de um Prêmio Nobel que estavam se demitindo. Shockley tinha uma habilidade especial para detectar talentos, mas era um péssimo administrador. Ele prosperava na controvérsia e criava uma atmosfera tóxica, que afastou os jovens e brilhantes engenheiros que havia reunido. Assim, esses oito engenheiros deixaram a Shockley Semiconductor e decidiram fundar a própria empresa, a Fairchild Semiconductor,[7] com financiamento inicial de um milionário da Costa Leste.

Os oito desertores do laboratório de Shockley são amplamente creditados como fundadores do Vale do Silício. Um dos oito, Eugene Kleiner, viria a fundar a Kleiner Perkins, uma das empresas de capital de risco mais poderosas do mundo. Gordon Moore, que viria a comandar o processo de pesquisa e desenvolvimento (P&D) da Fairchild, mais tarde cunharia o conceito da "Lei de Moore" para descrever o crescimento exponencial da capacidade de computação. O mais importante foi Bob Noyce, o líder dos "oito traidores", que tinha um entusiasmo carismático e visionário pela microeletrônica e um senso intuitivo de quais avanços técnicos eram necessários para tornar os transistores minúsculos, acessíveis e confiáveis. Combinar novos inventos com oportunidades comerciais era exatamente o que uma startup como a Fairchild precisava para ser bem-sucedida — e o que o setor de chips precisava para decolar.

Quando a Fairchild foi fundada, a ciência dos transistores era amplamente difundida, mas fabricá-los de maneira confiável era um desafio extraordinário. Os primeiros transistores comercializados eram feitos de um bloco de germânio com diferentes materiais em camadas no topo no formato de uma mesa do deserto do Arizona. Essas camadas foram fabricadas ao se cobrir uma parte do germânio com uma gota de cera preta, utilizando um produto químico para gravar o germânio que não foi coberto com cera, e, em seguida, removendo a cera, criando formatos de mesa por cima do germânio.

Uma desvantagem da estrutura de mesa era permitir que impurezas como poeira ou outras partículas se alojassem no transistor, reagindo com os materiais em sua superfície. O colega de Noyce, Jean Hoerni, físico suíço e ávido alpinista, percebeu que as mesas não seriam necessárias se todo o transistor pudesse ser construído dentro do germânio, e não em cima dele. Ele desenvolveu um método para fabricar todas as peças de um transistor depositando uma camada protetora de dióxido de silício em cima de uma placa de silício, depois fazendo furos onde fosse necessário e depositando outros materiais. Esse método de deposição de camadas protetoras evitou a exposição de materiais ao ar e a impurezas que poderiam causar defeitos. Foi um grande avanço na confiabilidade.

Vários meses depois, Noyce percebeu que o "método planar" de Hoerni[8] poderia ser utilizado para produzir diversos transistores no mesmo pedaço de silício. Onde Kilby, sem o conhecimento de Noyce, havia produzido um transistor do tipo mesa em uma base de germânio e depois o conectado com fios, Noyce utilizou o processo planar de Hoerni para construir diversos transistores no mesmo chip. Como o processo planar cobria o transistor com uma camada isolante de dióxido de silício, Noyce podia colocar "fios" diretamente no chip depositando linhas de metal por cima dele, conduzindo eletricidade entre os transistores do chip. Assim como Kilby, Noyce havia produzido um circuito integrado: diversos componentes elétricos em uma única peça de material semicondutor. Entretanto, a versão de Noyce não tinha nenhum fio solto. Os transistores foram construídos dentro de um único bloco de material. Logo, os "circuitos integrados" que Kilby e Noyce desenvolveram ficariam conhecidos como "semicondutores" ou, de forma mais simples, "chips".

Noyce, Moore e seus colegas da Fairchild Semiconductor sabiam que seus circuitos integrados seriam muito mais confiáveis que o emaranhado de fios de que dependiam outros dispositivos eletrônicos. Parecia muito mais fácil miniaturizar o desenho "planar" da Fairchild que os transistores do tipo mesa-padrão. Circuitos menores, entretanto, exigiriam menos eletricidade para funcionar. Noyce e Moore começaram a perceber que miniaturização e eficiência elétrica eram uma combinação poderosa: transistores menores e consumo de energia reduzido criariam novas possibilidades de utilização para seus circuitos integrados. No início, contudo, o circuito integrado de Noyce custava cinquenta vezes mais para ser produzido que um dispositivo mais simples com componentes distintos conectados.[9] Todos concordavam que o invento de Noyce era inteligente, até mesmo genial. Só precisava de um mercado.

4
AO INFINITO E ALÉM

TRÊS DIAS APÓS Noyce e Moore fundarem a Fairchild Semiconductor, às 20h55, a resposta à pergunta sobre quem pagaria por circuitos integrados perturbava suas cabeças sob o céu noturno da Califórnia. O *Sputnik*, o primeiro satélite do mundo, lançado pela União Soviética, orbitava a Terra do Ocidente ao Oriente a uma velocidade de quase 30 mil quilômetros por hora. A manchete do *San Francisco Chronicle*, "Russ 'Moon' Circling Globe" ["Lua" russa circula o planeta],[1] refletia os temores dos EUA de que aquele satélite daria aos russos uma vantagem estratégica. Quatro anos depois, a União Soviética deu prosseguimento ao *Sputnik* com mais um choque quando o cosmonauta Yuri Gagarin se tornou a primeira pessoa a viajar ao espaço.

Por todos os EUA, o programa espacial soviético causava uma crise de confiança.[2] O controle do cosmos teria graves ramificações militares. Os EUA se imaginavam como a superpotência científica do mundo, mas agora pareciam ter ficado para trás. Washington lançou um programa intensivo para acompanhar os programas soviéticos de foguetes e mísseis, e o presidente John F. Kennedy declarou que os EUA enviariam um homem à Lua. Bob Noyce, de repente, tinha um mercado para seus circuitos integrados: os foguetes.

A primeira encomenda importante de chips de Noyce veio da Nasa, que, na década de 1960, tinha um enorme orçamento para enviar astronautas à Lua. Enquanto os EUA miravam um pouso lunar, os engenheiros do Laboratório de Instrumentação do MIT foram incumbidos pela Nasa de projetar o computador de orientação para a espaçonave *Apollo*, um dispositivo que sem dúvida seria um dos computadores mais complicados já produzidos. Todos concordavam que computadores baseados em transistores eram muito melhores que os equivalentes de tubos de vácuo que decifraram códigos e calcularam trajetórias de artilharia durante a Segunda Guerra Mundial. Mas será mesmo que qualquer um desses dispositivos poderia de fato guiar uma espaçonave até a Lua? Um engenheiro do MIT calculou que, para atender às necessidades da missão Apollo, um computador precisaria ser do tamanho de uma geladeira e consumiria mais eletricidade do que se esperava que toda a espaçonave *Apollo* produzisse.[3]

O Laboratório de Instrumentação do MIT havia recebido seu primeiro circuito integrado, produzido pela Texas Instruments, em 1959, apenas um ano após Jack Kilby tê-lo inventado, comprando 64 desses chips pelo preço de mil dólares para testá-los como parte de um programa de mísseis da Marinha dos EUA. A equipe do MIT acabou não utilizando chips nesse míssil, mas achou a ideia de circuitos integrados intrigante. Na mesma época, a Fairchild começou a comercializar seus próprios chips "Micrologic". "Vá lá e compre um monte desses troços", um engenheiro do MIT ordenou a um colega em janeiro de 1962, "para ver se são reais".[4]

A Fairchild era uma empresa nova em folha, comandada por um grupo de engenheiros de trinta anos sem grandes realizações, mas seus chips eram confiáveis e chegavam no prazo. Em novembro de 1962, Charles Stark Draper, o famoso engenheiro que comandava o laboratório do MIT, decidiu apostar nos chips da Fairchild para o programa Apollo, calculando que um computador que utilizasse os circuitos integrados de Noyce seria um terço menor e mais leve que um computador baseado em transistores discretos.[5] Também utilizaria menos eletricidade. O computador que acabou levando a *Apollo 11* à Lua pesava mais de trinta quilos e ocupava cerca de 0,03 metro cúbico, mil vezes menos que o computador Eniac, da Universidade da Pensilvânia, que havia calculado trajetórias de artilharia durante a Segunda Guerra Mundial.

O MIT considerava o computador de orientação da *Apollo* uma de suas realizações de maior orgulho, porém Bob Noyce tinha ciência de que eram os seus chips que faziam o computador da espaçonave funcionar. Até 1964, gabava-se Noyce, os circuitos integrados dos computadores da *Apollo* haviam funcionado durante 19 milhões de horas com apenas duas falhas, sendo que uma delas foi provocada por danos físicos causados quando mudaram um computador de lugar. As vendas de chips para o programa Apollo transformaram a Fairchild, uma pequena startup, em uma empresa com mil funcionários. As vendas passaram de 500 mil dólares em 1958 para 21 milhões de dólares dois anos depois.[6]

Como Noyce aumentou exponencialmente a produção para a Nasa, acabou reduzindo os preços para outros clientes. Um circuito integrado que era vendido por 120 dólares em dezembro de 1961 passara a valer 15 dólares em outubro do ano seguinte.[7] A confiança da Nasa nos circuitos integrados para guiar os astronautas até a Lua foi um importante selo de aprovação. Os chips Micrologic da Fairchild não eram mais uma tecnologia não testada; eram utilizados no ambiente mais implacável e exigente: o espaço sideral.

Aquilo era uma boa notícia para Jack Kilby e a Texas Instruments, muito embora seus chips tivessem desempenhado uma pequena função no programa Apollo. Na sede da Texas Instruments em Dallas, Kilby e o presidente da empresa, Pat Haggerty, buscavam um cliente grande para seus próprios circuitos integrados. Haggerty era filho de um telegrafista ferroviário da pequena cidade de Dakota do Sul que se formara em engenharia elétrica e trabalhara com eletrônica para a Marinha dos EUA durante a Segunda Guerra Mundial. Desde o dia em que chegou à Texas Instruments em 1951, Haggerty se concentrou na comercialização de sistemas eletrônicos para os militares.[8]

Haggerty entendeu intuitivamente que o circuito integrado de Jack Kilby poderia no fim das contas ser conectado a todos os aparelhos eletrônicos que os militares dos EUA utilizavam.[9] Era um palestrante cativante. Quando pregou aos funcionários da Texas Instruments sobre o futuro da eletrônica, Haggerty foi lembrado por um veterano da empresa como "um messias que falava do topo do monte.[10] Parecia ser capaz de prever tudo". Enquanto os EUA e a União Soviética seguiam bamboleantes entre impasses nucleares no início dos anos 1960 — primeiro pelo controle da Berlim dividida, depois durante a crise dos mísseis cubanos —, Haggerty não tinha melhor cliente que o Pentágono. Apenas alguns meses depois de Kilby ter criado o circuito integrado, Haggerty informou aos funcionários do Departamento de Defesa sobre o invento de Kilby. No ano seguinte, o Laboratório de Aviônica da Força Aérea topou patrocinar a pesquisa de chips da Texas Instruments. Vários pequenos contratos referentes a dispositivos militares se seguiram, porém Haggerty vinha buscando um peixe grande.

No outono de 1962, a Força Aérea começou a procurar um novo computador para guiar seu míssil *Minuteman II*, projetado para lançar ogivas nucleares pelo espaço antes de atingir a União Soviética.[11] A primeira versão do *Minuteman* tinha acabado de entrar em operação, mas era tão pesado que mal chegava a Moscou partindo de instalações de lançamento espalhadas pelo ocidente dos EUA. Seu computador de orientação integrado era uma monstruosidade assustadora, baseado em transistores discretos, com o programa de direcionamento alimentado no computador de orientação por meio de uma fita Mylar perfurada.[12]

Haggerty prometeu à Força Aérea que um computador que utilizasse os circuitos integrados de Kilby poderia realizar o dobro dos cálculos com metade do peso. Ele imaginou um computador que utilizaria 22 tipos diferentes de circuitos integrados. Em sua mente, 95% das funções do computador seriam realizadas por circuitos integrados esculpidos em silício, que, juntos, pesavam pouco mais de 62 gramas. Os 5% restantes da parte física do computador, que os engenheiros da Texas Instruments ainda não haviam conseguido descobrir como colocar em um chip, pesavam pouco mais de 16 quilos. "Era apenas uma questão de tamanho e peso", explicou Bob Nease, um dos engenheiros que projetaram o computador, a respeito da decisão de utilizar circuitos integrados. "Realmente não havia muita opção."[13]

A conquista do contrato do *Minuteman II* transformou a atividade de produção de chips da Texas Instruments. As vendas de circuitos integrados da empresa eram medidas às dúzias anteriormente, porém, a empresa logo os vendia aos milhares em meio ao temor de uma "desvantagem de mísseis" dos EUA em comparação com a União Soviética. Em um ano, as remessas da Texas Instruments para a Força Aérea passaram a representar 60% de todos os dólares dispendidos na compra de chips até aquele momento. No final de 1964, a empresa havia fornecido 100 mil circuitos integrados para o programa do *Minuteman*. Em 1965, 20% de todos os circuitos integrados vendidos naquele ano foram para o programa do *Minuteman*.[14] A aposta de Pat Haggerty em vender chips para os militares estava rendendo frutos. A única questão era se a Texas Instruments poderia aprender a produzi-los em massa.

5

Morteiros e produção em massa

Jay Lathrop entrou com seu carro no estacionamento da Texas Instruments para seu primeiro dia de trabalho em 1º de setembro de 1958, no momento em que chegava ao fim o fatídico verão de Jack Kilby, que ele passara brincando com tudo o que podia nos laboratórios da empresa.[1] Depois de se formar no MIT, que frequentara na mesma época que Bob Noyce, Lathrop trabalhara em um laboratório do governo dos EUA, no qual foi encarregado de desenvolver um fusível de proximidade que possibilitaria que um morteiro de 81 milímetros se detonasse automaticamente acima de seu alvo. Assim como os engenheiros da Fairchild, ele vinha tendo dificuldade com os transistores em forma de mesa, que estavam se provando difíceis de miniaturizar. Os processos de fabricação existentes envolviam a colocação de pingos de cera com formato especial em certas partes do material semicondutor e depois a lavagem das partes descobertas utilizando produtos químicos especializados. A fabricação de transistores menores exigia pingos menores de cera, mas mantê-los no formato certo provou-se um grande desafio.

Enquanto olhavam em um microscópio um de seus transistores, Lathrop e seu assistente, o químico James Nall, tiveram uma ideia: uma lente de microscópio poderia pegar algo pequeno e fazê-lo parecer maior. Se eles virassem o microscópio de cabeça para baixo, aquela lente pegaria algo grande e o faria parecer menor. Será que eles conseguiriam utilizar uma lente para pegar um desenho grande e "imprimi-lo" no germânio, assim formando mesas em miniatura em seus blocos de germânio? A Kodak, empresa de câmeras, vendia produtos químicos chamados fotorresistentes, que reagiam quando expostos à luz.

Lathrop cobriu um bloco de germânio com um dos produtos químicos fotorresistentes da Kodak que desapareceria se fosse exposto à luz. Em seguida, virou o microscópio de cabeça para baixo, cobrindo a lente com um desenho para que a luz passasse apenas por uma área com formato de retângulo. A luz entrou no desenho, brilhou em forma de retângulo através da lente e foi reduzida em tamanho pelo microscópio de cabeça para baixo que focava o germânio revestido com produto fotorresistente, com os raios de luz criando uma versão em miniatura perfeitamente moldada do desenho retangular. Onde a luz entrou em contato com a camada de produto fotorresistente, a estrutura química foi alterada, permitindo que ela fosse lavada e deixando um minúsculo orifício retangular, muito menor e com um formato mais preciso que qualquer pingo de cera. Logo Lathrop descobriu que também conseguia imprimir "fios" adicionando uma camada ultrafina de alumínio para conectar o germânio a uma fonte de alimentação externa.

Lathrop batizou o processo de fotolitografia — impressão com luz. Ele produziu transistores muito menores do que era possível até então, medindo apenas 0,25 centímetro de diâmetro, com peças que chegavam a medir pouco mais de 0,01 milímetro de altura. A fotolitografia tornou possível imaginar minúsculos transistores de produção em massa. Lathrop solicitou uma patente da técnica em 1957. Com a banda do Exército tocando, os militares lhe deram uma medalha por seu trabalho e um bônus em dinheiro de 25 mil dólares, que ele utilizou para comprar uma perua Nash Rambler para sua família.

Pat Haggerty e Jack Kilby perceberam de imediato que o processo de fotolitografia de Lathrop valia muito mais que o prêmio de 25 mil dólares que o Exército lhe dera. O programa de mísseis *Minuteman II* precisava de milhares de circuitos integrados. A espaçonave *Apollo* precisava de dezenas de milhares a mais. Haggerty e Kilby perceberam que os raios de luz e os produtos fotorresistentes poderiam solucionar o problema da produção em massa, mecanizando e miniaturizando a fabricação de chips de uma forma que a soldagem manual de fios não era capaz.

A implementação do processo de litografia de Lathrop na Texas Instruments exigia novos materiais e novos processos. Os produtos químicos fotorresistentes da Kodak eram insuficientemente puros para a produção em massa, então a empresa comprou suas próprias centrífugas e reprocessou os produtos químicos fornecidos pela Kodak. Lathrop embarcava em trens viajando por todo o país em busca de "máscaras" que pudessem ser utilizadas para projetar desenhos precisos de luz em placas de material semicondutor cobertas por produtos fotorresistentes para esculpir circuitos. Ele acabou concluindo que nenhuma empresa fabricante de máscaras tinha precisão suficiente, então a Texas Instruments decidiu também fabricar máscaras ela mesma. As placas de silício exigidas pelos circuitos integrados de Kilby precisavam ser ultrapuras, mais do que qualquer empresa vendia. A Texas Instruments, portanto, também começou a produzir seus próprios *wafers* de silício.

A produção em massa funciona quando tudo é padronizado. A General Motors conectava muitas das mesmas peças de carros em todos os Chevrolets que saíam de suas linhas de montagem. Quando a preocupação foi os semicondutores, empresas como a Texas Instruments não tinham as ferramentas para saber se todos os componentes de seus circuitos integrados eram os mesmos. Os produtos químicos continham impurezas que, à época, eram impossíveis de testar. A variação de temperatura e pressão causava reações químicas inesperadas. As máscaras pelas quais a luz era projetada podiam estar contaminadas com partículas de poeira. Uma única impureza poderia arruinar todo um lote de produção. O único método de aprimoramento era tentativa e erro, e a Texas Instruments organizou milhares de experimentos para avaliar o impacto de diferentes temperaturas, combinações de produtos químicos e processos de produção. Jack Kilby passava todos os sábados andando pelos corredores da empresa e conferindo os experimentos de seus engenheiros.[2]

A engenheira de produção da Texas Instruments, Mary Anne Potter, passou meses executando testes ininterruptos.[3] Primeira mulher a se formar em física pela Texas Tech, Potter foi contratada pela Texas Instruments para aumentar a produção de chips para o míssil *Minuteman*. Ela costumava trabalhar no turno da noite, das 23h às 8h, para garantir que os experimentos estivessem progredindo de acordo com o planejado. A coleta de dados levava dias de experimentação. Em seguida, ela executava regressões nos dados utilizando sua régua de cálculo para calcular expoentes e raízes quadradas, plotar os resultados em um gráfico e interpretá-los... tudo isso à mão. Foi um processo lento, trabalhoso e doloroso, contando com "computadores" humanos para processar os números. Ainda assim, o método de tentativa e erro era o único que a Texas Instruments tinha.

Morris Chang chegou à Texas Instruments em 1958, no mesmo ano que Jay Lathrop, e foi encarregado de uma linha de produção de transistores.[4] Quase uma década havia se passado desde que Chang fugira de Xangai para escapar do avanço dos exércitos comunistas, primeiro para Hong Kong e depois para Boston, tendo sido admitido em Harvard, onde era o único aluno chinês da turma de calouros. Depois de um ano estudando Shakespeare, Chang começou a se preocupar com suas perspectivas de carreira. "Havia sino-americanos trabalhando em lavanderias, em restaurantes", lembrou ele. "A única profissão de classe média realmente séria que um sino-americano poderia exercer no início da década de 1950 era técnica." Cursar engenharia mecânica parecia mais seguro que literatura inglesa, concluiu Chang, e então pediu transferência para o MIT.

Depois de se formar, Chang foi contratado pela Sylvania, uma grande empresa de eletrônicos com instalações fora de Boston. Ele foi encarregado de aprimorar o "rendimento" de fabricação da Sylvania — a parcela de transistores que realmente funcionava. Chang passava os dias mexendo nos processos de produção da empresa e as noites estudando o livro de Shockley, *Electrons and Holes in Semiconductors*, a bíblia da eletrônica dos primeiros semicondutores. Depois de três anos na Sylvania, Chang recebeu uma oferta de emprego da Texas Instruments e mudou-se para Dallas, no Texas — "terra dos caubóis", ele lembrou, e dos "bifes de 95 centavos". Ele recebeu a incumbência de colocar em marcha uma linha de produção de transistores que seriam utilizados em computadores da IBM, um tipo de transistor tão pouco confiável que a produção da Texas Instruments era próxima de zero, lembrou ele. Quase todos tinham imperfeições de fabricação que causavam curtos ou defeitos nos circuitos. Eles tiveram de ser descartados.[5]

Excelente na mesa de bridge, Chang tratava a fabricação da mesma forma metódica com que jogava seu jogo de cartas predileto. Ao chegar à Texas Instruments, ele começou a mexer sistematicamente na temperatura e na pressão em que os diferentes produtos químicos eram combinados para determinar quais combinações funcionavam melhor, aplicando sua intuição aos dados de uma maneira que maravilhava e intimidava seus colegas. "Você tinha de ter cuidado ao trabalhar com ele", lembrou um colega. "Ele ficava lá sentado, dando baforadas em seu cachimbo e olhando para você pelo meio da fumaça." Os texanos que trabalhavam para ele o comparavam a Buda. Por trás da fumaça do tabaco havia um cérebro inigualável. "Ele sabia o suficiente sobre física de estado sólido para doutrinar qualquer um", lembrou um colega. Ele tinha a reputação de um chefe durão. "Morris era famoso por massacrar pessoas", lembrou um subordinado. "Se você nunca foi repreendido por Morris, você nunca trabalhou na Texas Instruments."[6] Entretanto, os métodos de Chang davam resultado. Em poucos meses, o rendimento em sua linha de produção de transistores saltou para 25%.[7] Executivos da IBM, a maior empresa de tecnologia dos Estados Unidos, foram para Dallas para estudar seus métodos.[8] Logo ele foi encarregado de cuidar de todo o negócio de circuitos integrados da Texas Instruments.

Assim como Chang, Noyce e Moore não viam limites no crescimento da indústria de chips, contanto que fossem capazes de conseguir fazer a produção em massa. Noyce percebeu que seu colega de classe no MIT, Jay Lathrop, com quem havia escalado as montanhas de New Hampshire na época da faculdade, havia descoberto uma técnica capaz de transformar a fabricação de transistores. Noyce agiu rapidamente para contratar o parceiro de laboratório de Lathrop, o químico James Nall, para desenvolver a fotolitografia na Fairchild. "Só teríamos uma empresa", raciocinou Noyce, "se conseguíssemos fazer aquilo funcionar."[9]

Coube a engenheiros de produção como Andy Grove aprimorar o processo de fabricação da Fairchild. Depois de fugir do governo comunista da Hungria em 1956 e chegar a Nova York como refugiado, Grove conseguiu entrar em um programa de doutorado em Berkeley. Ele havia escrito para a Fairchild em 1962 pedindo uma entrevista de emprego, mas foi instruído a tentar novamente mais tarde: "Gostamos que nossos jovens sejam entrevistados por nós quando tiverem terminado as entrevistas com todas as outras empresas", explicou a carta de rejeição. Grove considerou a carta da Fairchild "condescendentemente repugnante", lembrou ele, um sinal precoce da arrogância que viria a definir o Vale do Silício. Mas, à medida que a demanda pelos semicondutores da Fairchild crescia, de súbito a empresa precisou desesperadamente de engenheiros químicos. Um executivo da empresa ligou para Berkeley e pediu uma relação com os melhores alunos do Departamento de Química. Grove estava no topo da lista e foi chamado a Palo Alto para conhecer Gordon Moore. "Foi amor à primeira vista", lembrou Grove.[10] Ele foi contratado em 1963 e passaria o resto da vida construindo a indústria de chips ao lado de Noyce e Moore.

O Prêmio Nobel pela invenção do transistor foi dado a Shockley, Bardeen e Brattain. Jack Kilby posteriormente ganhou um Nobel pela criação do primeiro circuito integrado; se Bob Noyce não tivesse morrido aos 62 anos, teria dividido o prêmio com Kilby. Esses inventos foram cruciais, mas só a ciência não era suficiente para construir a indústria de chips. A disseminação dos semicondutores foi possibilitada tanto por técnicas inteligentes de fabricação como pela física acadêmica. Universidades como MIT e Stanford desempenharam um papel crucial no desenvolvimento de conhecimento sobre semicondutores, mas a indústria de chips só decolou porque os recém-formados dessas instituições passaram anos aprimorando os processos de produção para possibilitar a fabricação em massa. Foram engenharia e intuição, tanto quanto teorização científica, que transformaram uma patente da Bell Labs em uma indústria que mudou o mundo.

Shockley, que era amplamente reconhecido como um dos maiores físicos teóricos de sua geração, acabou abandonando seus esforços para fazer fortuna e colocar seu nome no *Wall Street Journal*. Sua contribuição na teorização do transistor foi importante. Mas foram os oito jovens engenheiros traidores que abandonaram sua empresa, bem como um grupo semelhante da Texas Instruments, que transformaram os transistores de

Shockley em um produto útil — chips — e os venderam para os militares dos EUA enquanto aprendiam como produzi-los em massa. Armadas com esses recursos, a Fairchild e a Texas Instruments entraram em meados da década de 1960 em um novo desafio: transformar chips em um produto de mercado de massa.

6

"Eu... quero... ficar... rico"

Os COMPUTADORES QUE guiaram a espaçonave *Apollo* e o míssil *Minuteman II* proporcionaram a decolagem inicial para a indústria de circuitos integrados dos Estados Unidos. Em meados da década de 1960, os militares dos EUA implantavam chips em armamentos de todos os tipos, de satélites a sonares, de torpedos a sistemas de telemetria.[1] Bob Noyce sabia que os programas militares e espaciais eram cruciais para o sucesso inicial da Fairchild e admitiu em 1965 que as aplicações militares e espaciais utilizariam "mais de 95% dos circuitos produzidos este ano".[2] Mas sempre previu um mercado civil ainda maior para seus chips, embora no início da década de 1960 esse mercado ainda nem existisse. Ele teria de criá-lo, o que significava manter os militares a distância para que ele — e não o Pentágono — estabelecesse as prioridades de P&D da Fairchild. Noyce recusava a maioria dos contratos de pesquisa militar, estimando que a Fairchild nunca injetasse no Departamento de Defesa mais que 4% de seu orçamento de P&D. "São muito poucos os diretores de pesquisa em todo o mundo que são realmente adequados para a tarefa" de avaliar o trabalho da Fairchild, Noyce explicava com confiança, "e não costumam ser oficiais de carreira do Exército."[3]

Noyce havia experimentado P&D dirigido pelo governo quando recém--saído da pós-graduação, trabalhando na Philco, uma fabricante de rádios da Costa Leste com uma grande unidade de defesa. "A direção da pesquisa estava sendo determinada por pessoas menos competentes", lembrou Noyce, reclamando do tempo que perdia escrevendo relatórios de progresso para os militares. Agora que dirigia a Fairchild, uma empresa semeada por um herdeiro de um fundo, ele tinha flexibilidade para tratar os militares como um cliente, e não como um chefe. Ele optou por direcionar grande parte do P&D da Fairchild não para os militares, mas para os produtos do mercado de massa. A maioria dos chips utilizados em foguetes ou satélites também deve ter utilizações civis, era seu raciocínio. O primeiro circuito integrado produzido para comercialização, utilizado em um aparelho auditivo da Zenith, havia sido projetado a princípio para um satélite da Nasa.[4] O desafio seria fabricar chips que civis pudessem comprar. Os militares pagavam caro, mas consumidores eram sensíveis ao aumento dos preços. O que continuava representando uma tentação, entretanto, era que o mercado civil era muito maior que até mesmo os orçamentos inchados do Pentágono durante a Guerra Fria. "Vender P&D para o governo era como pegar seu capital de risco e colocá-lo em uma conta poupança", declarou Noyce. "Aventurar-se é aventurar-se; a pessoa quer correr o risco."[5]

Em Palo Alto, a Fairchild Semiconductor estava cercada por empresas que atuavam como fornecedoras do Pentágono, de artigos aeroespaciais a munição, de rádio a radar. Embora os militares comprassem chips da Fairchild, o Departamento de Defesa se sentia mais confortável trabalhando com grandes burocracias do que com startups ágeis. Como consequência, o Pentágono subestimou a velocidade com que a Fairchild e outras startups de semicondutores transformariam a eletrônica. Uma avaliação do Departamento de Defesa do final da década de 1950 elogiava a gigante dos rádios RCA por ter "o programa de microminiaturização mais ambicioso em andamento", ao mesmo tempo em que observava com desdém que a Fairchild tinha apenas dois cientistas trabalhando no principal programa de circuitos da empresa. A prestadora de serviços de defesa Lockheed Martin, que tinha uma instalação de pesquisa próxima em Palo Alto, contava com mais de cinquenta cientistas em sua divisão de eletrônica de microssistemas, informava o Departamento de Defesa, dando a entender que a Lockheed estava muito à frente.[6]

Contudo, foi a equipe de P&D da Fairchild que, sob a direção de Gordon Moore, não apenas desenvolveu novas tecnologias, como também abriu novos mercados civis. Em 1965, Moore foi convidado pela revista *Electronics* para escrever um pequeno artigo sobre o futuro dos circuitos integrados. Ele previu que, todos os anos durante pelo menos a década seguinte, a Fairchild duplicaria a quantidade de componentes que poderiam caber em um chip de silício. Se assim fosse, até 1975 os circuitos integrados teriam 65 mil minúsculos transistores esculpidos neles, criando não apenas mais capacidade de computação, como também preços mais baixos por transistor. À medida que os custos caíssem, a quantidade de usuários cresceria. Essa previsão de crescimento exponencial na capacidade de computação logo ficou conhecida como Lei de Moore.[7] Foi a maior previsão tecnológica do século.

Se a capacidade de computação de cada chip continuasse a crescer de modo exponencial, Moore percebeu, o circuito integrado revolucionaria a sociedade muito além dos foguetes e radares. Em 1965, os dólares da defesa ainda compravam 72% de todos os circuitos integrados produzidos naquele ano. Todavia, os recursos exigidos pelos militares também eram úteis em aplicações empresariais. "Miniaturização e robustez", declarou uma publicação de eletrônica, "significam bons negócios."[8] Os prestadores de serviços de defesa pensavam nos chips principalmente como um produto que poderia substituir os eletrônicos mais antigos em todos os sistemas dos militares. Na Fairchild, Noyce e Moore já vinham sonhando com computadores pessoais e telefones móveis.

Quando o secretário de Defesa dos EUA, Robert McNamara, reformou as compras militares para cortar custos no início da década de 1960, provocando o que alguns na indústria de eletrônica chamaram de "Depressão McNamara", a visão da Fairchild de chips para civis parecia uma previsão. A empresa foi a primeira a oferecer uma linha de produtos completa de circuitos integrados prontos para clientes civis usarem. Noyce também reduziu os preços, apostando que isso expandiria drasticamente o mercado civil de chips. Em meados da década de 1960, o preço do chip da Fairchild, que antes era 20 dólares, foi reduzido para 2 dólares. Às vezes, a Fairchild até vendia produtos abaixo do custo de fabricação na esperança de convencer mais clientes a experimentá-los.[9]

Graças à queda dos preços, a Fairchild começou a conquistar grandes contratos no setor privado. As vendas anuais de computadores nos EUA cresceram de mil em 1957 para 18.700 uma década depois. Em meados da década de 1960, quase todos esses computadores contavam com circuitos integrados. Em 1966, a Burroughs, uma empresa de computadores, encomendou 20 milhões de chips à Fairchild — mais de vinte vezes o que o programa Apollo consumia. Em 1968, a indústria de computadores comprava tantos chips quanto os militares. Os chips da Fairchild atendiam a 80% desse mercado de computadores.[10] Os cortes de preços de Bob Noyce tinham valido a pena, abrindo um novo mercado para computadores civis que impulsionaria as vendas de chips nas próximas décadas. Posteriormente, Moore defendeu que os cortes de preços de Noyce foram uma inovação tão grande quanto a tecnologia dentro dos circuitos integrados da Fairchild.[11]

No final dos anos 1960, após uma década de desenvolvimento, a *Apollo 11* estava finalmente pronta para utilizar seu computador de orientação alimentado pela Fairchild para levar o primeiro ser humano à Lua. Os engenheiros de semicondutores do Vale de Santa Clara, na Califórnia, beneficiaram-se imensamente da corrida espacial, o que proporcionou um cliente inicial importantíssimo. No entanto, na época do primeiro pouso na Lua, os engenheiros do Vale do Silício haviam se tornado muito menos dependentes de contratos de defesa e espaciais. Agora eles se concentravam em preocupações mais mundanas. O mercado de chips crescia. O sucesso da Fairchild já havia inspirado diversos funcionários importantes a desertar para fabricantes de chips concorrentes. O financiamento de capital de risco estava chegando a startups que se concentravam não em foguetes, mas em computadores para empresas.

A Fairchild, no entanto, ainda era propriedade de um multimilionário da Costa Leste que pagava bem a seus funcionários, mas se recusava a dar-lhes opções de compra de ações, pois via aquela ideia de doar patrimônio como uma forma de "socialismo à espreita".[12] Chegou uma hora em que até Noyce, um dos cofundadores da Fairchild, começou a se perguntar se teria futuro na empresa. Logo *todos* começaram a procurar a saída. A razão era óbvia. Juntamente com novas descobertas científicas e novos processos de fabricação, essa habilidade de fazer uma matança financeira foi a força fundamental que impulsionou a Lei de Moore. Como um dos funcionários da Fairchild colocou no questionário de saída que preencheu ao deixar a empresa: "EU... QUERO... FICAR... RICO".[13]

PARTE II
OS CIRCUITOS DO MUNDO AMERICANO

7
VALE DO SILÍCIO SOVIÉTICO

UNS DOIS MESES depois de Bob Noyce ter inventado seu circuito integrado na Fairchild Semiconductor, um visitante inesperado chegou a Palo Alto.[1] No outono de 1959, dois anos após o *Sputnik* ter orbitado o planeta pela primeira vez, Anatoly Trutko, engenheiro de semicondutores da União Soviética, mudou-se para um alojamento da Universidade Stanford intitulado Crothers Memorial Hall. Embora a competição da Guerra Fria estivesse perto de seu auge, as duas superpotências haviam concordado em iniciar intercâmbios estudantis, e Trutko foi um de um punhado de alunos selecionados pela URSS e aprovados pelo Departamento de Estado dos EUA. Ele passou o ano em Stanford estudando a tecnologia mais avançada dos EUA com os principais cientistas do país. Até assistiu a palestras dadas por William Shockley, que havia abandonado sua startup e agora era professor na universidade. Depois de uma aula, Trutko pediu ao vencedor do Prêmio Nobel que autografasse uma cópia de sua obra-prima, *Electrons and Holes in Semiconductors*. "Para Anatole", Shockley autografou, antes de gritar com o jovem cientista com reclamações de que a União Soviética se recusava a pagar royalties pela tradução russa do livro.

A decisão dos Estados Unidos de permitir que cientistas soviéticos como Trutko estudassem semicondutores em Stanford era surpreendente, dados os temores dos EUA de que a União Soviética estivesse os alcançando em ciência e tecnologia. No entanto, a indústria de eletrônica de todos os países estava cada vez mais direcionada para o Vale do Silício, que estabeleceu de maneira tão completa o padrão e o ritmo da inovação que o resto do mundo não teve escolha a não ser seguir — até mesmo os adversários dos EUA. Os soviéticos não pagaram royalties a Shockley, mas entenderam o valor dos semicondutores, traduzindo o livro de Shockley para o russo apenas dois anos após sua publicação. Já em 1956, os espiões dos EUA haviam recebido ordens de adquirir dispositivos semicondutores soviéticos para testar sua qualidade e monitorar suas melhorias. Um relatório da CIA em 1959 descobriu que os EUA estavam apenas de dois a quatro anos à frente dos soviéticos em termos de qualidade e quantidade de transistores produzidos.[2] Pelo menos diversos dos primeiros alunos de intercâmbio soviéticos eram agentes da KGB — suspeitos à época, mas confirmados somente décadas depois —, forjando uma conexão íntima entre intercâmbios de alunos e os objetivos industriais de defesa dos soviéticos.

Assim como o Pentágono, o Kremlin percebeu que os transistores e circuitos integrados transformariam as habilidades de fabricação, computação e o poderio militar. A partir do final da década de 1950, a URSS montou novas fábricas de semicondutores em todo o país e designou seus cientistas mais inteligentes para construir essa nova indústria. Para um jovem engenheiro ambicioso como Yuri Osokin, era difícil imaginar uma tarefa mais empolgante.[3] Osokin passara grande parte de sua infância na China, onde seu pai trabalhava em um hospital militar soviético na cidade de Dalian, às margens do mar Amarelo. Desde a juventude, Osokin se destacava por sua memória enciclopédica para coisas como geografia e os aniversários dos famosos. Depois de concluir os estudos, ele conseguiu entrar em um importante instituto acadêmico de Moscou e se especializou em semicondutores.

Osokin logo foi designado para uma fábrica de semicondutores em Riga, composta por recém-formados das melhores universidades do país, e recebeu ordens para fabricar dispositivos semicondutores para o programa espacial soviético e para os militares. Osokin foi encarregado pelo diretor da fábrica de produzir um circuito com diversos componentes no mesmo pedaço de germânio, algo que ninguém na União Soviética havia feito ainda. Ele produziu seu protótipo de circuito integrado em 1962. Osokin e seus colegas sabiam que estavam na vanguarda da ciência soviética. Passavam os dias fuçando nos laboratórios e as noites debatendo a teoria da física de estado sólido, com Osokin de vez em quando surgindo com seu violão para acompanhar seus colegas na música. Eles eram jovens, seu trabalho era empolgante, a ciência soviética estava crescendo e vários dos satélites *Sputnik* da URSS orbitavam acima de suas cabeças, visíveis a olho nu sempre que Osokin largava o violão e olhava para o céu da noite.[4]

O líder soviético Nikita Khrushchev estava comprometido em superar os Estados Unidos em todos os níveis, desde a produção de milho até o lançamento de satélites. O próprio Khrushchev se sentia mais à vontade em fazendas coletivas que em laboratórios de eletrônica. Ele não entendia nada de tecnologia, mas era obcecado com a ideia de "alcançar e ultrapassar" os EUA, como repetidamente prometia fazer. Alexander Shokin, primeiro vice-presidente do Comitê de Radioeletrônica do Estado Soviético, percebeu que o tão ardente desejo de Khrushchev de competir com os Estados Unidos poderia ser utilizado para conquistar mais investimentos em microeletrônica. "Imagine, Nikita Sergeyevich", disse Shokin ao líder soviético um dia, "que se possa fazer uma TV do tamanho de uma cartela de cigarros."[5] Essa era a promessa do silício soviético. "Alcançar e ultrapassar" os Estados Unidos parecia uma possibilidade real. Assim como em outra esfera em que os soviéticos haviam alcançado os Estados Unidos — armas nucleares —, a URSS tinha uma arma secreta: um círculo de espiões.

Joel Barr era filho de dois judeus russos que imigraram para os EUA para fugir da opressão czarista.[6] Barr cresceu na pobreza no Brooklyn antes de ser admitido no City College de Nova York para estudar engenharia elétrica. Como estudante, ele se juntou a um grupo de comunistas e se viu simpatizando com a crítica do grupo ao capitalismo e seu argumento de que a União Soviética estava em melhor posição para enfrentar os nazistas. Por meio de contatos do Partido Comunista, ele foi apresentado a Alfred Sarant, um colega engenheiro elétrico e integrante da Liga dos Jovens Comunistas. Eles passariam o resto de suas vidas trabalhando juntos para promover a causa comunista.

Na década de 1930, Barr e Sarant foram integrados a um círculo de espiões liderado por Julius Rosenberg, o infame espião da Guerra Fria. Durante a década de 1940, Barr e Sarant trabalharam em radares confidenciais e outros sistemas militares na Western Electric e na Sperry Gyroscope, duas das principais empresas de tecnologia dos EUA. Ao contrário de outros integrantes do círculo de Rosenberg, Barr e Sarant não detinham segredos de armas nucleares, mas adquiriram um conhecimento íntimo da eletrônica de novos sistemas de armas. No final da década de 1940, quando o FBI começou a desvendar as redes de espionagem da KGB nos EUA, Rosenberg foi julgado e condenado à morte por eletrocussão, sendo executado ao lado de sua esposa, Ethel. Antes que o FBI pudesse pegá-los, Sarant e Barr fugiram do país, eventualmente chegando à União Soviética.

Quando chegaram, disseram aos manipuladores da KGB que queriam fabricar os computadores mais avançados do mundo. Barr e Sarant não eram especialistas em computadores, tampouco alguém o era na União Soviética. A fama de espiões dos dois já era, por si só, uma credencial muito admirada, e sua aura lhes dava acesso a recursos. No final da década de 1950, Barr e Sarant começaram a fabricar seu primeiro computador, intitulado UM — a palavra russa para "mente". Seu trabalho atraiu a atenção de Shokin, o burocrata que administrava a indústria eletrônica soviética, e eles se associaram a ele para convencer Khrushchev de que a URSS precisava de uma cidade inteira dedicada à produção de semicondutores, com seus próprios pesquisadores, engenheiros, laboratórios e instalações de produção. Mesmo antes de as cidades da península ao sul de São Francisco se tornarem conhecidas como Vale do Silício — termo que só foi cunhado em 1971 —, Barr e Sarant haviam sonhado sua própria versão em um subúrbio de Moscou.[7]

Para convencer Khrushchev a financiar essa nova cidade da ciência, Shokin providenciou que o líder soviético visitasse o Departamento de Projetos Especiais da Indústria Eletrônica nº 2 em Leningrado. Por detrás do nome volumoso e burocrático — os soviéticos nunca se destacaram em marketing —, havia um instituto na vanguarda da eletrônica soviética. O Departamento de Projetos passou semanas se preparando para a visita de Khrushchev, realizando um ensaio geral no dia anterior para garantir que tudo corresse conforme o planejado. No dia 4 de maio de 1962, Khrushchev chegou.[8] Para dar as boas-vindas ao líder soviético, Sarant vestiu um terno escuro que combinava com a cor de suas sobrancelhas espessas e seu bigode cuidadosamente aparado. Barr estava nervoso ao lado de Sarant, óculos de arame empoleirados em sua cabeça calva. Com Sarant no comando, os dois ex-espiões mostraram a Khrushchev as realizações da microeletrônica soviética. Khrushchev testou um minúsculo rádio que cabia em seu ouvido e brincou com um computador simples que era capaz de imprimir seu nome. Dispositivos semicondutores logo seriam utilizados em naves espaciais, na indústria, no governo, em aeronaves — até mesmo "para a criação de um escudo de mísseis nucleares", disse Sarant com confiança a Khrushchev. Então, ele e Barr levaram Khrushchev até um cavalete com fotos de uma cidade futurista dedicada exclusivamente à produção de dispositivos semicondutores, com um vasto arranha-céu de 52 andares no centro.

Khrushchev era apaixonado por grandes projetos, sobretudo por aqueles pelos quais poderia receber crédito, então endossou com entusiasmo a ideia de construir uma cidade soviética para semicondutores. Ele abraçou Barr e Sarant como um urso e prometeu-lhes total apoio. Vários meses depois, o governo soviético aprovou planos para construir uma cidade de semicondutores nos arredores de Moscou. "A microeletrônica é um cérebro mecânico", explicou Khrushchev a seus colegas líderes soviéticos. "É o nosso futuro."[9]

A URSS logo inaugurou a cidade de Zelenograd, a palavra russa para "cidade verde" — e, de fato, ela fora projetada para ser um paraíso científico. Shokin queria que fosse um assentamento científico perfeito, com laboratórios de pesquisa e instalações de produção, além de escolas, creches, cinemas, bibliotecas e um hospital — tudo de que um engenheiro de semicondutores poderia precisar. Perto do centro havia uma universidade, o Instituto de Tecnologia Eletrônica de Moscou, com uma fachada de tijolos inspirada nos *campi* universitários ingleses e norte-americanos. Do lado de fora, parecia bastante igual ao Vale do Silício, só um pouco menos ensolarado.

8
"Copiem-no"

Mais ou menos na mesma época em que Nikita Khrushchev declarou seu apoio à construção de Zelenograd, um aluno soviético chamado Boris Malin retornou após um ano estudando na Pensilvânia com um pequeno dispositivo em sua bagagem — um SN-51 da Texas Instruments, um dos primeiros circuitos integrados vendidos nos EUA. Um homem magro com cabelos escuros e olhos profundos, Malin era um dos principais especialistas da União Soviética em dispositivos semicondutores. Ele se enxergava como um cientista, não como um espião. Entretanto, Alexander Shokin, o burocrata encarregado da microeletrônica soviética, acreditava que o SN-51 era um dispositivo que a União Soviética deveria adquirir por qualquer meio necessário. Shokin chamou Malin e um grupo de outros engenheiros em seu escritório, colocou o chip sob o microscópio e espiou pela lente. "Copiem-no", ele ordenou, "um por um, sem desvios. Vocês têm três meses."[1]

Os cientistas soviéticos reagiram com raiva à sugestão de que estavam meramente copiando avanços estrangeiros. Seu entendimento científico era tão avançado quanto o dos químicos e físicos dos EUA. Os alunos de intercâmbio soviéticos nos EUA relatavam aprender pouca coisa com as palestras dadas por William Shockley que não pudessem ter aprendido em Moscou.[2] De fato, a URSS tinha alguns dos principais físicos teóricos do mundo. Quando Jack Kilby finalmente recebeu o Prêmio Nobel de Física em 2000 por inventar o circuito integrado (naquela época, o coinventor do circuito integrado, Bob Noyce, havia morrido), ele dividiu o prêmio com um cientista russo chamado Zhores Alferov, que havia realizado pesquisas fundamentais na década de 1960 em maneiras pelas quais os dispositivos semicondutores poderiam produzir luz. O lançamento do *Sputnik* em 1957, o primeiro voo espacial de Yuri Gagarin em 1961 e a fabricação do circuito integrado de Osokin em 1962 proporcionaram provas incontestáveis de que a União Soviética vinha se tornando uma superpotência científica. Até a CIA achava que a indústria microeletrônica soviética vinha alcançando rapidamente a dos EUA.

Contudo, a estratégia "copiem-no" de Shokin era fundamentalmente falha. Copiar servia para a fabricação de armas nucleares, porque os EUA e a URSS fabricaram apenas dezenas de milhares delas durante toda a Guerra Fria. Nos EUA, entretanto, a Texas Instruments e a Fairchild já estavam aprendendo como produzir chips em massa. O segredo para aumentar a produção era a confiabilidade, um desafio pelo qual os fabricantes de chips dos EUA, como Morris Chang e Andy Grove, nutriram fixação durante a década de 1960. Ao contrário de seus colegas soviéticos, eles podiam recorrer à experiência de outras empresas de fabricação avançada em termos de óptica, produtos químicos, materiais purificados e outras máquinas de produção. Se nenhuma empresa dos EUA pudesse ajudar, a Fairchild e a Texas Instruments poderiam recorrer a Alemanha, França ou Grã-Bretanha, todas com suas próprias indústrias avançadas.

A União Soviética produzia carvão e aço em vastas quantidades, mas ficava para trás em quase todos os tipos de fabricação avançada.[3] A URSS se destacava em quantidade, mas não em qualidade ou pureza, ambas cruciais para a fabricação de alto volume de chips. Além disso, os aliados ocidentais proibiam a transferência de muitas tecnologias avançadas, incluindo componentes semicondutores, para países comunistas por meio de uma organização intitulada Cocom. Os soviéticos costumavam ludibriar as restrições da Cocom utilizando empresas de fachada em países neutros como a Áustria ou a Suíça, mas esse caminho era difícil de utilizar em larga escala. Portanto, as fábricas de semicondutores soviéticas frequentemente precisavam trabalhar com máquinas que eram menos sofisticadas e com materiais menos puros, e, em consequência, produziam muito menos chips que funcionavam.

Só na base da espionagem, Shokin e seus engenheiros não conseguiam muito progresso. A simples tarefa de roubar um chip não explicava como ele era feito, assim como roubar um bolo não explica como ele foi preparado. A receita de um chip já era extraordinariamente complicada. Alunos de intercâmbio que estudavam com Shockley em Stanford poderiam se tornar físicos inteligentes, mas eram engenheiros como Andy Grove ou Mary Anne Potter que sabiam a que temperatura determinados produtos químicos precisavam ser aquecidos ou por quanto tempo fotorresistentes deveriam ficar expostos à luz. Todas as etapas do processo de fabricação de chips envolviam conhecimentos especializados que raramente eram compartilhados fora de uma empresa específica. Esse tipo de conhecimento não costumava nem ser anotado. Os espiões soviéticos estavam entre os melhores do ramo, mas o processo de produção de semicondutores exigia mais detalhes e conhecimentos que nem mesmo o agente mais habilidoso poderia afanar.

Além disso, a vanguarda vinha mudando constantemente, de acordo com o ritmo estabelecido na Lei de Moore. Mesmo que os soviéticos conseguissem copiar um projeto, adquirir os materiais e o maquinário e replicar o processo de produção era uma coisa que levava tempo. A Texas Instruments e a Fairchild apresentavam novas concepções com mais transistores ano após ano. Em meados da década de 1960, os primeiros circuitos integrados eram notícia antiga, grandes demais e demandavam energia demais para serem muito valiosos. Comparada a quase qualquer outro tipo de tecnologia, a tecnologia de semicondutores avançava em um ritmo alucinante. O tamanho dos transistores e seu consumo de energia diminuíam, enquanto a capacidade de computação que poderia ficar concentrada em 6,5 centímetros quadrados de silício mais ou menos dobrava a cada dois anos. Nenhuma outra tecnologia avançava tão rápido — então, aquele era o único setor no qual roubar um projeto do ano anterior era uma estratégia sem sentido.

Os líderes soviéticos nunca compreenderam como a estratégia "copiem-no" os condenou ao atraso. Todo o setor de semicondutores soviéticos funcionava como um prestador de serviços de defesa — secreto, com nível hierárquico, direcionado para sistemas militares, cumprindo ordens com pouco espaço para a criatividade. O processo de cópia era "controlado de muito perto" pelo ministro Shokin, como lembra um de seus subordinados. A cultura de cópia estava literalmente conectada à indústria soviética de semicondutores, com algumas máquinas de fabricação de chips utilizando polegadas no lugar de centímetros para replicar melhor os projetos dos EUA, muito embora o restante da URSS utilizasse o sistema métrico.[4] Graças à estratégia "copiem-no", a URSS largou vários anos atrás dos EUA na tecnologia de transistores e nunca os alcançou.

Zelenograd pode ter parecido o Vale do Silício sem o sol. Reunia os melhores cientistas do país e segredos roubados. No entanto, os sistemas de semicondutores dos dois países não tinham como ser mais diferentes. Enquanto os fundadores das startups do Vale do Silício pulavam de emprego em emprego e ganhavam experiência prática "em chão de fábrica", Shokin tomava todas as decisões sentado em sua mesa ministerial em Moscou. Enquanto isso, Yuri Osokin vivia na obscuridade em Riga, altamente respeitado por seus colegas, porém incapaz de falar sobre seu invento com qualquer um que não tivesse uma autorização de segurança.[5] Os jovens estudantes soviéticos não buscavam formação em engenharia elétrica, desejando ser como Osokin, porque ninguém sabia que ele existia. O avanço na carreira exigia que a pessoa se tornasse um burocrata melhor, e não desenvolvesse novos produtos nem identificasse novos mercados. Os produtos civis eram sempre uma reflexão tardia em meio a um foco avassalador na produção militar.

Enquanto isso, a mentalidade "copiem-no" significava, bizarramente, que os caminhos da inovação nos semicondutores soviéticos eram definidos pelos Estados Unidos. Uma das indústrias mais sensíveis e secretas da URSS, portanto, funcionava como um posto avançado mal administrado do Vale do Silício. Zelenograd era apenas mais um nó em uma rede globalizada — com os fabricantes de chips dos EUA no comando.

9
O VENDEDOR DE TRANSISTORES

QUANDO O PRIMEIRO-MINISTRO japonês Hayato Ikeda se reuniu com o presidente francês Charles de Gaulle em meio ao esplendor do Palácio do Eliseu em novembro de 1962, ele levou um pequeno presente para seu anfitrião: um rádio transistorizado Sony. De Gaulle era formalista e cerimonioso, um militar de mentalidade tradicional que se enxergava como a encarnação do *grandeur* francês. Ikeda, por outro lado, achava que os eleitores de seu país eram francamente materialistas e prometeu duplicar a renda deles em uma década. O Japão não passava de uma "potência econômica", De Gaulle declarou, bufando para um assessor após a reunião em que Ikeda se comportou como um "vendedor de transistores".[1] Mas não demoraria muito para que todo o mundo olhasse com inveja para o Japão, porque o sucesso do país como vendedor de semicondutores o tornaria muito mais rico e poderoso que De Gaulle jamais imaginara.

Os circuitos integrados não apenas conectavam componentes eletrônicos de maneiras inovadoras, mas também uniam nações em rede, com os EUA no comando. Os soviéticos, sem intenção, tornaram-se parte dessa rede copiando os produtos do Vale do Silício. O Japão, por outro lado, foi intencionalmente integrado à indústria de semicondutores dos EUA, um processo apoiado pelas elites empresariais japonesas e pelo governo norte-americano.

Quando a Segunda Guerra Mundial terminou, alguns americanos imaginaram despojar o Japão de suas indústrias de alta tecnologia como punição por iniciar uma guerra brutal. No entanto, alguns anos após a rendição japonesa, as autoridades de defesa em Washington adotaram a política oficial de que "um Japão forte representa um risco melhor que um Japão fraco".[2] Além de um esforço de curta duração para encerrar a pesquisa em física nuclear no país oriental, o governo dos EUA apoiou seu renascimento como uma potência tecnológica e científica.[3] O desafio era ajudar o Japão a reconstruir sua economia enquanto o vinculava a um sistema liderado pelos EUA. Torná-lo um vendedor de transistores era fundamental para a estratégia dos Estados Unidos referente à Guerra Fria.

As notícias sobre a invenção do transistor chegaram ao país pela primeira vez por meio das autoridades militares dos EUA que governavam o Japão ocupado. Makoto Kikuchi era um jovem físico do Laboratório Eletrotécnico do governo japonês em Tóquio, que empregava alguns dos melhores cientistas do país. Um dia, seu patrão o chamou em seu escritório com notícias interessantes: cientistas dos EUA, explicou o patrão de Kikuchi, haviam ligado duas agulhas de metal a um cristal e foram capazes de amplificar uma corrente.[4] Kikuchi sabia que um dispositivo extraordinário havia sido descoberto.

Na Tóquio bombardeada, era fácil se sentir isolado dos principais físicos do mundo, mas a sede da ocupação dos EUA em Tóquio fornecia aos cientistas japoneses acesso a periódicos como o *Bell System Technical Journal*, o *Journal of Applied Physics* e o *Physical Review*, que publicaram os trabalhos de Bardeen, Brattain e Shockley. Esses periódicos eram impossíveis de se obter de outra forma no Japão pós-guerra. "Eu folheava o conteúdo e, sempre que via a palavra 'semicondutor' ou 'transistor'", lembrou Kikuchi, "meu coração começava a bater mais forte."[5] Vários anos depois, em 1953, Kikuchi conheceu John Bardeen quando o cientista dos EUA viajou para Tóquio durante um setembro quente e úmido para uma reunião da União Internacional de Física Pura e Aplicada. Bardeen foi tratado como celebridade e ficou impressionado com a quantidade de pessoas querendo tirar uma foto com ele. "Nunca vi tanto flash na vida", ele escreveu para a esposa.[6]

No mesmo ano em que Bardeen desembarcou em Tóquio, Akio Morita decolou do aeroporto de Haneda rumo a Nova York. Herdeiro da 15ª geração de uma das destilarias de saquê mais ilustres do Japão, Morita foi preparado desde o nascimento para assumir os negócios da família. Seu pai queria que o filho se tornasse o 16ª Morita a administrar a empresa de saquê, mas o amor de infância de Akio por mexer com eletrônica e um diploma universitário em física apontaram para uma direção diferente. Durante a guerra, essa experiência com física pode ter salvado sua vida, fazendo com que fosse enviado para um laboratório de pesquisa, e não para as linhas de frente.

O diploma de física de Morita também se provou útil no Japão pós--guerra. Em abril de 1946, com o país ainda em ruínas, Morita associou--se a um ex-colega chamado Masaru Ibuka para construir uma empresa de eletrônicos, que eles logo batizaram de Sony, do latim *sonus* (som) e do apelido americano "Sonny". Seu primeiro dispositivo, uma panela elétrica de arroz, foi um fracasso, mas seu gravador funcionou bem e vendeu melhor. Em 1948, Morita leu sobre o novo transistor da Bell Labs e imediatamente percebeu seu potencial. Parecia "milagroso", lembrou Morita, sonhando em revolucionar os dispositivos para consumidores.[7]

Ao desembarcar nos EUA em 1953, Morita ficou chocado com as vastas distâncias, os espaços abertos e a extraordinária riqueza dos consumidores do país, sobretudo em comparação com a privação da Tóquio pós-guerra. *Este país parece ter tudo*, pensou Morita.[8] Em Nova York, ele se reuniu com executivos da AT&T que concordaram em conceder-lhe uma licença para produzir o transistor. Eles o aconselharam a não esperar fabricar nada que fosse mais útil que um aparelho auditivo.

Morita entendera o que faltara à compreensão de Charles de Gaulle: a eletrônica era o futuro da economia mundial, e os transistores, que logo seriam embutidos em chips de silício, possibilitariam dispositivos inimagináveis. O tamanho e o consumo de energia menores que os transistores ofereciam, Morita percebeu, estavam prontos para transformar os eletrônicos para os consumidores. Ele e Ibuka decidiram apostar o futuro de sua empresa na comercialização desses dispositivos não apenas para clientes japoneses, como também para o mercado consumidor mais rico do mundo, os EUA.

O governo do Japão sinalizava seu apoio à alta tecnologia, com o príncipe herdeiro do país visitando um laboratório de pesquisa de rádio dos EUA no mesmo ano em que Morita viajou para a Bell Labs. O poderoso Ministério da Indústria e Comércio Internacional do Japão também queria apoiar empresas de eletrônicos, mas o impacto do ministério foi misto, com burocratas, em um momento, atrasando em vários meses o pedido da Sony para licenciar o transistor da Bell Labs alegando que era "indesculpavelmente ultrajante" para a empresa ter assinado um contrato com uma empresa estrangeira sem a autorização do ministério.[9]

A Sony tinha a vantagem de pagar salários mais baratos no Japão, mas o que importava em seu modelo de negócios, em última análise, era inovação, projeto de produto e marketing. A estratégia "licenciem-no" de Morita não poderia ter sido mais diferente da "copiem-no" do ministro soviético Shokin. Muitas empresas japonesas tinham reputação de eficientes e implacáveis. A Sony se destacou identificando novos mercados e atacando-os com produtos impressionantes utilizando a mais nova tecnologia de circuitos do Vale do Silício. "Nosso plano é levar ao público novos produtos em vez de perguntar a eles que tipo de produto querem", declarou Morita. "O público não sabe o que é possível, mas nós sabemos."[10]

O primeiro grande sucesso da Sony foram os rádios transistorizados, como o rádio que o primeiro-ministro Ikeda dera a De Gaulle. Vários anos antes, a Texas Instruments havia tentado comercializar rádios transistorizados, mas, embora tivesse a tecnologia necessária, a empresa estragou os preços e o marketing e rapidamente abandonou o negócio.[11] Morita viu um nicho e logo estava produzindo dezenas de milhares dos dispositivos.

Mesmo assim, as fabricantes de chips dos EUA, como a Fairchild, continuaram a dominar a vanguarda da produção de chips, com seu negócio relacionado a computadores corporativos de grande porte. Ao longo da década de 1960, as empresas japonesas pagaram taxas de licenciamento consideráveis sobre propriedade intelectual, entregando 4,5% de todas as vendas de chips para a Fairchild, 3,5% para a Texas Instruments e 2% para a Western Electric.[12] Os fabricantes de chips dos EUA ficaram felizes em transferir sua tecnologia porque as empresas japonesas pareciam estar anos atrasadas.

A perícia da Sony não estava no projeto de chips, mas na criação de produtos para consumidores e na personalização dos eletrônicos de que precisavam. As calculadoras foram outro dispositivo para consumidores transformado pelas empresas japonesas. Pat Haggerty, o presidente da Texas Instruments, pedira a Jack Kilby que fabricasse uma calculadora portátil movida a semicondutores em 1967. No entanto, o departamento de marketing da empresa não achou que haveria mercado para uma calculadora portátil barata, então o projeto estagnou. A japonesa Sharp Electronics discordou, colocando chips produzidos na Califórnia em uma calculadora muito mais simples e barata do que se pensava possível. O sucesso da Sharp garantiu que a maioria das calculadoras produzidas na década de 1970 fosse de fabricação japonesa. Se a Texas Instruments tivesse encontrado uma maneira de comercializar seus próprios dispositivos de marca antes, Haggerty lamentou mais tarde, a empresa "teria sido a Sony dos eletrônicos para consumidores".[13] Replicar a perícia da Sony em termos de marketing e inovação de produtos, no entanto, provou ser tão difícil quanto replicar a perícia dos EUA em termos de semicondutores.

A simbiose de semicondutores que surgiu entre os EUA e o Japão envolveu uma complexa busca pelo equilíbrio. Cada país dependia do outro para obter suprimentos e clientes. Quando chegou 1964, o Japão havia ultrapassado os EUA na produção de transistores discretos, enquanto as empresas dos EUA produziam os chips mais avançados. As empresas dos EUA fabricavam os melhores computadores, enquanto os fabricantes de eletrônicos como a Sony e a Sharp produziam bens de consumo que impulsionavam o consumo de semicondutores. As exportações japonesas de eletrônicos — uma mistura de semicondutores e produtos que dependiam deles — explodiram de 600 milhões de dólares em 1965 para 60 bilhões cerca de duas décadas depois.[14]

A interdependência nem sempre foi fácil. Em 1959, a Associação das Indústrias de Eletrônicos pediu ajuda ao governo dos EUA para que as importações japonesas não prejudicassem a "segurança nacional" — e seus próprios resultados.[15] Mas deixar o Japão construir uma indústria de eletrônicos era parte da estratégia da Guerra Fria dos EUA, então, durante a década de 1960, Washington nunca pressionou muito Tóquio sobre o assunto. Publicações comerciais como a revista *Electronics* — que poderia se esperar que ficassem do lado das empresas dos EUA — notaram, pelo contrário, que "o Japão é um pilar da política dos EUA para o Pacífico [...]. Se não puder celebrar relações comerciais saudáveis com o hemisfério ocidental e a Europa, buscará sustento econômico em outros lugares", como a China comunista ou a União Soviética.[16] A estratégia dos EUA exigia permitir que o Japão adquirisse tecnologia avançada e construísse negócios de ponta. "Um povo com a história deles não se contentará em fabricar rádios transistorizados", observou posteriormente o presidente Richard Nixon.[17] Eles tinham de ser autorizados — até incentivados — a desenvolver uma tecnologia mais avançada.

Os executivos japoneses não estavam menos empenhados em fazer essa simbiose de semicondutores dar certo. Quando a Texas Instruments tentou se tornar a primeira fabricante estrangeira de chips a abrir uma fábrica no Japão, a empresa enfrentou um emaranhado de barreiras regulatórias. Morita, da Sony, que por acaso era amigo de Haggerty, ofereceu-se para ajudar em troca de uma participação nos lucros. Ele sugeriu aos executivos da Texas Instruments que visitassem Tóquio incógnitos, dessem entrada no hotel com nomes falsos e nunca saíssem do quarto. Morita visitou o hotel clandestinamente e propôs uma iniciativa conjunta: a Texas Instruments produziria chips no Japão e a Sony administraria os burocratas. "Nós cobrimos vocês", disse ele aos executivos da empresa.[18] Os texanos acharam que a Sony era uma "operação autônoma", algo que diziam como um elogio.

Com a ajuda de Morita e depois de muita burocracia e chá verde, os burocratas do Japão finalmente aprovaram as licenças da Texas Instruments para abrir uma fábrica de semicondutores no Japão. Para Morita, foi mais um golpe, o que ajudou a torná-lo um dos empresários japoneses mais famosos nos dois lados do Pacífico. Para os estrategistas de política externa de Washington, mais ligações comerciais e de investimentos entre os dois países amarravam Tóquio cada vez mais firme a um sistema comandado pelos EUA. Também foi uma vitória para os líderes japoneses, como o primeiro-ministro Ikeda. Seu objetivo de duplicar a renda japonesa foi alcançado dois anos antes do previsto.[19] O Japão conquistou um novo lugar no cenário mundial graças a intrépidos empreendedores de eletrônicos como Morita. Vendedor de transistores acabou sendo uma função de muito mais influência do que Charles de Gaulle jamais poderia ter imaginado.

10
"Transistor Girls"

"Suas vestimentas eram do Ocidente, mas seus ritos de amor foram fundados nos antigos prazeres do Oriente", dizia a capa de *The Transistor Girls*, um romance australiano folhetinesco de 1964.[1] O enredo envolvia gângsteres chineses, intriga internacional e trabalhadoras de uma linha de montagem que "aumentavam sua renda com atividades extracurriculares noturnas". A imagem na capa de *The Transistor Girls* mostrava uma jovem japonesa, seminua, com a silhueta de um pagode ao fundo. A contracapa revelava uma mulher em meio a imagens mais orientalistas, porém com ainda menos roupa.

Eram principalmente homens os que projetaram os primeiros semicondutores, e principalmente mulheres que os montaram. A Lei de Moore previa que o custo da capacidade de computação estava prestes a levar um tombo. Contudo, tornar a visão de Moore uma realidade não era apenas uma questão de diminuir o tamanho de cada transistor em um chip. Também exigia uma oferta maior e mais barata de trabalhadores para montá-los.

Muitos funcionários da Fairchild Semiconductor ingressaram na empresa em busca de riqueza ou por amor à engenharia. Charlie Sporck foi para a Fairchild depois de ser expulso de seu emprego anterior. Um nova-iorquino fumante de charutos e exigente, Sporck era obcecado por eficiência.[2] Em uma indústria repleta de cientistas brilhantes e visionários tecnológicos, a perícia de Sporck era extrair produtividade de trabalhadores e máquinas. Foi somente graças a administradores rigorosos como ele que o custo da computação caiu de acordo com o cronograma que Gordon Moore havia previsto.

Sporck estudara engenharia em Cornell antes de ser contratado pela GE em meados da década de 1950 na fábrica da empresa em Hudson Falls, Nova York. Foi encarregado de aprimorar o processo de fabricação de capacitores da GE e propôs mudar o processo da linha de montagem da fábrica. Acreditava que sua nova técnica melhoraria a produtividade, mas o sindicato que controlava os trabalhadores da linha de montagem da GE o enxergava como uma ameaça ao controle deles sobre o processo de produção. O sindicato se revoltou e organizou uma manifestação contra Sporck, queimando um boneco feito à sua imagem e semelhança. A direção da fábrica deu um recuo tímido, prometendo ao sindicato que as mudanças de Sporck jamais seriam implementadas.

Que tudo vá para o inferno, pensou Sporck.[3] Naquela noite, ele chegou à sua casa e começou a procurar outros empregos. Em agosto de 1959, viu um anúncio no *Wall Street Journal* de uma pequena empresa chamada Fairchild Semiconductor em busca de um gerente de produção e enviou um currículo. Logo foi convocado à cidade de Nova York para uma entrevista em um hotel na avenida Lexington. Os dois funcionários da Fairchild que o entrevistaram estavam bêbados depois de terem tomado álcool durante o almoço e lhe ofereceram o emprego na hora. Foi uma das melhores decisões de contratação que a Fairchild tomou. Sporck nunca havia estado a oeste de Ohio, mas aceitou imediatamente, apresentando-se para o serviço em Mountain View logo depois.

Ao chegar à Califórnia, lembrou Sporck, ficou surpreso que a empresa "praticamente não tinha nenhuma competência no tratamento de trabalhadores e sindicatos. Eu trouxe essa competência para o meu novo empregador". Muitas empresas não teriam descrito como "competente" uma estratégia de relações trabalhistas que culminou na queima do boneco do diretor. Mas, no Vale do Silício, os sindicatos eram fracos, e Sporck estava comprometido em mantê-los assim. Ele e seus colegas da Fairchild eram "determinados" contra sindicatos, ele declarou. Um engenheiro prático e realista, Sporck não era um destruidor de sindicatos estereotipado. Ele mantinha seus escritórios tão austeros que eram comparados a um quartel do Exército. Sporck se orgulhava de dar opções de ações à maioria dos funcionários, uma prática quase desconhecida nas antigas empresas de eletrônicos da Costa Leste. Mas ele insistiria de forma implacável, em contrapartida, que aqueles mesmos funcionários se comprometessem a maximizar sua produtividade.[4]

Ao contrário das empresas de eletrônicos da Costa Leste, cujas equipes tendiam a ser dominadas por homens, a maioria das novas startups de chips ao sul de São Francisco contratava mulheres para as linhas de montagem.[5] As mulheres já trabalhavam em empregos nas linhas de montagem do Vale de Santa Clara havia décadas, primeiro nas fábricas de conservas de frutas, que impulsionaram a economia da localidade nas décadas de 1920 e 1930, e depois na indústria aeroespacial durante a Segunda Guerra Mundial. A decisão do Congresso de flexibilizar as regras de imigração em 1965 adicionou muitas mulheres estrangeiras ao conjunto de trabalhadores do vale.

As fabricantes de chips contratavam mulheres porque elas podiam receber salários mais baixos e eram menos propensas que homens a exigir melhores condições de trabalho. Os gerentes de produção também acreditavam que as mãos menores das mulheres tornavam-nas uma opção melhor para montar e testar semicondutores finalizados. Na década de 1960, o processo de grudar um chip de silício à peça de plástico exigia, em primeiro lugar, que o funcionário olhasse em um microscópio para posicionar o silício no plástico. O trabalhador da montagem, então, segurava as duas peças juntas enquanto uma máquina aplicava calor, pressão e vibração ultrassônica para unir o silício à base de plástico. Finos fios de ouro eram presos, novamente à mão, para conduzir eletricidade do chip e para o chip. Por fim, o chip tinha de ser testado conectando-o a um medidor — outra etapa que, à época, só podia ser feita manualmente.[6] À medida que a demanda por chips disparava, o mesmo acontecia com a demanda por pares de mãos que pudessem montá-los.

Onde quer que olhassem por toda a Califórnia, executivos de semicondutores como Sporck não conseguiam encontrar trabalhadores baratos suficientes. A Fairchild vasculhou os EUA e acabou abrindo fábricas no Maine — onde os trabalhadores nutriam "um ódio dos sindicatos", relatou Sporck

— e em uma reserva navajo no Novo México que oferecia incentivos fiscais. Mesmo nas partes mais pobres dos EUA, entretanto, os custos trabalhistas eram significativos. Bob Noyce fizera um investimento pessoal em uma fábrica de montagem de rádios em Hong Kong, a colônia britânica que ficava do outro lado da fronteira com a China comunista de Mao Tsé-Tung. Os salários eram um décimo da média dos EUA — cerca de 25 centavos de dólar por hora. "Por que você não vai dar uma olhada?", Noyce sugeriu a Sporck, que logo embarcaria em um avião para conferir.[7]

Alguns colegas na Fairchild estavam apreensivos. "Os comunistas chineses estão embaixo do seu nariz", alertou um deles observando os milhares de soldados do Exército de Libertação Popular estacionados na fronteira setentrional de Hong Kong. "Você vai ser atropelado." Mas a fábrica de rádios em que Noyce havia investido ilustrava a oportunidade. "A mão de obra chinesa, as meninas que trabalhavam lá, superavam tudo o que já havia de conhecido", lembrou um dos colegas de Sporck. As trabalhadoras de montagem em Hong Kong pareciam ter o dobro da velocidade dos americanos, pensavam os executivos da Fairchild, e ser mais "dispostas a tolerar trabalho monótono", relatou um executivo.[8]

A Fairchild alugou um espaço em uma fábrica de sandálias na rua Hang Yip, ao lado do antigo aeroporto de Hong Kong, bem na costa da baía de Kowloon. Logo um enorme logotipo da Fairchild com vários andares de altura foi montado no prédio, iluminando os juncos que navegavam ao redor do porto de Hong Kong. A Fairchild continuava fabricando seus *wafers* de silício na Califórnia, mas começava a despachar semicondutores para Hong Kong para a montagem final. Em 1963, seu primeiro ano de operação, a fábrica de Hong Kong montou 120 milhões de dispositivos. A qualidade da produção era excelente, porque os baixos custos trabalhistas significavam que a Fairchild poderia contratar engenheiros treinados para comandar linhas de montagem, o que teria sido proibitivo de tão dispendioso financeiramente na Califórnia.[9]

A Fairchild foi a primeira empresa de semicondutores da Ásia a fazer montagem no exterior, mas a Texas Instruments, a Motorola e outras rapidamente a seguiram. Dentro de uma década, quase todos os fabricantes de chips dos EUA tinham fábricas de montagem em países estrangeiros. Sporck começou a olhar além de Hong Kong. Os salários de 25 centavos de dólar por hora da cidade eram apenas um décimo dos salários nos EUA, mas estavam entre os mais altos da Ásia. Em meados da década de 1960, os trabalhadores de Taiwan ganhavam 19 centavos por hora, os da Malásia, 15, os de Cingapura, 11, e os sul-coreanos, apenas 10.[10]

A próxima parada de Sporck seria Cingapura, uma cidade-estado de maioria étnica chinesa cujo líder, Lee Kuan Yew, havia "praticamente criminalizado" sindicatos, como lembrou um veterano da Fairchild.[11] A empresa deu prosseguimento abrindo uma fábrica na cidade malaia de Penang logo depois. A indústria de semicondutores estava se globalizando décadas antes que qualquer pessoa tivesse ouvido aquela palavra, lançando as bases para as cadeias de suprimentos centradas na Ásia que conhecemos hoje.

Administradores como Sporck não tinham um plano B para a globalização. Ele teria continuado, tão satisfatoriamente quanto, a construir fábricas no Maine ou na Califórnia se custassem o mesmo preço. Mas a Ásia tinha milhões de camponeses procurando empregos em fábricas, mantendo os salários baixos e garantindo que permanecessem baixos por algum tempo. Os estrategistas de política externa de Washington enxergavam os trabalhadores de etnia chinesa em cidades como Hong Kong, Cingapura e Penang como maduros para a subversão comunista de Mao Tsé-Tung. Sporck os enxergava como o sonho de um capitalista. "Tivemos problemas sindicais no Vale do Silício", observou Sporck. "Nunca tivemos problemas sindicais no Oriente."[12]

11
Ataque de precisão

Mais ou menos na metade do voo entre as fábricas de semicondutores da empresa em Cingapura e Hong Kong durante o início da década de 1970, os funcionários da Texas Instruments de vez em quando espiavam pelas janelas da aeronave e olhavam para as nuvens de fumaça que emanavam dos campos de batalha nas planícies costeiras do Vietnã.[1] A equipe da empresa em toda a Ásia estava concentrada em fabricar chips, não na guerra. Muitos de seus colegas no Texas, entretanto, não pensavam em mais nada. O primeiro grande contrato da Texas Instruments referente a circuitos integrados havia sido para a fabricação de enormes mísseis nucleares como o *Minuteman II*, mas a guerra no Vietnã exigia diversos tipos de armas. As primeiras campanhas de bombardeio no Vietnã, como a Operação Rolling Thunder, que se estendeu de 1965 a 1968, lançaram mais de 800 mil toneladas de bombas, mais do que foi lançado no Teatro do Pacífico durante toda a Segunda Guerra Mundial.[2] Entretanto, esse poder de fogo teve meramente um impacto marginal nas Forças Armadas do Vietnã do Norte, porque a maioria das bombas errou o alvo.

A Força Aérea percebeu que precisaria lutar de forma mais inteligente. Os militares haviam experimentado diversas técnicas para guiar seus mísseis e bombas, desde a utilização de controle remoto até buscadores infravermelhos. Algumas dessas armas, como o míssil *Shrike*, que era lançado de aviões e se dirigia a instalações de radares inimigos utilizando um sistema de orientação simples que apontava o míssil para a fonte das ondas de rádio do radar, mostraram-se razoavelmente eficazes. Mas muitos outros sistemas de orientação pareciam quase nunca funcionar. Ainda em 1985, um estudo do Departamento de Defesa encontrou apenas quatro exemplos de mísseis ar-ar que haviam derrubado uma aeronave inimiga fora do alcance visual.[3] Com limitações como essas, parecia impossível que munições teleguiadas algum dia pudessem vir a decidir o resultado de uma guerra.

O problema de muitas munições teleguiadas, concluíram os militares, era os tubos de vácuo. Os mísseis antiaéreos *Sparrow* III que os caças dos EUA utilizavam nos céus do Vietnã contavam com tubos de vácuo que eram soldados à mão. O clima úmido do Sudeste Asiático, a força das decolagens e aterrissagens e a agitação dos combates entre caças provocavam falhas frequentes. O sistema de radar dos mísseis *Sparrow* quebrava, em média, uma vez a cada cinco a dez horas de operação. Um estudo pós-guerra concluiu que apenas 9,2% dos *Sparrows* disparados no Vietnã atingiram o alvo, enquanto 66% apresentaram defeitos, e o restante simplesmente caiu no lugar errado.[4]

O maior desafio dos militares no Vietnã, contudo, era atacar alvos terrestres. No início da Guerra do Vietnã, as bombas caíam, em média, a mais de 120 metros de distância do alvo, de acordo com dados da Força Aérea.[5] Atacar um veículo com uma bomba era, portanto, praticamente impossível. Weldon Word, um engenheiro de projetos de 34 anos da Texas Instruments, queria mudar isso. Word tinha olhos azuis penetrantes, uma voz retumbante, profunda e hipnótica, e um ponto de vista singular sobre o futuro da guerra. Ele havia acabado de concluir um período de um ano a bordo de um navio da Marinha coletando dados para um novo sonar desenvolvido pela Texas Instruments, uma tarefa que chegava a ser entorpecente de tão monótona, mas que demonstrava a quantidade de dados que os sistemas militares eram capazes de coletar com os sensores e a instrumentação corretos. Já em meados da década de 1960, Word já imaginava a utilização da microeletrônica para transformar a cadeia de destruição dos militares. Sensores avançados em satélites e aviões adquiririam alvos, os rastreariam, guiariam mísseis em direção a eles e confirmariam sua destruição. Parecia ficção científica. Mas a Texas Instruments já produzia os componentes necessários em seus laboratórios de pesquisa.[6]

Os mísseis balísticos intercontinentais para os quais a Texas Instruments havia fabricado chips apresentavam um desafio de direcionamento relativamente simples. Eram lançados de uma posição fixa no solo, não de um avião voando a várias centenas de quilômetros por hora enquanto manobrava para evitar o fogo inimigo. Os alvos dos mísseis balísticos intercontinentais também não se movimentavam. Os próprios mísseis eram apenas ligeiramente impactados por vento e pelas condições climáticas, pois eram disparados para baixo do espaço sideral em várias vezes a velocidade do som. Carregavam ogivas grandes o suficiente para tornar mesmo uma pequena falha imensamente destrutiva. Era muito mais fácil atingir Moscou saindo de Montana que atingir um caminhão com uma bomba lançada por um F-4 voando a alguns milhares de metros.

Essa era uma tarefa complexa, mas Word pensava que as melhores armas eram "baratas e conhecidas", explicou um de seus colegas, garantindo que pudessem ser utilizadas com frequência em treinamentos e no campo de batalha.[7] A microeletrônica tinha de ser projetada com o mínimo de complexidade possível. Cada conexão que precisava ser soldada aumentava os riscos à confiabilidade. Quanto mais simples a eletrônica, mais confiável e mais eficiente em termos de consumo de energia seria um sistema.

Muitos prestadores de serviço de defesa tentavam vender mísseis caros para o Pentágono, mas Word disse à sua equipe para fabricar armas com preço semelhante ao de um sedã para famílias que fosse barato.[8] Ele estava à procura de um dispositivo que fosse simples e fácil de usar, possibilitando que fosse implantado sem demora em todos os tipos de aeronaves, abarcado por cada serviço militar e rapidamente adotado pelos aliados dos EUA também.

Em junho de 1965, Word foi de avião para a Base da Força Aérea de Eglin, na Flórida, onde se reuniu com o coronel Joe Davis, o oficial encarregado de um programa para adquirir novos equipamentos que seriam utilizados no Vietnã. Davis aprendera a pilotar aos quinze anos, antes de ingressar nas Forças Armadas e comandar missões de caças e bombardeiros na Segunda Guerra Mundial e na Coreia. Depois, comandou unidades da

Força Aérea na Europa e no Pacífico. Ele entendia melhor que ninguém que tipo de arma funcionaria em missões da Força Aérea. Quando Word se sentou em seu escritório, Davis abriu a gaveta de sua mesa e tirou uma foto da ponte Thanh Hoa, uma estrutura metálica com mais de 160 metros de comprimento que atravessa o rio Song Ma no Vietnã do Norte, cercada por defesas aéreas. Word e Davis contaram oitocentas marcas de explosão ao redor da ponte, cada uma provocada por uma bomba ou foguete dos EUA que errou o alvo. Dezenas, talvez centenas de outras bombas tenham caído no rio e não deixado marca. A ponte continuava de pé. Davis perguntou se a Texas Instruments poderia fazer algo para ajudar.[9]

Word imaginava que a experiência da Texas Instruments em eletrônica de semicondutores poderia tornar as bombas da Força Aérea mais precisas. A empresa não tinha o menor conhecimento no tocante a projetar bombas, então Word começou com uma bomba-padrão — as M-117 de mais de 340 quilos, 638 das quais já haviam sido lançadas sem sucesso em torno da ponte Thanh Hoa.[10] Ele acrescentou um pequeno conjunto de asas capazes de direcionar o voo da bomba à medida que caísse pelos céus. Por fim, instalou um sistema simples de orientação por laser que controlaria as asas. Um pequeno *wafer* de silício foi dividido em quatro quadrantes e colocado por trás de uma lente. O laser refletido no alvo brilharia através da lente sobre o silício. Se a bomba se desviasse da trajetória planejada, um quadrante receberia mais da energia do laser que os outros, e circuitos movimentariam as asas para reorientar a trajetória da bomba de modo que o laser brilhasse direto através da lente.

O coronel Davis deu à Texas Instruments nove meses e 99 mil dólares para entregar essa bomba teleguiada por laser, que, graças à sua simples concepção, foi rapidamente aprovada nos testes da Força Aérea. No dia 13 de maio de 1972, aeronaves dos EUA lançaram 24 de suas bombas na ponte Thanh Hoa, que, até aquele dia, permanecia de pé em meio a centenas de crateras, como um monumento à imprecisão das táticas de bombardeio de meados do século. Desta vez, as bombas dos EUA acertaram em cheio. Dezenas de outras pontes, entroncamentos ferroviários e outros pontos estratégicos foram atingidos por novas bombas de precisão. Um simples sensor laser e alguns transistores haviam transformado uma arma com uma proporção de acerto de zero por 638 em uma ferramenta de destruição de precisão.[11]

No final das contas, a guerrilha no interior do Vietnã não era uma luta que poderia ser vencida por bombardeios aéreos. A chegada das bombas *Paveway* teleguiadas a laser da Texas Instruments coincidiu com a derrota dos EUA na guerra. Quando líderes militares como o general William Westmoreland previram "áreas de combate que estão sob vigilância em tempo real ou quase em tempo real" e "controle de fogo automatizado", muitos ouviram ecos da arrogância que arrastara os EUA para o Vietnã em primeiro lugar.[12] Fora uma pequena quantidade de teóricos militares e engenheiros elétricos, portanto, quase ninguém percebeu que o Vietnã havia sido um campo de testes bem-sucedido para armas que combinavam microeletrônica e explosivos de maneiras que revolucionariam a guerra e transformariam o poderio militar dos EUA.

12
Habilidade no comando da cadeia de suprimentos

Apesar de o executivo da Texas Instruments, Mark Shepherd, ter servido na Marinha na Ásia durante a Segunda Guerra Mundial, Morris Chang brincava que sua experiência na região não se estendia além de "bares e dançarinas".[1] Filho de um policial de Dallas, Shepherd montou seu primeiro tubo de vácuo aos seis anos.[2] Ele havia desempenhado um papel central na construção do negócio de semicondutores da Texas Instruments, incluindo a supervisão da divisão em que Jack Kilby trabalhava quando o primeiro circuito integrado foi inventado. Com ombros largos, colarinho engomado, cabelos com gel penteados para trás e um sorriso tenso, Shepherd parecia o titã corporativo do Texas que era. Agora ele estava pronto para comandar a estratégia da empresa de transferir parte de sua produção para a Ásia.

Chang e Shepherd visitaram Taiwan pela primeira vez em 1968 como parte de uma viagem pela Ásia a fim de selecionar um local para uma nova instalação de montagem de chips. A visita não poderia ter sido pior. Shepherd reagiu furiosamente quando seu bife foi servido com molho de soja, não do jeito que costumava ser preparado no Texas. Sua primeira reunião com o poderoso e experiente ministro da Economia de Taiwan, K.T. Li, terminou amargamente quando o ministro declarou que a propriedade intelectual era algo que "os imperialistas utilizavam para intimidar países menos avançados".[3]

Li não estava errado ao ver Shepherd como um agente do império dos EUA. Mas, diferentemente dos norte-vietnamitas, que tentavam expulsar os EUA de seu país, Li acabou percebendo que Taiwan se beneficiaria de uma integração mais profunda com os EUA. Taiwan e EUA eram aliados por tratado desde 1955, mas, em meio à derrota no Vietnã, as promessas de segurança dos EUA pareciam instáveis. Da Coreia do Sul a Taiwan, da Malásia a Cingapura, os governos anticomunistas buscavam garantias de que a retirada dos EUA do Vietnã não os deixaria sozinhos. Também buscavam empregos e investimentos que pudessem resolver a insatisfação econômica que levou parte de suas populações ao comunismo. O ministro Li percebeu que a Texas Instruments poderia ajudar Taiwan a resolver os dois problemas com uma cajadada só.

Em Washington, os estrategistas dos EUA temiam que o inevitável colapso do Vietnã do Sul apoiado pelos EUA causasse ondas de choque por toda a Ásia. Os estrategistas de política externa viam as comunidades étnicas chinesas por toda a região como maduras para a penetração comunista, prontas para cair sob a influência comunista como uma fila de peças de dominó. A minoria étnica chinesa da Malásia formava a espinha dorsal do Partido Comunista daquele país, por exemplo. A inquieta classe trabalhadora de Cingapura era de maioria étnica chinesa. Pequim vinha buscando aliados — e sondando as fraquezas dos EUA.

Ninguém estava mais preocupado com a iminente vitória comunista no Vietnã que o governo de Taiwan, que ainda se proclamava governante de toda a China. A década de 1960 havia sido uma boa década para a economia de Taiwan, porém desastrosa para sua política externa. O ditador da ilha, Chiang Kaishek, ainda sonhava em reconquistar a parte continental, mas o equilíbrio militar havia mudado decisivamente contra ele. Em 1964, Pequim testou sua primeira arma atômica. Um teste de arma termonuclear veio logo em seguida. Diante de uma China nuclear, Taiwan precisava mais do que nunca de garantias de segurança dos EUA. Todavia, à medida que a Guerra do Vietnã se arrastava, os EUA cortavam a ajuda econômica para seus amigos na Ásia, incluindo Taiwan, um sinal preocupante para um país tão dependente do apoio norte-americano.[4]

Mandatários de Taiwan como K.T. Li, que estudara a física nuclear em Cambridge e dirigira uma siderúrgica antes de conduzir o desenvolvimento econômico de Taiwan nas décadas do pós-guerra, começaram a cristalizar uma estratégia de integração econômica com os EUA.[5] Os semicondutores estavam no centro desse plano. Li sabia que havia muitos engenheiros de semicondutores taiwaneses-americanos dispostos a ajudar. Em Dallas, Morris Chang pediu a seus colegas na Texas Instruments que montassem uma instalação em Taiwan. Muita gente descreveria posteriormente como se Chang, natural da China continental, estivesse "retornando" a Taiwan, porém em 1968 foi a primeira vez que ele pisou na ilha, após ter vivido nos EUA desde que fugira da tomada da China pelos comunistas. Dois dos colegas de doutorado de Chang em Stanford eram de Taiwan, no entanto, e eles o convenceram de que a ilha tinha um clima empresarial favorável e que os salários permaneceriam baratos.[6]

Depois de inicialmente acusar Mark Shepherd de ser um imperialista, o ministro Li logo mudou de tom. Ele percebeu que uma relação com a Texas Instruments poderia transformar a economia de Taiwan, construindo a indústria e transferindo conhecimentos tecnológicos. Enquanto isso, a montagem de eletrônicos catalisaria outros investimentos, ajudando Taiwan a produzir mais mercadorias de maior valor. À medida que os EUA ficavam cada vez mais céticos em relação aos compromissos militares na Ásia, Taiwan precisava desesperadamente diversificar suas conexões com os EUA. Os americanos que não estivessem interessados em defender Taiwan talvez estivessem dispostos a defender a Texas Instruments. Quanto mais fábricas de semicondutores na ilha e quanto mais laços econômicos com os EUA, mais segura estaria Taiwan. Em julho de 1968, após ter suavizado as relações com o governo de Taiwan, o conselho de administração da Texas Instruments aprovou a construção das novas instalações em Taiwan. Em agosto de 1969, essa fábrica montava seus primeiros dispositivos. Em 1980, enviava sua bilionésima unidade.[7]

Taiwan não estava sozinha ao pensar que as cadeias de suprimentos de semicondutores poderiam proporcionar crescimento econômico e reforçar a estabilidade política. Em 1973, o líder de Cingapura, Lee Kuan Yew, disse ao presidente dos EUA, Richard Nixon, que estava contando com as exportações para "apagar o desemprego" em Cingapura.[8] Com o apoio do governo de Cingapura, a Texas Instruments e a National Semiconductors construíram instalações de montagem na cidade-estado. Muitos outros fabricantes de chips seguiram. Ao final da década de 1970, as empresas de semicondutores dos EUA empregavam dezenas de milhares de trabalhadores internacionalmente, em especial na Coreia, em Taiwan e no Sudeste Asiático.[9] Uma nova aliança internacional surgiu entre fabricantes de chips texanos e californianos, autocratas asiáticos e os trabalhadores muitas vezes de etnia chinesa que integravam as equipes de muitas das instalações de montagem de semicondutores da Ásia.

Os semicondutores reformulam as economias e a política dos amigos dos EUA na região. As cidades que haviam sido terreno fértil para o radicalismo político foram transformadas por trabalhadores diligentes da linha de montagem, satisfeitos por trocar o desemprego ou a agricultura de subsistência por empregos mais bem remunerados em fábricas. No início da década de 1980, a indústria de eletrônicos representava 7% do PIB de Cingapura e um quarto de seus empregos de fabricação. Da produção de eletrônicos, 60% eram dispositivos semicondutores, e grande parte do restante era de mercadorias que não funcionariam sem semicondutores. Em Hong Kong, a fabricação de eletrônicos criou mais empregos que qualquer setor, exceto o têxtil. Na Malásia, a produção de semicondutores explodiu em Penang, Kuala Lumpur e Malaca, com novos empregos na fabricação proporcionando trabalho para muitos dos 15% de trabalhadores malaios que haviam deixado as fazendas e se mudado para cidades entre 1970 e 1980. Essas amplas migrações são muitas vezes desestabilizadoras politicamente, mas a Malásia mantinha sua proporção de desempregados baixa com muitos empregos em montagem de eletrônicos relativamente bem remunerados.[10]

Da Coreia do Sul a Taiwan, de Cingapura às Filipinas, um mapa das instalações de montagem de semicondutores parecia muito com um mapa das bases militares dos EUA por toda a Ásia. No entanto, mesmo depois de os EUA terem finalmente admitido a derrota no Vietnã e reduzido sua presença militar na região, essas cadeias de suprimentos transpacíficas resistiram. No final da década de 1970, em vez de peças de dominó caindo para o comunismo, os aliados dos EUA na Ásia estavam ainda mais profundamente integrados a eles.

Em 1977, Mark Shepherd retornou a Taiwan e se reuniu mais uma vez com K.T. Li, quase uma década após sua primeira reunião. Taiwan ainda corria o risco de uma invasão chinesa, mas Shepherd disse a Li: "Consideramos esse risco mais que compensado pela força e pelo dinamismo da economia de Taiwan. A Texas Instruments ficará e continuará crescendo em Taiwan", prometeu.[11] A empresa ainda tem instalações na ilha hoje em dia. Taiwan, por sua vez, transformou-se em um parceiro insubstituível para o Vale do Silício.

13
Os revolucionários da Intel

O ano de 1968 parecia um momento revolucionário. De Pequim a Berlim e a Berkeley, radicais e esquerdistas estavam preparados para derrubar a ordem estabelecida. A Ofensiva do Tet no Vietnã do Norte testou os limites do poderio militar dos eua. Contudo, foi o *Palo Alto Times* que saiu na frente dos maiores jornais do mundo ao relatar na página 6 o que, em retrospectiva, foi o acontecimento mais revolucionário do ano: "Fundadores deixam a Fairchild e formam sua própria empresa de eletrônicos".[1]

A rebelião de Bob Noyce e Gordon Moore não se parecia com os protestos em East Bay, na Califórnia, onde alunos de Berkeley e Panteras Negras tramavam revoltas violentas e sonhavam em abolir o capitalismo. Na Fairchild, Noyce e Moore estavam descontentes com a falta de opções de ações e fartos das interferências que partiam da matriz da empresa em Nova York. O sonho deles não era derrubar a ordem estabelecida, e sim transformá-la.

Noyce e Moore abandonaram a Fairchild com tanta rapidez quanto deixaram a startup de Shockley uma década antes e fundaram a Intel, que significa "Integrated Electronics" [Integração de Eletrônicos]. Na visão deles, os transistores se tornariam o produto mais barato já produzido, mas o mundo consumiria trilhões e trilhões deles. Os seres humanos seriam fortalecidos pelos semicondutores ao mesmo tempo que ficariam fundamentalmente dependentes deles. Enquanto o mundo ia se conectando aos EUA, seus circuitos internos iam mudando. A era industrial estava chegando ao fim. A perícia na gravação de transistores em silício agora moldaria a economia mundial. Pequenas cidades da Califórnia como Palo Alto e Mountain View estavam prestes a se tornar novos centros de poderio global.

Dois anos após sua fundação, a Intel lançou seu primeiro produto, um chip intitulado Dram, ou memória dinâmica de acesso aleatório. Antes da década de 1970, os computadores geralmente "se lembravam" dos dados utilizando não chips de silício, e sim um dispositivo chamado núcleo magnético, uma matriz de minúsculos anéis de metal unidos por uma grade de fios. Quando um anel era magnetizado, armazenava um 1 para o computador; um anel não magnetizado representava um 0. A selva de fios que unia os anéis era capaz de ligar e desligar o magnetismo de cada anel e "ler" se determinado anel era 1 ou 0. No entanto, a demanda pela lembrança dos uns e zeros estava explodindo, e não havia mais como encolher fios e anéis. Se os componentes ficassem menores, os montadores que os montavam manualmente descobririam que seriam impossíveis de produzir. À medida que a demanda por memória de computador explodia, os núcleos magnéticos não conseguiam acompanhar.[2]

Na década de 1960, engenheiros como Robert Dennard, da IBM, começaram a imaginar circuitos integrados que pudessem "se lembrar" com mais eficiência que os pequenos anéis de metal. Dennard tinha cabelos compridos e escuros que caíam abaixo de suas orelhas, depois se curvavam em um ângulo reto, paralelos ao chão, dando-lhe a aparência de um gênio excêntrico. Ele propôs acoplar um minúsculo transistor a um capacitor, um dispositivo de armazenamento em miniatura que ou fica carregado (1) ou não (0). Os capacitores vazam com o passar do tempo, então Dennard imaginou carregar repetidamente o capacitor através do transistor. O chip seria chamado de memória dinâmica (devido às repetições do carregamento) de acesso aleatório, ou Dram. Esses chips formam o núcleo das memórias dos computadores até os dias atuais.

Um chip Dram funcionava como as antigas memórias de núcleo magnético, armazenando uns e zeros com a ajuda de correntes elétricas. Mas, em vez de depender de fios e anéis, os circuitos do Dram eram esculpidos em silício. Não precisavam ser tecidos à mão, assim apresentariam defeitos com menos frequência e podiam ser muito menores. Noyce e Moore apostaram que sua nova empresa, a Intel, poderia pegar a ideia revolucionária de Dennard e colocá-la em um chip muito mais denso que um núcleo magnético jamais seria. Bastou uma olhada em um gráfico da Lei de Moore para saber que, enquanto o Vale do Silício fosse capaz de continuar encolhendo os transistores, os chips Dram conquistariam a primazia da memória para computadores.

A Intel planejava dominar o negócio de chips Dram. Chips de memória não precisam ser especializados, portanto chips com a mesma concepção podem ser utilizados em muitos tipos diferentes de dispositivos. Isso possibilita sua produção em grandes quantidades. Por outro lado, os outros tipos principais de chips — aqueles encarregados de "computar" em vez de "se lembrar" — eram especialmente projetados para cada dispositivo, porque todos os problemas de computação eram diferentes. Uma calculadora funcionava de maneira diferente do computador de orientação de um míssil, por exemplo, então, até a década de 1970, eles utilizavam tipos diferentes de chips lógicos. Essa especialização aumentava o custo, desse modo a Intel decidiu se concentrar em chips de memória, cuja produção em massa produziria economias de escala.

Todavia, Bob Noyce era incapaz de resistir a um enigma de engenharia. Muito embora tivesse acabado de arrecadar vários milhões de dólares com a promessa de que sua nova empresa fabricaria chips de memória, foi logo convencido a adicionar uma linha de produtos. Em 1969, uma empresa japonesa de calculadoras chamada Busicom pediu que Noyce projetasse um conjunto complicado de circuitos para sua mais nova calculadora. As calculadoras portáteis eram os iPhones dos anos 1970, um produto que utilizava as tecnologias de computação mais avançadas para baixar o preço e colocar um poderoso pedaço de plástico no bolso de todas as pessoas. Muitas empresas japonesas fabricavam calculadoras, mas frequentemente buscavam apoio no Vale do Silício para projetar e fabricar seus chips.

Noyce pediu a Ted Hoff, um engenheiro de fala mansa que havia chegado à Intel após uma carreira acadêmica em que estudou redes neurais, para atender à solicitação da Busicom. Ao contrário da maioria dos funcionários da Intel, que eram físicos ou químicos concentrados nos elétrons que atravessavam os chips, a experiência de Hoff em arquiteturas de computadores permitia que ele enxergasse os semicondutores da perspectiva dos sistemas que eles alimentavam.[3] A Busicom disse a Hoff que precisaria de doze chips diferentes com 24 mil transistores, todos organizados em um design sob medida. Ele achou que aquilo parecia impossivelmente complicado para uma pequena startup como a Intel.

Ao considerar a calculadora da Busicom, Hoff percebeu que os computadores estavam passando por um momento de troca entre circuitos lógicos personalizados e softwares personalizados. Como a fabricação de chips era uma atividade personalizada, que fornecia circuitos especializados para cada dispositivo, os clientes não prestavam muita atenção em softwares. No entanto, o avanço da Intel com chips de memória — e a perspectiva de que se tornariam exponencialmente mais potentes com o passar do tempo — significava que os computadores logo teriam a capacidade de memória necessária para trabalhar com softwares complexos. Hoff apostava que logo seria mais barato projetar um chip lógico padronizado que, acoplado a um potente chip de memória programado com diferentes tipos de software, pudesse computar várias coisas diferentes. Afinal, como Hoff já sabia, ninguém fabricava chips de memória mais poderosos que os da Intel.[4]

A Intel não era a primeira empresa a pensar em produzir um chip lógico generalizado. Um prestador de serviços de defesa havia produzido um chip muito parecido com o da Intel para o computador do caça F-14. Entretanto, a existência desse chip foi mantida em segredo até a década de 1990. A Intel, no entanto, lançou um chip chamado 4004 e o descreveu como o primeiro microprocessador do mundo — "um microcomputador programável em um chip", como anunciou a campanha publicitária da empresa. Ele poderia ser utilizado em muitos tipos diferentes de dispositivos e desencadear uma revolução na computação.[5]

Na festa de cinquenta anos de casamento de seus pais em 1972, Bob Noyce interrompeu as festividades, ergueu um *wafer* de silício e declarou para sua família: "Isto vai mudar o mundo".[6] Agora a lógica geral poderia ser produzida em massa. A computação estava pronta para sua própria revolução industrial, e a Intel tinha as linhas de montagem mais avançadas do mundo.

A pessoa que melhor entendeu como a capacidade de computação produzida em massa revolucionaria a sociedade foi um professor da Caltech chamado Carver Mead. Com olhos penetrantes e cavanhaque, Mead parecia mais um filósofo de Berkeley do que um engenheiro elétrico. Ele havia feito amizade com Gordon Moore logo após a fundação da Fairchild, depois que Moore entrou no escritório de Mead na Caltech, tirou do bolso uma meia cheia de transistores Raytheon 2N706 e os deu a Mead para utilizar em suas aulas de engenharia elétrica.[7] Moore logo contratou Mead como consultor e, ao longo de muitos anos, o visionário da Caltech passava todas as quartas-feiras nas instalações da Intel no Vale do Silício. Embora Gordon Moore tivesse sido o primeiro a representar graficamente o aumento exponencial da densidade dos transistores em seu famoso artigo de 1965, Mead cunhou o termo "Lei de Moore" para descrevê-lo.

"Nos próximos dez anos", previu Mead em 1972, "todas as facetas de nossa sociedade serão automatizadas em algum nível." Ele imaginou "um minúsculo computador enterrado dentro de nosso telefone, ou nossa máquina de lavar, ou nosso carro", à medida que os chips de silício se tornassem cada vez mais difundidos e acessíveis. "Nos últimos duzentos anos, melhoramos nossa capacidade de fabricar mercadorias e transportar pessoas em um fator de 100", calculou Mead. "Mas nos últimos vinte anos houve um aumento de 1.000.000 para 10.000.000 na proporção com que processamos e recuperamos informações." Uma explosão revolucionária de processamento de dados estava chegando. "Temos capacidade de computação saindo pelos ouvidos."[8]

Mead profetizava uma revolução com profundas consequências sociais e políticas. A influência nesse novo mundo seria de pessoas que pudessem produzir capacidade de computação e manipulá-la com softwares. Os engenheiros de semicondutores do Vale do Silício tinham o conhecimento especializado, as redes e as opções de ações que possibilitariam que eles escrevessem as regras do futuro — regras que todas as outras pessoas teriam de seguir. A sociedade industrial estava abrindo caminho para um mundo digital, com uns e zeros armazenados e processados em muitos milhões de placas de silício espalhadas por toda a sociedade. A era dos magnatas da tecnologia estava começando. "O destino da sociedade estará em jogo", declarou Carver Mead. "O catalisador é a tecnologia de microeletrônicos e sua capacidade de colocar cada vez mais componentes em cada vez menos espaço." As pessoas de fora do setor percebiam apenas vagamente como o mundo estava mudando, mas os líderes da Intel sabiam que, se conseguissem expandir drasticamente a disponibilidade de capacidade de computação, mudanças radicais se seguiriam. "Nós é que somos de fato os revolucionários do mundo moderno", declarou Gordon Moore em 1973, "não aqueles jovens com cabelos longos e barbas compridas que destruíam as escolas alguns anos atrás."[9]

14
A ESTRATÉGIA DE COMPENSAÇÃO DO PENTÁGONO

NINGUÉM SE BENEFICIOU mais com a revolução de Noyce e Moore que um pilar da velha ordem — o Pentágono. Ao chegar a Washington em 1977, William Perry se sentiu "como uma criança em uma loja de doces". Para um empresário do Vale do Silício como Perry, atuar no papel de subsecretário de defesa para pesquisa e engenharia era, segundo ele, o "melhor emprego do mundo". Ninguém tinha um orçamento maior que o Pentágono para comprar tecnologia. E quase ninguém em Washington tinha uma visão tão clara de como os microprocessadores e os potentes chips de memória poderiam transformar todas as armas e os sistemas nos quais o Departamento de Defesa se apoiava.

Diferentemente de Bob Noyce ou Gordon Moore, que estavam ganhando rios de dinheiro ignorando o governo e vendendo chips para calculadoras do mercado de massa e computadores de grande porte, Perry conhecia intimamente o Pentágono. Filho de um padeiro da Pensilvânia, ele começou sua carreira como cientista no Vale do Silício trabalhando para a Sylvania Electronic Defense Laboratories, uma unidade da mesma empresa de eletrônicos que havia contratado Morris Chang depois que ele se formou no MIT. Trabalhando para a Sylvania na Califórnia, Perry foi encarregado de projetar eletrônicos altamente confidenciais que monitoravam os lançamentos de mísseis soviéticos. No outono de 1962, ele havia sido um dos dez especialistas convocados com urgência para Washington a fim de examinar novas fotografias tiradas por aviões de espionagem U2 que mostravam mísseis soviéticos em Cuba. Ainda jovem, Perry já era visto como um dos maiores especialistas do país em assuntos militares.[1]

O trabalho de Perry na Sylvania o catapultou para o grupo de mandatários influentes da defesa dos EUA. Mas ele ainda vivia em Mountain View. Para um engenheiro cercado por startups, a Sylvania à moda antiga começou a parecer cada vez mais burocrática e enfadonha. Sua tecnologia ia rapidamente se tornando obsoleta. Seus produtos militares e de consumo dependiam de tubos de vácuo muito depois que os fabricantes de chips do Vale do Silício já lançavam no mercado seus circuitos integrados. Perry estava intimamente familiarizado com os avanços da eletrônica de estado sólido que o cercava. Ele cantava no mesmo coro de madrigais de Palo Alto que Bob Noyce. Assim, percebendo a revolução que estava em curso, em 1963 Perry saiu por conta própria, fundando a própria empresa com o objetivo de projetar dispositivos de vigilância para os militares. A fim de obter a capacidade de processamento de que precisava, Perry comprava chips de seu parceiro de cantoria, o CEO da Intel.[2]

No ensolarado Vale do Silício, parecia que "tudo era novo e qualquer coisa era possível", Perry se lembraria mais tarde. Visto do Pentágono quando de sua chegada em 1977, o mundo parecia muito mais escuro. Os EUA haviam acabado de perder a Guerra do Vietnã. Pior ainda, a União Soviética quase erodira por completo a vantagem militar dos EUA, alertavam analistas do Pentágono como Andrew Marshall. Nascido em Detroit, Marshall era um homem pequeno, careca e com um nariz adunco, que fitava o mundo de modo inescrutável por trás de seus óculos. Ele havia trabalhado em uma fábrica de máquinas-ferramentas durante a Segunda Guerra Mundial, antes de se tornar um dos funcionários públicos mais influentes da última metade do século. Marshall havia sido contratado em 1973 para estabelecer o Escritório de Avaliação de Redes do Pentágono e foi encarregado de prever o futuro da guerra.[3]

A conclusão sombria de Marshall foi que, após uma década de combates inúteis no Sudeste Asiático, os EUA haviam perdido sua vantagem militar.

Ele nutria a ideia fixa de recuperá-la. Embora Washington tivesse ficado chocada com o *Sputnik* e a Crise dos Mísseis de Cuba, foi somente no início da década de 1970 que os soviéticos construíram um estoque de mísseis balísticos intercontinentais grande o bastante para garantir que uma quantidade suficiente de suas armas atômicas pudesse sobreviver a um ataque nuclear dos EUA para retaliar com seu próprio ataque atômico devastador. E o que era mais preocupante: o Exército soviético tinha muito mais tanques e aviões, que já estavam estacionados em potenciais campos de batalha na Europa. Os EUA — enfrentando pressão interna para cortar gastos militares — simplesmente não conseguiam acompanhar.

Estrategistas como Marshall sabiam que a única resposta para a vantagem quantitativa soviética era produzir armas de melhor qualidade. Mas como? Já em 1972, Marshall escreveu que os EUA precisavam tirar proveito de sua "liderança significativa e duradoura" nos computadores.[4] "Uma boa estratégia seria desenvolver essa liderança e mudar os conceitos de guerra de forma a capitalizá-la", escreveu. Ele vislumbrou uma "rápida coleta de informações", "comando e controle sofisticados" e "orientação terminal" para mísseis, imaginando munições que poderiam atingir alvos com uma precisão quase perfeita. Se o futuro da guerra acabasse virando uma disputa por precisão, Marshall apostava, os soviéticos ficariam para trás.

Perry percebeu que a visão de Marshall sobre o futuro da guerra logo se tornaria possível devido à miniaturização da capacidade de computação. Ele estava intimamente familiarizado com a inovação dos semicondutores do Vale do Silício, tendo utilizado chips da Intel nos próprios dispositivos de sua empresa. Muitos dos sistemas de armas utilizados na Guerra do Vietnã ainda dependiam de tubos de vácuo, mas os chips das mais novas calculadoras portáteis ofereciam muito mais capacidade de computação que um velho míssil *Sparrow III*. Se eles colocassem aqueles chips em mísseis, Perry apostava, os militares dos EUA saltariam à frente dos soviéticos.

Os mísseis teleguiados não apenas "compensariam" a vantagem quantitativa da URSS, ele teorizou. Forçariam os soviéticos a empreender um esforço antimísseis ruinosamente caro como reação. Perry calculou que Moscou precisaria de cinco a dez anos e de 30 a 50 bilhões de dólares para se defender contra os 3 mil mísseis de cruzeiro dos EUA que o Pentágono planejava

A GUERRA DOS CHIPS 109

colocar em ação — e, mesmo assim, os soviéticos só conseguiriam destruir metade dos mísseis que chegariam se fossem todos disparados contra a URSS.[5]

Aquele era exatamente o tipo de tecnologia que Andrew Marshall vinha procurando. Após trabalharem com o secretário de defesa de Jimmy Carter, Harold Brown, Perry e Marshall pressionaram o Pentágono a investir pesadamente em novas tecnologias: uma nova geração de mísseis teleguiados que utilizavam circuitos integrados, não tubos de vácuo; uma constelação de satélites que poderiam transmitir coordenadas de localização para qualquer ponto da Terra; e — mais importante — um novo programa para impulsionar a próxima geração de chips, para garantir que os EUA mantivessem sua vantagem tecnológica.

Liderado por Perry, o Pentágono injetou dinheiro em novos sistemas bélicos que capitalizaram a vantagem dos EUA em microeletrônica. Programas de armas de precisão como o *Paveway* foram promovidos, assim como munições teleguiadas de todos os tipos, de mísseis de cruzeiro a projéteis de artilharia. Sensores e comunicações também começaram a avançar com a aplicação da capacidade de computação miniaturizada. Detectar submarinos inimigos, por exemplo, era, em grande parte, um problema de desenvolvimento de sensores precisos e de passar as informações coletadas por eles por algoritmos cada vez mais complicados. Com capacidade de processamento suficiente, apostaram os especialistas em acústica dos militares, deveria ser possível distinguir uma baleia de um submarino a muitos quilômetros de distância.[6]

O armamento teleguiado ficava cada vez mais complexo. Novos sistemas como o míssil *Tomahawk* contavam com sistemas de orientação muito mais sofisticados que o *Paveway*, utilizando um altímetro de radar para escanear o solo e compará-lo a mapas de terreno pré-carregados no computador do míssil.[7] Dessa forma, o míssil poderia se redirecionar sozinho se desviasse do trajeto. Esse tipo de orientação havia sido teorizado décadas antes, mas só era possível implementá-lo agora que chips potentes eram pequenos o bastante para caber em um míssil de cruzeiro.

As munições teleguiadas individuais eram uma inovação poderosa, mas seriam ainda mais impactantes se pudessem compartilhar informações. Perry encomendou um programa especial, executado pela Defense Advanced Research Projects Agency (Darpa) [Agência de Projetos de Pesquisa Avançada de Defesa do Pentágono], para ver o que aconteceria se todos esses novos sensores, armas teleguiadas e dispositivos de comunicação fossem integrados. Intitulado "Assault Breaker",[8] ele imaginou um radar aéreo capaz de identificar alvos inimigos e fornecer informações de localização para um centro de processamento terrestre, que fundiria os detalhes do radar com informações provenientes de outros sensores. Mísseis terrestres se comunicariam com o radar aéreo guiando-os rumo ao alvo. Na descida final, os mísseis liberariam submunições que atingiriam individualmente seus alvos.

Armas teleguiadas davam lugar a uma visão de guerra automatizada, com capacidade de computação distribuída para sistemas individuais de uma maneira jamais imaginada. Isso só foi possível porque os EUA estavam a caminho de "aumentar a densidade dos chips de dez a cem vezes", como Perry disse em uma entrevista de 1981, prometendo aumentos equivalentes na capacidade de computação. "Conseguiremos colocar computadores, que apenas dez anos antes teriam ocupado este cômodo inteiro, em um chip" e pôr em ação "armas 'inteligentes' em todos os níveis".[9]

A visão de Perry era tão radical quanto qualquer coisa que o Vale do Silício tivesse desenvolvido. Poderia o Pentágono realmente implementar um programa de alta tecnologia? Quando Perry deixou o cargo em 1981, na época em que a presidência de Carter terminava, jornalistas e parlamentares criticavam sua aposta no ataque de precisão. "Mísseis de cruzeiro: arma-maravilha ou fracasso?", perguntava um colunista em 1983. Um outro equiparou as tecnologias avançadas de Perry a "sinos e assobios", apontando as frequentes avarias e a desanimadora proporção de mortes por armas ostensivamente "inteligentes", como o míssil *Sparrow* alimentado por tubos de vácuo.[10]

Os avanços na capacidade de computação que a visão de Perry exigia pareciam ficção científica para muitos críticos, que presumiam que a tecnologia de mísseis teleguiados melhoraria lentamente porque tanques e aviões também mudavam lentamente. Crescimentos exponenciais, o que a Lei de Moore ditava, quase não são vistos e são de difícil compreensão. Entretanto, Perry não estava sozinho quando previu uma melhoria "de dez a cem vezes". A Intel vinha prometendo exatamente a mesma coisa para seus clientes.

Perry resmungava que seus críticos no Congresso eram "ludistas",[11] que não entendiam a rapidez com que os chips estavam mudando.

Mesmo depois que Perry deixou o cargo, o Departamento de Defesa continuou a injetar dinheiro em chips avançados e nos sistemas militares que eles alimentavam. Andrew Marshall continuava seu trabalho no Pentágono, já sonhando com os novos sistemas que esses chips da próxima geração possibilitariam. Poderiam os engenheiros de semicondutores entregar o progresso prometido por Perry? A Lei de Moore previu que sim — mas era apenas uma previsão, não uma garantia. Além disso, diferentemente de quando os circuitos integrados foram inventados, a indústria de chips havia se tornado menos concentrada na produção militar. Empresas como a Intel visavam computadores corporativos e bens de consumo, não mísseis. Apenas os mercados consumidores tinham volume para financiar os vastos programas de P&D que a Lei de Moore exigia.

No início da década de 1960, era possível afirmar que o Pentágono havia criado o Vale do Silício. Nos dez anos que se passaram desde então, o jogo virou. As Forças Armadas dos EUA perderam a guerra no Vietnã, mas a indústria de chips conquistou a paz que se seguiu, vinculando o restante da Ásia, de Cingapura a Taiwan e ao Japão, mais intimamente aos EUA por meio da rápida expansão de ligações de investimentos e cadeias de suprimentos. O mundo inteiro estava mais conectado à infraestrutura de inovação dos EUA, e até adversários como a URSS passavam seu tempo copiando os chips e as ferramentas de fabricação de chips norte-americanos. Enquanto isso, a indústria de chips havia catalisado uma série de novos sistemas bélicos que refaziam a forma com que os militares dos EUA combateriam em guerras futuras. O poderio dos Estados Unidos estava sendo reformulado. Agora, toda a nação dependia do sucesso do Vale do Silício.

Parte III
Liderança perdida?

15
"Essa competição é dura"

"Desde que você escreveu aquele artigo, minha vida virou um inferno!", um vendedor de chips resmungou para Richard Anderson, um executivo da Hewlett-Packard encarregado de decidir quais chips atendiam aos rigorosos padrões da HP.[1] Os anos 1980 foram uma década infernal para todo o setor de semicondutores dos EUA. O Vale do Silício achava que estava situado no topo da indústria de tecnologia do mundo, mas, depois de duas décadas de rápido crescimento, agora enfrentava uma crise existencial: uma concorrência acirradíssima do Japão. Quando Anderson subiu ao palco em uma conferência do setor no histórico hotel Mayflower, em Washington, D.C., no dia 25 de março de 1980, o público ouviu com atenção, porque todos estavam tentando lhe vender seus chips. A Hewlett-Packard, a empresa para a qual ele trabalhava, havia inventado o conceito de uma startup do Vale do Silício na década de 1930, quando Dave Packard e Bill Hewlett, formados em Stanford, começaram a mexer com equipamentos eletrônicos em uma garagem de Palo Alto. Agora era uma das maiores empresas de tecnologia dos EUA — e uma das maiores compradoras de semicondutores.

O julgamento de Anderson sobre um chip poderia moldar o destino de qualquer empresa de semicondutores, mas os vendedores do Vale do Silício nunca tinham permissão para beber vinho e jantar com ele. "Às vezes deixo eles me levarem para almoçar", admitiu timidamente. Mas todo o Vale sabia que ele servia como o porteiro do cliente mais importante de quase todos ali. Seu trabalho lhe dava uma visão panorâmica da indústria de semicondutores, incluindo o desempenho de cada empresa.

Além de empresas dos EUA como a Intel e a Texas Instruments, empresas japonesas como a Toshiba e a NEC agora fabricavam chips de memória Dram — embora a maioria das pessoas no Vale do Silício não levasse esses nomes a sério. Os fabricantes de chips dos EUA eram comandados pelas pessoas que haviam inventado a alta tecnologia. Eles brincavam que o Japão era o país do "clique, clique" — o som feito pelas câmeras que os engenheiros japoneses levavam para as conferências de chips para copiar melhor as ideias.[2] O fato de que grandes fabricantes de chips dos EUA estavam envolvidos em processos de propriedade intelectual com rivais japoneses era interpretado como prova de que o Vale do Silício ainda estava bem à frente.

Na HP, entretanto, Anderson não ficou satisfeito em simplesmente não levar a Toshiba e a NEC a sério — ele testou os chips delas e descobriu que eram de qualidade muito superior à dos concorrentes dos EUA. Nenhuma das três empresas japonesas relatava proporções de defeitos acima de 0,02% durante suas primeiras mil horas de utilização, informou ele. A proporção de defeitos mais baixa das três empresas dos EUA foi de 0,09% — o que significava que mais que o quádruplo de chips fabricados nos EUA apresentavam defeito. A pior empresa dos EUA produzia chips com proporções de 0,26% de defeitos — mais de *dez* vezes pior que os resultados japoneses.[3] Os chips de Dram dos EUA funcionavam igual, custavam igual, mas apresentavam muito mais defeitos. Então, por que alguém deveria comprá-los?

Os chips não eram a única indústria dos EUA pressionada por concorrentes japoneses ultraeficientes e de alta qualidade. Nos anos logo após a guerra, *"Made in Japan"* era sinônimo de "barato". Mas empreendedores como Akio Morita, da Sony, haviam descartado essa reputação de preço baixo, substituindo-a por produtos de alta qualidade, como os de qualquer concorrente dos EUA. Os rádios transistorizados de Morita foram os primeiros desafiantes à altura da preeminência econômica dos EUA, e seu sucesso encorajou Morita e seus pares japoneses a mirar ainda mais alto. As indústrias dos EUA, de automóveis a siderúrgicas, enfrentavam intensa concorrência japonesa.

Na década de 1980, os eletrônicos para consumidores haviam se tornado uma especialidade japonesa, com a Sony liderando o lançamento de novos bens de consumo, conquistando participação de mercado de rivais dos EUA. No início, as empresas japonesas atingiram o sucesso replicando produtos dos rivais norte-americanos, fabricando-os com maior qualidade e menor preço. Alguns japoneses enfatizaram a ideia de que eles eram excelentes em implementação, enquanto os EUA eram melhores em inovação. "Não temos doutores Noyce ou doutores Shockley", escreveu um jornalista japonês, embora o país tivesse começado a acumular sua parcela de ganhadores do Prêmio Nobel. No entanto, japoneses proeminentes continuavam a minimizar os sucessos científicos de seu país, sobretudo ao falar para o público dos EUA. O diretor de pesquisa da Sony, o famoso físico Makoto Kikuchi, disse a um jornalista dos EUA que o Japão tinha menos gênios que os EUA, um país com "elites que se sobressaíam". Mas os EUA também tinham "uma cauda longa" de pessoas "com inteligência abaixo do normal", argumentou Kikuchi, explicando por que o Japão era melhor em termos de fabricação em massa.[4]

Os fabricantes de chips dos EUA se apegaram à sua crença de que Kikuchi tinha razão sobre a vantagem dos EUA em termos de inovação, muito embora dados contraditórios se acumulassem. A melhor prova contra a tese de que o Japão era um "implementador", e não um "inovador", era o patrão de Kikuchi, Akio Morita, o CEO da Sony. Morita sabia que a replicação era a receita para uma posição de segunda classe e lucros de segunda categoria. Ele levou seus engenheiros não apenas a fabricar os melhores rádios e TVs, mas também a imaginar toda uma gama de novos tipos de produtos.

Em 1979, apenas alguns meses antes da apresentação de Anderson sobre problemas de qualidade nos chips dos EUA, a Sony apresentou o Walkman, um tocador de música portátil que revolucionou a indústria da música, incorporando cinco dos circuitos integrados de última geração da empresa em cada dispositivo.[5] Agora os adolescentes de todo o mundo podiam carregar suas músicas prediletas no bolso, algo possibilitado por circuitos integrados que foram concebidos no Vale do Silício, porém desenvolvidos no Japão. A Sony vendeu 385 milhões de unidades em todo o mundo, tornando o Walkman um dos dispositivos de consumo mais populares da história.[6] Aquilo era inovação na forma mais pura — e tinha sido feito no Japão.

Os EUA haviam apoiado a transformação do Japão pós-guerra em vendedor de transistores. As autoridades da ocupação dos EUA transferiram conhecimentos sobre a invenção do transistor para os físicos japoneses, enquanto os formuladores de políticas em Washington garantiam que empresas japonesas como a Sony pudessem vender facilmente nos mercados dos EUA. O objetivo de transformar o Japão em um país de capitalistas democratas tinha dado certo. Agora alguns deles se perguntavam se não dera certo demais. A estratégia de capacitar as empresas japonesas parecia estar minando a vantagem econômica e tecnológica dos EUA.

Charlie Sporck, o executivo que teve seu boneco queimado enquanto gerenciava uma linha de produção da GE, achou a produtividade do Japão fascinante e assustadora. Depois de começar na indústria de chips na Fairchild, Sporck saiu para comandar a National Semiconductor, então uma grande produtora de chips de memória. Parecia certo que a concorrência japonesa ultraeficiente acabaria com o seu negócio. Sporck tinha uma reputação conquistada a duras penas com sua capacidade de extrair eficiência de trabalhadores de linhas de montagem, mas os níveis de produtividade do Japão estavam muito à frente de qualquer coisa que seus trabalhadores pudessem realizar.

Sporck enviou um de seus subordinados e um grupo de trabalhadores da linha de montagem para passar vários meses no Japão visitando as instalações de semicondutores. Quando voltaram para a Califórnia, Sporck fez um filme sobre sua experiência. Eles relataram que os trabalhadores japoneses eram "incrivelmente pró-empresa" e que "o supervisor de produção dava prioridade à empresa sobre sua família". Os patrões no Japão não precisavam se preocupar em ter seus bonecos queimados. Foi uma "bela história", declarou Sporck. "Foi uma coisa para todos os nossos funcionários verem como essa competição é dura."[7]

16
"Em guerra com o Japão"

"Não quero fingir que estou em uma luta justa", reclamou Jerry Sanders, CEO da Advanced Micro Devices. "Pois não estou." Sanders sabia alguma coisa sobre brigas. Aos dezoito anos, quase morreu após uma briga na Zona Sul de Chicago, onde foi criado. Após seu corpo ser encontrado em uma lata de lixo, um padre administrou os últimos ritos, mas ele milagrosamente acordou do coma três dias depois. Acabou conseguindo um emprego em vendas e marketing na Fairchild Semiconductor, trabalhando ao lado de Noyce, Moore e Andy Grove antes que eles deixassem a empresa para fundar a Intel. Embora seus colegas fossem em sua maioria modestos engenheiros, Sanders exibia relógios caros e dirigia um Rolls-Royce. Ele viajava toda semana para o Vale do Silício saindo do Sul da Califórnia, onde morava, porque, lembrou um colega, ele e a esposa só se sentiam em casa de verdade em Bel Air. Depois de fundar a própria empresa de chips, a AMD em 1969, ele passou grande parte das três décadas seguintes em uma contenda judicial com a Intel por disputas em relação a propriedade intelectual. "Não posso fugir de uma briga", ele admitiu para um jornalista.[1]

"A indústria de chips era uma indústria incrivelmente competitiva", lembrou Charlie Sporck, o executivo que havia liderado a internacionalização da montagem de chips em toda a Ásia. "Derrube-os, combata-os, mate-

-os", explicava Sporck, batendo os punhos para ilustrar seu argumento.[2] Com orgulho, patentes e milhões de dólares em jogo, as brigas entre os fabricantes de chips dos EUA muitas vezes acabavam respingando no lado pessoal, mas ainda havia muito crescimento pela frente. Todavia, a concorrência japonesa parecia diferente. Se a Hitachi, a Fujitsu, a Toshiba e a NEC alcançassem o sucesso, pensava Sporck, elas levariam toda a indústria para o outro lado do Pacífico. "Eu trabalhava especificamente com TVs na GE", alertava ele. "Se você passar por aquela instalação agora, ainda está vazia... Nós sabíamos dos perigos, e de jeito nenhum iríamos deixar aquilo acontecer conosco." Estava tudo em jogo: empregos, fortunas, legados, orgulho. "Estamos em guerra com o Japão", insistia ele. "Não com armas e munição, mas uma guerra econômica com tecnologia, produtividade e qualidade."[3]

Sporck enxergava as batalhas internas do Vale do Silício como lutas justas, mas achava que as empresas japonesas de Dram se beneficiavam do roubo de propriedade intelectual, de proteção de mercado, subsídios governamentais e capital barato. Sporck tinha razão sobre os espiões. Após um encontro às cinco da manhã no saguão de um hotel em Hartford, Connecticut, em uma gelada manhã de novembro de 1981, o funcionário da Hitachi Jun Naruse entregou um envelope com dinheiro e recebeu em troca um crachá de "consultor" de uma empresa chamada Glenmar, que prometia ajudar a Hitachi a obter segredos industriais. Com o crachá, Naruse ganhou acesso a uma instalação secreta comandada pela fabricante de aeronaves Pratt & Whitney e fotografou o mais novo computador da empresa.

Após a sessão de fotos, o colega de Naruse na Costa Oeste, Kenji Hayashi, enviou uma carta para Glenmar propondo um "contrato de prestação de serviços de consultoria". Os executivos seniores da Hitachi autorizaram meio milhão de dólares em pagamentos à Glenmar para seguir com a relação. Mas a Glenmar era uma empresa de fachada; seus funcionários eram agentes do FBI. "Parece que a Hitachi caiu na armadilha", admitiu constrangido o porta-voz da empresa depois que os funcionários da Hitachi foram presos e a matéria saiu na primeira página da seção de negócios do *New York Times*.[4]

A Hitachi não estava sozinha. A Mitsubishi Electric enfrentava acusações semelhantes. Não era apenas em torno de semicondutores e computadores que as acusações de espionagem e fraude japonesas giravam. Toshiba, o conglomerado industrial japonês que, em meados da década de 1980, era o líder mundial em termos de produção de Dram, passou anos enfrentando alegações — verdadeiras, como acabou se descobrindo — de que a empresa vendeu para os soviéticos máquinas que os ajudaram a construir submarinos mais silenciosos.[5] Não havia ligação direta entre o negócio de submarinos soviéticos da Toshiba e o negócio de semicondutores da empresa, mas muitos nos EUA entenderam que o caso dos submarinos representava mais uma prova da maneira suja que os japoneses tinham de fazer negócio.[6] A quantidade de casos documentados de espionagem industrial japonesa ilegal era baixa. Mas será que isso era um sinal de que roubar segredos desempenhava um pequeno papel no sucesso do Japão ou prova de que as empresas japonesas eram habilidosas em espionagem?

Entrar sorrateiramente nas instalações dos rivais era ilegal, mas ficar de olho nos concorrentes era uma prática normal no Vale do Silício. Acusar rivais de furtar funcionários, ideias e propriedade intelectual também. Afinal, os fabricantes de chips dos EUA estavam constantemente processando uns aos outros. Demorou uma década de processos judiciais entre a Fairchild e a Texas Instruments para resolver a questão de se foi Noyce ou Kilby quem havia inventado o circuito integrado, por exemplo. As empresas de chips também costumavam surrupiar astros da engenharia dos rivais na esperança de adquirir não apenas trabalhadores experientes, como também conhecimento sobre os processos de produção dos concorrentes. Noyce e Moore haviam deixado a Shockley Semiconductor para fundar a Fairchild e depois a abandonaram para fundar a Intel, onde contrataram dezenas de funcionários da antiga empresa, incluindo Andy Grove. A Fairchild considerou processá-los antes de decidir que era improvável vencer um processo judicial contra os gênios que haviam construído a indústria de chips. Rastrear e imitar os rivais era fundamental para o modelo de negócio do Vale do Silício. A estratégia do Japão era diferente em alguma coisa?

Sporck e Sanders apontaram que as empresas japonesas também se beneficiavam de um mercado doméstico protegido. Elas podiam vender para os EUA, mas o Vale do Silício enfrentava dificuldades para conquistar participação de mercado no Japão. Até 1974, o Japão impunha cotas que limitavam a quantidade de chips que as empresas dos EUA podiam vender no país. Mesmo depois de essas cotas terem sido suspensas, as empresas japonesas ainda compravam poucos chips do Vale do Silício, muito embora o Japão consumisse 25% de todos os semicondutores do mundo, que empresas como a Sony conectavam a TVS e videocassetes vendidos em todo o planeta. Alguns grandes consumidores japoneses de chips, como o NTT, o monopólio nacional de telecomunicações do Japão, compravam quase que apenas de fornecedores japoneses. Aquilo era ostensivamente uma decisão de negócios, mas o NTT era de propriedade do governo, então a política provavelmente teve influência. A baixa participação de mercado do Vale do Silício no Japão custou às empresas dos EUA bilhões de dólares em vendas.[7]

O governo do Japão também subsidiava seus fabricantes de chips. Ao contrário dos EUA, onde a lei antitruste desencorajava as empresas de chips a colaborar, o governo japonês pressionava as empresas a trabalharem juntas, lançando um consórcio de pesquisa intitulado "Programa VLSI" em 1976, com o governo financiando cerca de metade do orçamento.[8] Os fabricantes de chips dos EUA citaram isso como prova da concorrência desleal japonesa, embora os 72 milhões de dólares que o Programa VLSI gastava por ano em P&D fossem mais ou menos o mesmo valor do orçamento de P&D da Texas Instruments e menor que o da Motorola. Além disso, o próprio governo dos EUA estava profundamente envolvido no apoio a semicondutores, embora o financiamento de Washington tenha tomado a forma de concessões provenientes da Darpa, a unidade do Pentágono que investe em tecnologias especulativas e que desempenhou um papel crucial no financiamento da inovação na fabricação de chips.

Jerry Sanders enxergava a maior desvantagem do Vale do Silício como seu alto custo de capital. Os japoneses "pagam 6%, talvez 7%, por capital. Eu pago 18% em um dia bom", ele reclamava.[9] Construir instalações fabris avançadas era caríssimo, então o custo do crédito era imensamente importante. Um chip de última geração surgia mais ou menos uma vez a cada dois anos, exigindo novas instalações e novas máquinas. Na década de 1980, as taxas de juros dos EUA chegaram a 21,5%, enquanto o Federal Reserve, o banco central dos EUA, buscava combater a inflação.

Por outro lado, as empresas japonesas de Dram tiveram acesso a um capital muito mais barato. Os fabricantes de chips como Hitachi e Mitsubishi integravam grandes conglomerados com ligações estreitas com bancos que forneciam volumosos empréstimos de longo prazo. Mesmo quando as empresas japonesas não eram lucrativas, seus bancos as mantinham à tona, prorrogando o crédito para muito depois que credores dos EUA as tivessem levado à falência.[10] A sociedade japonesa tinha uma estrutura direcionada para produzir economias em larga escala, porque seu *"baby boom"* do pós--guerra e sua rápida mudança para lares com apenas uma criança resultaram em uma abundância de famílias de meia-idade concentradas em economizar para a aposentadoria. A acanhada rede de segurança social do Japão fornecia um incentivo a mais para a economia. Enquanto isso, restrições rigorosas nos mercados de ações e em outros investimentos deixaram as pessoas com pouca opção a não ser acumular economias em contas bancárias. Em consequência, os bancos estavam repletos de depósitos, prorrogando empréstimos a taxas baixas porque tinham muito dinheiro em mãos. As empresas japonesas tinham mais dívidas que as dos EUA, mas, mesmo assim, pagavam taxas mais baixas para contrair empréstimos.[11]

Com esse capital barato, as empresas japonesas lançaram uma luta implacável por participação de mercado. Toshiba, Fujitsu e outras também eram implacáveis na concorrência umas contra as outras, apesar da imagem cooperativa pintada por alguns analistas dos EUA. No entanto, com empréstimos bancários quase ilimitados disponíveis, elas poderiam sofrer prejuízos enquanto esperavam que os concorrentes falissem. No início da década de 1980, as empresas japonesas investiram 60% a mais que suas rivais dos EUA em equipamentos de produção, muito embora todos no setor enfrentassem a mesma concorrência feroz, e quase ninguém obtinha muito lucro. Os fabricantes de chips japoneses continuaram investindo e produzindo, conquistando cada vez mais participação de mercado. Por causa disso, cinco anos após o lançamento do chip Dram de 64K, a Intel — a empresa pioneira em chips Dram uma década antes — ficou com apenas 1,7% do mercado global de Dram, enquanto a participação de mercado dos concorrentes japoneses disparava.[12]

As empresas japonesas redobravam os esforços de produção de Dram à medida que o Vale do Silício era expulso. Em 1984, a Hitachi gastou 80 bilhões de ienes em despesas de capital para seu negócio de semicondutores, em comparação com 1,5 bilhão uma década antes. Na Toshiba, os gastos cresceram de 3 bilhões para 75 bilhões; na NEC, de 3,5 bilhões para 110 bilhões. Em 1985, as empresas japonesas gastaram 46% das despesas de capital do mundo em semicondutores, comparados aos 35% dos EUA. Em 1990, os números eram ainda mais desiguais, com as empresas japonesas respondendo por metade dos investimentos mundiais em instalações e equipamentos para fabricação de chips. Os CEOS do Japão continuavam a construir novas instalações enquanto seus bancos estivessem satisfeitos em pagar a conta.[13]

Os fabricantes de chips japoneses argumentavam que nada daquilo era injusto. As empresas de semicondutores dos EUA recebiam bastante ajuda do governo, sobretudo por meio de contratos de defesa. De qualquer forma, os consumidores de chips dos EUA, como a HP, tinham provas concretas de que os chips japoneses eram simplesmente de melhor qualidade. Assim, a participação de mercado do Japão em chips Dram cresceu a cada ano durante a década de 1980 à custa dos rivais dos EUA. A onda de semicondutores do Japão parecia imparável, independentemente das previsões apocalípticas dos fabricantes de chips dos EUA. Não demoraria muito e todo o Vale do Silício seria largado para morrer, assim como o Jerry Sanders adolescente em uma lata de lixo da Zona Sul de Chicago.

17
"Despachando lixo"

À MEDIDA QUE o rolo compressor japonês devastava a indústria de alta tecnologia dos EUA, não eram apenas as empresas produtoras de chips Dram que enfrentavam dificuldades. Muitos de seus fornecedores estavam na mesma situação. Em 1981, a GCA Corporation era celebrada como uma das "corporações de alta tecnologia mais empolgantes" dos EUA, crescendo rapidamente com a comercialização de equipamentos que possibilitavam a Lei de Moore.[1] Nas duas décadas desde que o físico Jay Lathrop virou seu microscópio de cabeça para baixo pela primeira vez para iluminar produtos químicos fotorresistentes e "imprimir" desenhos em *wafers* semicondutores, o processo de fotolitografia se tornou muitíssimo mais complicado. Já iam longe os dias em que Bob Noyce dirigia para cima e para baixo na rodovia 101 da Califórnia em seu velho calhambeque em busca de lentes de câmeras de filme para os equipamentos de fotolitografia improvisados da Fairchild.[2] Agora a litografia era um grande negócio, e, no início da década de 1980, a GCA estava no topo.

Embora a fotolitografia tenha se tornado muito mais precisa que nos dias do microscópio invertido de Jay Lathrop, os princípios continuavam os mesmos. Uma luz incidente através de máscaras e lentes projetando formatos focados sobre um *wafer* de silício coberto com produtos químicos fotorresistentes. Onde a luz incidia, os produtos químicos reagiam com ela, possibilitando que fossem removidos, o que expunha os entalhes microscópicos por cima do *wafer* de silício. Novos materiais eram adicionados a esses orifícios, construindo circuitos no silício. Produtos químicos especializados gravavam sobre o fotorresistente, deixando para trás formatos perfeitos. Muitas vezes eram necessárias cinco, dez ou vinte iterações de litografia, deposição, gravação e polimento para fabricar um circuito integrado, com o resultado em camadas como um bolo de casamento geométrico. À medida que os transistores iam sendo miniaturizados, cada parte do processo de litografia — dos produtos químicos às lentes e aos lasers que alinhavam perfeitamente os *wafers* de silício à fonte de luz — ficava ainda mais difícil.

Os principais fabricantes de lentes do mundo eram a alemã Carl Zeiss e a japonesa Nikon, embora os EUA também tivessem alguns fabricantes de lentes especializados. Perkin Elmer, um pequeno fabricante de Norwalk, em Connecticut, havia feito miras de bombas para os militares dos EUA durante a Segunda Guerra Mundial e lentes para satélites e aviões espiões da Guerra Fria. A empresa percebeu que aquela tecnologia poderia ser utilizada em litografia de semicondutores e desenvolveu um escâner de chips que poderia alinhar um *wafer* de silício e uma fonte de luz litográfica com precisão quase perfeita, o que era crucial para que a luz incidisse sobre o silício exatamente como pretendido. A máquina movimentava a luz pelo *wafer* como uma copiadora, expondo o *wafer* coberto com fotorresistência como se estivesse sendo pintado com linhas de luz. O escâner de Perkin Elmer poderia criar chips com características de aproximadamente um mícron — um milionésimo de metro — de largura.[3]

O escâner de Perkin Elmer dominou o mercado da litografia no final da década de 1970, mas, na década de 1980, foi colocado de lado pela GCA, empresa liderada por um oficial da Força Aérea que virou geofísico chamado Milt Greenberg, um gênio ambicioso, teimoso e desbocado. Greenberg e um amigo da Força Aérea fundaram a GCA após a Segunda Guerra Mundial com capital inicial dos Rockefellers. Treinado como meteorologista militar, Greenberg uniu seu conhecimento da atmosfera e suas conexões na Força Aérea para trabalhar como prestador de serviços de defesa, produzindo dispositivos como balões de alta altitude que faziam medições e tiravam fotos da União Soviética.[4]

As ambições de Greenberg logo voaram ainda mais alto. O crescimento na indústria de semicondutores mostrou que o dinheiro de verdade estava no mercado de massa, não em contratos militares especializados. Greenberg pensou que os sistemas ópticos de alta tecnologia de sua empresa — úteis para reconhecimento militar — poderiam ser implantados em chips civis. Em uma conferência do setor no final da década de 1970, na qual a GCA anunciava seus sistemas para fabricantes de chips, Morris Chang, da Texas Instruments, foi até o estande da GCA, começou a examinar os equipamentos da empresa e perguntou se, em vez de passar a luz por toda a extensão de um *wafer*, o equipamento poderia se movimentar passo a passo, expondo cada chip no *wafer* de silício.[5] Essa movimentação seria muito mais precisa que os escâneres existentes. Embora uma movimentação dessas nunca tivesse sido concebida, os engenheiros da GCA acreditavam que conseguiriam criar uma, proporcionando imagens com resolução mais elevada e, portanto, transistores menores.

Vários anos depois, em 1978, a GCA apresentava seu primeiro dispositivo que fazia essa movimentação, chamado de repetidor.[6] As encomendas de vendas começaram a chegar. Antes do repetidor, a GCA nunca havia faturado mais de 50 milhões de dólares por ano em seus contratos militares, mas agora tinha o monopólio de uma máquina extraordinariamente valiosa. A receita logo atingiu 300 milhões, e o preço das ações da empresa disparou.[7]

À medida que a indústria japonesa de chips crescia, no entanto, a GCA começava a perder sua vantagem. Greenberg, o CEO, imaginava-se como um titã dos negócios, mas passava menos tempo administrando a empresa e mais bebendo com políticos. Ele inaugurou uma grande fábrica apostando que a explosão dos semicondutores do início da década de 1980 continuaria por tempo indeterminado. Os custos ficaram fora de controle. O inventário foi descontroladamente mal administrado. Um funcionário encontrou por acidente lentes de precisão no valor de 1 milhão de dólares largadas e esquecidas em um armário. Circulavam histórias de executivos comprando Corvettes nos cartões de crédito da empresa. Um dos sócios fundadores da Greenberg admitiu que a empresa estava gastando dinheiro como um "marinheiro bêbado".[8]

Os excessos da empresa ocorreram em um péssimo momento. A indústria de semicondutores sempre havia sido ferozmente cíclica, decolando vertiginosamente quando a demanda estava forte e desabando quando não estava. Não precisava ser um cientista de foguetes — e a GCA tinha um punhado deles na equipe — para descobrir que, após a explosão do início da década de 1980, uma desaceleração acabaria por acontecer. Greenberg optou por não ouvir. "Ele não queria ouvir do departamento de marketing que 'vai haver uma desaceleração'", lembrou um funcionário. Então, a empresa entrou na crise dos semicondutores de meados da década de 1980 fortemente sobrecarregada. As vendas globais de equipamentos de litografia caíram 40% entre 1984 e 1986. A receita da GCA caiu mais de dois terços. "Se tivéssemos um economista competente na equipe, poderíamos ter previsto isso", lembrou um funcionário. "Mas não tínhamos. Tínhamos o Milt."[9]

Conforme o mercado entrava em crise, a GCA perdia sua posição como a única empresa que construía repetidores. A Nikon, do Japão, a princípio, havia sido parceira da GCA, fornecendo as lentes de precisão para seu repetidor. Mas Greenberg decidira se separar da Nikon, comprando sua própria fabricante de lentes, a Tropel, com sede em Nova York, que fabricava lentes para os aviões de espionagem U2, mas que enfrentava dificuldades para produzir a quantidade de lentes de alta qualidade de que a GCA precisava. Enquanto isso, o atendimento ao cliente da GCA atrofiava. A atitude da empresa, lembrou um analista, era "compre o que construímos e não nos incomode". Os próprios funcionários da empresa admitiram que "os clientes não aguentavam mais".[10] Essa era a atitude de um monopolista — só que a GCA não era mais um monopólio. Depois que Greenberg parou de comprar lentes da Nikon, a empresa japonesa decidiu fazer seu próprio repetidor. Adquiriu uma máquina da GCA e fez engenharia reversa. Logo a Nikon tinha uma fatia maior do mercado que a GCA.

Muita gente nos EUA culpava os subsídios industriais do Japão pela perda de liderança da GCA em termos de litografia. Era verdade que o programa VLSI do Japão, que impulsionou os produtores de chips Dram do país, também ajudou fornecedores de equipamentos como a Nikon. À medida que empresas do Japão e dos EUA trocavam acusações de ajuda injusta do governo, as relações comerciais ficavam cada vez mais tempestuosas. Mas os funcionários da GCA admitiram que, embora sua tecnologia fosse uma das melhores do mundo, a empresa enfrentava dificuldades com a produção em massa. A fabricação de precisão era essencial, uma vez que a litografia era agora tão exata que a passagem de uma tempestade poderia modificar a pressão do ar — e, portanto, o ângulo em que a luz sofria refração — o suficiente para distorcer as imagens gravadas nos chips.[11] A construção de centenas de repetidores por ano exigia um foco a laser na fabricação e no controle de qualidade. Mas os líderes da GCA estavam concentrados em outras coisas.

Era uma interpretação popular que o declínio da GCA era uma alegoria da ascensão do Japão e da queda dos EUA. Alguns analistas enxergavam evidências de uma deterioração mais ampla da fabricação que começou na siderurgia, depois afligiu a indústria automotiva e, agora, espalhava-se para as indústrias de alta tecnologia. Em 1987, o economista do MIT Robert Solow, ganhador do Prêmio Nobel, que foi pioneiro no estudo da produtividade e do crescimento econômico, argumentava que a indústria de chips sofria de uma "estrutura instável", com funcionários pulando de emprego em emprego entre empresas e outras se recusando a investir em seus trabalhadores. O proeminente economista Robert Reich lamentava o "empreendedorismo de papel" no Vale do Silício, que para ele se concentrava demais na busca por prestígio e riqueza em vez de avanços técnicos.[12] Nas universidades dos EUA, ele declarava, "os programas de ciência e engenharia estão naufragando".

O desastre de Dram dos fabricantes de chips dos EUA estava um tanto relacionado com o colapso da participação de mercado da GCA. As empresas japonesas de Dram que vinham ganhando a concorrência com o Vale do Silício preferiam comprar de fabricantes de ferramentas japoneses, beneficiando a Nikon em detrimento da GCA. Contudo, a maioria dos problemas da GCA era interna, causados por equipamentos não confiáveis e um atendimento ao cliente ruim. Os acadêmicos desenvolviam teorias bem elaboradas para explicar como os enormes conglomerados japoneses eram melhores em termos de fabricação que as pequenas startups dos EUA. Mas a realidade mundana era que a GCA não escutava seus clientes, enquanto a Nikon, sim. As empresas de chips que interagiam com a GCA a achavam "arrogante" e "indiferente".[13] Ninguém dizia isso de suas rivais japonesas.

Em meados da década de 1980, portanto, os sistemas da Nikon eram muito melhores que os da GCA — mesmo quando o céu estava ensolarado. As máquinas da Nikon produziam resultados significativamente melhores e quebravam muito menos. Antes de a IBM fazer a transição para os repetidores da Nikon, ela esperava que cada máquina que utilizasse funcionasse durante 75 horas antes de precisar de um tempo de inatividade para ajustes ou reparos, por exemplo. Os clientes da Nikon apresentavam, em média, dez vezes essa duração de uso contínuo.[14]

Greenberg, CEO da GCA, nunca conseguiu descobrir como endireitar a empresa. Até o dia em que foi destituído, ele não tinha percebido exatamente quantos dos problemas de sua empresa eram internos. Enquanto ele voava pelo mundo em visitas comerciais, bebendo um *bloody mary* na primeira classe, os clientes pensavam que a empresa estava "despachando lixo". Os funcionários reclamavam que a Greenberg estava endividada em Wall Street, concentrada tanto no preço das ações como no modelo de negócios. Para chegar aos números do fim do ano, a empresa entrava em um conluio com os clientes, enviando uma caixa vazia com um manual de usuário em dezembro antes de entregar as próprias máquinas no ano seguinte. No entanto, era impossível encobrir a perda de participação de mercado da empresa. As empresas dos EUA, com a GCA no comando, controlavam 85% do mercado global de equipamentos de litografia com semicondutores em 1978. Uma década depois, esse número havia caído para 50%. A GCA não tinha nenhum plano de mudar as coisas.[15]

O próprio Greenberg dirigia críticas aos funcionários da empresa. "Ele falava palavrões inacreditáveis", lembrou um subordinado. Um outro relembrou uma decisão de banir sapatos de salto alto, que Greenberg achava que estragavam os tapetes da empresa. À medida que a tensão crescia, a recepcionista desenvolveu um código com os colegas de trabalho, acendendo uma luz de teto para indicar que Greenberg estava na empresa e apagando-a quando ele saía. Todos podiam respirar um pouco mais tranquilamente quando ele estava fora.[16] Mas isso não impediu o líder da litografia dos EUA de se precipitar em direção à crise.

130 *Chris Miller*

18

O PETRÓLEO BRUTO DA DÉCADA DE 1980

EM UMA NOITE gelada de primavera em Palo Alto, Bob Noyce, Jerry Sanders e Charlie Sporck se reuniram sob um teto inclinado em estilo pagode.[1] O restaurante chinês Ming's era uma parte essencial do circuito de almoço do Vale do Silício. Mas os titãs da tecnologia dos EUA não estavam no Ming's por causa de sua famosa salada de frango chinesa. Noyce, Sanders e Sporck haviam começado suas carreiras na Fairchild: Noyce era o visionário da tecnologia; Sanders era o *showman* do marketing; Sporck era o chefe de fabricação que gritava com seus funcionários para que construíssem mais rápido, mais barato e melhor. Uma década depois, eles haviam se tornado concorrentes como CEOS de três das maiores fabricantes de chips dos EUA. Mas, à medida que a participação de mercado do Japão crescia, eles decidiram que aquele era o momento de se reunirem outra vez. Em jogo estava o futuro da indústria de semicondutores dos EUA. Reunidos a uma mesa em uma sala de jantar privada no Ming's, eles elaboraram uma nova estratégia para salvá-la. Depois de uma década ignorando o governo, eles se voltaram para Washington em busca de ajuda.

Os semicondutores são o "petróleo bruto da década de 1980", declarou Jerry Sanders, "e as pessoas que controlam o petróleo bruto controlarão a indústria de eletrônicos".[2] Como CEO da AMD, uma das maiores fabricantes de chips dos EUA, Sanders tinha muitos motivos de interesse próprio para descrever seu principal produto como estrategicamente crucial. Mas será que ele estava enganado? Ao longo da década de 1980, a indústria de computadores dos EUA expandiu-se rapidamente à medida que os PCs ficavam cada vez menores e mais baratos para uma casa ou escritório individual. Todas as empresas passavam a contar com eles. Os computadores não poderiam funcionar sem os circuitos integrados. Nem poderiam, na década de 1980, aviões, automóveis, filmadoras, fornos de micro-ondas ou o Walkman da Sony. Todos os cidadãos dos EUA agora tinham semicondutores em suas casas e carros; muitos utilizavam dezenas de chips todos os dias. Assim como o petróleo, era impossível viver sem eles. Isso não os tornava "estratégicos"? Os EUA não deveriam estar preocupados com o Japão se tornando "a Arábia Saudita dos semicondutores"?[3]

Os embargos do petróleo de 1973 e 1979 demonstraram para muitos nos EUA os riscos de depender da produção estrangeira. Quando os governos árabes cortaram as exportações de petróleo para punir os comandantes dos EUA por apoiar Israel, a economia do país norte-americano mergulhou em uma recessão dolorosa. Seguiu-se uma década de estagflação e crises políticas. A política externa dos EUA tinha ideia fixa no Golfo Pérsico e em garantir seus suprimentos de petróleo. O presidente Jimmy Carter declarou que a região era um dos "interesses vitais dos Estados Unidos da América". Ronald Reagan enviou a Marinha dos EUA para escoltar petroleiros dentro e fora do Golfo. George H. W. Bush entrou em guerra com o Iraque em parte para libertar os campos petrolíferos do Kuwait. Quando os EUA disseram que o petróleo era uma mercadoria "estratégica", eles deram apoio à afirmação com força militar.

Sanders não estava pedindo que os EUA enviassem a Marinha até o outro lado do mundo para garantir suprimentos de silício. Mas o governo não deveria encontrar uma maneira de ajudar suas empresas de semicondutores que enfrentavam dificuldades? Na década de 1970, as empresas do Vale do Silício haviam se esquecido do governo ao substituir contratos de defesa por mercados civis de computadores e calculadoras. Na década de 1980, elas se arrastaram timidamente de volta a Washington. Após o jantar no Ming's, Sanders, Noyce e Sporck juntaram-se a outros CEOs para criar a Associação

132 *Chris Miller*

das Indústrias de Semicondutores para pressionar Washington a apoiar a indústria.

Quando Jerry Sanders descreveu os chips como "petróleo bruto", o Pentágono sabia exatamente o que ele queria dizer. Na verdade, os chips eram ainda mais estratégicos que o petróleo. Oficiais do Pentágono sabiam bem quão importante eram os semicondutores para a primazia militar dos EUA. Utilizar a tecnologia de semicondutores para "compensar" a vantagem convencional soviética na Guerra Fria havia sido a estratégia norte-americana desde meados da década de 1970, quando o parceiro de cantoria de Bob Noyce, Bill Perry, comandava a divisão de pesquisa e engenharia do Pentágono. As empresas de defesa dos EUA haviam sido instruídas a encher seus mais novos aviões, tanques e foguetes com o maior número possível de chips, possibilitando melhores orientação, comunicação, comando e controle. Em termos de produção de poderio militar, a estratégia vinha funcionando melhor que qualquer um, exceto Bill Perry, considerava possível.

Só havia um problema. Perry presumira que Noyce e seus outros vizinhos do Vale do Silício permaneceriam no topo da indústria. Mas, em 1986, o Japão havia ultrapassado os EUA em quantidade de chips produzidos. No final da década de 1980, o Japão fornecia 70% dos equipamentos de litografia do mundo. A participação norte-americana — em uma indústria inventada por Jay Lathrop em um laboratório militar dos EUA — havia caído para 21%. A litografia é "simplesmente algo que não podemos perder, ou nos encontraremos totalmente dependentes de fabricantes estrangeiros para fazer nossas coisas mais sensíveis", disse um funcionário do Departamento de Defesa ao *New York Times*.[4] Mas, se as tendências de meados da década de 1980 continuassem, o Japão dominaria a indústria de Dram e expulsaria os principais produtores dos EUA do negócio. Os Estados Unidos poderiam se ver ainda mais dependentes de chips estrangeiros e equipamentos de fabricação de semicondutores que de petróleo, mesmo nas profundezas do embargo árabe. De repente, os subsídios do Japão para sua indústria de chips, amplamente responsabilizados por minar as empresas dos EUA como a Intel e a GCA, pareciam uma questão de segurança nacional.

O Departamento de Defesa recrutou Jack Kilby, Bob Noyce e outros luminares da indústria para elaborar um relatório sobre como revitalizar a indústria de semicondutores dos EUA. Noyce e Kilby passavam horas em sessões de *brainstorming* nos subúrbios de Washington trabalhando com especialistas industriais de defesa e funcionários do Pentágono. Kilby havia muito trabalhava em estreita colaboração com o Departamento de Defesa, dado o papel da Texas Instruments como um importante fornecedor de eletrônicos para sistemas bélicos. A IBM e a Bell Labs também tinham conexões profundas com Washington. Mas os líderes da Intel já haviam se retratado como "caubóis do Vale do Silício que não precisavam da ajuda de ninguém", segundo um funcionário de defesa.[5] O fato de que Noyce estava disposto a passar um tempo no Departamento de Defesa era um sinal de quão grave era a ameaça enfrentada pela indústria de semicondutores — e quão terrível poderia ser o impacto nas Forças Armadas norte-americanas.

Os militares dos EUA estavam mais dependentes da eletrônica — e, portanto, dos chips — que nunca. Na década de 1980, o relatório descreveu, cerca de 17% dos gastos militares foram com eletrônicos, em comparação com 6% ao final da Segunda Guerra Mundial. Tudo, de satélites a radares de alerta antecipado e mísseis autoguiados, dependia de chips avançados. A força-tarefa do Pentágono resumiu as ramificações em quatro pontos, sublinhando as principais conclusões:[6]

- As forças militares dos EUA dependem exageradamente da <u>superioridade tecnológica para vencer</u>.
- A <u>eletrônica</u> é a tecnologia que pode ser mais bem aproveitada.
- Os <u>semicondutores</u> são a chave para a liderança em eletrônica.
- A defesa dos EUA em breve <u>dependerá de fontes estrangeiras</u> para a tecnologia de ponta em semicondutores.

Claro, o Japão era oficialmente um aliado da Guerra Fria — pelo menos por enquanto. Quando os EUA ocuparam o Japão nos anos logo após a Segunda Guerra Mundial, redigiram a constituição japonesa para impossibilitar o militarismo. Mas, depois que os dois países assinaram um pacto de defesa mútua em 1951, os EUA começaram a incentivar com cautela o rearmamento japonês, buscando apoio militar contra a União Soviética. Tóquio concordou, mas o pacto limitou seus gastos militares a cerca de 1% do

PIB nacional. A intenção disso era tranquilizar os vizinhos do Japão, que se lembravam visceralmente do expansionismo de guerra do país. No entanto, como o Japão não gastava pesadamente em armas, tinha mais fundos para investir em outros lugares. Os EUA gastavam de cinco a dez vezes mais em defesa com relação ao tamanho de sua economia. O Japão se concentrava no crescimento de sua economia, enquanto os EUA arcavam com o fardo de defendê-la.

Os resultados foram mais espetaculares do que qualquer um havia esperado. Outrora ridicularizado como um país de vendedores de transistores, o Japão era agora a segunda maior economia do mundo. Desafiava o domínio industrial dos EUA em áreas cruciais para o poderio militar norte-americano. Washington, havia muito, instava Tóquio a deixar os EUA conterem os comunistas enquanto o Japão expandia seu comércio exterior, mas essa divisão de trabalho não parecia mais muito favorável aos EUA. A economia do Japão havia crescido a uma velocidade sem precedentes, enquanto o sucesso de Tóquio na fabricação de alta tecnologia agora ameaçava a vantagem militar dos Estados Unidos. O avanço do Japão pegou todos de surpresa. "Vocês não vão querer que aconteça com os semicondutores a mesma coisa que aconteceu com a indústria de TV, com a indústria de câmeras", disse Sporck ao Pentágono. "Sem semicondutores, vocês ficam no limbo."[7]

19
Espiral da morte

"Estamos em uma espiral da morte", disse Bob Noyce a um repórter em 1986.[1] "Você consegue apontar uma área em que os EUA não estejam ficando para trás?" Em seus momentos mais pessimistas, Noyce se perguntava se o Vale do Silício terminaria como Detroit, com sua principal indústria murchando sob o impacto da concorrência estrangeira. O Vale do Silício tinha uma relação esquizofrênica com o governo, exigindo ao mesmo tempo ser deixado em paz e pedindo ajuda. Noyce exemplificou a contradição. Ele havia passado seus primeiros dias na Fairchild evitando a burocracia do Pentágono enquanto se beneficiava da corrida espacial da época da Guerra Fria. Agora ele achava que o governo precisava ajudar a indústria de semicondutores, mas ainda temia que Washington impedisse a inovação. Diferentemente dos dias do programa Apollo, na década de 1980, mais de 90% dos semicondutores eram comprados por empresas e consumidores, não pelos militares.[2] Era difícil para o Pentágono moldar a indústria porque o Departamento de Defesa já havia deixado de ser o cliente mais importante do Vale do Silício.

Além disso, em Washington havia pouco consenso sobre se o Vale do Silício merecia ajuda do governo. Afinal, muitas indústrias sofriam com a concorrência japonesa, desde as automotivas às siderúrgicas. A indústria de chips e o Departamento de Defesa argumentavam que os semicondutores eram "estratégicos". Mas muitos economistas diziam que não havia uma boa definição do que significava "estratégico". Os semicondutores eram mais "estratégicos" que motores a jato? Ou robôs industriais? "Batatas chips, chips de computador, qual é a diferença?", essa foi uma suposta citação de um economista do governo Reagan muito divulgada.[3] "É tudo chip. Cem dólares de um ou cem dólares do outro ainda são cem dólares." O economista em questão nega algum dia ter comparado batatas ao silício. Mas o argumento era razoável. Se as empresas japonesas pudessem produzir chips Dram a um preço mais baixo, talvez fosse melhor para os EUA comprá-los e embolsar a economia de custos. Nesse caso, a consequência seria deixar os computadores dos EUA mais baratos — e a indústria de computadores poderia avançar mais depressa.

A questão do apoio aos semicondutores foi decidida por meio de lobby em Washington. Uma questão com a qual os economistas do Vale do Silício e do mercado livre concordavam eram os impostos. Bob Noyce testemunhou no Congresso a favor da redução do imposto sobre ganhos de capital de 49% para 28% e defendeu o afrouxamento da regulamentação financeira para permitir que os fundos de pensão investissem em empresas de capital de risco.[4] Após essas mudanças, uma enxurrada de dinheiro invadiu as empresas de capital de risco na Sand Hill Road de Palo Alto. Em seguida, o Congresso reforçou as proteções à propriedade intelectual por meio da lei de proteção de chips semicondutores depois que executivos do Vale do Silício, como Andy Grove, da Intel, testemunharam no Congresso que a cópia legal por empresas japonesas vinha minando a posição de mercado dos EUA.

À medida que a participação de mercado de Dram do Japão crescia, no entanto, os cortes de impostos e as mudanças de direitos autorais pareciam insuficientes. O Pentágono não estava disposto a arriscar sua base industrial de defesa no impacto futuro da lei de direitos autorais. Os CEOs do Vale do Silício fizeram lobby por mais ajuda ainda. Noyce estimou que havia passado metade de seu tempo na década de 1980 em Washington. Jerry Sanders atacou os "subsídios e nutrição, direcionamento e proteção de mercados" que o Japão havia buscado. "Os subsídios japoneses chegaram a bilhões", declarou Sanders. Mesmo depois que os EUA e o Japão chegaram a um acordo para eliminar as tarifas sobre o comércio de semicondutores, o Vale do Silício enfrentou dificuldades para vender mais chips para o Japão. Os negociadores comerciais compararam negociar com os japoneses a descascar uma cebola. "A coisa toda é uma experiência bastante zen", relatou um negociador comercial dos EUA, com discussões terminando com questões filosóficas como "o que é uma cebola, afinal". As vendas de Dram dos EUA para o Japão mal saíram do lugar.[5]

Estimulado pelo Pentágono e pressionado pelo lobby da indústria, o governo Reagan acabou decidindo agir. Mesmo ex-integrantes do livre comércio como o secretário de Estado de Reagan, George Shultz, concluíram que o Japão só abriria seu mercado se os EUA ameaçassem com tarifas. A indústria de chips dos EUA apresentou uma série de queixas formais contra empresas japonesas por "despejar" chips baratos no mercado do país norte-americano. A alegação de que empresas japonesas estavam vendendo abaixo do custo de produção era difícil de provar. Empresas dos EUA citaram o baixo custo de capital dos concorrentes japoneses; o Japão respondeu dizendo que as taxas de juros estavam mais baixas em toda a economia do Japão. Ambos os lados tinham razão.

Em 1986, com a ameaça das tarifas à espreita, Washington e Tóquio fecharam um acordo. O governo do Japão concordou em colocar cotas sobre suas exportações de chips Dram, limitando a quantidade que era vendida para os EUA. Ao diminuir a oferta, o acordo elevou o preço dos chips Dram em todos os lugares fora o Japão em detrimento dos produtores de computadores dos EUA, que estavam entre os maiores compradores dos chips japoneses. Preços mais altos de fato beneficiavam os produtores do Japão, que continuavam a dominar o mercado de Dram.[6] A maioria dos produtores dos EUA já estava em processo de saída do mercado de chips de memória. Portanto, apesar do acordo comercial, poucas empresas norte-americanas continuaram a produzir chips desse tipo. As restrições comerciais redistribuíram os lucros dentro da indústria de tecnologia, mas não conseguiram salvar a maioria das empresas de chips de memória dos EUA.

O Congresso fez uma última tentativa de ajudar. Uma das queixas do Vale do Silício era que o governo do Japão ajudava as empresas a coordenar seus esforços de P&D e fornecia fundos para essa finalidade. Muitas pessoas na indústria de alta tecnologia dos EUA achavam que Washington deveria replicar essas táticas. Em 1987, um grupo de importantes fabricantes de chips e o Departamento de Defesa criaram um consórcio chamado Sematech, financiado metade pela indústria e metade pelo Pentágono.[7]

O Sematech foi baseado na noção de que a indústria precisava de mais colaboração para se manter competitiva. Os fabricantes de chips precisavam de melhores equipamentos de fabricação, enquanto as empresas que produziam esses equipamentos precisavam saber o que os fabricantes de chips estavam procurando. CEOs de empresas de equipamentos reclamavam que "empresas como a Texas Instruments, a Motorola e a IBM simplesmente não seriam sinceras quanto à sua tecnologia". Sem uma compreensão de em qual tecnologia essas empresas estavam trabalhando, era impossível vender para elas. Enquanto isso, os fabricantes de chips reclamavam da confiabilidade das máquinas de que dependiam. No final da década de 1980, os equipamentos da Intel funcionavam apenas 30% do tempo devido a manutenção e reparos, estimou um funcionário.[8]

Bob Noyce se ofereceu para liderar o Sematech. Ele já estava de fato aposentado da Intel após ter passado as rédeas para Gordon Moore e Andy Grove uma década antes. Como coinventor do circuito integrado e fundador de duas das startups mais bem-sucedidas dos EUA, ele tinha as melhores credenciais técnicas e comerciais da indústria. Ninguém poderia igualar seu carisma ou suas conexões no Vale do Silício. Se alguém poderia ressuscitar a indústria de chips, era a pessoa com a alegação mais forte de tê-la criado.

Sob a liderança de Noyce, o Sematech era um híbrido estranho, nem uma empresa, nem uma universidade, nem um laboratório de pesquisa. Ninguém sabia exatamente o que ele deveria fazer. Noyce começou tentando ajudar empresas de equipamentos de fabricação como a GCA, muitas das quais tinham tecnologia forte, mas enfrentavam dificuldades para criar negócios duráveis ou processos fabris eficientes. O Sematech organizava seminários sobre confiabilidade e boas habilidades de gestão, oferecendo uma espécie de mini-MBA.[9] Também começou a fazer a coordenação entre empresas de equipamentos e fabricantes de chips para alinhar seus cronogramas de produção. Não fazia sentido um fabricante de chips elaborar uma nova geração de tecnologia de fabricação de chips se o equipamento de litografia ou deposição não estivesse pronto. As empresas de equipamentos não queriam lançar uma nova máquina a menos que os fabricantes de chips estivessem preparados para utilizá-la. O Sematech os ajudou a concordar com os cronogramas de produção. Aquele não era exatamente o mercado livre, mas as maiores empresas do Japão se destacaram com esse tipo de coordenação. De qualquer forma, que outra opção tinha o Vale do Silício?

O foco de Noyce, no entanto, era salvar a indústria de litografia dos EUA. Cinquenta e um porcento do financiamento do Sematech ia para empresas de litografia dos EUA. Noyce explicou a lógica de forma simples: a litografia recebia metade do dinheiro porque era "metade do problema" enfrentado pela indústria de chips.[10] Era impossível fabricar semicondutores sem ferramentas de litografia, mas os únicos grandes produtores dos EUA que restavam lutavam para sobreviver. Os EUA podiam em breve depender de equipamentos estrangeiros. Ao testemunhar para o Congresso em 1989, Noyce declarou que "o Sematech provavelmente pode ser julgado, em grande parte, pelo quão exitoso é em salvar os fabricantes de repetidores ópticos dos EUA".

Aquilo era exatamente o que os funcionários da GCA, a claudicante fabricante de ferramentas de litografia de Massachusetts, torciam para ouvir. Depois que a empresa inventou o repetidor de *wafers*, meia década de má administração e má sorte fez da GCA um pequeno ator, muito atrás da Nikon e da Canon, do Japão, e da ASML, da Holanda. Mas, quando Peter Simone, presidente da GCA, ligou para Noyce para discutir se o Sematech poderia ajudar a GCA, Noyce disse a ele categoricamente: "Acabou para você".[11]

Poucas pessoas na indústria de chips conseguiam ver como a GCA poderia se recuperar. A Intel, que Noyce havia fundado, dependia fortemente da Nikon, principal concorrente japonesa da GCA. "Por que você não vem por um dia?", Simone propôs na esperança de convencer Noyce de que a GCA ainda poderia produzir maquinário de ponta. Noyce concordou e, quando chegou a Massachusetts, decidiu naquele dia comprar 13 milhões de dólares dos equipamentos mais novos da GCA como parte de um programa para compartilhar equipamentos semicondutores fabricados nos EUA

A GUERRA DOS CHIPS 141

com fabricantes de chips norte-americanos e incentivá-los a comprar mais ferramentas produzidas no país.[12]

O Sematech apostou fortemente na GCA, dando à empresa contratos para produzir equipamentos de litografia ultravioleta profunda que estavam na vanguarda das habilidades do setor. A GCA entregou muito além das expectativas, fazendo jus à sua reputação anterior de brilhantismo tecnológico. Logo analistas independentes do setor descreviam os mais novos repetidores da GCA como "os melhores do mundo". A empresa até conquistou um prêmio de atendimento ao cliente, descartando sua reputação de medíocre nesse departamento. O software que as máquinas da GCA utilizavam era muito melhor que o dos rivais japoneses. "Eles estavam à frente do seu tempo", lembrou um especialista em litografia da Texas Instruments que testou as máquinas mais novas da GCA.[13]

Mas a GCA ainda não tinha um modelo de negócios viável. Estar "à frente do seu tempo" é bom para cientistas, mas não necessariamente para empresas de fabricação que buscam vendas. Os clientes já estavam acostumados com os equipamentos de concorrentes como Nikon, Canon e ASML, e não queriam arriscar com ferramentas novas e desconhecidas de uma empresa que tinha um futuro incerto. Se a GCA falisse, os clientes poderiam enfrentar dificuldades para obter peças sobressalentes. A menos que um grande cliente pudesse ser convencido a assinar um contrato de grande valor com a GCA, a empresa entraria em colapso. Ela perdeu 30 milhões de dólares entre 1988 e 1992, apesar do apoio de 70 milhões de dólares em suporte injetado pelo Sematech. Mesmo Noyce nunca conseguiu convencer a Intel, a empresa que fundara, a deixar sua lealdade à Nikon.[14]

Em 1990, Noyce, o maior apoiador da GCA no Sematech, morreu de ataque cardíaco após sua natação matutina. Ele havia construído a Fairchild e a Intel, inventado o circuito integrado e comercializado os chips Dram e os microprocessadores que sustentam toda a computação moderna. A litografia, entretanto, mostrou-se imune à magia de Noyce. Em 1993, o proprietário da GCA, uma empresa intitulada General Signal, anunciou que venderia a GCA ou a fecharia. À medida que o relógio avançava rumo a esse prazo autoimposto, nenhum comprador era encontrado. O Sematech, que já havia fornecido milhões em financiamento para a GCA, decidiu desistir. A GCA apelou uma última vez para o governo pedindo ajuda, com as principais autoridades de segurança nacional considerando se a política externa dos EUA exigia a salvação da GCA. Eles concluíram que nada poderia ser feito.[15] A empresa fechou as portas e vendeu seus equipamentos, juntando-se a uma longa lista de companhias derrotadas pela concorrência japonesa.

20

O Japão que sabe dizer não

Depois de décadas ganhando milhões vendendo eletrônicos dos EUA, Akio Morita, da Sony, começou a detectar "certa arrogância" em seus amigos do país norte-americano.[1] Quando ele licenciou a tecnologia de transistores pela primeira vez na década de 1950, os EUA eram o líder mundial em tecnologia. Desde então, o país vinha enfrentando crise após crise. A desastrosa guerra no Vietnã, a tensão racial, a agitação urbana, a humilhação do Watergate, uma década de estagflação, um déficit comercial escancarado e, agora, a indisposição industrial. Após cada novo choque, o fascínio dos EUA diminuía.

Em sua primeira viagem ao exterior, em 1953, Morita vira os EUA como um país "que parecia ter tudo". Serviram-lhe sorvete com um pequeno guarda--chuva de papel em cima. "Este é do seu país", o garçom disse a ele, um humilhante lembrete do tamanho da desvantagem do Japão. Três décadas depois, porém, tudo havia mudado. Nova York parecera "glamourosa" na primeira visita de Morita na década de 1950. Agora era suja, comandada pelo crime e falida.

Enquanto isso, a Sony havia se tornado uma marca global. Morita redefiniu a imagem do Japão no exterior. O país deixou de ser visto como produtor de guarda-chuvas de papel para sorvetes. Agora construía os produtos de mais alta tecnologia do mundo. Morita, cuja família possuía grande participação na Sony, havia enriquecido. Tinha uma rede poderosa de amigos em Wall Street e em Washington. Cultivava a arte nova-iorquina do jantar festivo tão meticulosamente quanto outros japoneses abordavam uma tradicional cerimônia com chá. Sempre que Morita ia a Nova York, recebia os ricos e famosos da cidade em seu apartamento na esquina da rua 82 com a 5, bem em frente ao Metropolitan Museum of Art. A esposa de Morita, Yoshiko, até escreveu um livro explicando os costumes dos jantares com festa dos EUA para leitores japoneses que não os conheciam, intitulado *My Thoughts on Home Entertaining*. (Quimonos eram desencorajados; "sempre que todos trajam o mesmo tipo de vestimenta, a harmonia é reforçada".)

O casal Morita gostava de entreter, mas seus jantares com festa também serviam a um propósito profissional. À medida que a tensão comercial entre EUA e Japão crescia, Morita servia como um embaixador informal, explicando o Japão aos figurões do país norte-americano. David Rockefeller era um amigo pessoal. Morita jantava com Henry Kissinger sempre que o ex-secretário de Estado visitava o Japão. Quando o titã das participações societárias Pete Peterson levou Morita ao Augusta National, um clube de golfe popular entre os CEOs, ele ficou chocado ao descobrir que "Akio já tinha encontrado com todos eles". Não só isso — Morita organizou um jantar com cada um de seus conhecidos enquanto estava em Augusta. "Ele deve ter feito cerca de dez refeições por dia enquanto estava aqui", contou Peterson.[2]

Morita, a princípio, achou sedutores o poder e a riqueza representados por seus amigos dos EUA. Porém, à medida que os Estados Unidos avançavam aos solavancos de crise em crise, a aura em torno de homens como Henry Kissinger e Pete Peterson começava a minguar. O sistema de seu país não estava funcionando, mas o do Japão, sim. Na década de 1980, Morita percebia problemas profundos na economia e na sociedade dos EUA, que havia muito se enxergavam como os professores do Japão, mas Morita achava que o país norte-americano tinha lições a aprender enquanto enfrentava suas dificuldades com um déficit comercial crescente e a crise em suas indústrias de alta tecnologia. "Os EUA andam ocupados criando advogados", Morita explicava, enquanto o Japão "anda mais ocupado criando engenheiros". Além disso, os executivos dos EUA estavam concentrados demais no "lucro deste ano", em contraste com a administração japonesa, que era de "longo prazo". As relações trabalhistas dos EUA eram hierárquicas e "à moda antiga", sem treinamento ou motivação suficientes para os funcionários do chão de fábrica. Morita acreditava que os EUA deveriam parar de reclamar do sucesso do Japão. Era o momento de contar aos seus amigos do país norte-americano: o sistema do Japão simplesmente funcionava melhor.[3]

Em 1989, Morita expôs seus pontos de vista em uma coleção de ensaios intitulada *O Japão que sabe dizer não*. O livro foi escrito em coautoria com Shintaro Ishihara, um polêmico político de extrema direita. Enquanto era um mero aluno universitário, Ishihara alcançara a fama publicando um romance sexualmente carregado intitulado *Season of the Sun* [Estação do sol],[4] que recebeu o prêmio literário de mais prestígio do Japão para novos autores. Ele se aproveitou dessa fama, reforçada por diatribes depreciativas contra estrangeiros, para conquistar um assento parlamentar como integrante do Partido Liberal Democrático, que estava no poder. No parlamento, Ishihara agitou para que o Japão se afirmasse internacionalmente e mudasse a constituição do país, que havia sido ditada pelas autoridades de ocupação dos EUA após a Segunda Guerra Mundial, com o objetivo de permitir que Tóquio construísse Forças Armadas poderosas.

Era difícil imaginar um coautor mais provocativo para Morita ter escolhido enquanto explicava aos EUA sobre suas crises internas. O livro em si era uma série de ensaios, alguns escritos por Morita, e outros, por Ishihara. Os ensaios de Morita, em sua maior parte, reeditavam seus argumentos sobre as falhas das práticas comerciais dos EUA, embora títulos de capítulos como "Americanos, olhem para o espelho!" tivessem um tom mais duro do que o que Morita costumava expressar nos jantares festivos em Nova York. Mesmo o sempre gracioso Morita achava difícil mascarar sua visão de que as proezas tecnológicas do Japão haviam conquistado para ele uma posição entre as grandes potências do mundo. "Militarmente, nunca poderíamos derrotar os EUA", disse Morita a um colega norte-americano à época, "mas, economicamente, podemos superar os EUA e nos tornarmos o número um do mundo."[5]

Ishihara nunca hesitava em dizer exatamente o que pensava. Seu primeiro romance era uma história de impulsos sexuais irrestritos. Sua carreira política abraçou os instintos mais repugnantes do nacionalismo japonês.

Seus ensaios em O *Japão que sabe dizer não* exigiam que o país declarasse independência dos EUA dominadores que já haviam passado tempo demais mandando e desmandando no Japão. "Devemos parar de ceder à fanfarronice dos EUA!", um dos ensaios de Ishihara proclamou. "Prendam os EUA!", declarou outro. A extrema direita do Japão sempre esteve descontente com a condição secundária de seu país em um mundo comandado pelos EUA. A disposição de Morita em ser o coautor de um livro com alguém como Ishihara chocou muitos nos EUA, mostrando que um nacionalismo ameaçador ainda espreitava dentro da classe capitalista que Washington havia cultivado. A estratégia dos EUA desde 1945 vinha sendo vincular o Japão aos EUA por intermédio de intercâmbios comerciais e de tecnologia. Akio Morita foi, sem dúvida, o maior beneficiário das transferências de tecnologia dos EUA e de sua abertura de mercado. Se até *ele* vinha questionando o papel de liderança dos EUA, Washington precisava repensar seu plano de jogo.

O que tornou O *Japão que sabe dizer não* verdadeiramente aterrador para Washington foi não só o fato de articular um nacionalismo japonês no qual um lado ganharia e o outro perderia, mas também Ishihara ter identificado uma maneira de coagir os EUA. O Japão não precisava se submeter às exigências dos EUA, Ishihara argumentava, porque o país norte-americano dependia dos semicondutores japoneses. O ponto forte das Forças Armadas dos EUA, ele observou, exigia chips japoneses. "Sejam armas nucleares de médio alcance ou mísseis balísticos intercontinentais, o que garante a precisão das armas não é outra coisa senão computadores compactos e de alta precisão", escreveu. "Se não forem utilizados semicondutores japoneses, essa precisão não poderá ser garantida." Ishihara especulava que o Japão poderia até fornecer semicondutores avançados para a URSS, derrubando o equilíbrio militar na Guerra Fria.

"Os semicondutores de 1 megabit que são utilizados nos corações dos computadores, que carregam centenas de milhões de circuitos em uma área que tem um terço do tamanho da menor unha da sua mão, são fabricados apenas no Japão", observou Ishihara. "O Japão possui quase 100% de participação nesses semicondutores de 1 megabit. Agora o Japão está pelo menos cinco anos à frente dos EUA nessa área e a diferença só aumenta", continuou ele. Os computadores que utilizavam os chips do Japão eram "fundamentais para a força militar e, portanto, fundamentais para o poderio japonês [...]. Nesse sentido, o Japão se tornou um país muito importante".[6]

Outros líderes japoneses pareciam adotar uma visão nacionalista igualmente desafiadora. Uma alta autoridade do Ministério das Relações Exteriores foi citada como tendo argumentado que "nos EUA eles simplesmente não querem reconhecer que o Japão venceu a corrida econômica contra o Ocidente". O futuro primeiro-ministro Kiichi Miyazawa observou publicamente que cortar as exportações de eletrônicos japoneses causaria "problemas na economia dos EUA" e previu que "a zona econômica asiática superará a zona norte-americana". Em meio ao colapso de suas indústrias e de seu setor de alta tecnologia, o futuro dos EUA, declarou um professor japonês, era o de "uma importante potência agrária, uma versão gigantesca da Dinamarca".[7]

Nos EUA, *O Japão que sabe dizer não* provocou fúria. Foi traduzido e divulgado de forma não oficial pela CIA. Um parlamentar irado inscreveu o livro inteiro — ainda publicado em inglês apenas não oficialmente — no *Congressional Record*, o registro oficial dos procedimentos e debates do Congresso dos EUA, para advertir sobre ele. Livrarias relatavam que os clientes em Washington estavam "perdendo totalmente as estribeiras" tentando encontrar cópias piratas.[8] Morita, timidamente, providenciou para que a tradução oficial em inglês fosse publicada apenas com os ensaios de Ishihara, sem suas contribuições. "Agora lamento minha associação com esse projeto", disse Morita aos repórteres, "porque causou muita confusão [...]. Acho que os leitores dos EUA não entenderam que minhas opiniões são distintas das de Ishihara. Meus 'ensaios' expressam as minhas opiniões, e os 'ensaios' dele expressam as opiniões dele".[9]

Ainda assim, *O Japão que sabe dizer não* era polêmico não por causa de suas opiniões, mas por causa dos fatos. Os EUA tinham ficado para trás em termos de chips de memória. Se essa tendência continuasse, mudanças geopolíticas inevitavelmente se seguiriam. Não era preciso um provocador de extrema direita como Ishihara para reconhecer isso; os líderes dos EUA previram tendências semelhantes. No mesmo ano em que Ishihara e Morita publicaram *O Japão que sabe dizer não*, o ex-secretário de Defesa Harold Brown publicou um artigo que tirava quase as mesmas conclusões. "Alta tecnologia é política externa" foi como Brown intitulou o artigo.[10] Se a posição de alta tecnologia dos EUA estava se deteriorando, sua posição de política externa também estava em risco.

Aquilo era uma admissão constrangedora para Brown, o líder do Pentágono que havia contratado Bill Perry em 1977 e o capacitado para colocar os semicondutores e a capacidade de computação no centro dos novos sistemas bélicos mais importantes das Forças Armadas. Brown e Perry conseguiram convencer os militares a adotar os microprocessadores, mas não previram que o Vale do Silício fosse perder sua liderança. A estratégia deles valeu a pena em termos de novos sistemas bélicos, mas muitos deles agora dependiam do Japão.

"O Japão é líder em termos de chips de memória, que estão no coração dos eletrônicos de consumo", admitiu Brown. "Os japoneses estão nos alcançando rapidamente com relação aos chips lógicos e aos circuitos integrados específicos para aplicações." O Japão também era líder em determinados tipos de ferramentas, como equipamentos de litografia, necessários para fabricar chips. O melhor resultado que Brown poderia prever era um futuro em que os EUA protegessem o Japão, mas o fizessem com armas equipadas com tecnologia japonesa. A estratégia dos EUA de transformar o Japão em um vendedor de transistores parecia ter saído pela culatra.

O Japão, uma potência tecnológica de primeira classe, ficaria satisfeito com o status militar de segunda classe? Se o sucesso do Japão em termos de chips Dram servia de guia, o país asiático deveria ultrapassar os EUA em quase todos os setores que importavam. Por que não buscaria o domínio militar também? Em caso positivo, o que os EUA fariam? Em 1987, a CIA encarregou uma equipe de analistas de prever o futuro da Ásia.[11] Eles enxergaram o domínio japonês nos semicondutores como prova de uma emergente "Pax Niponica" — um bloco econômico e político do Leste Asiático liderado pelo Japão. O poderio dos EUA na Ásia fora construído com base no domínio tecnológico, no poderio militar e nos laços comerciais e de investimento que uniam Japão, Hong Kong, Coreia do Sul e os países do Sudeste Asiático. Desde a primeira fábrica de montagem da Fairchild na baía de Kowloon, em Hong Kong, os circuitos integrados vinham sendo uma característica integral da posição dos EUA na Ásia. Fabricantes de chips dos Estados Unidos construíram instalações de Taiwan à Coreia do Sul e Cingapura. Esses territórios foram defendidos das incursões comunistas não apenas pelo poderio militar, mas também pela integração econômica, à medida que a indústria de eletrônicos sugava os camponeses da região para fora das fazendas — onde a pobreza rural muitas vezes inspirava a oposição de guerrilha — para ocuparem bons empregos na montagem de dispositivos eletrônicos para consumo dos EUA.

A habilidade de administrar a cadeia de suprimentos dos EUA havia funcionado brilhantemente para afastar os comunistas, mas, na década de 1980, o principal beneficiário parece ter sido o Japão. O crescimento de seu comércio e dos investimentos estrangeiros havia sido enorme. O papel de Tóquio na economia e na política da Ásia se expandia inexoravelmente. Se o Japão conseguiu estabelecer tão rapidamente o domínio sobre a indústria de chips, o que o impediria de destronar a predominância geopolítica dos EUA também?

PARTE IV
EUA RESSURGENTES

21

O REI DAS BATATAS FRITAS

A MICRON FAZIA "os danados dos melhores *widgets* no mundo inteiro", Jack Simplot costumava dizer. O bilionário de Idaho não sabia muito sobre a física de como o principal produto de sua empresa, os chips Dram, funcionava de fato. A indústria de chips estava repleta de PHDs, mas Simplot não havia concluído o oitavo ano. Sua especialidade eram as batatas, como todos sabiam pelo Lincoln Town Car branco que ele dirigia por Boise. Na placa, estava escrito "Mr. Spud".[*,1] No entanto, Simplot entendia os negócios de uma maneira que os cientistas mais inteligentes do Vale do Silício não conseguiam. Enquanto a indústria de chips dos EUA enfrentava dificuldades para se adaptar ao desafio do Japão, caubóis empreendedores como ele desempenhavam um papel fundamental na inversão do que Bob Noyce chamara de "espiral da morte" e na execução de uma reviravolta surpreendente.

O ressurgimento do Vale do Silício foi impulsionado por startups desconexas e por profundas transformações corporativas. Os EUA ultrapassaram os gigantes de Dram do Japão não os replicando, mas inovando em torno

---

* *"Spud"* é uma espécie de gíria para "batata" em inglês. (N. T.)

deles. Em vez de se isolar do comércio, o Vale do Silício internacionalizou ainda mais a produção para Taiwan e Coreia do Sul a fim de recuperar sua vantagem competitiva. Enquanto isso, à medida que a indústria de chips dos EUA se recuperava, a aposta do Pentágono na microeletrônica começou a valer a pena, pois colocava em campo novos sistemas bélicos que nenhum outro país conseguiria igualar. O poderio incomparável dos EUA durante as décadas de 1990 e 2000 resultou de seu domínio ressurgente em chips de computador, a tecnologia central da época.

De todas as pessoas que poderiam ajudar a reviver a indústria de chips dos EUA, Jack Simplot era o candidato menos provável. Ele fez sua primeira fortuna com batatas, sendo pioneiro na utilização de máquinas para separá--las, desidratá-las e congelá-las para utilização como batata frita. Essa inovação não fazia o estilo do Vale do Silício, mas lhe rendeu um contrato enorme de vendas de batatas para o McDonald's. A certa altura, ele fornecia metade das batatas que a lanchonete utilizava.

A Micron, empresa de Dram que Simplot apoiou, a princípio parecia fadada ao fracasso. Quando os gêmeos Joe e Ward Parkinson fundaram a Micron no porão de um consultório odontológico de Boise em 1978, aquele era o pior momento possível para abrir uma empresa de chips de memória. As empresas japonesas vinham escalando a produção de chips de memória de alta qualidade e preços baixos. O primeiro contrato da Micron foi para projetar um chip Dram de 64K para uma empresa texana chamada Mostek, mas, assim como todos os outros produtores desse tipo de chip dos EUA, ficou em segundo lugar após a Fujitsu ter chegado primeiro no mercado. Logo a Mostek, a única cliente dos serviços de projetos de chips da Micron, faliu. Em meio a um ataque da concorrência japonesa, a AMD, a National Semiconductor, a Intel e outras líderes do setor também abandonaram a produção de Dram. Enfrentando perdas na casa de bilhões de dólares e falências, parecia que todo o Vale do Silício poderia ir à falência. Aos engenheiros mais inteligentes dos EUA restaria fritar hambúrguer. Pelo menos, o país ainda tinha muitas batatas fritas.

À medida que as empresas japonesas conquistavam participação de mercado, os CEOs das maiores empresas de chips dos EUA passavam cada vez mais tempo em Washington fazendo lobby no Congresso e no Pentágono.

Eles deixaram de lado suas crenças no livre mercado quando a concorrência japonesa cresceu, alegando concorrência injusta. O Vale do Silício rejeitou furiosamente a alegação de que não havia diferença entre batatas chips e chips de computador. Os chips deles mereciam ajuda do governo, eles insistiam, porque eram estratégicos de uma forma que as batatas não eram.

Jack Simplot não via nada de errado com as batatas. O argumento de que o Vale do Silício merecia ajuda especial não foi muito longe em Idaho, um estado com poucas empresas de tecnologia. A Micron teve de arrecadar fundos da maneira mais difícil. O cofundador da empresa, Ward Parkinson, conheceu um empresário de Boise chamado Allen Noble quando atravessava o enlameado campo de batatas de Noble trajando um terno e tentando encontrar um componente elétrico com defeito em um sistema de irrigação. Os irmãos Parkinson juntaram essa conexão a 100 mil dólares em financiamento inicial de Noble e de alguns de seus amigos endinheirados de Boise. Quando a Micron perdeu seu contrato para projetar chips para a Mostek e decidiu fazer seus próprios chips, os Parkinson precisaram de mais capital. Então, voltaram-se para o sr. Batata, o homem mais rico do estado.[2]

Os irmãos Parkinson conheceram Simplot no Royal Café, no centro de Boise, suando em bicas enquanto entregavam sua proposta para o plutocrata da batata de Idaho. Transistores e capacitores não significavam muito para Simplot, que era o mais próximo possível ao oposto de um capitalista de risco do Vale do Silício. Posteriormente, ele presidiria reuniões com discursos de improviso da diretoria da Micron todas as segundas-feiras às 5h45 no Elmer's, uma lanchonete local que servia pilhas de panquecas com soro de leite por 6,99 dólares.[3] Contudo, como todos os titãs da tecnologia do Vale do Silício estavam fugindo dos chips Dram em meio ao ataque japonês, Simplot entendeu por instinto que Ward e Joe Parkinson estavam entrando no mercado de memórias bem na hora certa. Um agricultor de batatas como ele via com clareza que a concorrência japonesa havia transformado os chips Dram em um mercado de *commodities*. Ele testemunhara colheitas suficientes para saber que o melhor momento de comprar um negócio de *commodities* era quando os preços estivessem enfraquecidos e todos os concorrentes estivessem em liquidação. Simplot decidiu apoiar a Micron com 1 milhão de dólares. Mais para a frente, ele injetaria outros milhões.[4]

Os titãs da tecnologia dos EUA achavam que os caipiras do interior de Idaho não sabiam de nada. "Odiaria dizer que é o fim em termos de chips de memória", disse L. J. Sevin, um ex-engenheiro da Texas Instruments que havia se tornado um influente capitalista de risco. "Mas é o fim." Na Intel, Andy Grove e Gordon Moore haviam chegado à mesma conclusão. A Texas Instruments e a National Semiconductor anunciavam perdas e demissões em suas divisões de Dram. O futuro da indústria de chips dos EUA, declarava o *New York Times*, era "sombrio". Então, Simplot mergulhou fundo.[5]

Os irmãos Parkinson representavam seu personagem sertanejo contando histórias longas e sinuosas com um leve sotaque do interior. Na verdade, eles eram tão sofisticados quanto o fundador de qualquer startup do Vale do Silício. Ambos estudaram na Universidade Columbia em Nova York, e depois Joe trabalhou como advogado corporativo, enquanto Ward projetava chips na Mostek. Mas eles abraçavam sua imagem de forasteiros de Idaho.[6] Seu modelo de negócios era varrer um mercado que as maiores empresas de chips dos EUA estavam abandonando, então eles não iriam fazer lá muitos amigos de qualquer maneira no Vale do Silício, que ainda lambia suas feridas das batalhas de Dram com o Japão.

A princípio, a Micron zombava dos esforços do Vale do Silício para garantir ajuda do governo contra os japoneses. A empresa se recusou hipocritamente a aderir à Associação das Indústrias de Semicondutores (SIA, na sigla em inglês), o grupo lobista iniciado por Bob Noyce, Jerry Sanders e Charlie Sporck. "Ficou muito claro para mim que eles tinham uma pauta diferente", declarou Joe Parkinson. "A estratégia deles era: em qualquer coisa que os japoneses entrem, a gente sai. As pessoas que são dominantes na SIA não enfrentam os japoneses. Na minha opinião, é uma estratégia autodestrutiva."[7]

A Micron decidiu desafiar os fabricantes japoneses de Dram em seu próprio jogo, mas cortando custos agressivamente. Logo a empresa percebeu que as tarifas poderiam ajudar e inverteu o curso, liderando a cobrança de tarifas sobre chips Dram japoneses importados. Eles acusaram os produtores japoneses de "despejar" chips nos EUA abaixo do custo, prejudicando os produtores do país norte-americano. Simplot ficou furioso porque as políticas comerciais do Japão prejudicaram suas vendas de batatas e seus chips de memória. "Eles colocaram uma tarifa alta sobre as batatas", resmungou. "Estamos pagando caro demais nas batatas. Podemos superá-los em tecnologia e em produção. Vamos acabar com a raça deles. Mas eles estão praticamente doando esses chips." Era por isso que ele exigia que o governo impusesse tarifas. "Você pergunta por que vamos ao governo? Porque a lei diz que eles não podem fazer isso."[8]

A alegação de Simplot de que as empresas japonesas estavam cortando em demasia os preços era um pouco exagerada. Fosse batata ou semicondutor, ele sempre dissera que o sucesso nos negócios exigia ser "o produtor com custo mais baixo de um produto da mais alta qualidade". De qualquer forma, a Micron tinha um talento especial para cortes de custos que nenhum de seus concorrentes do Vale do Silício ou do Japão era capaz de igualar. Ward Parkinson — "o cérebro da engenharia por trás da organização", lembrou um dos primeiros funcionários — tinha talento para projetar chips Dram da forma mais eficiente possível. Enquanto a maioria de seus concorrentes tinha ideia fixa em diminuir o tamanho de transistores e capacitores em cada chip, Ward percebeu que, se ele diminuísse o tamanho do chip em si, a Micron poderia colocar mais chips em cada um dos *wafers* de silício circulares que processava. Isso tornou a fabricação muito mais eficiente. "Era de longe o pior produto do mercado", brincou Ward, "mas de longe o menos caro de produzir."[9]

Em seguida, Parkinson e seus tenentes simplificaram os processos de fabricação. Quanto mais etapas, mais tempo cada chip levava para ser fabricado e mais chance de erro. Em meados da década de 1980, a Micron utilizava muito menos etapas de produção que suas concorrentes, permitindo que a empresa usasse menos equipamentos, reduzindo ainda mais os custos. Eles ajustaram as máquinas de litografia que compraram da Perkin Elmer e da ASML para torná-las mais precisas do que os próprios fabricantes achavam possível. Os fornos foram modificados para assar 250 *wafers* de silício por carga em vez dos 150 que eram o padrão da indústria. Cada etapa do processo de fabricação que pudesse processar mais *wafers* ou reduzir o tempo de produção reduzia mais os preços. "Íamos descobrindo na prática", explicou um dos primeiros funcionários, tão diferente de outros fabricantes de chips, "estávamos preparados para fazer coisas que ainda não haviam sido escritas em nenhum trabalho."[10] Mais que qualquer um de seus concorrentes japoneses ou dos EUA, a experiência em engenharia dos funcionários da Micron era direcionada para cortes de custos.

A Micron se concentrava de modo implacável nos custos porque não tinha opção. Não havia outra maneira de uma pequena startup de Idaho conquistar clientes. Era de grande ajuda os terrenos e a eletricidade serem mais baratos em Boise que na Califórnia ou no Japão, em parte graças à energia hidrelétrica de baixo custo. A sobrevivência ainda era uma dificuldade. A certa altura em 1981, os saldos de caixa da empresa caíram tanto que cobriam apenas duas semanas de folha de pagamento. A Micron passou com dificuldade por essa crise, mas, em meio a outra desaceleração alguns anos depois, teve de demitir metade de seus funcionários e cortar o salário do restante.[11] Desde os primeiros dias do negócio, Joe Parkinson se certificava de que os funcionários percebessem que sua sobrevivência dependia da eficiência, chegando a ponto de diminuir as luzes de corredores à noite para economizar na conta de energia quando os preços de Dram caíam. Os funcionários achavam que ele era "maniacamente" focado nos custos — e isso ficou evidente.

Os funcionários da Micron não tiveram escolha a não ser manter a empresa viva. No Vale do Silício, se o seu empregador falia, você podia descer pela Rota 101 até a próxima fabricante de chips ou computadores. A Micron, por outro lado, ficava em Boise. "Não tínhamos alternativa", explicou um funcionário. "Ou fazíamos Drams ou acabava tudo." Era uma "ética de trabalho duro, de trabalho manual", outro lembrou, uma "mentalidade de empresa que explora os funcionários". "O negócio dos chips de memória é muito brutal", lembrou um antigo funcionário que sobreviveu a uma série de crises dolorosas do mercado de Drams.[12]

Jack Simplot nunca perdeu a fé. Ele sobrevivera a declínios em todos os negócios que já tivera. Não iria abandonar a Micron por causa de oscilações de preços de curto prazo. Apesar de ter entrado no mercado de Dram no momento em que a concorrência japonesa estava no auge, a Micron sobreviveu e acabou prosperando. A maioria das outras produtoras desse tipo de chip dos EUA foi forçada a abandonar o mercado no final da década de 1980. A Texas Instruments continuou fabricando esses chips, mas se viu com dificuldades de ganhar dinheiro e acabou vendendo suas operações para a Micron.

O primeiro investimento de 1 milhão de dólares de Simplot acabou se transformando em uma participação de bilhões de dólares.

A Micron aprendeu a competir com os rivais japoneses como a Toshiba e a Fujitsu quando se tratava da capacidade de armazenamento de cada geração de chips Dram e a superá-los em custo. Como o resto da indústria de Dram, os engenheiros da Micron quebravam as leis da física à medida que faziam chips desse tipo cada vez mais espessos, fornecendo os chips de memória necessários em computadores pessoais. Mas a tecnologia avançada por si só não bastava para salvar a indústria de Dram dos EUA. A Intel e a Texas Instruments tinham muita tecnologia, mas não conseguiam fazer o negócio funcionar. Os desajeitados engenheiros de Idaho da Micron superaram os rivais de ambos os lados do Pacífico com sua criatividade e a habilidade de cortar custos. Após uma década de sofrimento, a indústria de chips dos EUA finalmente conseguiu uma vitória — e isso só foi possível graças à sabedoria de mercado do maior produtor de batatas dos Estados Unidos.

22
Revolucionando a Intel

"Olha, Clayton, sou um sujeito ocupado e não tenho tempo para ler verborreia escrita por acadêmicos", disse Andy Grove ao professor mais famoso da Harvard Business School, Clayton Christensen.[1] Quando os dois apareceram na capa da *Forbes* vários anos depois, Christensen, de mais de dois metros de altura, parecia um arranha-céu ao lado de Grove, cuja cabeça calva mal chegava ao ombro de Christensen. Mas a intensidade de Grove superava a de todos ao seu redor. Ele era um "húngaro que não aceitava pessoas de pasmaceira", explicou seu assistente de longa data, "perturbava as pessoas, gritava com elas, as desafiava e as pressionava o máximo que conseguia".[2] Mais do que qualquer outra coisa, foi a tenacidade de Grove que salvou a Intel da falência e a transformou numa das empresas mais lucrativas e poderosas do mundo.

O professor Christensen era famoso por sua teoria da "inovação revolucionária", em que uma nova tecnologia substitui as empresas estabelecidas. À medida que a comercialização dos chips Dram despencava, Grove percebia que a Intel, que já havia sido sinônimo de inovação, agora estava sendo revolucionada. No início da década de 1980, Grove era o presidente da Intel, responsável pelas operações cotidianas, embora Moore ainda desempenhasse um papel importante. Grove descreveu sua filosofia de gestão em seu best-seller *Só os paranoicos sobrevivem*: "Medo de concorrência, medo de falência, medo de estar enganado e medo de perder podem ser motivadores poderosos". Depois de um longo dia de trabalho, era o medo que fazia com que Grove seguisse folheando sua correspondência ou ao telefone com subordinados, preocupado por ter perdido notícias de atrasos de produtos ou clientes insatisfeitos.[3] Fora daquele ambiente, Andy Grove vivia o sonho americano: um refugiado outrora indigente que havia sido transformado em um titã da tecnologia. Dentro dessa história de sucesso do Vale do Silício estava um exilado húngaro marcado por uma infância passada se escondendo dos exércitos soviéticos e nazistas que marchavam pelas ruas de Budapeste.

Grove percebeu que era o fim do modelo de negócios da Intel de comercialização de chips Dram. O preço desses chips pode se recuperar da queda, mas a Intel nunca recuperaria sua participação de mercado. Havia sido "revolucionada" por produtores japoneses. Agora, ou ela se revolucionava ou fracassava. Sair do mercado de Dram parecia impossível. A Intel havia sido pioneira em termos de chips de memória, e reconhecer a derrota seria humilhante. Era como se a Ford resolvesse parar de fabricar carros, disse um funcionário. "Como poderíamos abrir mão de nossa identidade?", Grove se perguntou. Ele passou grande parte do ano de 1985 sentado no escritório de Gordon Moore na sede de Santa Clara da Intel, os dois olhando pela janela para a roda-gigante do parque de diversões Great America a distância, torcendo para que, como uma das cabines da roda-gigante, o mercado de memórias, mais cedo ou mais tarde, chegasse ao fundo do poço e começasse a subir outra vez.[4]

Entretanto, os números desastrosos de Dram eram impossíveis de negar. A Intel nunca ganharia dinheiro suficiente com memórias para justificar novos investimentos. Ela liderava, todavia, o pequeno mercado de microprocessadores, no qual as empresas japonesas ainda estavam atrasadas. E um desenvolvimento nesse campo oferecia um vislumbre de esperança. Em 1980, a Intel havia assinado um pequeno contrato com a IBM, a gigante de informática dos EUA, para montar chips para um novo produto, chamado de computador pessoal.[5] A IBM contratou um jovem programador de nome Bill Gates para programar o software do sistema operacional do computador.

Em 12 de agosto de 1981, com o papel de parede ornamentado e as cortinas grossas do grande salão de baile do Waldorf Astoria ao fundo, a IBM anunciava o lançamento de seu computador pessoal, ao preço de 1.565 dólares composto por uma CPU volumosa, um monitor que ocupava um espaço enorme, um teclado, uma impressora e duas unidades de disquete. Ele tinha um pequeno chip da Intel em seu interior.[6]

Parecia quase certo que o mercado de microprocessadores cresceria. Mas a perspectiva de que as vendas de microprocessadores pudessem ultrapassar as de Drams, que constituíam a maior parte das vendas de chips, parecia alucinante,[7] lembrou um dos assistentes de Grove, que não via alternativa. "Se fôssemos expulsos e a diretoria trouxesse um novo CEO, o que acha que ele faria?", Grove perguntou a Moore, que queria continuar produzindo chips Dram. "Ele faria com que parássemos de fabricar memórias", admitiu Moore timidamente. Por fim, a Intel decidiu abandonar as memórias, entregando de bandeja o mercado de Drams aos japoneses e se concentrando na fabricação de microprocessadores para PCs. Foi uma aposta corajosa para uma empresa que havia sido construída fabricando Drams. A "inovação revolucionária" parecia atraente na teoria de Clayton Christensen, mas, na prática, era angustiante, uma época de "ranger de dentes", lembrou Grove, e "brigas e discussões".[8] A revolução era óbvia. A inovação levaria anos para se pagar, se é que algum dia se pagaria.

Enquanto esperava para ver se sua aposta nos PCs daria certo, Grove aplicava sua paranoia com uma crueldade raramente vista no Vale do Silício. Os dias de trabalho começavam às oito horas em ponto, e qualquer um que batesse o ponto com atraso era criticado publicamente. Desentendimentos entre funcionários eram resolvidos por meio de uma tática que Grove chamava de "confronto construtivo".[9] Sua técnica de gestão preferida, brincou seu assistente Craig Barrett, era "agarrar alguém e bater na cabeça da pessoa com uma marreta".

Aquela não era a cultura despreocupada pela qual o Vale do Silício era conhecido, mas a Intel precisava de um sargento-instrutor. Seus chips Dram apresentavam os mesmos problemas de qualidade dos outros fabricantes de chips dos EUA. Quando ganhou dinheiro com Drams, ela o fez chegando primeiro ao mercado com uma nova concepção, e não sendo líder de produção

A GUERRA DOS CHIPS 165

em massa. Bob Noyce e Gordon Moore sempre tiveram ideia fixa em manter a tecnologia de ponta. No entanto, Noyce admitiu que sempre considerou "a parte do empreendimento" mais divertida que "a parte do controle".[10] Grove amava o controle tanto quanto qualquer coisa, e foi por isso que Gordon Moore o trouxe para a Fairchild em 1963: para resolver os problemas de produção da empresa. Quando seguiu Noyce e Moore para a Intel, ele recebeu a mesma função. Grove passou o resto da vida imerso em todos os detalhes dos processos de fabricação da empresa e de seu negócio, impulsionado por uma sensação incômoda de medo.

No plano de reestruturação de Grove, a primeira etapa era demitir mais de 25% da força de trabalho da Intel, fechando instalações no Vale do Silício, Oregon, Porto Rico e Barbados. O assistente de Grove descreveu a abordagem de seu patrão como: "Jesus Cristo! Demita essas duas pessoas, queimem os navios, acabem com a empresa". Ele era implacável e decisivo de uma forma que Noyce e Moore nunca conseguiram ser. A segunda etapa era fazer a fabricação funcionar. Ele e Barrett copiavam inexoravelmente os métodos de fabricação japoneses. "Barrett praticamente levou um bastão de beisebol para a fábrica e disse: 'Caramba! Não seremos derrotados pelos japoneses'", lembrou um subordinado. Ele obrigou os gerentes de fábrica a visitar o Japão e disse a eles: "É assim que vocês devem trabalhar".[11]

O novo método de fabricação da Intel foi chamado de "copiar exatamente". Uma vez que a Intel determinou que um conjunto específico de processos de produção funcionava melhor, eles foram replicados em todas as outras instalações da empresa. Antes disso, os engenheiros se orgulhavam de fazer os ajustes finos nos processos da Intel. Agora pediam que eles não pensassem, apenas replicassem. "Era uma grande questão cultural", lembrou um deles, à medida que o estilo despreocupado do Vale do Silício era substituído pelo rigor da linha de montagem. "Eu era visto como um ditador", admitiu Barrett. No entanto, a estratégia de "copiar exatamente" funcionou: os rendimentos da Intel aumentaram de forma significativa, enquanto seus equipamentos de fabricação eram utilizados com mais eficiência, reduzindo os custos. Cada uma das fábricas da empresa começou a funcionar menos como um laboratório de pesquisa e mais como uma máquina com o ajuste fino em dia.[12]

Grove e a Intel também tiveram sorte. Alguns dos fatores estruturais que haviam favorecido os produtores japoneses no início da década de 1980 começaram a mudar. Entre 1985 e 1988, o valor do iene japonês dobrou em relação ao dólar, barateando as exportações dos EUA. As taxas de juros nos EUA caíram acentuadamente ao longo da década de 1980, reduzindo os custos de capital da Intel. Enquanto isso, a Compaq Computer, com sede no Texas, entrou com força no mercado de PCs da IBM impulsionada pela percepção de que, embora fosse difícil programar sistemas operacionais ou construir microprocessadores, montar componentes de PC dentro de uma caixa de plástico era relativamente simples. A Compaq lançava seus próprios PCs utilizando chips da Intel e softwares da Microsoft, com preços muito abaixo dos PCs da IBM. Em meados da década de 1980, a Compaq e outras empresas que construíam "clones" de PCs da IBM vendiam mais unidades que a própria IBM.[13] Os preços caíam vertiginosamente conforme computadores eram instalados em todos os escritórios e muitas residências. Com exceção dos computadores da Apple, quase todos os PCs utilizavam chips da Intel e o software Windows, ambos projetados para funcionar juntos com perfeição. A Intel entrou na era do computador pessoal com um monopólio virtual sobre as vendas de chips para PCs.

A reestruturação da Intel por Grove foi um caso clássico do capitalismo do Vale do Silício. Ele reconheceu que o modelo de negócios da empresa não funcionava e decidiu "revolucionar" a própria Intel abandonando os chips Dram que ela havia sido fundada para fabricar. A empresa estabeleceu um domínio no mercado de chips para PCs, lançando uma nova geração de chips a cada um ou dois anos, oferecendo transistores menores e maior capacidade de processamento. Só os paranoicos sobrevivem, acreditava Andy Grove. Mais que inovação ou perícia, foi a paranoia dele que salvou a Intel.

23
"O inimigo do meu inimigo": a ascensão da Coreia

Lee Byung-Chul era capaz de lucrar vendendo quase qualquer coisa. Nascido em 1910, apenas um ano depois de Jack Simplot, Lee iniciou sua carreira empresarial em março de 1938, época em que sua Coreia natal integrava o império japonês, em guerra com a China e logo com os EUA. Os primeiros produtos de Lee foram peixes e vegetais desidratados, que ele colhia na Coreia e enviava para o Norte da China para alimentar a máquina de guerra do Japão. A Coreia era um fim de mundo empobrecido, sem indústria ou tecnologia, mas Lee já sonhava em construir um negócio que fosse "grande, forte e eterno", ele declarava.[1] Ele transformaria a Samsung em uma superpotência de semicondutores graças a dois aliados influentes: a indústria de chips dos EUA e o Estado sul-coreano. Uma parte fundamental da estratégia do Vale do Silício para superar os japoneses era encontrar fontes de suprimento mais baratas na Ásia. Lee decidiu que esse era um papel que a Samsung poderia desempenhar tranquilamente.

A Coreia do Sul estava habituada a navegar entre rivais maiores. Sete anos após Lee ter fundado a Samsung, ela poderia ter sido esmagada em 1945 após a derrota do Japão para os EUA. No entanto, Lee era hábil nas articulações, trocando de mecenas políticos com a mesma facilidade com que vendia peixe desidratado. Ele forjou laços com os EUA, que ocuparam a metade meridional da Coreia após a guerra, e rechaçou os políticos sul-coreanos que queriam desmembrar grandes grupos empresariais como o dele. Ele até manteve seus bens quando o governo comunista da Coreia do Norte invadiu o Sul — embora, quando o inimigo capturou Seul durante um breve período, um figurão do Partido Comunista tenha confiscado o Chevrolet de Lee e o dirigido pela capital ocupada.[2]

Lee expandiu seu império empresarial apesar da guerra, navegando pela complicada política da Coreia do Sul com sutileza. Quando um regime militar assumiu o poder em 1961, os generais retiraram os bancos de Lee, mas ele sobreviveu com suas outras empresas intactas. Ele insistia que a Samsung trabalhava para o bem da nação — e que o bem da nação dependia de a Samsung se tornar uma empresa de alcance mundial. "Servir à nação por meio do mundo empresarial", dizia a primeira parte do lema da família Lee.[3] De peixes e vegetais, ele diversificou seus investimentos em açúcar, têxteis, fertilizantes, construção, bancos e seguros. Ele via o boom econômico da Coreia durante as décadas de 1960 e 1970 como prova de que servia à nação. Os críticos, que perceberam que em 1960 ele havia se tornado a pessoa mais rica da Coreia do Sul, achavam que sua riqueza era prova de que a nação — e seus políticos corruptos — servia a ele.

Havia muito tempo que Lee queria entrar na indústria de semicondutores, observando empresas como a Toshiba e a Fujitsu conquistarem participação no mercado de Dram no final da década de 1970 e início da década de 1980. A Coreia do Sul já era um local importante para montagem e embalagem terceirizada de chips fabricados nos EUA ou no Japão. Além disso, o governo dos EUA havia ajudado a financiar a criação, em 1966, do Instituto Coreano de Ciência e Tecnologia, e uma quantidade cada vez maior de coreanos vinha se formando nas principais universidades dos EUA ou sendo treinada na Coreia por professores formados nos EUA. Entretanto, mesmo com uma força de trabalho qualificada, não foi fácil para as empresas passarem da montagem básica para a fabricação de chips com tecnologia de ponta. A Samsung já havia se interessado pelo trabalho simples com semicondutores, mas enfrentava dificuldades para ganhar dinheiro ou produzir tecnologia avançada.[4]

No início da década de 1980, todavia, Lee percebeu que o ambiente estava mudando. A brutal concorrência no mercado de Drams entre o Vale do Silício e o Japão durante a década de 1980 proporcionou uma abertura. Nesse ínterim, o governo sul-coreano identificava os semicondutores como prioridade. Enquanto Lee pensava no futuro da Samsung, ele viajou para a Califórnia na primavera de 1982, visitando as instalações da Hewlett-Packard e maravilhando-se com a tecnologia da empresa. Se a HP foi capaz de crescer de uma garagem de Palo Alto para uma gigante da tecnologia, sem dúvida uma loja de peixes e vegetais como a Samsung também conseguiria. "É tudo graças aos semicondutores", disse a ele um funcionário da HP. Ele também visitou uma fábrica de computadores da IBM e ficou chocado por terem permitido que ele fotografasse. "Deve haver muitos segredos em sua fábrica", disse ele ao funcionário da IBM que o guiou na visita. "Eles não podem ser replicados por simples observação", respondeu o funcionário com confiança.[5] Replicar o sucesso do Vale do Silício, no entanto, era exatamente o que Lee planejava fazer.

Fazê-lo exigiria muitos milhões de dólares em despesas de capital e sem nenhuma garantia de que daria certo. Mesmo para Lee, era uma grande aposta. Ele passou meses em hesitação. O fracasso poderia derrubar todo o seu império empresarial. O governo da Coreia do Sul, no entanto, sinalizou que estava disposto a fornecer apoio financeiro. Havia prometido investir 400 milhões de dólares para desenvolver sua indústria de semicondutores. Os bancos coreanos seguiriam a instrução do governo e emprestariam milhões a mais. Assim como no Japão, portanto, as empresas de tecnologia da Coreia surgiam não de garagens, mas de grandes conglomerados com acesso a empréstimos bancários baratos e apoio governamental. Em fevereiro de 1983, depois de uma noite nervosa e insone, Lee pegou o telefone, ligou para o chefe da divisão de eletrônicos da Samsung e proclamou: "A Samsung vai fabricar semicondutores". Ele apostou o futuro da empresa em semicondutores e estava preparado para gastar pelo menos 100 milhões de dólares, declarou.[6]

Lee era um empreendedor astuto, e o governo da Coreia do Sul o apoiava com firmeza. No entanto, a aposta de todos os recursos da Samsung em chips não teria dado certo sem o apoio do Vale do Silício. A melhor maneira de tratar a concorrência internacional em termos de chips de memória do Japão, apostava o Vale do Silício, era encontrar uma fonte ainda mais barata na Coreia enquanto concentrava os esforços de P&D dos EUA em produtos de maior valor em vez de Drams, que haviam se transformado em *commodities*. Os fabricantes de chips dos EUA, portanto, enxergaram as startups coreanas como parceiras em potencial. "Com os coreanos por perto", disse Bob Noyce a Andy Grove, a estratégia do Japão de "despejar independentemente dos custos" não teria sucesso na monopolização da produção mundial de Drams, porque os coreanos se aproveitariam dos produtores japoneses. O resultado seria "fatal" para os fabricantes de chips japoneses, Noyce previu.[7]

A Intel, portanto, aplaudiu a ascensão dos produtores coreanos de Dram. Foi uma entre diversas empresas do Vale do Silício a assinar um empreendimento conjunto com a Samsung na década de 1980, vendendo chips fabricados pela empresa coreana sob a marca da própria Intel e apostando que ajudar a indústria de chips da Coreia reduziria a ameaça do Japão ao Vale do Silício. Além disso, os custos e os salários na Coreia eram significativamente mais baixos que no Japão, então empresas coreanas como a Samsung tinham uma chance de conquistar participação de mercado, mesmo que seus processos de fabricação não fossem tão perfeitamente ajustados quanto os dos ultraeficientes japoneses.

A tensão comercial entre EUA e Japão também ajudou as empresas coreanas.[8] Depois que Washington ameaçou cobrar tarifas se o Japão não parasse com os "despejos" de produtos — vendendo chips Dram muito baratos no mercado norte-americano — em 1986, Tóquio concordou em limitar suas vendas de chips para os EUA e prometeu não vender a preços baixos. Isso proporcionou uma abertura para as empresas coreanas venderem mais chips Dram a preços mais elevados. O país norte-americano não teve a intenção de que o acordo beneficiasse as empresas coreanas, mas ficou satisfeito ao ver qualquer um além do Japão produzir os chips de que precisava.

Os EUA não forneceram apenas um mercado para os chips Dram sul-coreanos; também forneceram tecnologia. Com a maioria dos produtores desse tipo de chip do Vale do Silício próxima ao colapso, houve pouca hesitação em transferir tecnologia de alto nível para a Coreia. Lee propôs licenciar um projeto de um Dram de 64K da Micron, a quebra da startup de chips de memória, e fez amizade com seu fundador Ward Parkinson no processo.

A empresa de Idaho, querendo colocar as mãos em qualquer dinheiro que pudesse conseguir, concordou avidamente, mesmo que significasse que a Samsung aprenderia muitos de seus processos. "Tudo o que a gente fazia, a Samsung fazia", lembrou Parkinson, enxergando a injeção de dinheiro que a Samsung proporcionou como "não crucial, porém quase isso", para ajudar a Micron a sobreviver. Alguns líderes do setor, como Gordon Moore, temiam que algumas empresas de chips estivessem tão desesperadas que "abririam mão de pequenos avanços de tecnologia cada vez mais valiosos". No entanto, era difícil argumentar que a tecnologia de Drams fosse particularmente valiosa quando a maioria das empresas dos EUA que fabricava chips de memória estava quase falida. A maior parte do Vale do Silício ficou satisfeita por trabalhar com empresas coreanas, minando as concorrentes japonesas e ajudando a transformar a Coreia do Sul em um dos principais centros mundiais de fabricação de chips de memória. A lógica era simples, como Jerry Sanders explicou: "O inimigo do meu inimigo é meu amigo".[9]

24
"Este é o futuro"

O RENASCIMENTO DA indústria de chips dos EUA após a investida do Japão no mercado de Drams só foi possível graças à paranoia de Andy Grove, à habilidade de confronto de Jerry Sanders e à competitividade de caubói de Jack Simplot. A concorrência alimentada por testosterona e opções de ações do Vale do Silício muitas vezes parecia menos com a economia estéril descrita em livros didáticos e mais com uma luta darwiniana pela sobrevivência do mais apto. Muitas empresas faliram, fortunas foram perdidas e dezenas de milhares de funcionários foram demitidos. As empresas, como Intel e Micron, que sobreviveram o fizeram menos graças às suas habilidades de engenharia — embora fossem importantes — do que à sua capacidade de capitalizar a aptidão técnica para ganhar dinheiro em uma indústria hipercompetitiva e implacável.

No entanto, o renascimento do Vale do Silício não é apenas uma história de empreendedores heroicos e destruição criativa. Juntamente com a ascensão desses novos titãs industriais, um novo grupo de cientistas e engenheiros vinha preparando um salto na fabricação de chips e desenvolvendo novas e revolucionárias maneiras de utilizar a capacidade de processamento. Muitos desses desenvolvimentos ocorriam em coordenação com esforços do governo, em geral não pela mão pesada do Congresso dos EUA ou da Casa

Branca, mas pelo trabalho de organizações pequenas e ágeis como a Darpa, que foram capacitadas para fazer grandes apostas em tecnologias futuristas — e para construir o ambiente educacional e a infraestrutura de P&D que essas apostas exigiam.

A concorrência dos chips Dram japoneses de alta qualidade e baixo custo não era o único problema que o Vale do Silício enfrentava na década de 1980. A famosa lei de Gordon Moore previu um crescimento exponencial na quantidade de transistores em cada chip, mas esse sonho ia ficando cada vez mais difícil de realizar. Até o final da década de 1970, muitos circuitos integrados haviam sido projetados pelo mesmo processo utilizado por Federico Faggin, da Intel, para produzir o primeiro microprocessador. Em 1971, Faggin havia passado um semestre inteiro curvado sobre sua mesa de desenho esboçando o projeto com as ferramentas mais avançadas da Intel: uma régua e alguns lápis de cor. Em seguida, esse projeto era cortado em uma película plástica de mascaramento vermelha chamada Rubylith com um canivete. Uma câmera especial projetava os desenhos esculpidos na Rubylith em uma máscara, uma placa de vidro com uma cobertura cromada que replicava com perfeição o desenho da Rubylith. Por fim, projetava-se uma luz através da máscara e de um conjunto de lentes para projetar uma versão minúscula do desenho em um *wafer* de silício. Depois de meses esboçando e esculpindo, Faggin havia criado um chip.[1]

O problema era que, enquanto lápis e pinças eram ferramentas adequadas para um circuito integrado com mil componentes, algo mais sofisticado era necessário para um chip com 1 milhão de transistores. Carver Mead, o físico de cavanhaque que era amigo de Gordon Moore, estava intrigado com esse dilema quando foi apresentado a Lynn Conway, uma arquiteta de computadores do Centro de Pesquisas de Palo Alto da Xerox, onde o conceito do computador pessoal com mouse e teclado estava, então, acabando de ser inventado.[2]

Conway era uma brilhante cientista da computação, mas qualquer um que conversasse com ela descobria uma mente que brilhava com ideias de diversos campos, da astronomia à antropologia à filosofia histórica.[3] Ela havia chegado à Xerox em 1973 em "modo furtivo", explicou ela, após ser demitida da IBM em 1968 depois de passar por uma transição de gênero.[4] Ela ficou chocada ao descobrir que os fabricantes de chips do Vale eram mais artistas que engenheiros. Ferramentas de alta tecnologia eram combinadas com pinças simples. Os fabricantes de chips produziam desenhos maravilhosamente complexos em cada bloco de silício, mas seus métodos de projeto eram os de artesãos medievais. A fábrica de cada empresa tinha um conjunto longo, complicado e proprietário de instruções sobre como os chips deveriam ser projetados se fossem produzidos naquela instalação específica. Conway, cujo treinamento como arquiteta da computação a ensinara a pensar em termos de instruções padronizadas sobre as quais qualquer programa de computador é construído, achou esse método bizarramente ultrapassado.[5]

Ela percebeu que a revolução digital que Mead profetizou precisava de rigor algorítmico. Depois que ela e Mead foram apresentados por um colega em comum, os dois começaram a discutir como padronizar o projeto dos chips. Por que não era possível programar uma máquina para projetar circuitos?, eles se perguntavam. "Quando você pode escrever um programa para fazer alguma coisa", declarou Mead, "não precisa do kit de ferramentas de ninguém, você escreve o seu próprio programa."[6]

Conway e Mead acabaram elaborando um conjunto de "regras de projeto" matemáticas, abrindo caminho para programas de computador automatizarem o projeto de chips. Com o método de Conway e Mead, os projetistas não precisavam esboçar a localização de cada transistor, e sim podiam extrair de uma biblioteca de "peças intercambiáveis" que sua técnica possibilitava. Mead gostava de se enxergar como Johannes Gutenberg, cuja mecanização da produção de livros permitira que os escritores se concentrassem na escrita, e os impressores, na impressão. Conway logo foi convidada pelo MIT para ministrar um curso sobre essa metodologia de projeto de chips. Cada um de seus alunos projetava os próprios chips e depois enviava o projeto para uma instalação que o fabricava. Seis semanas depois, e sem nunca ter pisado em uma fábrica, os alunos de Conway recebiam chips em pleno funcionamento pelo correio. O momento Gutenberg havia chegado.[7]

Não havia ninguém mais interessado no que logo ficou conhecido como a "Revolução Mead-Conway" que o Pentágono. A Darpa financiou um programa para permitir que pesquisadores universitários enviassem projetos de chips para serem produzidos em fábricas de tecnologia de ponta. Apesar de sua reputação de financiar sistemas bélicos futuristas, quando se tratava de semicondutores a Darpa se concentrava o máximo na construção da infraestrutura educacional para que os EUA tivessem uma ampla oferta de projetistas de chips.[8] A Darpa também ajudava as universidades a adquirir computadores avançados e realizava oficinas com autoridades e acadêmicos da indústria para discutir problemas de pesquisa enquanto consumiam vinhos finos. Ajudar empresas e professores a manter viva a Lei de Moore, raciocinava a Darpa, era crucial para a vantagem militar dos EUA.[9]

A indústria de chips também financiava pesquisas universitárias sobre técnicas de projetos de chips, incorporando a Semiconductor Research Corporation (SRC) para distribuir bolsas de pesquisa para universidades como Carnegie Mellon e a Universidade da Califórnia, em Berkeley. Ao longo da década de 1980, um grupo de alunos e professores dessas duas universidades fundou uma série de startups que criou uma indústria — ferramentas de software para projetos de semicondutores — que nunca existira. Hoje, todas as empresas de chips utilizam ferramentas de cada uma das três empresas de software de projeto de chips que foram fundadas e construídas por ex-alunos desses programas financiados pela Darpa e pela SRC.[10]

A Darpa também apoiava pesquisadores que estudavam um segundo conjunto de desafios: encontrar novas utilizações para a cada vez maior capacidade de processamento dos chips. Irwin Jacobs, especialista em comunicação sem fio, foi um desses pesquisadores. Nascido em Massachusetts em uma família de donos de restaurantes, Jacobs planejara seguir seus pais na indústria de serviços alimentícios antes de se apaixonar pela engenharia elétrica. Ele passou a década de 1950 mexendo em tubos de vácuo e calculadoras da IBM. Enquanto cursava seu mestrado no MIT, Jacobs estudava antenas e teoria eletromagnética e decidiu concentrar sua pesquisa em teoria da informação — o estudo de como a informação pode ser armazenada e comunicada.[11]

Os rádios já faziam transmissão sem fio havia décadas, mas as demandas por comunicação sem fio cresciam, e o espaço do espectro era limitado. Se você quisesse uma estação de rádio na frequência de 99,5 FM, teria de garantir que já não houvesse uma na frequência de 99,7, ou a interferência tornaria a sua incompreensível. O mesmo princípio se aplicava a outras formas de comunicação por rádio. Quanto mais informações fossem empacotadas em uma determinada fatia do espectro, menos espaço haveria para erros criados por sinais embaralhados que ricocheteavam entre os prédios e interferiam uns nos outros à medida que avançavam pelo espaço aéreo em direção a um receptor de rádio.

Andrew Viterbi, colega de longa data de Jacobs na Universidade da Califórnia, em San Diego, havia desenvolvido um algoritmo complexo em 1967 para decodificar um conjunto confuso de sinais digitais que reverberavam por meio de ondas de ar ruidosas. Ele foi elogiado pelos cientistas como uma excelente teoria, mas o algoritmo de Viterbi parecia de difícil utilização prática. A ideia de que rádios normais algum dia teriam a capacidade de computação para executar algoritmos complicados parecia implausível.

Em 1971, Jacobs voou até São Petersburgo, na Flórida, para participar de uma conferência de acadêmicos que trabalhavam na teoria da comunicação. Muitos dos professores haviam concluído sombriamente que seu subcampo acadêmico — codificação de dados em ondas de rádio — havia atingido seus limites práticos. O espectro de rádio era capaz de ser ocupado apenas por uma quantidade limitada de sinais antes que se tornassem impossíveis de classificar e interpretar. Os algoritmos de Viterbi proporcionaram uma maneira teórica de empacotar mais dados no mesmo espectro de rádio, mas ninguém tinha a capacidade de computação para aplicar esses algoritmos em escala. O processo de envio de dados pelo ar parecia ter atingido um muro. "A codificação está morta", declarou um professor.

Jacobs discordou totalmente. Levantando-se da última fileira, ele ergueu um pequeno chip e declarou: "Este é o futuro".[12] Os chips, Jacobs percebeu, estavam melhorando com tanta rapidez que logo seriam capazes de codificar ordens de magnitude de mais dados no mesmo espaço de espectro. Como a quantidade de transistores em 6,5 centímetros quadrados de silício crescia em escala exponencial, a quantidade de dados que podiam ser enviados por intermédio de uma determinada fatia do espectro de rádio estava prestes a decolar também.

Jacobs, Viterbi e vários colegas montaram uma empresa de comunicações sem fio chamada Qualcomm — Quality Communications — apostando que microprocessadores cada vez mais potentes possibilitariam que eles empacotassem mais sinais na largura de banda do espectro existente. Jacobs, a princípio, conquistou contratos da Darpa e da Nasa para construir sistemas de comunicação espacial. No final da década de 1980, a Qualcomm diversificou suas operações e entrou no mercado civil, lançando um sistema de comunicação via satélite para a indústria de caminhões. Mas, mesmo no início da década de 1990, utilizar chips para enviar grandes quantidades de dados pelo ar parecia um negócio de nicho.

Para um professor que virou empreendedor como Irwin Jacobs, o financiamento da Darpa e os contratos do Departamento de Defesa eram cruciais para não deixar suas startups afundarem. Mas apenas alguns programas governamentais funcionavam. O esforço do Sematech para salvar o líder em litografia dos EUA foi um fracasso abjeto, por exemplo. Os esforços do governo foram eficazes não quando tentavam ressuscitar empresas que estavam falindo, mas quando capitalizavam os pontos fortes preexistentes dos EUA, fornecendo financiamento para possibilitar que os pesquisadores transformassem ideias inteligentes em protótipos de produtos. Sem dúvida os parlamentares ficariam furiosos se soubessem que a Darpa — ostensivamente uma agência de defesa — estava pagando por jantares e vinhos de professores de ciência da computação enquanto teorizavam sobre projetos de chips. Mas foram esforços como esses que encolheram transistores, descobriram novas utilizações para semicondutores, levaram novos clientes a comprá-los e financiaram a geração posterior de transistores menores. Quando se tratava de projetos de semicondutores, nenhum país do mundo tinha um ecossistema de inovação melhor. No final da década de 1980, um chip com um milhão de transistores — algo impensável no início da década de 1970, quando Lynn Conway chegara ao Vale do Silício — havia se tornado realidade quando a Intel anunciou seu microprocessador 486, um pequeno pedaço de silício com 1,2 milhão de seletores microscópicos.

25
A Diretoria T da kgb

Vladimir Vetrov era um espião da kgb, mas sua vida parecia mais uma história de Tchekhov que um filme de James Bond. Seu trabalho na kgb era burocrático, sua amante estava longe de ser uma supermodelo e sua esposa era mais carinhosa com seus filhotes de shih tzu do que com ele. No final da década de 1970, a carreira de Vetrov e sua vida chegaram a um beco sem saída. Ele desprezava seu trabalho burocrático e era ignorado por seus patrões. Também detestava a esposa, que tinha um caso com um de seus amigos. Por recreação, ele fugia para sua cabana de madeira em uma aldeia ao norte de Moscou, tão rústica que não tinha eletricidade. Ou ele simplesmente ficava em Moscou e se embebedava.[1]

A vida de Vetrov nem sempre tinha sido tão monótona. No início da década de 1960, ele conquistara um excelente posto em Paris, onde, como "funcionário de comércio exterior", era encarregado de coletar segredos das indústrias de alta tecnologia da França, de acordo com a estratégia "copiem--no" do ministro Shokin. Em 1963, no mesmo ano em que a urss fundou Zelenograd, a cidade dos cientistas que trabalhavam com microeletrônica, a kgb fundou uma nova divisão, a Diretoria T, que significa *teknologia*. A missão: "Adquirir equipamentos e tecnologia do Ocidente", alertava um relatório da cia, "e melhorar sua capacidade de produzir circuitos integrados".[2]

No início da década de 1980, a KGB supostamente teria empregado cerca de mil pessoas para roubar tecnologia estrangeira. Cerca de trezentas delas trabalhavam em postos no exterior, com a maior parte do restante no oitavo andar da imponente sede da KGB na praça Lubyanka, em Moscou, acima da prisão e das câmaras de tortura da era Stalin. Outros serviços de inteligência soviéticos, como o GRU dos militares, também tinham espiões que se concentravam em roubo de tecnologia. O consulado soviético em São Francisco em tese tinha uma equipe de sessenta agentes que visavam as empresas de tecnologia do Vale do Silício. Eles roubavam chips diretamente e os compravam no mercado clandestino, fornecidos por ladrões como o homem cuja alcunha era "One Eyed Jack", que foi capturado na Califórnia em 1982 e acusado de roubar chips de uma instalação da Intel escondendo-os em sua jaqueta de couro. Os espiões soviéticos também chantageavam ocidentais com acesso a tecnologia avançada. Pelo menos um funcionário britânico de uma empresa de computadores do Reino Unido que morava em Moscou morreu após uma "queda" da janela de seu prédio.[3]

A espionagem continuou a desempenhar um papel fundamental com relação aos semicondutores soviéticos, como um grupo de pescadores de Rhode Island descobriu depois de puxar uma estranha boia metálica das águas do Atlântico Norte no outono de 1982. Eles não esperavam fisgar chips avançados. Quando a misteriosa boia foi enviada para um laboratório militar, no entanto, foi identificada como um dispositivo de escuta soviético que utilizava réplicas perfeitas de semicondutores da Série 5400 da Texas Instruments. Após a Intel ter comercializado o microprocessador, o ministro Shokin fechou uma unidade de pesquisa soviética que tentava produzir um dispositivo semelhante em favor da cópia dos microprocessadores americanos.[4]

Entretanto, a estratégia "copiem-no" foi muito menos exitosa que as boias de vigilância soviéticas sugeriam. Foi bastante fácil roubar alguns exemplos dos chips mais recentes da Intel, ou até mesmo desviar uma remessa inteira de circuitos integrados para a URSS, geralmente por intermédio de empresas de fachada nas neutras Áustria ou Suíça.[5] Todavia, a contrainteligência dos EUA de vez em quando desmascarava os agentes da

URSS que operavam em países terceiros, de modo que essa nunca foi uma fonte confiável de abastecimento.

Roubar projetos de chips só era viável se eles pudessem ser produzidos em escala na URSS. Isso era difícil de fazer durante o início da Guerra Fria, mas quase impossível na década de 1980. À medida que o Vale do Silício lotava os chips de silício com mais e mais transistores, fabricá-los se tornava cada vez mais difícil. A KGB achava que sua campanha de roubos proporcionava aos produtores soviéticos de semicondutores segredos extraordinários, mas obter uma cópia de um chip novo não garantia que os engenheiros soviéticos pudessem produzi-lo. A KGB também começou a roubar equipamentos de fabricação de semicondutores. A CIA alegava que a URSS havia adquirido quase todas as facetas do processo de fabricação de semicondutores, incluindo novecentas máquinas ocidentais para a preparação de materiais necessários à fabricação de semicondutores; oitocentas máquinas para litografia e gravura; e trezentas máquinas de cada para dopar, embalar e testar chips.[6]

Contudo, uma fábrica precisava de um conjunto completo de equipamentos, e, quando as máquinas quebravam, precisavam de peças sobressalentes. Às vezes, peças sobressalentes para máquinas estrangeiras podiam ser produzidas na URSS, mas isso introduzia novas ineficiências e defeitos. O sistema de roubo e replicação nunca funcionou bem o suficiente para convencer os líderes militares soviéticos de que tinham um suprimento constante de chips de qualidade, então eles minimizaram a utilização de eletrônicos e computadores nos sistemas militares.

Demorou para o Ocidente perceber a escala do roubo. Quando a KGB enviou Vetrov a Paris pela primeira vez em 1965, a Diretoria T era praticamente desconhecida. Vetrov e seus colegas trabalhavam disfarçados, muitas vezes como funcionários do Ministério de Comércio Exterior soviético. Quando os agentes soviéticos visitavam laboratórios de pesquisa estrangeiros, faziam amizade com executivos e tentavam sugar os segredos da indústria estrangeira, parecia que estavam simplesmente realizando seu "trabalho cotidiano" como autoridades de comércio exterior.

As operações da Diretoria T poderiam ter continuado como um segredo de Estado se Vetrov não tivesse decidido acrescentar intriga à sua existência, que de outra forma era monótona, ao voltar para Moscou. No início da década de 1980, sua carreira havia estagnado, seu casamento estava arruinado e sua vida desmoronava. Ele era um espião como James Bond, porém com mais trabalho burocrático e menos martínis. Decidiu tornar a vida mais interessante ao enviar um cartão-postal para um conhecido parisiense que, ele sabia, era ligado aos serviços de inteligência franceses.[7]

Não demorou muito e Vetrov estava passando dezenas de documentos sobre a Diretoria T para seu encarregado francês em Moscou. A inteligência francesa deu a ele o codinome "Farewell". No total, ele parece ter fornecido milhares de páginas de documentos que saíram do coração da KGB, revelando uma vasta burocracia concentrada em roubar segredos industriais ocidentais. Uma prioridade-chave: "microprocessadores avançados", para os quais a União Soviética não apenas não tinha engenheiros qualificados, como também o software necessário para projetar processadores com tecnologia de ponta e os equipamentos necessários para produzi-los. Os espiões ocidentais ficaram chocados com justamente quanto os soviéticos roubaram.[8]

Em sua rotina de encontros com agentes franceses, Vetrov descobrira uma nova atividade, mas não a satisfação. Os franceses lhe davam presentes do exterior para manter a amante de Vetrov satisfeita, mas o que ele queria de verdade era que sua esposa o amasse. Ele foi ficando cada vez mais delirante. À data de 22 de fevereiro de 1982, após ter dito ao filho que planejava romper o relacionamento com sua amante, Vetrov a esfaqueou repetidas vezes em seu carro enquanto estava estacionado no anel viário de Moscou. Foi só depois que ele foi preso pela polícia que a KGB percebeu que Vetrov traíra o país e entregara os segredos da Diretoria T à inteligência do Ocidente.

Os franceses logo compartilharam informações sobre Vetrov com os EUA e outros serviços de inteligência aliados. O governo Reagan reagiu lançando a Operação Exodus, que reforçou os controles alfandegários de tecnologia avançada. Em 1985, o programa havia apreendido cerca de 600 milhões de dólares em bens e resultou em cerca de mil detenções. Entretanto, quando se tratava de semicondutores, a alegação do governo Reagan de que havia parado a "intensa hemorragia de tecnologia dos EUA para a União Soviética" provavelmente exagerava o impacto de controles mais rígidos. A estratégia "copiem-no" da URSS havia, na verdade, beneficiado os EUA, garantindo que os soviéticos enfrentassem um atraso tecnológico contínuo. Em 1985, a CIA realizou um estudo de microprocessadores soviéticos e descobriu que a URSS produzia réplicas de chips da Intel e da Motorola como um relógio. Estavam sempre meia década atrás.[9]

26
"Armas de destruição em massa":
o impacto da compensação

"Sistemas de combate de longo alcance, altamente precisos e guiados por terminais, máquinas voadoras não tripuladas e sistemas de controle eletrônico qualitativamente novos", previu o marechal soviético Nikolai Ogarkov, transformariam os explosivos convencionais em "armas de destruição em massa".[1] Ogarkov serviu como chefe do Estado-maior das Forças Armadas soviéticas de 1977 a 1984. No Ocidente, ele era mais famoso por liderar a ofensiva dos meios de comunicação depois que os soviéticos derrubaram por acidente uma aeronave civil da Coreia do Sul em 1983. Em vez de admitir o erro, ele acusou os pilotos do avião de estarem em uma "missão de inteligência deliberada e minuciosamente planejada" e declarou que a aeronave estava "pedindo aquilo".[2] Essa não era uma mensagem capaz de fazer com que Ogarkov conquistasse amizades no Ocidente, mas isso provavelmente teria pouca importância para ele, já que seu propósito de vida era se preparar para a guerra com os EUA.

A União Soviética havia acompanhado passo a passo os EUA na corrida para desenvolver as tecnologias cruciais do início da Guerra Fria construindo foguetes poderosos e um formidável estoque nuclear. Agora, os músculos estavam sendo substituídos por cérebros computadorizados. Quando se tratava dos chips de silício que sustentavam esse novo impulsionador de poderio militar, a União Soviética havia ficado irremediavelmente para trás. Uma piada soviética popular da década de 1980 contava sobre um funcionário do Kremlin que declarou com orgulho: "Camarada, construímos o maior microprocessador do mundo!".

Por métricas tradicionais como quantidade de tanques ou tropas, a União Soviética tinha uma clara vantagem no início da década de 1980.[3] Ogarkov enxergava as coisas de forma diferente: a qualidade superava a quantidade. Ele tinha ideia fixa na ameaça representada pelas armas de precisão dos EUA. Combinada com melhores ferramentas de vigilância e comunicação, a capacidade de atingir alvos com precisão a centenas ou mesmo milhares de quilômetros de distância estava produzindo uma "revolução técnico-militar", argumentava Ogarkov para quem quisesse ouvir. Os dias dos mísseis *Sparrow* guiados por tubos de vácuo que erravam 90% de seus alvos nos céus do Vietnã ficaram no passado.[4] A União Soviética tinha muito mais tanques que os EUA, mas Ogarkov percebeu que seus tanques logo seriam muito mais vulneráveis em uma luta com os americanos.

A "estratégia de compensação" de Bill Perry estava funcionando, e a União Soviética não tinha resposta. Faltavam-lhe os eletrônicos miniaturizados e a capacidade de computação que os fabricantes de chips dos EUA e do Japão produziam.[5] Zelenograd e as outras instalações soviéticas de fabricação de chips não conseguiam acompanhar. Considerando que Perry pressionava o Pentágono a adotar a Lei de Moore, as inadequações da indústria soviética de fabricação de chips ensinaram os projetistas de armas do país a limitar a utilização de eletrônicos complexos sempre que possível. Essa era uma abordagem viável na década de 1960, mas, na década de 1980, essa falta de disposição em acompanhar os avanços dos microeletrônicos garantia que os sistemas soviéticos permanecessem "burros" enquanto as armas dos EUA aprendiam a pensar. Os EUA haviam colocado um computador de orientação alimentado pelos chips da Texas Instruments a bordo do míssil *Minuteman II* no início da década de 1960, mas o primeiro computador de orientação de mísseis que utilizava circuitos integrados dos soviéticos só foi testado em 1971.[6]

Acostumados aos microeletrônicos de baixa qualidade, os projetistas de mísseis soviéticos desenvolviam soluções alternativas elaboradas. Até mesmo os cálculos matemáticos que eles colocavam em seus computadores de orientação eram mais simples para minimizar a tensão no computador de bordo. Os mísseis balísticos soviéticos em geral eram instruídos a seguir uma trajetória de voo específica rumo ao alvo, com o computador de orientação ajustando o míssil para voltá-lo à trajetória pré-programada se ele se desviasse. Em comparação, na década de 1980, os mísseis dos EUA calculavam a própria trajetória até o alvo.[7]

Em meados da década de 1980, estimava-se publicamente que o novo míssil MX dos EUA cairia a uma distância de, no máximo, 110 metros de seu alvo 50% das vezes. O SS-25, míssil soviético cuja comparação é grosseira, caía, em média, a uma distância de, no máximo, 365 metros de seu alvo, segundo estimativas de um ex-oficial de defesa soviético. Na lógica funesta dos planejadores militares da Guerra Fria, uma diferença de muitas centenas de metros importava enormemente. Era bastante fácil destruir uma cidade, mas ambas as superpotências queriam a capacidade de destruir os arsenais nucleares uma da outra. Até mesmo ogivas nucleares precisavam de um ataque razoavelmente direto para desativar um silo de mísseis enrijecido. Se fosse possível desferir muitos ataques diretos, um lado poderia comprometer as forças nucleares do adversário em um primeiro ataque surpresa. As estimativas soviéticas mais pessimistas sugeriam que, se os EUA tivessem lançado um primeiro ataque nuclear na década de 1980, poderiam ter desativado ou destruído 98% dos mísseis balísticos intercontinentais soviéticos.[8]

A URSS não tinha nenhuma margem de erro. Os militares soviéticos tinham dois outros sistemas que poderiam lançar um ataque nuclear nos EUA: bombardeiros de longo alcance e submarinos de mísseis. Era de amplo conhecimento que as frotas de bombardeiros eram o sistema de lançamento mais fraco, porque podiam ser identificadas por radar logo após a decolagem e derrubadas antes de lançarem suas armas nucleares. Os submarinos de mísseis nucleares dos EUA, por outro lado, eram praticamente indetectáveis e, portanto, invencíveis. Os submarinos soviéticos eram menos seguros, porque os EUA estavam aprendendo a aplicar a capacidade de computação para tornar seus sistemas de detecção de submarinos muito mais precisos.

O desafio na descoberta de um submarino é dar sentido a uma cacofonia de ondas sonoras. O som ricocheteia no leito do mar em ângulos diversos e refrata de forma diferente através da água dependendo da temperatura ou da presença de cardumes. No início da década de 1980, foi admitido para público que os EUA haviam conectado seus sensores submarinos ao Illiac IV, um dos supercomputadores mais potentes e o primeiro a utilizar chips de memória semicondutores, que eram fabricados pela Fairchild. O Illiac IV e outros centros de processamento eram conectados via satélite a uma série de sensores em navios, aviões e helicópteros para rastrear submarinos soviéticos, que eram bastante vulneráveis à detecção dos EUA.[9]

Quando Ogarkov fez os cálculos, concluiu que a vantagem dos EUA alimentada pelos semicondutores em termos de precisão de mísseis, armamento antissubmarino, vigilância e comando e controle poderia possibilitar que um ataque surpresa ameaçasse a existência do arsenal nuclear soviético. As armas nucleares deveriam ser a apólice de seguro definitiva, mas os militares soviéticos agora se sentiam "significativamente inferiores em termos de armas estratégicas", como colocou um general.[10]

Os líderes militares soviéticos também temiam uma guerra convencional. Os analistas militares costumavam pensar que a superioridade dos soviéticos em quantidade de tanques e tropas proporcionava uma vantagem decisiva em uma guerra convencional. Entretanto, a bomba *Paveway* utilizada pela primeira vez no Vietnã havia sido complementada por um conjunto de novos sistemas guiados. Os mísseis de cruzeiro *Tomahawk* podiam chegar longe no território soviético. Os planejadores de defesa soviéticos temiam que os bombardeiros *stealth* e mísseis de cruzeiro armados convencionalmente dos EUA pudessem desativar o comando e o controle soviéticos sobre suas forças nucleares. O desafio ameaçava a própria sobrevivência do Estado soviético.[11]

O Kremlin desejava revitalizar sua indústria de microeletrônica, mas não sabia como. Em 1987, o líder soviético Mikhail Gorbachev visitou Zelenograd e pediu "mais disciplina" no trabalho da cidade.[12] A disciplina fazia parte do sucesso do Vale do Silício, evidente na ideia fixa de Charlie Sporck por produtividade e na paranoia de Andy Grove. Contudo, a disciplina por si só não poderia resolver os problemas básicos dos soviéticos.

Uma questão era a intromissão política. No final da década de 1980, Yuri Osokin foi demitido de seu emprego na fábrica de semicondutores de

Riga.[13] A KGB havia exigido que ele demitisse vários de seus funcionários, um dos quais havia enviado cartas para uma mulher na Tchecoslováquia, um segundo que se recusou a trabalhar como informante da KGB e um terceiro que era judeu. Quando Osokin se recusou a punir esses trabalhadores por seus "crimes", a KGB o demitiu e tentou forçar a demissão de sua esposa também. Já era bastante difícil projetar chips em épocas normais. Fazer isso enquanto lutava contra a KGB era impossível.

Uma segunda questão era a dependência excessiva de clientes militares. Os EUA, a Europa e o Japão tinham mercados consumidores em expansão que impulsionaram a demanda por chips. Os mercados civis de semicondutores ajudaram a financiar a especialização da cadeia de suprimentos de semicondutores, criando empresas com experiência em tudo, desde *wafers* de silício ultrapuro até óptica avançada em equipamentos de litografia. A União Soviética mal tinha um mercado consumidor, então produzia apenas uma fração dos chips fabricados no Ocidente. Uma fonte soviética estimou que só o Japão gastava oito vezes mais em investimento de capital em microeletrônica que a URSS.[14]

Um desafio final era que, aos soviéticos, faltava uma cadeia de suprimentos internacional.[15] Por ter trabalhado com os aliados da Guerra Fria dos EUA, o Vale do Silício havia forjado uma divisão de trabalho globalizada e ultraeficiente. O Japão liderava a produção de chips de memória, os EUA produziam mais microprocessadores, enquanto as japonesas Nikon e Canon e a holandesa ASML dividiam o mercado de equipamentos de litografia. Trabalhadores no Sudeste Asiático realizavam grande parte da montagem final. Empresas dos EUA, do Japão e da Europa disputavam sua posição nessa divisão de trabalho, mas todas se beneficiavam da capacidade de distribuir os custos com P&D por um mercado de semicondutores muito maior que a URSS jamais teve.

A URSS tinha apenas um punhado de aliados, sendo que a maioria não ajudava muito. A Alemanha Oriental dominada pelos soviéticos, que tinha uma indústria de chips tão avançada quanto Zelenograd, fez um último esforço em meados da década de 1980 para revitalizar seu setor de semicondutores, aproveitando uma longa tradição de fabricação de precisão, bem como a principal óptica do mundo produzida pela empresa Carl Zeiss na cidade de Jena. A produção de chips da Alemanha Oriental cresceu rapidamente no final da década de 1980, mas a indústria só era capaz de produzir chips de memória menos avançados que os do Japão, por dez vezes o preço.[16] Equipamentos ocidentais avançados de fabricação continuavam de difícil acesso, enquanto a Alemanha Oriental não tinha a mão de obra barata que as empresas do Vale do Silício contratavam por toda a Ásia.

O esforço da União Soviética para revigorar seus fabricantes de chips foi um fracasso total. Nem os soviéticos nem seus aliados socialistas conseguiriam algum dia alcançá-los, apesar das amplas campanhas de espionagem e enormes quantias injetadas em instalações de pesquisa como as de Zelenograd. E, assim que a resposta do Kremlin à "compensação" de Bill Perry começava a falhar, o mundo teve um vislumbre aterrorizante do futuro da guerra nos campos de batalha do Golfo Pérsico.

27
Herói de guerra

Logo cedo de manhã no dia 17 de janeiro de 1991, a primeira onda de bombardeiros *stealth* F-117 dos EUA decolou de suas bases aéreas na Arábia Saudita, com suas fuselagens negras desaparecendo rapidamente no céu escuro do deserto. Seu alvo: Bagdá. Os EUA não travavam uma grande guerra desde o Vietnã, mas agora tinham várias centenas de milhares de tropas ao longo da fronteira setentrional da Arábia Saudita, dezenas de milhares de tanques aguardando ordens para avançar, dúzias de navios da Marinha posicionados em alto-mar, com suas baterias de mísseis e armas voltadas para o Iraque. O general dos EUA que liderou o ataque, Norman Schwarzkopf, era um soldado de infantaria por treinamento que serviu duas vezes no Vietnã.[1] Dessa vez, ele estava confiando em armas disparadas a distância para desferir o primeiro ataque.

O prédio da central telefônica de doze andares na rua Rashid, em Bagdá, foi o único alvo considerado importante o suficiente para ser atacado por dois F-117. O plano de guerra do general Schwarzkopf dependia de sua destruição, o que derrubaria parte da infraestrutura de comunicações do Iraque. Os dois aviões foram direto ao seu alvo, lançando bombas *Paveway* de mais de novecentos quilos guiadas por laser que arrebentaram a instalação e a fizeram arder em chamas. De repente, o sinal de TV dos repórteres da CNN em Bagdá apagou. Os pilotos de Schwarzkopf haviam acertado em cheio. Quase ao mesmo tempo, 116 mísseis de cruzeiro *Tomahawk* disparados de navios da Marinha em alto-mar atingiram seus alvos em Bagdá e ao seu redor. Começava a Guerra do Golfo Pérsico.[2]

Uma torre de comunicações, um posto de comando militar, um quartel-general da Força Aérea, centrais elétricas e a retirada do país de Saddam Hussein: os primeiros ataques aéreos dos EUA procuraram decapitar a liderança iraquiana e cortar suas comunicações, limitando sua capacidade de acompanhar a guerra ou se comunicar com suas forças.[3] Logo seus militares batiam em uma retirada desorganizada. A CNN transmitia vídeos com centenas de bombas e mísseis atingindo tanques iraquianos. A guerra parecia um videogame. Mas, assistindo do Texas, Weldon Word sabia que essa tecnologia futurista na verdade era da época da Guerra do Vietnã.

As bombas *Paveway* guiadas por laser que atingiram a central telefônica de Bagdá utilizavam o mesmo projeto de sistema básico da primeira geração de *Paveways* que destruíram a ponte Thanh Hoa em 1972.[4] Elas foram construídas com um punhado de transistores, um sensor laser e duas asas presas a uma velha bomba "burra". Em 1991, a Texas Instruments havia atualizado a *Paveway* diversas vezes, e cada nova versão substituía os circuitos existentes por componentes eletrônicos mais avançados, reduzindo a quantidade de componentes, aumentando a confiabilidade e adicionando novos recursos. No início da Guerra do Golfo Pérsico, a *Paveway* havia se tornado a arma preferida dos militares pela mesma razão que os microprocessadores da Intel eram utilizados em toda a indústria de computadores: era amplamente compreendida, de fácil utilização e possuía ótima relação custo-benefício. As bombas *Paveway* sempre foram baratas, mas ficaram ainda mais ao longo das décadas de 1970 e 1980. Graças ao seu baixo custo, todos os pilotos haviam lançado *Paveways* em exercícios de treinamento. E elas eram muito versáteis também. Os alvos não precisavam ser selecionados com antecedência, podiam ser escolhidos no campo de batalha. As proporções de acertos no alvo, enquanto isso, eram quase tão boas quanto pareciam na TV. Estudos da Força Aérea realizados após a guerra descobriram que munições que não eram de precisão eram muito menos precisas do que os pilotos costumavam afirmar, enquanto munições de precisão, como as bombas *Paveway*, de fato, saíam-se melhor do que se dizia. Aviões que utilizavam orientação a laser para seus ataques com bombas atingiam treze vezes mais alvos que aviões comparáveis sem munições guiadas.[5]

O poder aéreo norte-americano provou ser decisivo na Guerra do Golfo Pérsico, dizimando as forças iraquianas enquanto minimizava as baixas dos EUA. Weldon Word recebeu um prêmio por inventar a *Paveway*, por melhorar sua eletrônica e reduzir seu custo para que cada uma nunca fosse mais dispendiosa que um calhambeque, exatamente como ele havia prometido a princípio. Demorou várias décadas para que pessoas de fora das Forças Armadas dos EUA percebessem como a *Paveway* e outras armas como ela vinham mudando a guerra. Mas os pilotos que utilizavam essas bombas sabiam quanto elas eram transformadoras. "Mais ou menos 10 mil soldados dos EUA não foram mortos por causa de vocês", uma autoridade da Força Aérea disse a Word na cerimônia de premiação do Pentágono.[6] A microeletrônica avançada e as asas presas a uma bomba transformaram a natureza do poderio militar.

Enquanto observava o desenrolar da Guerra do Golfo Pérsico, Bill Perry sabia que as bombas guiadas por laser eram apenas uma das dezenas de sistemas militares que haviam sido revolucionados pelos circuitos integrados, possibilitando melhores vigilância, comunicação e capacidade de computação. A Guerra do Golfo Pérsico foi o primeiro grande teste da "estratégia de compensação" de Perry, que havia sido desenvolvida após a Guerra do Vietnã, porém nunca implementada em uma batalha de porte considerável.

Nos anos que se seguiram ao Vietnã, os militares dos EUA falaram sobre seus novos recursos, mas muitos não os levaram a sério. Líderes militares como o general William Westmoreland, que comandou as forças dos EUA no Vietnã, prometeram que os campos de batalha no futuro seriam automatizados. Mas a Guerra do Vietnã foi desastrosa, apesar da ampla vantagem tecnológica dos EUA sobre os norte-vietnamitas. Então, por que uma maior capacidade de computação mudaria as coisas? As Forças Armadas dos EUA ficaram, em sua maioria, sentadas em seus quartéis durante a década de 1980, exceto por algumas pequenas operações contra oponentes de terceira categoria como Líbia e Granada. Ninguém sabia direito como os dispositivos avançados do Pentágono funcionariam em campos de batalha reais.

Vídeos de prédios, tanques e aeródromos iraquianos sendo destruídos por armas de precisão impossibilitavam a negação: o caráter da guerra estava mudando. Até mesmo os mísseis ar-ar *Sidewinder* alimentados por tubos de vácuo que haviam errado a maioria de seus alvos nos céus do Vietnã agora haviam sido modernizados com sistemas de orientação mais potentes e baseados em semicondutores. Eles foram seis vezes mais precisos na Guerra do Golfo Pérsico que no Vietnã.

As novas tecnologias que Perry havia pressionado o Pentágono a desenvolver no final da década de 1970 funcionaram até mesmo além de suas expectativas. Os militares iraquianos — armados com alguns dos melhores equipamentos produzidos pela indústria de defesa da União Soviética — estavam indefesos diante do ataque dos EUA. "A alta tecnologia funciona", proclamou Perry.[7] "O que está fazendo tudo isso funcionar são as armas baseadas em informações em vez do volume de poder de fogo", explicou um analista militar à mídia. "É o triunfo do silício sobre o aço", declarou uma manchete do *New York Times*. "Status de herói de guerra possível para o chip de computador", disse outra.[8]

As reverberações provenientes das explosões das bombas *Paveway* e dos mísseis *Tomahawk* foram sentidas com tanta força em Moscou quanto em Bagdá. A guerra foi uma "operação tecnológica", declarou um analista militar soviético. Foi "uma luta pelas ondas de rádio", disse outro. O resultado — a tranquila derrota do Iraque — foi exatamente aquele que Ogarkov previra. O ministro da Defesa soviético, Dmitri Yazov, admitiu que a Guerra do Golfo deixou a União Soviética nervosa com relação aos seus recursos de defesa antiaérea. O marechal Sergey Akhromeyev ficou envergonhado depois que suas previsões de um conflito prolongado foram prontamente refutadas pela rápida rendição do Iraque.[9] Vídeos da CNN de bombas dos EUA se guiando sozinhas pelo céu e atingindo prédios iraquianos provaram as previsões de Ogarkov sobre o futuro da guerra.

28
"A Guerra Fria acabou e vocês ganharam"

Akio Morita, da Sony, havia passado a década de 1980 a bordo de jatos dando a volta ao mundo, jantando com Henry Kissinger, jogando golfe no Augusta National, convivendo com outras elites globais em grupos como a Comissão Trilateral. Era tratado como um oráculo do mundo empresarial e representante do Japão — a potência econômica que mais crescia no mundo — no cenário global. Morita achava fácil acreditar no "Japão como o número um" porque vivia isso. Graças ao Walkman da Sony e a outros eletrônicos de consumo, o Japão havia se tornado próspero e Morita havia enriquecido.

Então, em 1990, a crise chegou. Os mercados financeiros do Japão quebraram. A economia caiu em uma recessão profunda. Logo, a Bolsa de Valores de Tóquio estava operando na metade do nível de 1990. Os preços dos imóveis em Tóquio caíram ainda mais. O milagre econômico do Japão parecia ter acabado. Enquanto isso, os EUA ressurgiam, nos negócios e na guerra. Em apenas alguns anos, "Japão como número um" já não parecia muito preciso. O estudo de caso do mal-estar do Japão foi a indústria que havia sido considerada um exemplo da proeza industrial japonesa: os semicondutores.

Morita, agora com 69 anos, observou as fortunas do Japão caírem acompanhando a queda do preço das ações da Sony. Ele sabia que os problemas de seu país eram mais profundos que seus mercados financeiros. Morita passara a década anterior dando palestras para os EUA sobre a necessidade de melhorar a qualidade da produção, e não se concentrar em "jogos monetários" nos mercados financeiros. Contudo, com a quebra da Bolsa de Valores do Japão, o alardeado pensamento de longo prazo do país não parecia mais tão visionário. O aparente domínio do Japão tinha sido construído sobre uma base insustentável de superinvestimento apoiado pelo governo.[1] O capital barato financiara a construção de novas fábricas de semicondutores, mas também incentivara os fabricantes de chips a pensar menos no lucro e mais na produção. As maiores empresas de semicondutores do Japão dobraram a produção de Dram, mesmo com produtores com custos inferiores, como a Micron e a sul-coreana Samsung, minando os rivais japoneses.[2]

A própria mídia do Japão percebeu o excesso de investimento no setor de semicondutores, com manchetes de jornais alertando para "concorrência imprudente de investimentos" e "investimentos que eles não conseguem deter". Os CEOs das produtoras de chips de memória do Japão não conseguiam fazer com que as empresas parassem de construir novas fábricas de chips, mesmo que não fossem lucrativas. "Se você começar a se preocupar" com o excesso de investimento, admitiu um executivo da Hitachi, "você não dorme à noite".[3] Contanto que os bancos continuassem emprestando, era mais fácil para os CEOs continuarem gastando que admitir que não tinham como chegar à lucratividade. Os mercados de capitais independentes dos EUA não pareciam uma vantagem na década de 1980, mas o risco de perder financiamento ajudava a manter as empresas dos EUA em alerta. Os fabricantes japoneses de Dram teriam se beneficiado da paranoia de Andy Grove ou da sabedoria de Jack Simplot com relação à volatilidade do mercado de *commodities*. Em vez disso, eles todos injetaram investimentos no mesmo mercado, garantindo que poucos ganhassem muito dinheiro.

A Sony, a única entre as empresas japonesas de semicondutores a nunca apostar pesadamente em Drams, conseguiu desenvolver produtos inovadores, como chips especializados para sensores de imagem. Quando os fótons atingem o silício, esses chips criam cargas elétricas que são correlacionadas à intensidade da luz, permitindo que os chips convertam imagens em dados digitais. A Sony estava, portanto, bem posicionada para liderar a revolução das câmeras digitais, e os chips da empresa que detectam imagens hoje em dia continuam sendo uns dos melhores do mundo. Mesmo assim, a empresa não conseguiu cortar os investimentos em segmentos deficitários, e sua lucratividade caiu no início da década de 1990.[4]

A maioria dos grandes produtores de Dram do Japão, no entanto, não conseguiu tirar proveito de sua influência na década de 1980 para impulsionar a inovação. Na Toshiba, uma gigante de Dram, um gerente de fábrica de nível intermediário chamado Fujio Masuoka desenvolveu um novo tipo de chip de memória em 1981 que, ao contrário da Dram, era capaz de continuar "se lembrando" de dados mesmo depois de desligado. A Toshiba ignorou essa descoberta, então foi a Intel que produziu esse novo tipo de chip de memória, comumente chamado de "flash" ou NAND, para o mercado.[5]

O maior erro das empresas de chips do Japão, todavia, foi deixar de aproveitar a ascensão dos PCs. Nenhuma das gigantes de chips japonesas conseguiu replicar a inclinação da Intel para a fabricação de microprocessadores ou seu domínio do ecossistema de PCs. Apenas uma empresa japonesa, a NEC, realmente tentou, mas nunca conquistou mais que uma minúscula fatia do mercado de microprocessadores. Para Andy Grove e a Intel, ganhar dinheiro com microprocessadores era uma questão de vida ou morte. As empresas japonesas de Dram, com enorme participação de mercado e poucas restrições financeiras, ignoraram o mercado de microprocessadores até ser tarde demais. Em consequência, a revolução dos PCs beneficiou principalmente as empresas de chips dos EUA. Quando a Bolsa de Valores do Japão quebrou, o domínio japonês dos semicondutores já estava se desgastando. Em 1993, os EUA retomaram o primeiro lugar em remessas de semicondutores. Em 1998, as empresas sul-coreanas haviam ultrapassado o Japão na condição de maiores produtores de Dram do mundo, enquanto a participação de mercado do Japão caiu de 90% no final da década de 1980 para 20% em 1998.[6]

As ambições de semicondutores do Japão haviam garantido o senso de expansão do país de sua posição global, mas essa base agora parecia frágil. Em *O Japão que sabe dizer não*, Ishihara e Morita argumentaram que o país poderia utilizar o domínio de chips para exercer poder sobre os EUA e a URSS. No entanto, quando a guerra finalmente chegou, na inesperada arena do

Golfo Pérsico, o poderio militar dos EUA surpreendeu a maioria dos observadores. Na primeira guerra da era digital, o Japão se recusou a se juntar aos 28 países que enviaram tropas para o Golfo para expulsar as forças iraquianas do Kuwait. Em vez disso, Tóquio participou enviando cheques para pagar os exércitos da coalizão e apoiar os vizinhos do Iraque.[7] À medida que as bombas *Paveway* guiadas por laser dos EUA atacavam as colunas de tanques iraquianas, essa diplomacia financeira parecia impotente.

Morita sofreu um derrame em 1993 que causou problemas de saúde debilitantes. Ele se afastou da vista do público e passou a maior parte do resto de sua vida no Havaí antes de morrer em 1999. Ishihara, coautor de Morita, continuava insistindo que o Japão precisava se afirmar no cenário mundial. Como um disco quebrado, ele publicou *The Asia that Can Say No* [A Ásia que pode dizer não] em 1994, seguido por *The Japan that Can Say No Again* [O Japão que pode dizer não novamente] vários anos depois. Mas, para a maioria dos japoneses, o argumento de Ishihara não fazia mais sentido. Na década de 1980, ele acertara ao prever que os chips moldariam o equilíbrio militar e definiriam o futuro da tecnologia. Mas errou ao pensar que esses chips seriam fabricados no Japão. As empresas de semicondutores do país passaram a década de 1990 encolhendo diante do ressurgimento dos EUA. A base tecnológica para o desafio do Japão à hegemonia dos EUA começou a desmoronar.

O único outro desafiante sério para os EUA, enquanto isso, caminhava rumo ao colapso. Em 1990, após reconhecer que os esforços para superar o atraso tecnológico por meio de métodos de comando e da estratégia "copiem-no" foram inúteis, o líder soviético Mikhail Gorbachev chegou ao Vale do Silício para uma visita oficial. Os magnatas da tecnologia da cidade o trataram com um banquete digno de um czar. David Packard e Steve Wozniak, da Apple, sentaram-se ao lado de Gorbachev enquanto ele bebia e jantava. Gorbachev não escondeu seus motivos para escolher visitar a região da Bay Area, na Califórnia. "As ideias e tecnologias de amanhã nascem aqui na Califórnia", declarou ele em um discurso em Stanford. Era exatamente sobre isso que o marechal Ogarkov vinha alertando seus camaradas líderes soviéticos havia mais de uma década.

Gorbachev prometeu acabar com a Guerra Fria retirando as tropas soviéticas da Europa Oriental e queria acesso às tecnologias dos EUA em troca.

Reunindo-se com executivos de tecnologia dos EUA, ele os incentivou a investir na URSS. Quando Gorbachev visitou a Universidade Stanford, cumprimentava os espectadores enquanto caminhava pelo campus. "A Guerra Fria é coisa do passado", disse o líder soviético a uma plateia em Stanford. "Não vamos ficar discutindo sobre quem ganhou."[8]

Mas ficou óbvio quem ganhou e por quê. Ogarkov havia identificado a dinâmica uma década antes, embora à época torcesse para que a URSS pudesse superá-la. Assim como o restante da liderança militar soviética, ele foi ficando mais pessimista com o passar do tempo. Já em 1983, Ogarkov chegou ao ponto de dizer ao jornalista dos EUA Les Gelb — em *off* — que "a Guerra Fria acabou, e vocês venceram". Os foguetes da União Soviética eram mais poderosos que nunca. A URSS possuía o maior arsenal nuclear do mundo. Mas sua produção de semicondutores não conseguia acompanhar o ritmo, sua indústria de computadores ficou para trás, suas tecnologias de comunicação e vigilância se arrastavam e as consequências militares foram desastrosas. "Toda capacidade militar moderna se baseia em inovação econômica, tecnologia e força econômica", Ogarkov explicou para Gelb. "A tecnologia militar se baseia em computadores. Vocês estão muito, muito à frente de nós com eles. [...] Em seu país, toda criança pequena tem um computador a partir dos cinco anos."[9]

Após a fácil derrota do Iraque de Saddam Hussein, a nova e vasta capacidade de combate dos EUA era visível para todos. Isso provocou uma crise nas Forças Armadas soviéticas e na KGB, que estavam constrangidas, embora temerosas em admitir quão decisivamente estavam em desvantagem. Os chefes de segurança lideraram uma tentativa de golpe desmoralizada contra Gorbachev, debelada depois de três dias. Foi um fim patético para um país outrora poderoso, que não conseguia aceitar o doloroso declínio de seu poderio militar. A indústria russa de chips enfrentava a própria humilhação, com uma fábrica reduzida na década de 1990 à produção de minúsculos chips para brinquedos do McLanche Feliz do McDonald's.[10] A Guerra Fria tinha acabado; o Vale do Silício vencera.

Parte v
Circuitos integrados, mundo integrado?

29
"Queremos uma indústria de semicondutores em Taiwan"

Em 1985, o poderoso ministro de Taiwan, K.T. Li, convidou Morris Chang para visitá-lo em seu escritório em Taipei. Quase duas décadas haviam se passado desde que Li ajudara a convencer a Texas Instruments a construir sua primeira fábrica de semicondutores na ilha. Nos vinte anos desde então, Li havia forjado laços estreitos com os líderes da Texas Instruments, visitando Pat Haggerty e Morris Chang sempre que ia aos EUA e convencendo outras empresas de eletrônicos a seguir a Texas Instruments e abrir fábricas em Taiwan. Em 1985, ele contratou Chang para comandar a indústria de chips de Taiwan. "Desejamos promover uma indústria de semicondutores em Taiwan", ele disse a Chang. "Diga-me", ele continuou, "de quanto dinheiro vocês precisam."[1]

A década de 1990 foi quando a palavra "globalização" passou a ser de uso comum, embora a indústria de chips tenha contado com produção e montagem internacionais desde os primeiros dias da Fairchild Semiconductor. Taiwan havia se inserido de propósito nas cadeias de suprimentos de semicondutores desde a década de 1960 como estratégia para gerar empregos, adquirir tecnologia avançada e fortalecer sua relação de segurança com os EUA. Na década de 1990, a importância de Taiwan começou a crescer, impulsionada pela ascensão espetacular da Taiwan Semiconductor

Manufacturing Company, que Chang fundou com forte apoio do governo de Taiwan.

Quando Chang foi contratado pelo governo taiwanês em 1985 para comandar o proeminente instituto de pesquisa eletrônica do país, Taiwan era uma das líderes da Ásia na montagem de dispositivos semicondutores — pegando chips fabricados no exterior, testando-os e conectando-os a embalagens de plástico ou cerâmica. O governo de Taiwan havia tentado entrar no negócio de fabricação de chips licenciando a tecnologia de fabricação de semicondutores da RCA, dos EUA, e fundando uma fábrica de chips chamada UMC em 1980, mas os recursos da empresa estavam muito aquém da vanguarda.[2] Taiwan ostentava muitos empregos na indústria de semicondutores, mas capturou apenas uma pequena fatia do lucro, já que quem ganhava a maior parte do dinheiro da indústria de chips eram as empresas que projetavam e produziam os chips mais avançados. Autoridades como o ministro Li sabiam que a economia do país só continuaria crescendo se avançasse além da simples montagem de componentes projetados e fabricados em outros lugares.

Quando Morris Chang visitou Taiwan pela primeira vez em 1968, a ilha competia com Hong Kong, Coreia do Sul, Cingapura e Malásia. Agora, a Samsung e outros grandes conglomerados sul-coreanos investiam recursos nos chips de memória mais avançados. Cingapura e Malásia tentavam replicar a mudança da Coreia do Sul de montar semicondutores para fabricá-los, embora com menos sucesso que a Samsung. Taiwan tinha de melhorar constantemente seus recursos apenas para manter sua posição nos degraus inferiores da cadeia de semicondutores.

A maior ameaça era a República Popular da China. Do outro lado do estreito de Taiwan, Mao Tsé-Tung havia morrido em 1976, reduzindo a ameaça de invasão iminente. Mas a China agora representava um desafio econômico. Sob sua nova liderança pós-Mao, a China começou a se integrar à economia global, atraindo alguns dos empregos básicos em fabricação e montagem que Taiwan havia utilizado para sair da pobreza. Com salários mais baixos e várias centenas de milhões de camponeses ansiosos por trocar a agricultura de subsistência por empregos em fábricas, a entrada da China na montagem de eletrônicos ameaçava tirar Taiwan do mercado. Isso equivalia a uma "guerra" econômica, queixaram-se autoridades taiwanesas aos executivos da Texas Instruments que os visitavam.[3] Era impossível competir com a China em termos de preço. Taiwan tinha de produzir tecnologia avançada por conta própria.

K.T. Li procurou a pessoa que primeiro ajudou a levar a montagem de semicondutores para Taiwan: Morris Chang. Depois de mais de duas décadas na Texas Instruments, Chang havia deixado a empresa no início da década de 1980, depois de ser preterido para o cargo de CEO e "largado para lá por ser velho", como diria mais tarde.[4] Ele passou um ano dirigindo uma empresa de eletrônicos em Nova York chamada General Instrument, mas renunciou logo depois, insatisfeito com o trabalho. Ele havia ajudado pessoalmente a construir a indústria mundial de semicondutores. Os processos de fabricação ultraeficientes da Texas Instruments eram resultado de sua experimentação e sua perícia em aprimorar produções. O cargo que ele queria na Texas Instruments — o de CEO — o teria colocado no topo da indústria de chips, no mesmo nível de Bob Noyce ou Gordon Moore. Então, quando o governo de Taiwan ligou oferecendo-se para colocá-lo no comando da indústria de chips da ilha e dando-lhe um cheque em branco para financiar seus planos, Chang achou a oferta intrigante. Aos 54 anos, ele procurava um novo desafio.

Embora a maioria das pessoas fale que Chang estava "retornando" a Taiwan, sua conexão mais forte com a ilha eram as instalações da Texas Instruments que ele ajudou a estabelecer e a alegação de Taiwan de ser o governo legítimo da China, o país em que Chang cresceu, mas não visitava desde que fugira quase quatro décadas antes. Em meados da década de 1980, o lugar onde Chang vivera mais tempo tinha sido o Texas. Ele possuía uma autorização de segurança dos EUA para trabalhos relacionados à defesa na Texas Instruments. Era indiscutivelmente mais texano que taiwanês. "Taiwan era um local estranho para mim", ele se recordaria posteriormente.[5]

Entretanto, construir a indústria de semicondutores de Taiwan parecia um desafio empolgante. Dirigir o Instituto de Pesquisa de Tecnologia Industrial do governo taiwanês, o cargo que foi formalmente oferecido a Chang, o colocaria no centro dos esforços de desenvolvimento de chips de Taiwan. A promessa de financiamento governamental adoçava o negócio. Ser colocado de fato no comando do setor de semicondutores da ilha garantia que Chang não teria de responder a ninguém, exceto a ministros como K.T. Li, que prometeu dar-lhe ampla margem de manobra.[6] A Texas Instruments nunca distribuía cheques em branco daquela forma. Chang sabia que precisaria de muito dinheiro, porque seu plano de negócios era baseado em uma ideia radical. Se funcionasse, derrubaria a indústria de eletrônicos, colocando-o — a ele e Taiwan — no controle da tecnologia mais avançada do mundo.

Já em meados da década de 1970, enquanto ainda trabalhava na Texas Instruments, Chang aventara a ideia de criar uma empresa de semicondutores que fabricaria chips projetados por clientes. À época, fabricantes de chips como a Texas Instruments, a Intel e a Motorola fabricavam principalmente chips que haviam projetado internamente. Chang mostrou esse novo modelo de negócios para colegas executivos da Texas Instruments em março de 1976. "O baixo custo da capacidade de computação", ele explicou aos seus colegas de empresa, "abrirá uma variedade incrível de aplicações que ainda não são servidas por semicondutores", criando fontes de demanda por chips, que logo seriam utilizados em tudo, de telefones a carros a lava-louças.[7] As empresas que fabricavam esses produtos não tinham experiência para produzir semicondutores, então iriam preferir terceirizar a fabricação para um especialista, ele raciocinou. Além disso, à medida que a tecnologia avançasse e os transistores encolhessem, o custo de fabricação de equipamentos e P&D aumentaria. Apenas as empresas que produzissem grandes volumes de chips seriam competitivas em termos de custos.

Os outros executivos da Texas Instruments não ficaram convencidos. À época, em 1976, não havia empresas "sem fabricação" que projetassem chips mas não tivessem suas próprias fábricas, embora Chang previsse que empresas assim surgiriam em breve. A Texas Instruments já vinha ganhando muito dinheiro, então apostar em mercados que ainda não existiam parecia arriscado. A ideia foi descartada sem estardalhaço.

Chang nunca se esqueceu do conceito de fundição. Ele achava que vinha amadurecendo com o passar do tempo, principalmente depois que a revolução de Lynn Conway e Carver Mead em termos de projetos de chips facilitou muito a separação do projeto de chips da fabricação, o que eles achavam que criaria um momento Gutenberg para os semicondutores.

Em Taiwan, alguns dos engenheiros elétricos da ilha pensavam em linhas semelhantes. Chintay Shih, que ajudava a administrar o Instituto de Pesquisa de Tecnologia Industrial de Taiwan, havia convidado Mead para visitar Taiwan em meados da década de 1980 para compartilhar sua visão gutenberguiana para os semicondutores. A ideia de separar o projeto e a fabricação de chips, portanto, já vinha se infiltrando em Taiwan havia vários anos antes de o ministro K.T. Li oferecer a Morris Chang um cheque em branco para construir a indústria de chips de Taiwan.[8]

O ministro Li cumpriu sua promessa de encontrar o dinheiro para o plano de negócios que Chang elaborou. O governo de Taiwan fornecia 48% do capital inicial para a TSMC, estipulando apenas que Chang encontrasse uma empresa de chips estrangeira para fornecer tecnologia de produção avançada. Ele foi recusado por seus ex-colegas da Texas Instruments e pela Intel. "Morris, você teve muitas boas ideias em sua época", disse-lhe Gordon Moore. "Esta não é uma delas."[9] Contudo, Chang convenceu a Philips, a empresa holandesa de semicondutores, a investir 58 milhões de dólares, transferir sua tecnologia de produção e licenciar propriedade intelectual em troca de uma participação de 27,5% na TSMC.[10]

O restante do capital foi arrecadado de taiwaneses ricos que foram "convidados" pelo governo a investir. "O que costumava acontecer era que um dos ministros do governo ligava para um empresário em Taiwan", explicou Chang, "para convencê-lo a investir." O governo pediu a várias das famílias mais ricas da ilha, que tinham empresas especializadas em plásticos, têxteis e produtos químicos, que investissem. Quando um empresário se recusava a investir depois de três reuniões com Chang, o primeiro-ministro de Taiwan ligava para o executivo mão de vaca e o lembrava: "O governo tem sido muito bom para você nos últimos vinte anos. É melhor você fazer algo pelo governo agora". Um cheque para a fundição de chips de Chang chegava logo depois. O governo também forneceu benefícios fiscais generosos para a TSMC, garantindo que a empresa tivesse muito dinheiro para investir. Desde o primeiro dia, a TSMC não era uma empresa privada de verdade: era um projeto do Estado de Taiwan.[11]

Um ingrediente crucial no sucesso precoce da TSMC foram os laços profundos com a indústria de chips dos EUA.[12] A maioria de seus clientes eram projetistas de chips dos EUA, e muitos funcionários importantes haviam trabalhado no Vale do Silício. Morris Chang contratou Don Brooks, outro ex-executivo da Texas Instruments, para ser o presidente da TSMC de 1991 a 1997. "A maioria dos meus subordinados, até dois níveis abaixo", lembrou Brooks, "todos tinham alguma experiência nos EUA, [...] todos trabalharam na Motorola, na Intel ou na Texas Instruments." Durante grande parte da década de 1990, metade das vendas da TSMC foi para empresas dos EUA. A maioria dos executivos da empresa, enquanto isso, formou-se nos principais programas de doutorado de universidades dos EUA.

Essa simbiose beneficiou Taiwan e o Vale do Silício.[13] Antes da TSMC, algumas pequenas empresas, principalmente sediadas no Vale do Silício, tentaram construir negócios em torno do projeto de chips, evitando o custo de construir as próprias fábricas por meio da terceirização da fabricação. Essas empresas "sem fábricas" às vezes conseguiam convencer uma fabricante de chips maior com capacidade ociosa a fabricar seus chips. Todavia, sempre tiveram status de segunda classe atrás dos próprios planos de produção das maiores fabricantes de chips. Pior, enfrentavam o risco constante de que seus parceiros de fabricação roubassem suas ideias. Além disso, tinham de navegar pelos processos de fabricação que eram ligeiramente diferentes em cada grande fabricante de chips. Não ter de construir fábricas reduzia drasticamente os custos iniciais, mas contar com concorrentes para fabricar chips era sempre um modelo de negócios arriscado.

A fundação da TSMC deu a todos os projetistas de chips um parceiro confiável. Chang prometeu nunca projetar chips, apenas fabricá-los. A TSMC não concorria com seus clientes; tinha êxito se eles tivessem. Uma década antes, Carver Mead profetizou um momento Gutenberg na fabricação de chips, mas havia uma diferença fundamental. A velha impressora alemã havia tentado, e fracassado, estabelecer o monopólio da impressão. Ele não conseguiu impedir que sua tecnologia se espalhasse rapidamente pela Europa, beneficiando tanto os autores como as gráficas de maneira semelhante.

Na indústria de chips, ao reduzir os custos iniciais, o modelo de fundição de Chang deu origem a dúzias de novos "autores" — empresas de projeto de chips sem fábrica — que transformaram o setor de tecnologia colocando capacidade de computação em todos os tipos de dispositivos. Entretanto, a democratização da autoria coincidiu com a monopolização da imprensa digital. A economia da fabricação de chips exigia uma consolidação implacável. Qualquer empresa que produzisse mais chips tinha uma vantagem integrada, melhorando sua produção e distribuindo custos de investimento de capital para mais clientes. O negócio da TSMC cresceu durante a década de 1990, e seus processos de fabricação melhoravam implacavelmente. Morris Chang queria ser o Gutenberg da era digital. Acabou ficando muito mais poderoso. Quase ninguém percebeu isso à época, mas Chang, a TSMC e Taiwan rumavam para dominar a produção dos chips mais avançados do mundo.

30
"Todas as pessoas devem fabricar semicondutores"

Em 1987, no mesmo ano em que Morris Chang fundou a tsmc, mais de trezentos quilômetros a sudoeste, um engenheiro então desconhecido chamado Ren Zhengfei montou uma empresa de comércio de eletrônicos chamada Huawei. Taiwan era uma pequena ilha com grandes ambições. Tinha conexões profundas não apenas com as fabricantes de chips mais avançadas do mundo, como também com milhares de engenheiros formados em universidades como Stanford e Berkeley. A China, por outro lado, tinha uma numerosa população, mas era empobrecida e tecnologicamente atrasada. Uma nova política de abertura econômica tinha feito com que o comércio crescesse, todavia, sobretudo via Hong Kong, por onde mercadorias podiam ser importadas ou contrabandeadas. Shenzhen, onde a Huawei foi fundada, ficava do outro lado da fronteira.

Em Taiwan, Morris Chang decidiu montar alguns dos chips mais avançados do mundo e conquistar as gigantes do Vale do Silício para serem suas clientes. Em Shenzhen, Ren Zhengfei comprava equipamentos de telecomunicações baratos em Hong Kong e os vendia mais caros por toda a China. Os equipamentos que ele comercializava utilizavam circuitos integrados, mas a ideia de produzir os próprios chips teria parecido absurda. Na década de 1980, o governo chinês, liderado pelo ministro da Indústria Eletrônica e mais tarde presidente da China, Jiang Zemin, identificou a eletrônica como prioridade. À época, o chip mais avançado e amplamente utilizado que a China produzia no mercado interno era um Dram com aproximadamente a mesma capacidade de armazenamento que o primeiro Dram que a Intel trouxera para o mercado no início da década de 1970, colocando a China mais de uma década atrás da vanguarda.[1]

Não fosse pelo regime comunista, a China poderia ter desempenhado um papel muito mais relevante na indústria de semicondutores. Quando o circuito integrado foi inventado, a China tinha muitos dos ingredientes que ajudaram Japão, Taiwan e Coreia do Sul a atrair investimentos dos EUA em semicondutores, como uma numerosa força de trabalho de baixo custo e uma elite científica bem instruída. Contudo, depois de tomarem o poder em 1949, os comunistas olhavam para as conexões estrangeiras com descon-fiança. Para uma pessoa como Morris Chang, retornar à China depois de concluir os estudos em Stanford significaria alguma pobreza e uma possível prisão ou óbito. Muitos dos melhores formandos das universidades da Chi-na antes da Revolução acabaram trabalhando em Taiwan ou na Califórnia, desenvolvendo as aptidões eletrônicas dos principais rivais da República Po-pular da China.

Enquanto isso, o governo comunista da China cometia os mesmos er-ros que a União Soviética, embora de formas mais extremas. Já em meados da década de 1950, Pequim havia identificado os dispositivos semiconduto-res como uma prioridade científica. Logo, estavam recorrendo às habilidades de pesquisadores da Universidade de Pequim e de outros centros científicos — incluindo alguns cientistas que haviam se formado antes da Revolução em Berkeley, no MIT, em Harvard ou Purdue. Em 1960, a China havia esta-belecido seu primeiro instituto de pesquisa de semicondutores, em Pequim. Mais ou menos na mesma época, o país começou a fabricar rádios tran-sistorizados simples. Em 1965, engenheiros chineses forjaram seu primeiro circuito integrado, meia década depois de Bob Noyce e Jack Kilby.[2]

Entretanto, o radicalismo de Mao impossibilitava atrair investimentos estrangeiros ou praticar ciência com seriedade. Um ano depois de a Chi-na ter produzido seu primeiro circuito integrado, Mao mergulhou o país na Revolução Cultural, argumentando que o conhecimento especializado era uma fonte de privilégio que minava a igualdade socialista. Os partidários de Mao travaram uma guerra contra o sistema educacional do país. Milhares de cientistas e especialistas foram enviados para trabalhar como agricultores em aldeias carentes. Muitos outros foram simplesmente assassinados. A "Brilhante Diretriz emitida a 21 de julho de 1968" do presidente Mao insistia que "é essencial reduzir a duração da escolaridade, revolucionar a educação, colocar a política proletária no comando [...]. Estudantes deveriam ser selecionados entre trabalhadores e camponeses com experiência prática e retornar para a produção após alguns anos de estudo".[3]

A ideia de montar indústrias avançadas com funcionários parcamente educados era absurda. Ainda mais o esforço de Mao em impedir a entrada de tecnologias e ideias estrangeiras. As restrições dos EUA impediam que a China comprasse equipamentos semicondutores avançados, contudo Mao acrescentou seu próprio embargo. Ele desejava total autossuficiência e acusou seus rivais políticos de tentar infectar a indústria de chips da China com peças estrangeiras, muito embora a China não fosse capaz de produzir muitos componentes avançados por conta própria. Sua máquina de propaganda pedia apoio para "o movimento de massa que sacudiria o planeta para o [...] desenvolvimento independente e autossuficiente da indústria de eletrônicos".[4]

Mao não era apenas cético com relação aos chips estrangeiros; às vezes se preocupava por todos os produtos eletrônicos serem intrinsecamente antissocialistas. Seu rival político, Liu Shaoqi, havia endossado a ideia de que a "tecnologia eletrônica moderna" "traria um grande salto para a nossa indústria" e "tornaria a China a primeira potência socialista recém-industrializada com tecnologia eletrônica de primeira linha". Mao, que sempre associava o socialismo a chaminés, atacou a ideia. Era uma coisa "reacionária", argumentou um dos apoiadores de Mao, enxergar a eletrônica como o futuro, quando era óbvio que "somente a indústria do ferro e do aço deveria desempenhar um papel de importância" na construção de uma utopia socialista na China.[5]

Na década de 1960, Mao venceu a luta política pela indústria chinesa de semicondutores, minimizando sua importância e cortando seus vínculos com a tecnologia estrangeira. A maioria dos cientistas da China se ressentiu do presidente por arruinar suas pesquisas — e suas vidas — enviando-os para viver em fazendas de camponeses para estudar política proletária em vez de engenharia de semicondutores. Um importante especialista chinês em óptica enviado para o campo sobreviveu à reeducação rural entrando em uma dieta de grãos grossos, repolho fervido e uma ou outra cobra grelhada enquanto aguardava o enfraquecimento do radicalismo de Mao. Durante o tempo que o pequeno quadro de engenheiros de semicondutores da China cavava os campos chineses, os maoístas incitavam os trabalhadores do país dizendo que "todas as pessoas devem fabricar semicondutores", como se todos os integrantes do proletariado chinês pudessem forjar chips em casa.[6]

Um pequeno pedaço do território chinês escapou dos horrores da Revolução Cultural. Graças a uma peculiaridade do colonialismo, Hong Kong ainda era governada temporariamente pelos britânicos. Enquanto a maioria dos chineses memorizava em todos os detalhes as citações de seu presidente enlouquecido, os trabalhadores em Hong Kong montavam diligentemente componentes de silício na fábrica da Fairchild com vista para a baía de Kowloon. A mais de trezentos quilômetros de distância, em Taiwan, várias fabricantes de chips dos EUA tinham instalações que empregavam milhares de trabalhadores em empregos mal remunerados para os padrões da Califórnia, mas muito melhores que a agricultura camponesa. Assim como Mao enviava o pequeno conjunto de trabalhadores qualificados da China para o campo para a reeducação socialista, a indústria de chips em Taiwan, na Coreia do Sul e em todo o Sudeste Asiático retirava os camponeses do campo e lhes dava bons empregos nas fábricas.

A Revolução Cultural começou a perder força à medida que a saúde de Mao piorava no início da década de 1970. Os líderes do Partido Comunista, por fim, convocaram os cientistas para que deixassem o campo. Eles tentaram recolher as peças em seus laboratórios. Mas a indústria de chips da China, que estava muito atrás daquela do Vale do Silício antes da Revolução Cultural, agora estava muito atrás dos próprios vizinhos. Durante a década em que a China mergulhava no caos revolucionário, a Intel inventava microprocessadores, enquanto o Japão conquistava uma grande fatia do mercado global de Dram. A China não conquistou nada além de assediar seus cidadãos mais inteligentes. Em meados da década de 1970, portanto, sua indústria de chips estava em uma condição desastrosa. "De cada mil semicondutores que produzimos, apenas um está dentro do padrão", reclamou um líder do partido em 1975. "Há muito desperdício."[7]

No dia 2 de setembro de 1975, John Bardeen desembarcou em Pequim, duas décadas depois de ter conquistado seu primeiro Prêmio Nobel com Shockley e Brattain por inventar o transistor. Em 1972, ele se tornou a única pessoa a conquistar um segundo Nobel em física, dessa vez pelo trabalho com supercondutividade. No mundo da física, ninguém era mais reconhecido, embora Bardeen fosse o mesmo homem modesto que tinha sido injustamente ofuscado por Shockley no final da década de 1940. À medida que se aproximava da aposentadoria, ele dedicou mais tempo a construir conexões entre universidades norte-americanas e estrangeiras. Quando uma delegação de físicos de destaque dos EUA era reunida para visitar a China em 1975, Bardeen foi convidado a integrá-la.

Com a Revolução Cultural chegando a seus últimos dias, os líderes da China vinham tentando deixar de lado seu fervor revolucionário e fazer amizade com os EUA. À época da visita de Bardeen, Mao estava doente; ele morreria no ano seguinte. A delegação de Bardeen relembrou aos chineses a tecnologia que a amizade com os EUA poderia fornecer. Essa visita foi um sinal de quanto havia mudado desde as profundezas da Revolução Cultural. Uma década antes, o vencedor do Prêmio Nobel teria sido denunciado como um agente contrarrevolucionário e não seria bem-vindo nos principais institutos de pesquisa da China em Pequim, Xangai, Nanjing e Xian. Mas, ainda assim, muito do legado maoísta permaneceu. Os EUA foram informados de que os cientistas chineses não publicavam suas pesquisas porque se opunham à "autoglorificação".[8]

Bardeen sabia algo sobre cientistas obcecados com a autoglorificação de seu trabalho com Shockley, que injustamente reivindicou todo o crédito pela invenção do transistor. O exemplo de Shockley — um cientista brilhante, mas um empresário fracassado — demonstrava que o elo entre capitalismo e autoglorificação não era tão direto quanto a doutrina maoísta sugeria. Bardeen disse à esposa que, apesar das alegações de igualdade, ele considerava a sociedade chinesa disciplinada e hierárquica. Os responsáveis políticos que vigiavam os cientistas de semicondutores da China certamente não tinham paralelo no Vale do Silício.[9]

Bardeen e seus colegas deixaram a China impressionados com os cientistas do país asiático, mas as ambições de fabricação de semicondutores da China pareciam inúteis. A revolução eletrônica da Ásia havia passado totalmente pela China continental. As fabricantes de chips do Vale do Silício empregavam milhares de trabalhadores, muitas vezes de etnia chinesa, em fábricas de Hong Kong a Taiwan, de Penang a Cingapura. Mas a República Popular havia passado a década de 1960 denunciando capitalistas enquanto seus vizinhos tentavam desesperadamente atraí-los. Um estudo em 1979 descobriu que a China não tinha quase nenhuma produção comercialmente viável de semicondutores e havia apenas 1.500 computadores no país todo.[10]

Mao Tsé-Tung morreu um ano após a visita de Bardeen à China. O velho ditador foi substituído, depois de alguns anos, por Deng Xiaoping, que prometeu uma política de "Quatro Modernizações" para transformar a China. Logo, o governo chinês declarou que "ciência e tecnologia" eram "o ponto crucial das Quatro Modernizações". O resto do mundo estava sendo transformado por uma revolução tecnológica, e os cientistas da China perceberam que os chips estavam no centro dessa mudança. A Conferência Nacional de Ciência realizada em março de 1978, justamente quando Deng Xiaoping consolidava-se no poder, colocou os semicondutores no centro de sua agenda, esperando que a China pudesse utilizar-se dos avanços em termos de semicondutores para ajudar a desenvolver novos sistemas bélicos, eletrônicos de consumo e computadores.[11]

O objetivo político estava claro: a China precisava dos próprios semicondutores e não podia depender dos estrangeiros. O jornal *Guangming Ribao* deu o tom, convidando os leitores em 1985 a abandonar "a fórmula da 'primeira máquina importada, da segunda máquina importada e da terceira máquina importada'" e substituí-la por "'a primeira máquina importada, a segunda fabricada na China e a terceira máquina exportada'".[12] Essa obsessão pelo "Made in China" estava incrustada na visão de mundo do Partido Comunista, porém o país estava irremediavelmente atrasado em termos de tecnologia de semicondutores — uma coisa que nem a mobilização em massa de Mao nem o ditame de Deng poderiam mudar com facilidade.

Pequim pediu mais pesquisas com semicondutores, mas os decretos do governo por si só não poderiam produzir inventos científicos nem indústrias viáveis. A insistência do governo de que os chips eram estrategicamente importantes fez com que as autoridades chinesas tentassem controlar a fabricação deles, envolvendo o setor na burocracia. Quando empreendedores em ascensão como Ren Zhengfei, da Huawei, começaram a montar negócios de eletrônicos no final da década de 1980, não tiveram escolha a não ser confiar nos chips estrangeiros. A indústria de montagem de eletrônicos da China foi construída sobre uma base de silício estrangeiro, importado dos EUA, do Japão e, cada vez mais, de Taiwan — que o Partido Comunista ainda considerava parte da "China", mas que permanecia fora de seu controle.

31

"COMPARTILHANDO O AMOR DE DEUS COM OS CHINESES"

RICHARD CHANG só queria "compartilhar o amor de Deus com os chineses".[1] A Bíblia não falava muito sobre semicondutores, mas Chang teve o zelo de um missionário para levar a fabricação avançada de chips para a China. Cristão devoto, o engenheiro de semicondutores nascido em Nanjing, criado em Taiwan e formado no Texas convenceu os governantes de Pequim em 2000 a lhe dar amplos subsídios para montar uma fundição de semicondutores em Xangai. A instalação foi projetada exatamente de acordo com suas especificações, incluindo até uma igreja, graças à permissão especial do governo normalmente ateu da China.[2] Os líderes do país estavam dispostos a ceder em sua oposição à religião se Chang fosse capaz de, enfim, levar a eles a fabricação de semicondutores modernos. Contudo, mesmo com o apoio total do governo, Chang ainda se sentia como Davi lutando contra os Golias da indústria de semicondutores, sobretudo a TSMC de Taiwan.

A geografia da fabricação de chips mudou drasticamente ao longo das décadas de 1990 e 2000. As fábricas dos EUA produziam 37% dos chips do mundo em 1990, mas esse número caiu para 19% em 2000 e 13% em 2010.[3] A participação de mercado do Japão na fabricação de chips também entrou em colapso. Coreia do Sul, Cingapura e Taiwan injetaram recursos em suas indústrias de chips e aumentaram rapidamente a produção. Por exemplo, o governo de Cingapura financiou fábricas e centros de projetos de chips em parceria com empresas como Texas Instruments, Hewlett-Packard e Hitachi, construindo um vibrante setor de semicondutores na cidade-Estado. O governo de Cingapura também tentou replicar a TSMC, montando uma fundição chamada Chartered Semiconductor, embora a empresa nunca tenha se saído tão bem quanto sua rival taiwanesa.[4]

A indústria de semicondutores da Coreia do Sul se saiu ainda melhor. Depois de destronar as produtoras de Dram do Japão e se tornar a principal fabricante de chips de memória do mundo em 1992, a Samsung cresceu rapidamente ao longo do restante daquela década. Ela afastou a concorrência no mercado de Dram de Taiwan e Cingapura, beneficiando-se do apoio formal e da pressão não oficial do governo sobre os bancos da Coreia do Sul para fornecer crédito. Esse financiamento era importante porque o principal produto da Samsung, os chips de memória Dram, exigia uma força financeira bruta para alcançar cada nó de tecnologia sucessivo — gastos que precisavam ser sustentados mesmo durante as crises do setor. O mercado de Dram parecia o "jogo da galinha", explicou um executivo da Samsung.[5] Nos bons tempos, as empresas de Dram do mundo injetavam dinheiro em novas fábricas, empurrando o mercado para o excesso de capacidade, reduzindo os preços. Continuar gastando era terrivelmente dispendioso, mas interromper os investimentos, mesmo que fosse só por um ano, arriscava ceder participação de mercado aos rivais. Ninguém queria piscar primeiro. A Samsung teve capital para continuar investindo depois que seus rivais foram forçados a cortar gastos.[6] Sua participação no mercado em termos de chips de memória crescia inexoravelmente.

A China tinha o maior potencial para derrubar a indústria de semicondutores devido ao seu crescente papel na montagem de dispositivos eletrônicos nos quais a maioria dos chips do mundo estava inserida. Nos anos 1990, décadas haviam se passado desde que os primeiros esforços malfadados do país na produção de semicondutores foram interrompidos pelo radicalismo maoísta. A China tornara-se a oficina do mundo, e cidades como Xangai e Shenzhen eram centros de montagem de eletrônicos — o tipo de trabalho que havia impulsionado a economia de Taiwan várias décadas antes. No entanto, os líderes da China sabiam que o dinheiro de verdade estava nos componentes que alimentavam os eletrônicos, sobretudo nos semicondutores.

222 *Chris Miller*

Os recursos de fabricação de chips da China na década de 1990 ficaram muito atrás de Taiwan e da Coreia do Sul, para não falar dos EUA. Muito embora as reformas econômicas da China estivessem em pleno andamento, contrabandistas ainda achavam lucrativo levar chips ilegalmente para dentro do país enchendo malas e malas com eles e atravessando a fronteira saindo de Hong Kong.[7] Mas, à medida que a indústria de eletrônicos da China amadurecia, contrabandear chips começava a parecer menos atraente que fabricá-los.

Richard Chang enxergava o transporte de chips para a China como o chamado de sua vida. Nascido em 1948 em uma família de militares em Nanjing, a antiga capital, sua família fugiu da China depois que os comunistas tomaram o poder, chegando a Taiwan quando ele tinha apenas um ano de idade. Em Taiwan, foi criado em uma comunidade de habitantes do continente que tratavam a residência na ilha como uma estadia temporária. O esperado colapso da República Popular nunca aconteceu, o que deixou pessoas como Chang em um estado permanente de crise de identidade, enxergando-se como chineses, porém vivendo em uma ilha que, em termos políticos, afastava-se cada vez mais de sua terra natal. Depois de terminar a universidade, Chang mudou-se para os EUA e concluiu uma pós-graduação em Buffalo, Nova York, antes de aceitar um emprego na Texas Instruments, onde trabalhou com Jack Kilby. Ele se tornou um especialista na operação de fábricas, administrando as instalações da Texas Instruments em todo o mundo, dos EUA ao Japão, de Cingapura à Itália.[8]

A maioria dos primeiros resultados dos esforços do governo chinês para subsidiar a construção de uma indústria nacional de semicondutores não impressionou.[9] Algumas fábricas foram construídas na China, como uma iniciativa conjunta em Xangai entre a chinesa Huahong e a japonesa NEC, que recebera uma bela oferta financeira do governo chinês em troca da promessa de levar sua tecnologia para a China.[10] Entretanto, a NEC certificou-se de que especialistas japoneses estivessem no comando; só era permitido aos trabalhadores chineses realizar atividades básicas. "Não podemos dizer que se trata de uma indústria chinesa", disse um analista. Era apenas uma "fábrica de *wafers* situada na China".[11] A China ganhou pouca experiência com essa iniciativa conjunta.

A Grace Semiconductor, outra fabricante de chips fundada em Xangai, em 2000, envolvia uma mistura semelhante de investimento estrangeiro, subsídios estatais e transferência de tecnologia fracassada. A Grace foi um empreendimento entre Jiang Mianheng, filho do presidente chinês Jiang Zemin, e Winston Wang, descendente de uma dinastia de plásticos de Taiwan.[12] A ideia de atrair a participação de Taiwan na indústria de chips da China fazia sentido, dado o sucesso da ilha em termos de semicondutores, enquanto o envolvimento de um filho de um presidente chinês ajudou a garantir o apoio do governo. A empresa até contratou Neil Bush, um irmão mais novo do presidente George W. Bush, para assessorar em "estratégias empresariais", pagando-lhe 400 mil dólares por ano por seus insights.[13] Essa equipe de liderança repleta de astros pode ter mantido a Grace longe de problemas políticos, mas a tecnologia da empresa estava atrasada e ela enfrentava dificuldade em conseguir clientes, nunca conquistando mais que uma pequena participação no negócio de fundição da China, uma fatia do total mundial.[14]

Se alguém conseguiria montar uma indústria de chips na China, era Richard Chang. Ele não dependia de nepotismo nem de ajuda estrangeira. Todo o conhecimento necessário para uma fábrica de primeiro mundo já estava em sua cabeça. Enquanto trabalhava na Texas Instruments, ele abriu novas instalações para a empresa em todo o mundo. Por que não conseguiria fazer igual em Xangai? Ele fundou a Semiconductor Manufacturing International Corporation (SMIC) em 2000, arrecadando mais de 1,5 bilhão de dólares pago por investidores internacionais como Goldman Sachs, Motorola e Toshiba.[15] Um analista estimou que metade do capital inicial da SMIC foi fornecida por investidores dos EUA.[16] Chang utilizou esses recursos para contratar centenas de estrangeiros para operar a fábrica da SMIC, incluindo pelo menos quatrocentos de Taiwan.[17]

A estratégia de Chang era simples: fazer como a TSMC havia feito. Em Taiwan, a TSMC contratara os melhores engenheiros que conseguiu encontrar, idealmente com experiência em fabricantes de chips dos EUA ou em outras fabricantes de chips avançadas. A TSMC comprou as melhores ferramentas que podia pagar. Ela se concentrou incansavelmente em treinar seus funcionários nas melhores práticas do setor. E aproveitou todos os benefícios fiscais e de subsídios que o governo de Taiwan estava disposto a oferecer.

224 *Chris Miller*

A SMIC seguiu esse roteiro religiosamente, fazendo contratações agressivas de funcionários de fabricantes estrangeiras de chips, sobretudo de Taiwan. Durante grande parte de sua primeira década de operação, um terço do pessoal de engenharia da SMIC foi contratado do exterior. Em 2001, de acordo com o analista Doug Fuller, a SMIC empregava 650 engenheiros locais em comparação com 393 que foram recrutados do exterior, principalmente de Taiwan e dos EUA. Até o final da década, cerca de um terço dos funcionários de engenharia era contratado do exterior. A empresa até tinha um slogan: "Um funcionário antigo traz com ele dois novos funcionários", enfatizando a necessidade de funcionários experientes formados no exterior para ajudar os engenheiros locais a aprender. Os engenheiros locais da SMIC aprendiam rapidamente e logo eram percebidos como tão capazes que começaram a receber ofertas de emprego de fabricantes de chips estrangeiros. O sucesso da empresa na domesticação da tecnologia só foi possível graças a essa força de trabalho formada no exterior.[18]

Assim como as outras startups de chips da China, a SMIC se beneficiava de um amplo apoio do governo, como uma isenção de impostos corporativos de cinco anos e redução do imposto sobre vendas de chips vendidos na China.[19] A SMIC aproveitava esses benefícios, mas a princípio não dependia deles. Ao contrário dos rivais que se concentravam mais na contratação de filhos de políticos que na qualidade da fabricação, Chang aumentava a capacidade de produção e adotava uma tecnologia que estava próxima da vanguarda.[20] No final da década de 2000, a SMIC estava apenas alguns anos atrás dos líderes mundiais em tecnologia. A empresa parecia estar no rumo de se tornar uma fundição de primeiro mundo, talvez até sendo capaz de ameaçar a TSMC.[21] Richard Chang logo conquistou contratos para montar chips para líderes do setor, como sua ex-empregadora, a Texas Instruments. A SMIC negociava suas ações na Bolsa de Valores de Nova York em 2004.

Agora, a TSMC tinha a concorrência de várias fundições em diferentes países do leste da Ásia. A Chartered Semiconductor de Cingapura, a UMC e a Vanguard Semiconductor de Taiwan e a Samsung da Coreia do Sul — que entrou no ramo de fundição em 2005 — também competiam com a TSMC para produzir chips projetados em outros lugares. A maioria dessas empresas era subsidiada por seus governos, mas isso tornou a produção de chips mais barata, beneficiando principalmente os projetistas de semicondutores sem fábricas dos EUA que eles atendiam. As empresas sem fábrica, enquanto isso, estavam nas etapas iniciais de lançar um novo produto revolucionário repleto de chips complexos: o smartphone. A internacionalização da produção havia reduzido os custos de fabricação e estimulado mais concorrência. Os consumidores se beneficiaram de preços baixos e de dispositivos antes inimagináveis. Não era exatamente assim que a globalização fora projetada para funcionar?

32
Guerras de litografia

Quando John Carruthers sentou-se em uma sala de reuniões na sede da Intel em Santa Clara, na Califórnia, em 1992, ele não esperava que seria fácil pedir 200 milhões de dólares ao CEO da Intel, Andy Grove. Na condição de líder dos esforços de P&D da Intel, Carruthers estava acostumado a fazer apostas importantes. Algumas davam certo, outras não, mas os engenheiros da Intel tinham uma média de acertos tão boa quanto qualquer um na indústria. Em 1992, a Intel era novamente a maior fabricante de chips do mundo, com base na decisão de Grove de concentrar os esforços da empresa em microprocessadores para PCs. Ele estava cheio de dinheiro e mais comprometido do que nunca com a Lei de Moore.

Todavia, o pedido de Carruthers se estendia muito além do habitual para projetos de P&D. Assim como todo mundo do setor, ele sabia que os métodos de litografia existentes em breve seriam incapazes de produzir os circuitos cada vez menores que os semicondutores da próxima geração exigiam. As empresas de litografia lançavam ferramentas que utilizavam luz ultravioleta profunda, com comprimentos de onda de 248 ou 193 nanômetros, invisíveis ao olho humano. Mas não demoraria muito para que os fabricantes de chips pedissem ainda mais precisão litográfica. Ele queria conseguir a luz "ultravioleta extrema" (EUV), com um comprimento de onda de 13,5 nanômetros. Quanto menor o comprimento de onda, menores os recursos que poderiam ser esculpidos nos chips. Havia apenas um problema: a maioria das pessoas achava que a luz ultravioleta extrema era impossível de ser produzida em massa.

"Quer dizer que você vai torrar dinheiro em uma coisa que nem sabemos se vai funcionar?", Grove perguntou com ceticismo. "Sim, Andy, isso se chama pesquisa", Carruthers retrucou. Grove recorreu a Gordon Moore, ex-CEO da Intel, que permaneceu na condição de consultor da empresa. "O que você faria, Gordon?" "Bem, Andy, que opções você tem?", Moore perguntou. A resposta era óbvia: nenhuma. A indústria de chips ou aprenderia a utilizar comprimentos de onda cada vez menores para litografia, ou o encolhimento de transistores — e a lei que levava o nome de Moore — acabaria por ali. Um resultado assim seria devastador para os negócios da Intel e humilhante para Grove. Ele deu a Carruthers 200 milhões de dólares para gastar no desenvolvimento da litografia com EUV.[1] A Intel acabaria gastando bilhões de dólares em P&D e outros bilhões aprendendo a utilizar EUV para esculpir chips. Ela nunca planejou fabricar seus próprios equipamentos de EUV, mas precisava garantir que pelo menos uma das empresas de litografia mais avançadas do mundo trouxesse máquinas de EUV ao mercado para que a Intel tivesse as ferramentas necessárias para esculpir circuitos cada vez menores.

Mais que em qualquer momento desde que Jay Lathrop virara seu microscópio de cabeça para baixo em seu laboratório militar dos EUA, na década de 1990 o futuro da litografia estava sendo questionado. Três questões existenciais pairavam sobre a indústria da litografia: engenharia, negócios e geopolítica. Nos primórdios da fabricação de chips, os transistores eram tão grandes, que o tamanho das ondas de luz utilizadas pelas ferramentas de litografia importava pouco. Mas a Lei de Moore havia progredido até o ponto em que a escala das ondas de luz — de algumas centenas de nanômetros, dependendo da cor — impactava a precisão com que os circuitos podiam ser gravados. Na década de 1990, os transistores mais avançados eram medidos em centenas de nanômetros (bilionésimos de metro), mas já era possível imaginar transistores muito menores com recursos de apenas uma dúzia de nanômetros de comprimento.

A produção de chips nessa escala, como acreditava a maioria dos pesquisadores, exigia ferramentas de litografia mais precisas para disparar luz em produtos químicos fotorresistentes e esculpir formatos em silício. Alguns pesquisadores procuraram utilizar feixes de elétrons para esculpir chips, mas a litografia por feixe de elétrons nunca foi rápida o suficiente para a produção em massa. Outros apostaram em raios X ou luz ultravioleta extrema, sendo que cada um desses reagia com grupos diferentes de produtos químicos fotorresistentes. Na conferência internacional anual de especialistas em litografia, os cientistas debateram qual técnica venceria as outras. Era uma época de "guerras de litografia", como colocou um participante, entre grupos de engenheiros concorrentes.[2]

A "guerra" para descobrir o próximo e melhor tipo de feixe para disparar contra *wafers* de silício era apenas uma das três competições em andamento do futuro da litografia. A segunda batalha era comercial, sobre qual empresa construiria a próxima geração de ferramentas de litografia. O enorme custo de desenvolvimento de novos equipamentos de litografia empurrava a indústria rumo à concentração. Uma ou, no máximo, duas empresas dominariam o mercado. Nos EUA, a GCA havia sido liquidada, enquanto o Silicon Valley Group, uma empresa de litografia descendente da Perkin Elmer, vinha ficando muito para trás dos líderes de mercado, a Canon e a Nikon. Os fabricantes de chips dos EUA haviam se defendido do desafio japonês da década de 1980, mas não os fabricantes de ferramentas de litografia norte-americanos.

A única concorrente de verdade da Canon e da Nikon era a ASML, a pequena, porém crescente, empresa de litografia holandesa. Em 1984, a Philips, empresa de eletrônicos holandesa, desmembrou sua divisão interna de litografia, criando a ASML. Coincidindo com o colapso nos preços dos chips que afundou o negócio da GCA, a cisão aconteceu em um momento horrível. Além disso, Veldhoven, uma cidade não muito distante da fronteira da Holanda com a Bélgica, parecia uma localização improvável para uma empresa de primeiro mundo da indústria de semicondutores. A Europa era uma grande produtora de chips, mas era muito evidente que estava atrás do Vale do Silício e do Japão.

Quando o engenheiro holandês Frits van Hout entrou para a ASML em 1984, logo após concluir o mestrado em física, os funcionários da empresa perguntavam se ele tinha ido voluntariamente ou se fora obrigado a aceitar o emprego.[3] Além do vínculo com a Philips, "não tínhamos instalações nem dinheiro", recordou Van Hout.[4] Construir vastos processos de fabricação internos para ferramentas de litografia teria sido impossível. Em vez disso, a empresa decidiu montar sistemas a partir de componentes meticulosamente adquiridos de fornecedores de todo o mundo. Depender de outras empresas para fornecer componentes-chave gerava riscos óbvios, mas a ASML aprendeu a viver com eles. Enquanto os concorrentes japoneses tentavam construir tudo internamente, a ASML podia comprar os melhores componentes no mercado.[5] À medida que começou a se concentrar no desenvolvimento de ferramentas de EUV, sua capacidade de integrar componentes provenientes de fontes distintas tornou-se seu principal ponto forte.

O segundo ponto forte da ASML, inesperadamente, foi sua localização na Holanda. Nas décadas de 1980 e 1990, a empresa era tida como neutra nas disputas comerciais entre Japão e EUA. As empresas dos EUA tratavam-na como uma alternativa confiável à Nikon e à Canon. Por exemplo, quando a Micron, a startup de Dram dos EUA, quis comprar ferramentas de litografia, ela recorreu à ASML em vez de depender de um dos dois principais fornecedores japoneses, sendo que cada um deles tinha laços profundos com os concorrentes de Dram da Micron no Japão.

O histórico da ASML de ter sido desmembrada da Philips também ajudou de maneira surpreendente, facilitando um relacionamento profundo com a TSMC de Taiwan. A Philips havia sido a principal investidora da TSMC, transferindo sua tecnologia do processo de fabricação e sua propriedade intelectual para a jovem fundição. Isso proporcionou à ASML um mercado integrado, pois as fábricas da TSMC foram projetadas em torno dos processos de fabricação da Philips. Um incêndio acidental na fábrica da TSMC em 1989 também ajudou, fazendo com que a empresa comprasse mais dezenove novas máquinas de litografia, pagas pelo seguro contra incêndio. Tanto a ASML como a TSMC começaram pequenas na periferia da indústria de chips, mas cresceram juntas, formando uma parceria sem a qual os avanços na computação dos dias de hoje teriam sido interrompidos.[6]

A parceria entre ASML e TSMC apontava para a terceira "guerra de litografia" da década de 1990. Aquela era uma disputa política, apesar de que poucas pessoas na indústria ou no governo preferissem pensar nesses termos. À época, os EUA comemoravam o fim da Guerra Fria e descontavam seus dividendos de paz. Medidos pelo poderio tecnológico, militar ou econômico, os EUA se elevaram acima do resto do mundo, tanto de aliados como de adversários. Um comentarista influente declarou que a década de 1990 era um "momento unipolar", em que o domínio dos EUA era inquestionável.[7] A Guerra do Golfo Pérsico havia demonstrado o assustador poderio tecnológico e militar norte-americano.

Quando Andy Grove se preparava para aprovar o primeiro grande investimento da Intel em pesquisa de litografia de EUV em 1992, era fácil ver por que até a indústria de chips, que havia emergido do complexo industrial militar da Guerra Fria, chegara à conclusão de que a política não importava mais. Os gurus da gestão prometiam um futuro "mundo sem fronteiras" no qual os lucros, e não o poderio, moldariam o cenário empresarial global.[8] Economistas falavam em acelerar a globalização. CEOs e políticos abraçavam essas novas modas intelectuais. Enquanto isso, a Intel estava mais uma vez no topo do ramo de semicondutores. Ela havia se defendido de seus rivais japoneses e agora praticamente monopolizava o mercado global dos chips que faziam funcionar os computadores pessoais. A empresa teve lucro em todos os anos desde 1986.[9] Por que deveria se preocupar com política?

Em 1996, a Intel firmou parceria com vários laboratórios operados pelo Departamento de Energia dos EUA, que tinham experiência em óptica e em outros campos necessários para fazer a EUV funcionar. A Intel reuniu meia dúzia de outros fabricantes de chips para se juntar ao consórcio, mas pagou pela maior parte e era o "gorila de 95%" na mesa de reunião, lembrou um participante.[10] A Intel sabia que os pesquisadores dos laboratórios Lawrence Livermore e do Sandia National Labs tinham experiência para construir um protótipo de sistema de EUV, mas seu foco estava na ciência, não na produção em massa.

O objetivo da Intel era "fazer coisas, não apenas medi-las", explicou Carruthers, então ela começou a procurar uma empresa para comercializar e produzir ferramentas de EUV em massa. Concluiu que nenhuma empresa dos EUA poderia fazê-lo. A GCA não existia mais. A maior empresa de litografia dos EUA que restava era o Silicon Valley Group (SVG), que estava tecnologicamente atrasado. O governo dos EUA, ainda sensível devido às guerras comerciais da década de 1980, não queria que a Nikon e a Canon do Japão trabalhassem com os laboratórios nacionais, embora a própria Nikon não achasse que a tecnologia de EUV iria funcionar. A ASML era a única empresa de litografia ainda de pé.[11]

A ideia de dar a uma empresa estrangeira acesso às pesquisas mais avançadas produzidas pelos laboratórios nacionais dos EUA fez surgir algumas dúvidas em Washington. Não havia nenhuma aplicação militar imediata para a tecnologia de EUV, e ainda não estava certo se funcionaria. Não obstante, se funcionasse, os EUA dependeriam da ASML para ser uma ferramenta fundamental a toda a computação. Exceto por algumas autoridades do Departamento de Defesa, quase ninguém em Washington estava preocupado.[12] A maioria das pessoas enxergava a ASML e o governo holandês como parceiros confiáveis. Mais importante para os líderes políticos era o impacto nos empregos, não na geopolítica.[13] O governo norte-americano exigiu que a ASML construísse uma fábrica de componentes nos EUA para suas ferramentas de litografia, fornecesse para clientes dos EUA e empregasse funcionários dos EUA. Contudo, grande parte do núcleo de P&D da ASML ocorreria na Holanda. Os principais tomadores de decisão do Departamento de Comércio, da National Labs e das empresas envolvidas dizem não se lembrar se considerações políticas representavam um papel muito grande, se é que representavam algum papel, na decisão do governo de permitir a continuação desse acordo.[14]

Apesar de longos atrasos e enormes desrespeitos ao limite de gastos, a parceria para a EUV progredia bem devagar. Limadas das pesquisas nos laboratórios nacionais dos EUA, a Nikon e a Canon decidiram não construir as próprias ferramentas de EUV, deixando a ASML como a única produtora no mundo. Enquanto isso, em 2001, a ASML comprou a SVG, a última grande empresa de litografia dos EUA. A SVG já estava muito atrás dos líderes do setor, porém mais uma vez foram levantadas questões sobre se o acordo era bom para os interesses de segurança dos EUA. Dentro da Darpa e do Departamento de Defesa, que haviam financiado a indústria de litografia ao longo de décadas, algumas autoridades se opuseram à venda. O Congresso também levantou preocupações, e três senadores escreveram para o presidente George W. Bush dizendo que "a ASML liquidará toda a tecnologia de EUV do governo dos EUA".[15]

Aquilo era inegável, mas o poderio dos EUA estava no auge. A maioria das pessoas em Washington pensava coisas boas sobre a globalização. A crença dominante no governo dos EUA era que a expansão das conexões comerciais e da cadeia de suprimentos promoveria a paz, incentivando potências como Rússia ou China a se concentrarem na aquisição de riqueza em vez de poderio geopolítico. As alegações de que o declínio da indústria de litografia dos EUA colocaria em risco a segurança eram vistas como fora de sintonia com aquela nova era de globalização e interconexão. A indústria de chips, enquanto isso, simplesmente queria construir semicondutores da forma mais eficiente possível. Sem que restasse nenhuma empresa de litografia de grande porte nos EUA, que opção eles tinham a não ser apostar na ASML?

A Intel e outras grandes fabricantes de chips argumentavam que a venda da SVG para a ASML era crucial para o desenvolvimento da EUV — e, portanto, fundamental para o futuro da computação. "Sem a incorporação", argumentou Craig Barrett, o novo CEO da Intel, em 2001, "o caminho do desenvolvimento das novas ferramentas nos EUA ficará atrasado." Com o fim da Guerra Fria, o governo Bush, que acabara de assumir o poder, queria afrouxar os controles de exportação de tecnologia sobre todas as mercadorias, exceto aquelas com aplicações militares diretas. O governo descreveu a estratégia como "construir muros altos em torno de tecnologias da mais alta sensibilidade". A EUV não entrou na lista.[16]

As ferramentas de litografia de EUV da geração seguinte seriam, portanto, montadas principalmente no exterior, embora alguns componentes continuassem a ser construídos em uma instalação em Connecticut. Qualquer um que levantasse a questão de como os EUA poderiam garantir o acesso a ferramentas de EUV era acusado de manter uma mentalidade de Guerra Fria em um mundo cada vez mais globalizado. Ainda assim, os gurus dos negócios que falavam sobre a disseminação global da tecnologia deturparam a dinâmica do que estava acontecendo. As redes científicas que produziam EUV se espalharam pelo mundo, reunindo cientistas de países tão diversos como EUA, Japão, Eslovênia e Grécia.[17] Entretanto, a fabricação de EUV não era globalizada, era monopolizada. Uma única cadeia de suprimentos gerenciada por uma única empresa controlaria o futuro da litografia.

33
O DILEMA DO INOVADOR

STEVE JOBS ESTAVA sozinho em um palco escuro na conferência Macworld de 2006 trajando sua marca registrada — calça jeans azul e gola rolê preta. Uma plateia de centenas de aficionados por tecnologia aguardava ansiosa pela apresentação do profeta do Vale do Silício. Jobs virou para a esquerda e uma fumaça azul surgiu do outro lado do palco. Um homem vestindo um traje de proteção branco — do tipo utilizado por funcionários em fábricas de semicondutores para manter as instalações ultralimpas — atravessou a fumaça e dirigiu-se ao outro lado do palco até Jobs. Ele tirou a cobertura de cabeça e sorriu: era o CEO da Intel, Paul Otellini. Este entregou a Jobs um grande *wafer* de silício. "Steve, quero informar que a Intel está preparada."[1]

Aquela era uma clássica apresentação de Steve Jobs, mas foi um típico golpe empresarial da Intel. Em 2006, a Intel já fornecia processadores para a maioria dos PCs, após ter passado a década anterior se defendendo com sucesso da AMD, a única outra grande empresa que produzia chips na arquitetura de conjunto de instruções x86 — um conjunto fundamental de regras que regem a forma como os chips calculam —, que era o padrão da indústria para PCs. A Apple era a única grande fabricante de computadores que não utilizava chips baseados na x86. Agora, Jobs e Otellini anunciaram: aquilo iria mudar. Os computadores Mac teriam chips da Intel em seu interior. O império da Intel cresceria, e seu domínio sobre a indústria de PCs aumentaria.

Jobs já era um ícone do Vale do Silício após ter inventado o Macintosh e inovado na ideia de que computadores poderiam ser intuitivos e fáceis de usar. Em 2001, a Apple lançou o iPod, um produto visionário que mostrou como a tecnologia digital poderia transformar qualquer dispositivo de consumo. Otellini, da Intel, não poderia ter sido mais diferente de Jobs. Foi contratado para trabalhar como gerente, não como visionário. Ao contrário dos CEOs anteriores da Intel — Bob Noyce, Gordon Moore, Andy Grove e Craig Barrett —, a experiência de Otellini não era em engenharia ou física, mas em economia. Ele se formara com um MBA, não com um PhD. Durante seu tempo como CEO, a influência passou dos químicos e físicos para os gerentes e contadores. Isso era muito pouco perceptível a princípio, embora os funcionários tivessem percebido que as blusas dos executivos foram ficando cada vez mais brancas e que usavam gravatas com mais frequência.[2] Otellini herdou uma empresa extremamente lucrativa. Ele considerava que sua principal tarefa era manter as margens de lucro o mais altas possível, aproveitando ao máximo o monopólio de fato da Intel com relação aos chips x86, e aplicou práticas de gestão consideradas clássicas para defendê-lo.[3]

A arquitetura x86 dominava os PCs não porque fosse a melhor, mas porque era a utilizada no primeiro computador pessoal da IBM. Assim como a Microsoft, que fornecia o sistema operacional para PCs, a Intel controlava esse elemento crucial para o ecossistema de computadores pessoais. Isso, em parte, foi sorte — a IBM poderia ter escolhido os processadores da Motorola para seus primeiros PCs —, mas também, em parte, devido à visão estratégica de Andy Grove. Em reuniões de equipe no início da década de 1990, Grove esboçava uma imagem que ilustrava sua visão do futuro da computação: um castelo cercado por um fosso. O castelo era a lucratividade da Intel; o fosso, defendendo o castelo, era a x86.[4]

Nos anos após a Intel ter adotado pela primeira vez a arquitetura x86, os cientistas da computação de Berkeley desenvolveram uma arquitetura de chip mais nova e mais simples chamada Risc, que oferecia cálculos mais eficientes e, portanto, menor consumo de energia. A arquitetura x86 era complexa e volumosa em comparação. Na década de 1990, Andy Grove havia considerado seriamente mudar os principais chips da Intel para a arquitetura Risc, mas acabou decidindo não fazer isso. A Risc era mais eficiente, mas o custo da mudança era alto, e a ameaça ao monopólio de fato da Intel era grave demais. A indústria de computadores foi projetada em torno da x86, e a Intel dominava esse ecossistema. Então, a x86 define a maioria das arquiteturas de PC até hoje.

A arquitetura do conjunto de instruções x86 da Intel também domina o ramo de servidores, que cresceu à medida que as empresas fabricavam data centers cada vez maiores na década de 2000 e, depois, à medida que empresas como Amazon Web Services, Microsoft Azure e Google Cloud construíam os enormes armazéns de servidores que criam "a nuvem", em que indivíduos e empresas armazenam dados e executam programas. Na década de 1990 e início de 2000, a Intel tinha apenas uma pequena participação no negócio de fornecimento de chips para servidores, atrás de empresas como IBM e HP. Mas a Intel aproveitou-se de sua capacidade de projetar e fabricar chips de processadores de tecnologia de ponta para conquistar participação no mercado de data centers e estabelecer a x86 como o padrão da indústria ali também. Em meados da década de 2000, quando a computação em nuvem estava surgindo, a Intel havia quase conquistado o monopólio dos chips para data centers, concorrendo apenas com a AMD.[5] Hoje, praticamente todos os grandes data centers utilizam chips x86 ou da Intel ou da AMD. A nuvem simplesmente não consegue funcionar sem seus processadores.

Algumas empresas tentaram desafiar a posição da x86 como o padrão da indústria para PCs. Em 1990, a Apple e duas sócias estabeleceram uma iniciativa conjunta chamada Arm, com sede em Cambridge, na Inglaterra. O objetivo era projetar chips de processador utilizando uma nova arquitetura de conjunto de instruções baseada nos princípios Risc mais simples que a Intel havia considerado, porém rejeitado. Como uma startup, a Arm não teria custos para abandonar a x86 porque não tinha contratos firmados nem clientes. Em vez disso, ela queria substituir a x86 no centro do ecossistema da computação. O primeiro CEO da Arm, Robin Saxby, tinha grandes ambições para a startup de doze pessoas. "Temos de ser o padrão global", disse ele a seus colegas. "É nossa única chance."[6]

Saxby havia subido na hierarquia das divisões europeias de semicondutores da Motorola antes de trabalhar em uma startup europeia de chips que faliu porque seus processos de fabricação apresentaram um desempenho aquém do esperado. Ele compreendia os limites de depender de fabricação interna. "O silício é como o aço", ele insistiu nos primeiros debates a respeito da estratégia da Arm. "É uma *commodity* [...]. Devemos fabricar chips sobre o meu cadáver." Em vez disso, a Arm adotou um modelo de negócios para comercializar licenças para a utilização de sua arquitetura e deixar qualquer outra empresa projetista de chips comprá-las. Isso apresentava uma nova visão de uma indústria de chips desagregada. A Intel tinha a própria arquitetura (x86), em que projetava e produzia muitos chips diferentes. Saxby queria vender sua arquitetura Arm para empresas projetistas sem fábricas, que personalizariam a arquitetura da Arm para suas próprias finalidades, e depois terceirizar a fabricação para uma fundição como a TSMC.

Saxby não sonhava apenas em rivalizar com a Intel, mas em romper com seu modelo de negócios. No entanto, a Arm não conseguiu conquistar participação no mercado de PCs nas décadas de 1990 e 2000 porque a parceria da Intel com o sistema operacional Windows da Microsoft era simplesmente forte demais para ser contestada. Todavia, a arquitetura simplificada e energeticamente eficiente da Arm logo se tornou popular em dispositivos pequenos e portáteis que precisavam economizar em utilização de bateria. A Nintendo escolheu chips baseados na tecnologia da Arm para seus videogames portáteis, por exemplo, um pequeno mercado no qual a Intel nunca prestou muita atenção. O oligopólio de processadores de computador da Intel era lucrativo demais para justificar o pensamento em mercado de nicho. A Intel só percebeu muito tarde que deveria concorrer em outro mercado aparentemente de nicho com relação a um dispositivo de computação portátil: o telefone celular.

A ideia de que os dispositivos móveis transformariam a computação não era nova. Carver Mead, o visionário professor da Caltech, havia previsto isso no início da década de 1970. A Intel também sabia que os PCs não seriam o estágio final na evolução da computação. A empresa investiu em uma série de novos produtos ao longo das décadas de 1990 e 2000, como um sistema de videoconferências no estilo Zoom, que estava duas décadas à frente de seu tempo.[7] Mas poucos desses novos produtos pegaram, menos por razões técnicas e mais porque eram todos muito menos lucrativos que o negócio principal da Intel de fabricar chips para PCs. Eles nunca atraíram apoio de dentro da Intel.

Os dispositivos móveis vinham sendo uma fonte frequente de discussão na empresa desde o início da década de 1990, quando Andy Grove ainda era o CEO. Em uma reunião na sede da Intel em Santa Clara no início da década de 1990, um executivo acenou com seu Palm Pilot no ar e declarou: "Estes dispositivos vão crescer e substituir os PCs". Mas a ideia de injetar dinheiro em dispositivos móveis parecia uma aposta louca em uma época em que havia muito mais possibilidades de ganhar dinheiro com a venda de processadores para PCs.[8] Assim, a Intel só foi decidir entrar no ramo dos dispositivos móveis quando já era tarde demais.

O dilema da Intel poderia ter sido facilmente diagnosticado pelo professor de Harvard que havia aconselhado Andy Grove. Todos na Intel conheciam Clayton Christensen e seu conceito de "dilema do inovador". No entanto, o negócio de processadores para PC da empresa parecia suscetível a ser lucrativo durante muito tempo. Diferentemente da década de 1980, quando Grove redirecionou a Intel, afastando-a da Dram em um momento em que a empresa vinha perdendo dinheiro, nas décadas de 1990 e 2000 a Intel era uma das empresas mais lucrativas dos EUA. O problema não foi que ninguém percebeu que a Intel deveria considerar novos produtos, mas que o *status quo* era simplesmente lucrativo demais. Se a Intel não fizesse absolutamente nada, ainda seria proprietária de dois dos castelos mais valiosos do mundo — chips para PCs e servidores — cercados por um fosso profundo de x86.

Logo após o acordo para colocar os chips da Intel em computadores Mac, Jobs voltou até Otellini com uma nova consulta. A Intel fabricaria um chip para o mais novo produto da Apple, um telefone computadorizado? Todos os telefones celulares utilizavam chips para executar seus sistemas operacionais e gerenciar a comunicação com as redes de telefonia celular, mas a Apple queria que seu telefone funcionasse como um computador. Como consequência, precisaria de um processador potente como os dos computadores. "Eles queriam pagar um preço determinado", disse Otellini ao jornalista Alexis Madrigal após o fato, "e nem um centavo a mais [...]. Eu não conseguia enxergar. Não era uma dessas coisas que dá para compensar com volume. E, olhando para trás, o custo previsto estava errado e o volume era cem vezes o que se pensava."[9] A Intel recusou o contrato do iPhone.

A Apple foi procurar em outros lugares alguém que fabricasse seus chips para telefones. Jobs se voltou para a arquitetura da Arm, que, diferentemente da x86, era otimizada para dispositivos móveis que precisavam economizar no consumo de energia. Os primeiros processadores do iPhone foram produzidos pela Samsung, que havia seguido a TSMC no ramo de fundição. A previsão de Otellini de que o iPhone seria um produto de nicho provou-se terrivelmente enganada. Quando ele percebeu o erro, no entanto, já era tarde demais. Mais tarde, a Intel lutaria para conquistar uma participação no ramo de smartphones. Apesar de acabar injetando bilhões de dólares em produtos para smartphones, a Intel nunca teve muito a mostrar. A Apple cavou um fosso profundo em torno de seu castelo imensamente lucrativo antes que Otellini e a Intel percebessem o que estava acontecendo.

Apenas uns cinco anos depois que a Intel recusou o contrato do iPhone, a Apple vinha ganhando mais dinheiro com smartphones que a Intel com a venda de processadores para PC. A Intel tentou por diversas vezes escalar os muros do castelo da Apple, mas já havia perdido a vantagem do pioneirismo. Gastar bilhões para ser o segundo lugar não era nem um pouco atraente, sobretudo porque o ramo de PCs da Intel ainda era bastante lucrativo, e seu negócio de data centers vinha crescendo rapidamente. Desse modo, a Intel nunca encontrou uma maneira de se firmar no ramo de dispositivos móveis, que hoje consome quase um terço dos chips vendidos.[10]

Todas as oportunidades perdidas pela Intel nos anos seguintes à saída de Grove tiveram uma causa comum. Desde o final da década de 1980, a Intel obteve um lucro de 250 bilhões de dólares, mesmo antes da correção da inflação, um histórico que poucas outras empresas igualaram. Ela conseguiu isso cobrando altas somas por chips para PCs e servidores. A Intel conseguia manter preços altos por causa dos processos de projeto otimizados e da fabricação avançada que Grove havia aperfeiçoado e legado a seus sucessores. A liderança da empresa priorizava consistentemente a produção de chips com a mais alta margem de lucro.

Essa era uma estratégia racional — ninguém quer produtos com baixas margens de lucro —, mas tornava impossível que eles tentassem algo novo. Uma fixação em atingir metas de margem de curto prazo começou a substituir a liderança em tecnologia de longo prazo. A mudança de poder dos engenheiros para os gerentes acelerou esse processo. Otellini, CEO da Intel de 2005 a 2013, admitiu ter recusado o contrato para fabricar chips para iPhone porque estava preocupado com as implicações financeiras. Uma fixação em margens de lucro penetrou profundamente na empresa — suas decisões de contratação, seus roteiros de produtos e seus processos de P&D. Os líderes da empresa estavam simplesmente mais concentrados em fazer engenharia no balanço da empresa do que em seus transistores. "Ela tinha a tecnologia, tinha as pessoas", relembrou um ex-executivo financeiro da Intel. "Ela simplesmente não queria assumir o prejuízo em sua margem."[11]

34
Correndo mais rápido?

Andy Grove estava jantando em um restaurante de Palo Alto em 2010 quando foi apresentado a três capitalistas de risco chineses que estavam visitando as empresas do Vale do Silício. Ele havia deixado o cargo de presidente da Intel em 2005 e agora era um mero aposentado. A empresa que ele construíra e depois resgatara ainda era bastante lucrativa. A Intel lucrou mesmo em 2008 e 2009, embora a taxa de desemprego no Vale do Silício tenha subido acima de 9%. Entretanto, Grove não enxergava o sucesso passado da Intel como um argumento para complacência. Sua paranoia não havia diminuído. Ver capitalistas de risco chineses investindo em Palo Alto fez com que ele se perguntasse: era uma atitude inteligente do Vale do Silício internacionalizar a produção em um momento de desemprego em massa?

Na condição de um refugiado judeu dos exércitos nazista e soviético, Grove não era nacionalista. A Intel contratava engenheiros de todo o mundo. Operava instalações em diversos continentes. No entanto, Grove estava preocupado com a internacionalização de empregos de fabricação avançada. O iPhone, que havia sido lançado apenas três anos antes, exemplificava a tendência. Poucos componentes do iPhone eram construídos nos EUA. Embora a internacionalização tenha começado com empregos de baixa qualificação, Grove não achava que a coisa fosse parar por ali, ou com semicondutores ou com qualquer outra indústria. Ele se preocupava com as baterias de lítio necessárias para veículos elétricos, das quais os EUA compunham uma pequena participação de mercado, apesar de terem inventado grande parte da tecnologia principal. Sua solução: "cobrar um imposto extra sobre o produto da mão de obra internacionalizada. Se o resultado for uma guerra comercial, vamos tratá-la como outras guerras — lutar para vencer".[1]

Muitos optaram por descartar Grove como representante de uma era ultrapassada. Ele havia construído a Intel uma geração antes, quando a internet nem existia. Sua empresa perdeu a chance com o telefone celular e vivia dos frutos de seu monopólio da x86. No início da década de 2010, a Intel tinha a tecnologia do processo de semicondutores mais avançada do mundo, apresentando transistores menores antes das rivais com a mesma cadência regular pela qual tinha ficado conhecida desde os dias de Gordon Moore. Todavia, a diferença entre a Intel e rivais como a TSMC e a Samsung havia começado a encolher.

Além disso, os negócios da Intel agora eram ofuscados por outras empresas de tecnologia com diferentes modelos de negócios. A Intel havia sido uma das empresas mais valiosas do mundo no início da década de 2000, mas fora superada pela Apple, cujo novo ecossistema de celulares não dependia dos chips da Intel, que havia ficado de fora da ascensão da economia da internet. O Facebook, fundado em 2006, valia em 2010 praticamente a metade do que valia a Intel. Logo se tornaria várias vezes mais valioso. A maior fabricante de chips do Vale do Silício podia retrucar que os dados da internet eram processados em seus chips de servidor e acessados em PCs dependentes de seus processadores. Contudo, produzir chips era menos lucrativo que vender anúncios em aplicativos. Grove idolatrava a "inovação revolucionária", mas, na década de 2010, os negócios da Intel estavam sendo revolucionados. Seu lamento pelas linhas de montagem internacionalizadas da Apple foi desconsiderado por todos.

Mesmo no ramo dos semicondutores, as profecias condenatórias de Grove foram amplamente rejeitadas. É verdade que as novas fundições de semicondutores como a TSMC ficavam, em grande parte, em outros países. Entretanto, as fundições estrangeiras produziam chips em grande parte projetados por empresas dos EUA sem fábrica. Além disso, suas fábricas estavam repletas de equipamentos de fabricação feitos nos EUA. A internacionalização para o Sudeste Asiático tinha sido fundamental para o modelo de negócios da indústria de chips desde que a Fairchild Semiconductor — a primeira empregadora de Andy Grove — abriu sua primeira fábrica de montagem em Hong Kong.

Grove não estava convencido. "Abandonar a fabricação de 'commodities' do momento pode deixar você de fora da indústria emergente de amanhã", declarou ele, apontando para a indústria de baterias elétricas. Os EUA "perderam sua liderança no ramo de baterias trinta anos atrás, quando pararam de fabricar dispositivos eletrônicos de consumo", escreveu Grove. Em seguida, ficou de fora do ramo das baterias para PCS e, agora, estava muito atrás em baterias para veículos elétricos. "Duvido que algum dia eles alcancem", previu ele em 2010.[2]

Mesmo dentro da indústria de semicondutores, era fácil encontrar contrapontos ao pessimismo de Grove sobre internacionalizar conhecimento especializado. Em comparação à situação do final da década de 1980, quando os concorrentes japoneses derrotavam o Vale do Silício em termos de concepção e fabricação de Drams, o ecossistema de chips dos EUA parecia mais saudável. Não era só a Intel que vinha gerando lucros imensos. Muitas empresas projetistas de chips sem fábricas viviam a mesma situação. Exceto pela perda da litografia com tecnologia de ponta, as empresas de equipamentos de fabricação de semicondutores dos EUA em geral prosperaram durante a década de 2000. A Applied Materials se mantinha como a maior empresa de fabricação de ferramentas para semicondutores do mundo, construindo equipamentos como as máquinas que depositavam finas películas plásticas de produtos químicos sobre *wafers* de silício à medida que eram processadas. A Lam Research tinha mais perícia que o resto do mundo em gravar circuitos em *wafers* de silício. E a KLA, também sediada no Vale do Silício, tinha as melhores ferramentas do mundo para encontrar erros do tamanho de nanômetros em *wafers* e máscaras de litografia. Essas três fabricantes de ferramentas estavam lançando novas gerações de equipamentos que podiam depositar, gravar e medir características em escala atômica, o que seria essencial para a fabricação da próxima geração de chips. Algumas empresas japonesas — notadamente a Tokyo Electron — tinham algumas habilidades comparáveis às das fabricantes de equipamentos dos EUA. Ainda assim, era quase impossível fazer um chip de ponta sem usar algumas ferramentas norte-americanas.

O mesmo valia para a concepção de chips. No início da década de 2010, os microprocessadores mais avançados tinham 1 bilhão de transistores em cada chip.[3] O software capaz de dispor esses transistores era fornecido por três empresas dos EUA, Cadence, Synopsys e Mentor, que controlavam cerca de 75% do mercado.[4] Era impossível projetar um chip sem utilizar pelo menos um software dessas empresas. Além disso, grande parte das empresas menores que forneciam softwares de projeto de chips também era sediada nos EUA. Nenhum outro país chegava perto.

Quando analistas em Wall Street e em Washington olhavam para o Vale do Silício, viam uma indústria de chips que era lucrativa e avançava tecnologicamente. Havia, é claro, alguns riscos em depender tanto de algumas instalações em Taiwan para fabricar uma grande parte dos chips do mundo. Em 1999, um terremoto de 7,3 graus na escala Richter estremeceu Taiwan, derrubando a energia em grande parte do país, inclusive em duas usinas nucleares.[5] As fábricas da TSMC também ficaram sem energia, ameaçando a produção da empresa e muitos dos chips do mundo.

Morris Chang logo estava ao telefone com autoridades taiwanesas para garantir que a empresa tivesse acesso preferencial à eletricidade. Demorou uma semana para colocar quatro das cinco fábricas da empresa novamente em operação; a quinta levou mais tempo ainda.[6] Todavia, as interrupções eram limitadas e o mercado de eletrônicos de consumo voltou ao normal em um mês.[7] Contudo, o terremoto de 1999 foi apenas o terceiro mais forte sofrido pela ilha no século XX; era fácil imaginar choques sísmicos mais poderosos. Os clientes da TSMC foram informados de que as instalações da empresa poderiam tolerar terremotos que chegassem a 9 na escala Richter — o mundo tinha visto cinco desses desde 1900.[8] Aquela não era uma afirmação que qualquer pessoa quisesse pôr à prova. Entretanto, a TSMC sempre poderia apontar que o Vale do Silício ficava bem em cima da falha de San Andreas, portanto levar a fabricação de volta para a Califórnia não era muito mais seguro.

Uma questão mais difícil era como o governo dos EUA deveria ajustar seus controles sobre o comércio externo de tecnologia de semicondutores para dar conta de uma cadeia de suprimentos cada vez mais internacional. Com exceção de algumas pequenas fabricantes de chips que produziam semicondutores especializados para as Forças Armadas dos EUA, os gigantes do Vale do Silício rebaixaram suas relações com o Pentágono durante as décadas de 1990 e 2000. Quando enfrentaram a concorrência japonesa na década de 1980, os CEOS do Vale do Silício passavam muito tempo nos corredores do Congresso. Agora eles não achavam que precisavam de ajuda do governo. Sua principal preocupação era que o governo parasse de atrapalhar, assinando acordos comerciais com outros países e removendo controles sobre exportações. Muitas autoridades em Washington apoiaram os pedidos da indústria por controles mais frouxos. A China tinha empresas ambiciosas como a SMIC, mas o consenso em Washington era de que o comércio e os investimentos incentivariam a China a se tornar uma "parte interessada responsável" do sistema internacional, como disse o influente diplomata Robert Zoellick.[9]

Além disso, teorias populares sobre globalização faziam parecer quase impossível impor controles rígidos. Foi muito difícil impor controles durante a Guerra Fria, provocando controvérsias frequentes entre os EUA e os aliados sobre quais equipamentos poderiam ser vendidos aos soviéticos. Ao contrário da URSS, a China na década de 2000 estava muito mais integrada à economia mundial. Washington concluiu que os controles de exportação fariam mais mal do que bem, prejudicando a indústria dos EUA sem impedir a China de comprar mercadorias de empresas de outros países. Japão e Europa estavam ansiosos para vender quase tudo para a República Popular da China. Ninguém em Washington tinha estômago para brigar com aliados por controles de exportação, sobretudo porque os líderes dos EUA estavam concentrados em fazer amizade com seus colegas chineses.

Um novo consenso em Washington se formava em torno da ideia de que a melhor política era "correr mais rápido" que os rivais dos EUA. "A probabilidade de os EUA se tornarem dependentes de qualquer país, ainda mais da China, para qualquer produto, sobretudo semicondutores, é extremamente pequena", previu um especialista dos EUA.[10] O país norte-americano chegou ao ponto de conceder à SMIC, da China, a condição especial de "usuário final validado", atestando que a empresa não vendia para os militares chineses e, portanto, estava isenta de determinados controles de exportação.[11] Com exceção de um punhado de parlamentares — principalmente republicanos do Sul dos EUA que ainda olhavam para a China como se a Guerra Fria nunca tivesse acabado —, quase todos em Washington apoiavam a estratégia de "correr mais rápido" que os rivais.[12]

"Correr mais rápido" era uma estratégia elegante com apenas um único problema: de acordo com algumas métricas-chave, os EUA *não estavam* correndo mais rápido, estavam perdendo terreno. Quase ninguém no governo se incomodou em fazer a análise, mas as previsões sombrias de Andy Grove sobre a internacionalização de conhecimento especializado estavam se realizando parcialmente. Em 2007, o Departamento de Defesa encomendou um estudo ao ex-oficial do Pentágono Richard van Atta e a diversos colegas para avaliar o impacto da "globalização" da indústria de semicondutores nas cadeias de suprimentos das Forças Armadas. Van Atta havia trabalhado em microeletrônica de defesa durante várias décadas e vivera a ascensão e a queda da indústria de chips do Japão. Ele não era propenso a reações exageradas e compreendia como uma cadeia de suprimentos multinacional tornava a indústria mais eficiente. Em tempos de paz, esse sistema funcionava sem problemas. Todavia, o Pentágono tinha de pensar nos piores cenários possíveis. Van Atta informou que o acesso do Departamento de Defesa a chips com tecnologia de ponta logo dependeria de países estrangeiros, porque grande parte da fabricação avançada estava sendo transferida para o exterior.

Em meio à arrogância do momento unipolar dos EUA, quase ninguém estava disposto a escutar. A maioria das pessoas em Washington simplesmente concluía que os EUA estavam "correndo mais rápido" sem sequer olhar para as evidências. Contudo, a história da indústria de semicondutores não sugeria que a liderança dos EUA era garantida. O país norte-americano não havia superado os japoneses na década de 1980, embora tivesse feito isso na década de 1990. A GCA não havia superado a Nikon ou a ASML na litografia. A Micron foi a única produtora de Dram capaz de acompanhar os rivais do Leste Asiático, enquanto muitos outros produtores de Dram dos EUA faliram. Até o final da década de 2000, a Intel estava na frente da Samsung e da TSMC na produção de transistores miniaturizados, mas a diferença havia diminuído. A Intel vinha operando mais devagar, embora ainda se beneficiasse de seu ponto de partida mais avançado. Os EUA eram líderes na maioria dos tipos de projeto de chips, embora a MediaTek, de Taiwan, estivesse provando que outros países também eram capazes de projetar chips. Van Atta via poucas razões para confiança e nenhuma para complacência. "A posição de liderança dos EUA", alertou ele em 2007, "provavelmente se deteriorará gravemente ao longo da próxima década." Ninguém deu ouvidos.[13]

PARTE VI
INTERNACIONALIZANDO INOVAÇÃO?

35
"Homens de verdade têm fábricas"

Jerry Sanders, o brigão de Rolex no pulso e que dirigia um Rolls-Royce, fundador da AMD, gostava de comparar ser proprietário de uma fábrica de semicondutores com colocar um tubarão de estimação na piscina da sua casa. Sai muito caro alimentar um tubarão, leva tempo e energia para manter um e ele pode acabar matando a pessoa.[1] Mesmo assim, Sanders tinha certeza de uma coisa: ele nunca desistiria de suas fábricas. Embora tivesse estudado engenharia elétrica na Universidade de Illinois, nunca foi de entender muito de fabricação. Ele subiu na hierarquia de vendas e marketing na Fairchild Semiconductor tornando-se o vendedor mais extravagante e bem-sucedido da empresa.[2]

Sua especialidade eram as vendas, mas Sanders nunca sonhou em desistir das instalações de fabricação da AMD, mesmo quando a ascensão das fundições como a TSMC possibilitou que grandes fabricantes de chips considerassem alienar suas operações de fabricação e terceirizá-las para uma fundição na Ásia. Após brigar com os japoneses pela participação no mercado de Dram na década de 1980 e com a Intel pelo mercado de PCs na década de 1990, Sanders era um homem comprometido com suas fábricas. Ele as considerava fundamentais para o sucesso da AMD.

Mesmo ele admitia, porém, que estava ficando cada vez mais difícil ganhar dinheiro sendo proprietário de uma fábrica e a operando. O problema era simples: cada geração de aprimoramento tecnológico tornava as fábricas mais dispendiosas. Morris Chang chegara a uma conclusão semelhante várias décadas antes, razão pela qual achava que o modelo de negócios da TSMC era superior. Uma fundição como a TSMC poderia fabricar chips para muitos projetistas de chips, extraindo eficiências de seus enormes volumes de produção que outras empresas achariam difíceis de replicar.

Nem todos os setores da indústria de chips enfrentaram dinâmica semelhante, mas muitos, sim. Na década de 2000, era comum dividir a indústria de semicondutores em três categorias. "Lógica" refere-se aos processadores que fazem funcionar smartphones, computadores e servidores. "Memória" refere-se a Dram, que fornece a memória de curto prazo de que computadores precisam para funcionar e flash, também chamado de Nand, que lembra os dados ao longo do tempo. A terceira categoria de chips é mais difusa, incluindo chips analógicos como sensores que convertem sinais visuais ou de áudio em dados digitais, chips de radiofrequência que se comunicam com redes de telefonia celular e semicondutores que administram como os dispositivos utilizam eletricidade.

Esta terceira categoria não tem sido primariamente dependente da Lei de Moore para impulsionar melhorias de desempenho. A concepção inteligente é mais importante que encolher transistores. Hoje, cerca de 75% dessa categoria de chips são produzidos em processadores que medem 180 nanômetros ou mais, uma tecnologia de fabricação que foi pioneira no final da década de 1990.[3] Em consequência, a economia desse segmento é diferente dos chips lógicos e de memória, que devem, implacavelmente, encolher transistores para manter-se na vanguarda. Fábricas para esses tipos de chips, em geral, não precisam correr rumo aos menores transistores a cada dois anos, por isso são significativamente mais baratas, exigindo em média 25% do investimento de capital de uma fábrica avançada para chips lógicos ou de memória.[4] Atualmente, as maiores fabricantes de chips analógicos estão nos EUA, na Europa ou no Japão.[5] A maior parte de sua produção também ocorre nessas três regiões, com apenas uma fatia internacionalizada para Taiwan e Coreia do Sul. A maior fabricante de chips analógicos dos dias de hoje é a

Texas Instruments, que não conseguiu estabelecer um monopólio no estilo Intel nos ecossistemas de PCs, data centers ou smartphones, mas continua sendo uma fabricante de chips de porte médio e altamente lucrativa, com um vasto catálogo de chips e sensores analógicos. Existem muitas outras fabricantes de chips analógicos sediadas nos EUA atualmente, como Onsemi, Skyworks e Analog Devices, junto com empresas comparáveis na Europa e no Japão.

O mercado de memórias, por outro lado, vem sendo dominado por um impulso incansável rumo à internacionalização da produção para um punhado de instalações, principalmente no Leste Asiático. Em vez de um conjunto difuso de fornecedores centrados em economias avançadas, os dois principais tipos de chip de memória — Dram e Nand — são produzidos por poucas empresas. No caso de chips de memória Dram, o tipo de semicondutor que definiu o confronto do Vale do Silício com o Japão na década de 1980, uma fábrica avançada pode custar 20 bilhões de dólares. Costumava haver dezenas de produtores de Dram, mas hoje em dia existem apenas três grandes fabricantes. No final da década de 1990, vários dos produtores de Dram do Japão que enfrentavam dificuldades foram consolidados em uma única empresa, chamada Elpida, que buscava concorrer com a Micron, de Idaho, e com a Samsung e a SK Hynix, da Coreia. No final da década de 2000, essas quatro empresas controlavam cerca de 85% do mercado.[6] Contudo, a Elpida enfrentava dificuldades para sobreviver e, em 2013, foi comprada pela Micron.[7] Ao contrário da Samsung e da Hynix, que produzem a maior parte de suas Drams na Coreia do Sul, a longa série de aquisições da Micron a deixou com fábricas Japão, em Taiwan e Cingapura, bem como nos EUA. Subsídios governamentais em países como Cingapura incentivaram a Micron a manter e a expandir a capacidade das fábricas por lá.[8] Portanto, muito embora uma empresa dos EUA seja um dos três maiores produtores de Dram do mundo, a maior parte da fabricação desse chip fica no Leste Asiático.

O mercado de Nand, o outro tipo principal de chip de memória, também é centrado na Ásia. A Samsung, a maior empresa do ramo, fornece 35% do mercado, com o restante sendo produzido pela coreana Hynix, pela japonesa Kioxia e por duas empresas dos EUA — Micron e Western Digital.[9] As empresas coreanas produzem chips quase exclusivamente na Coreia ou na

China, mas apenas uma parte da produção de Nand da Micron e da Western Digital ocorre nos EUA, com outra produção em Cingapura e no Japão. Assim como com a Dram, enquanto empresas dos EUA desempenharem um papel importante na produção de Nand, a participação da fabricação baseada nos EUA será significativamente menor.

A condição de segunda categoria dos EUA na produção de chips de memória, no entanto, não é nenhuma novidade. Remonta ao final da década de 1980, quando o Japão ultrapassou os EUA pela primeira vez na produção de Dram. A grande mudança nos últimos anos é o colapso na parcela de chips lógicos produzidos nos EUA. Atualmente, construir uma fábrica de lógica avançada custa 20 bilhões de dólares, um enorme investimento de capital com que poucas empresas podem arcar. Assim como acontece com chips de memória, existe uma correlação entre a quantidade de chips que uma empresa produz e seu rendimento — a quantidade de chips que de fato funcionam. Dados os benefícios de escala, a quantidade de empresas que fabricam chips lógicos avançados encolheu de maneira implacável.

Com a exceção proeminente da Intel, muitas das principais fabricantes de chips lógicos dos EUA desistiram de suas fábricas e terceirizaram a fabricação. Outras participantes que já foram importantes, como a Motorola ou a National Semiconductor, faliram, foram compradas ou viram sua participação de mercado encolher. Elas foram substituídas por empresas sem fábricas, que muitas vezes contratavam projetistas de chips de empresas tradicionais de semicondutores, mas terceirizavam a fabricação para a TSMC ou outras fundições na Ásia. Isso possibilitava que as empresas sem fábrica se concentrassem em seu ponto forte — projetos de chips — sem exigir uma perícia simultânea na fabricação de semicondutores.

Enquanto Sanders foi o CEO, a AMD, empresa que ele fundou, permaneceu no ramo de fabricação de chips lógicos, como processadores para PCS. Os CEOS da velha guarda do Vale do Silício insistiam que separar a fabricação de semicondutores de seu projeto causava ineficiências. Mas foi a cultura, e não o raciocínio corporativo, que manteve a concepção e a fabricação de chips integrados durante tanto tempo. Sanders ainda conseguia se lembrar dos dias de Bob Noyce futucando à vontade nos equipamentos do laboratório da Fairchild. Seu argumento a favor de manter a fabricação da AMD dentro da empresa dependia de uma postura machista que vinha se tornando rapidamente ultrapassada. Quando ele ouviu uma piada de um jornalista na década de 1990 de que "homens de verdade têm fábricas", ele adotou a frase como sua. "Agora me ouça e me ouça bem", declarou Sanders em uma conferência do setor. "Homens de verdade têm fábricas."[10]

36
A REVOLUÇÃO DOS SEM-FÁBRICA

"HOMENS DE VERDADE" podem ter fábricas, mas a nova onda no Vale do Silício de empreendedores de semicondutores, não. Desde o final da década de 1980, houve um crescimento explosivo na quantidade de empresas fabricantes de chips sem fábrica, que projetam semicondutores internamente, mas terceirizam sua fabricação, em geral confiando esse serviço à TSMC. Quando Gordon Campbell e Dado Banatao fundaram a Chips and Technologies, que costuma ser considerada a primeira empresa sem fábrica, em 1984, um amigo alegou que ela "não era uma empresa de semicondutores de verdade", já que não fabricava os próprios chips.[1] Entretanto, os chips de gráficos que ela projetava para PCs se mostraram populares, concorrendo com produtos fabricados por alguns dos maiores integrantes da indústria. Por fim a Chips and Technologies enfraqueceu e foi comprada pela Intel. No entanto, ela havia provado que um modelo de negócios sem fábrica poderia funcionar, exigindo apenas uma boa ideia e alguns milhões de dólares em capital inicial, uma pequena fração do dinheiro necessário para construir uma fábrica.

A computação gráfica seguia sendo um nicho atraente para startups de semicondutores, porque, ao contrário dos microprocessadores para PCs, em gráficos a Intel não tinha um monopólio de fato. Todas as fabricantes de PCs, da IBM à Compaq, tiveram que utilizar um chip da Intel ou da AMD para seu processador principal, porque essas duas empresas tinham um monopólio de fato do conjunto de instruções da x86 que os PCs exigiam. Havia muito mais concorrência no mercado por chips que renderizavam imagens em telas. O surgimento de fundições de semicondutores e a redução dos custos iniciais significavam que não era apenas a aristocracia do Vale do Silício que poderia concorrer para fabricar os melhores processadores gráficos. A empresa que acabou dominando o mercado de chips gráficos, a Nvidia, teve seu início humilde não em um café da moda em Palo Alto, mas em uma lanchonete Denny's em uma zona esquisita de San José.[2]

A Nvidia foi fundada em 1993 por Chris Malachowsky, Curtis Priem e Jensen Huang, sendo que este último permanece o CEO até hoje. Priem fizera um trabalho fundamental sobre como computar gráficos enquanto estava na IBM, depois trabalhou na Sun Microsystems junto com Malachowsky. Huang, que era originalmente de Taiwan, mas havia se mudado para Kentucky quando criança, trabalhou para a LSI, uma fabricante de chips do Vale do Silício.[3] Ele se tornou o CEO e o rosto da Nvidia para o público, sempre trajando uma calça jeans escura, camisa preta e jaqueta de couro preta e com uma aura parecida com a de Steve Jobs, sugerindo que tinha visto muito do futuro da computação.

O primeiro grupo de clientes da Nvidia — empresas de videogame e jogos de computador — pode não ter parecido a vanguarda, mas, ainda assim, a empresa apostou que o futuro dos gráficos estaria na produção de imagens 3-D complexas.[4] Os primeiros PCs eram um mundo bidimensional enfadonho e monótono, porque a computação necessária para exibir imagens tridimensionais era imensa. Na década de 1990, quando o Microsoft Office lançou um clipe de papel animado chamado Clippy, que ficava na lateral da tela e dava conselhos, aquilo representou um avanço em termos gráficos — e muitas vezes fazia os computadores congelarem.

A Nvidia não apenas projetou chips chamados de unidades de processador gráfico (GPUs) capazes de processar gráficos tridimensionais, como também desenvolveu um ecossistema de softwares em torno deles. Programar gráficos realistas exige a utilização de programas chamados *shaders*, que informam a todos os pixels em uma imagem como eles devem ser retratados

260 *Chris Miller*

em, digamos, um determinado tom de luz. O *shader* é aplicado a cada um dos pixels em uma imagem, um cálculo relativamente simples realizado em muitos milhares de pixels. As GPUs da Nvidia podem renderizar imagens com rapidez porque, ao contrário dos microprocessadores da Intel ou de outras CPUs de uso geral, são estruturadas para realizar muitos cálculos simples — como sombrear pixels — ao mesmo tempo.

Em 2006, percebendo que computações paralelas de alta velocidade poderiam ser utilizadas para outros propósitos além da computação gráfica, a Nvidia lançou o Cuda, software que permite que as GPUs sejam programadas em uma linguagem de programação-padrão, sem nenhuma referência a gráficos. Ao mesmo tempo que a Nvidia produzia chips gráficos de alto nível, a Huang gastava de forma exuberante nesse esforço de software pelo menos 10 bilhões de dólares, de acordo com uma estimativa da empresa em 2017, para permitir que qualquer programador — não apenas especialistas em gráficos — trabalhasse com os chips da Nvidia.[5] A Huang disponibilizou o Cuda sem cobrar, mas o software só funciona com os chips da Nvidia. Ao tornar os chips úteis além da indústria de gráficos, a Nvidia descobriu um novo e vasto mercado de processamento paralelo, desde química computacional até previsão do tempo.[6] À época, a Huang só conseguia perceber vagamente o potencial de crescimento no que se tornaria o maior caso de utilização de processamento paralelo: a inteligência artificial.

Atualmente, os chips da Nvidia, fabricados em grande parte pela TSMC, são encontrados nos data centers mais avançados. Foi bom que a empresa não precisou construir sua própria fábrica. Na fase inicial, provavelmente teria sido impossível levantar os valores necessários. Dar alguns milhões de dólares para projetistas de chips que trabalham em lanchonetes Denny's já era um tiro no escuro. Apostar mais de 100 milhões de dólares — o custo de uma nova fábrica à época — teria sido um exagero até mesmo para os investidores mais aventureiros do Vale do Silício. Além disso, como Jerry Sanders percebeu, administrar bem uma fábrica sai caro e é demorado. Já é bem difícil simplesmente projetar chips de primeira linha, como a Nvidia fazia. Se também tivesse de administrar os próprios processos de fabricação, provavelmente não teria os recursos ou a largura de banda necessários para investir dinheiro na construção de um ecossistema de softwares.

A GUERRA DOS CHIPS 261

A Nvidia não era a única empresa pioneira sem fábricas em novos casos de utilização para chips lógicos especializados. Irwin Jacobs, o professor de teoria da comunicação que havia erguido um microprocessador e declarado "Este é o futuro!" em uma conferência acadêmica no início da década de 1970, agora acreditava que o futuro havia chegado. Os celulares — tijolos pretos e grandes de plástico que ficavam presos ao painel ou piso de um carro — estavam prestes a entrar em sua segunda geração (2G) de tecnologia. As companhias telefônicas tentavam chegar a um acordo sobre um padrão de tecnologia que permitiria que seus telefones se comunicassem entre si. A maioria das empresas queria um sistema chamado "acesso múltiplo por divisão de tempo", pelo qual os dados provenientes de várias ligações telefônicas seriam transmitidos na mesma frequência de ondas de rádio, com os dados de uma ligação inseridos no espectro de ondas de rádio quando houvesse um momento de silêncio em uma ligação diferente.

Jacobs, cuja fé na Lei de Moore estava mais forte que nunca, pensou que um sistema mais complicado de salto de frequência funcionaria melhor. Em vez de manter uma dada ligação telefônica em uma determinada frequência, ele propôs transferir os dados das ligações entre frequências diferentes, possibilitando que atulhasse mais ligações no espaço do espectro disponível. A maioria das pessoas achava que ele tinha razão na teoria, mas que esse sistema nunca funcionaria na prática. A qualidade da voz seria baixa, eles argumentavam, e as ligações cairiam. A quantidade de processamento necessária para transferir dados de ligações entre frequências e fazer com que eles fossem interpretados por um telefone do outro lado parecia enorme.

Jacobs discordou e fundou uma empresa chamada Qualcomm — Quality Communications — em 1985 para provar seu argumento. Ele construiu uma pequena rede com algumas torres de celular para provar que funcionaria. Logo, toda a indústria percebeu que o sistema da Qualcomm possibilitaria encaixar muito mais ligações de telefone celular no espaço do espectro existente, contando com a Lei de Moore para rodar os algoritmos que interpretam todas as ondas de rádio que circulam.

Para cada geração de tecnologia de telefonia celular após o 2G, a Qualcomm contribuía com ideias importantes sobre como transmitir mais dados pelo espectro de rádio e vendia chips especializados com poder de computação capaz de decifrar essa cacofonia de sinais. As patentes da empresa são tão fundamentais que é impossível fabricar um telefone celular sem ela.[7] A Qualcomm logo se diversificou e assumiu uma nova linha de negócios, projetando não apenas os chips de modem de um telefone que se comunicam com uma rede de celular, mas também os processadores de aplicativos que fazem funcionar os principais sistemas de um smartphone. Esses projetos de chips são realizações monumentais de engenharia, cada um fabricado com dezenas de milhões de linhas de código.[8] A Qualcomm ganhou centenas de bilhões de dólares vendendo chips e licenciando propriedade intelectual. Mas ela não fabricava nenhum chip: todos são projetados internamente, porém fabricados por empresas como a Samsung ou a TSMC.[9]

É fácil lamentar a internacionalização da fabricação de semicondutores. Mas empresas como a Qualcomm poderiam não ter sobrevivido se tivessem de investir bilhões de dólares todo ano construindo fábricas. Jacobs e seus engenheiros eram magos em atulhar dados no espectro de ondas de rádio e desenvolver chips cada vez mais inteligentes para decodificar o significado desses sinais. Como com a Nvidia, foi bom que eles não tiveram de tentar ser também especialistas em fabricação de semicondutores. A Qualcomm sempre considerava abrir as próprias fábricas, mas acabava optando por não fazer isso devido ao custo e à complexidade envolvidos. Graças à TSMC, à Samsung e a outras empresas dispostas a produzir seus chips, os engenheiros da Qualcomm podiam se concentrar em seus principais pontos fortes no gerenciamento do espectro e na concepção de semicondutores.[10]

Muitas outras empresas fabricantes de chips nos EUA se beneficiaram de um modelo sem fábricas, o que possibilitou que produzissem novas concepções de chips sem precisar gastar bilhões construindo uma fábrica interna. Surgiram novas categorias inteiras de chips fabricados apenas na TSMC e em outras fundições, e não internamente. Arranjos de portas programáveis em campo, chips que podem ser programados para utilizações diversas, foram introduzidos no mercado por empresas como Xilinx e Altera, sendo que ambas dependiam da fabricação terceirizada desde seus primeiros dias. A maior mudança, no entanto, não foi apenas os novos tipos de chips. Ao tornar possíveis telefones celulares, gráficos avançados e processamento paralelo, as empresas sem fábricas possibilitaram tipos totalmente novos de computação.

37

A Grande Aliança de Morris Chang

Jerry Sanders pode ter prometido nunca desistir de suas fábricas, mas a geração de engenheiros que atingiram a maioridade projetando chips com canivetes e pinças estava saindo de cena. Seus substitutos haviam sido formados na nova disciplina da ciência da computação e muitos conheciam os semicondutores principalmente por meio dos novos programas de software de projeto de chips que surgiram nas décadas de 1980 e 1990. Para muitas pessoas no Vale do Silício, o apego romântico de Sanders às fábricas parecia tão fora de sintonia quanto sua arrogância machista. A nova classe de ceos que assumiu as empresas de semicondutores dos eua nas décadas de 2000 e 2010 tendia a falar o idioma dos mbas e dos phds, papeando casualmente sobre despesas de capital e margens com analistas de Wall Street em teleconferências de resultados trimestrais. Na maioria dos casos, essa nova geração de talentosos executivos era muito mais profissional que os químicos e físicos que haviam construído o Vale do Silício. Mas muitas vezes pareciam obsoletos em comparação com os gigantes que os precederam.

Uma era de apostas loucas em tecnologias impossíveis estava dando lugar a algo mais organizado, profissionalizado e racionalizado. Apostas em que se arriscava tudo foram substituídas pela gestão de risco calculada. Era difícil fugir da sensação de que algo havia se perdido naquele processo. Dos fundadores da indústria de chips, apenas Morris Chang tinha ficado, fumando seu cachimbo em seu escritório em Taiwan, um hábito que ele defendia como se fosse bom para sua saúde, ou pelo menos para seu humor. Nos anos 2000, até Chang começou a pensar em planejamento sucessório. Em 2005, aos 74 anos, deixou o cargo de CEO, embora continuasse sendo o presidente da TSMC. Logo não haveria mais ninguém que se lembrasse de trabalhar no laboratório ao lado de Jack Kilby ou de beber cerveja com Bob Noyce.

A troca da guarda no topo da indústria de chips acelerou a divisão da concepção e da fabricação de chips, com grande parte da fabricação internacionalizada. Cinco anos após Sanders ter se aposentado da AMD, a empresa anunciou que estava dividindo seus setores de concepção e fabricação de chips.[1] Wall Street aplaudiu, considerando que a nova AMD seria mais lucrativa sem as fábricas, que eram muito dispendiosas. A AMD transformou essas instalações em uma nova empresa que funcionaria como uma fundição como a TSMC, produzindo chips não só para a AMD, mas também para outros clientes. O braço de investimentos do governo de Abu Dhabi, Mubadala, tornou-se o principal investidor da nova fundição, uma posição inesperada para um país conhecido mais por hidrocarbonetos do que por alta tecnologia. O CFIUS, órgão do governo dos EUA que analisa compras de ativos estratégicos do exterior, permitiu a venda, julgando que não tinha implicações de segurança nacional. Mas o destino da capacidade de produção da AMD acabaria moldando a indústria de chips — e garantindo que a fabricação de chips mais avançada ocorresse no exterior.

A GlobalFoundries, como era conhecida essa nova empresa que herdou as fábricas da AMD, entrou em uma indústria que estava tão competitiva e implacável como nunca. A Lei de Moore marchou adiante pela década de 2000 e o início da de 2010, obrigando empresas fabricantes de chips com tecnologia de ponta a gastar quantias cada vez maiores na implantação de um processo de fabricação novo e mais avançado mais ou menos uma vez a cada dois anos. Chips para smartphones, PCs e servidores migraram rapidamente para cada novo "nó", aproveitando o aumento da capacidade de processamento e a diminuição do consumo de energia, pois os transistores eram compactados de forma mais densa. Cada transição de nó exigia um maquinário gradualmente mais dispendioso de produzir.

Durante muitos anos, cada geração de tecnologia de fabricação recebeu o nome do comprimento da porta do transistor, a parte do chip de silício cuja condutividade seria ligada e desligada, criando e interrompendo o circuito. O nó de 180 nanômetros foi pioneiro em 1999, seguido pelos de 130, 90, 65 e 45, com cada geração encolhendo transistores o suficiente para possibilitar que se entulhassem cerca de duas vezes mais na mesma área. Isso reduzia o consumo de energia por transistor, porque transistores menores precisavam de menos elétrons para fluir através deles.

Por volta do início da década de 2010, tornou-se inviável compactar mais os transistores ao encolhê-los bidimensionalmente. Um desafio era que, como os transistores encolhiam de acordo com a Lei de Moore, o comprimento estreito do canal condutor de vez em quando fazia com que a energia "vazasse" pelo circuito mesmo quando o interruptor estava desligado. Além disso, a camada de dióxido de silício que havia sobre cada transistor ficou tão fina que efeitos quânticos como "tunelamento" — saltar por barreiras que a física clássica diria que deveriam ser intransponíveis — começaram a afetar gravemente o desempenho dos transistores. Em meados da década de 2000, a camada de dióxido de silício que havia sobre cada transistor tinha a espessura de apenas uns dois átomos, pequena demais para formar uma cobertura sobre todos os elétrons que estavam no silício.

Para controlar melhor a movimentação dos elétrons, novos materiais e projetos de transistores eram necessários. Ao contrário do design bidimensional utilizado desde a década de 1960, o nó de 22 nanômetros introduziu um novo transistor tridimensional, intitulado FinFET, que posiciona as duas extremidades do circuito e do canal de material semicondutor que as conecta sobre um bloco, parecendo uma barbatana se projetando para fora pelas costas de uma baleia. O canal que conecta as duas extremidades do circuito pode, portanto, ter um campo elétrico aplicado não só a partir da parte de cima, como também das laterais da barbatana, aumentando o controle sobre os elétrons e superando a fuga de eletricidade que ameaçava o desempenho das novas gerações de minúsculos transistores. Essas estruturas tridimensionais em escala nanométrica foram fundamentais para a sobrevivência da Lei de Moore, mas eram assombrosamente difíceis de fazer, exigindo ainda mais precisão na deposição, na gravação e na litografia. Isso gerava incerteza em relação a se todas as principais empresas fabricantes de chips executariam perfeitamente a troca para arquiteturas FinFET ou se alguma poderia ficar para trás.

Quando a GlobalFoundries se estabeleceu como uma empresa independente em 2009, os analistas do setor achavam que ela estava bem posicionada para conquistar participação de mercado em meio a essa corrida rumo aos transistores tridimensionais. Até a TSMC estava preocupada, admitem os ex-executivos da empresa.[2] A GlobalFoundries havia herdado uma enorme fábrica na Alemanha e construía uma nova instalação com tecnologia de ponta em Nova York. Ao contrário de suas rivais, ela estaria fundamentando sua capacidade de produção mais avançada em economias avançadas, não na Ásia. A empresa tinha parceria com a IBM e com a Samsung para desenvolver tecnologia em conjunto, tornando mais simples para os clientes contratarem ou a GlobalFoundries ou a Samsung para produzir seus chips. Além disso, as empresas de concepção de chips sem fábrica estavam famintas por uma concorrente confiável para a TSMC, porque a gigante taiwanesa já tinha cerca de metade do mercado mundial de fundição.[3]

A única outra grande concorrente era a Samsung, cujo negócio de fundição tinha tecnologia quase comparável à da TSMC, embora a empresa possuísse uma capacidade de produção muito menor. Não obstante, surgiram complicações, porque uma parte da operação da Samsung envolvia a fabricação de chips que ela projetava internamente. Considerando que uma empresa como a TSMC fabrica chips para dezenas de clientes e se concentra de modo incansável em mantê-los satisfeitos, a Samsung tinha a própria linha de smartphones e outros produtos eletrônicos de consumo, então ela estava *concorrendo* com muitos de seus clientes. Essas empresas temiam que as ideias compartilhadas com a fundição de chips da Samsung pudessem acabar em outros produtos da Samsung. A TSMC e a GlobalFoundries não tiveram tais conflitos de interesses.

A troca para os transistores FinFET não foi o único choque para a indústria de chips que coincidiu com o estabelecimento da GlobalFoundries. A TSMC enfrentava problemas de fabricação significativos com seu processo de 40 nanômetros, dando à GlobalFoundries uma oportunidade de se diferenciar de sua grande rival.[4] Além disso, a crise financeira de 2008 e 2009 ameaçava submeter a indústria de chips a uma nova ordem. Os consumidores pararam de comprar eletrônicos, então as empresas de tecnologia pararam de encomendar chips. As compras de semicondutores caíram. Parecia um elevador caindo por um poço vazio, lembrou um executivo da TSMC.[5] Se alguma coisa poderia revolucionar a indústria de chips, era uma crise financeira global.

Contudo, Morris Chang não estava disposto a desistir do domínio do ramo de fundição. Ele havia sobrevivido a todos os ciclos da indústria desde que seu velho colega Jack Kilby inventara o circuito integrado. Ele tinha certeza de que aquela crise também acabaria terminando. Empresas que estavam sobrecarregadas seriam expulsas do mercado, deixando aquelas que investiram durante a crise posicionadas para agarrar a participação de mercado. Além disso, Chang foi um dos primeiros a perceber quanto os smartphones transformariam a computação — e, portanto, quanto também mudariam a indústria de chips. Os meios de comunicação se concentravam em jovens magnatas da tecnologia como Mark Zuckerberg, do Facebook, mas Chang, de 77 anos, tinha uma perspectiva que poucos poderiam igualar. Os dispositivos móveis representariam uma "mudança de jogo" para a indústria de chips, disse ele à *Forbes*, percebendo-os como o prenúncio de mudanças tão significativas como as que o PC produzira. Ele estava comprometido a ganhar a maior parte desse negócio, independentemente do que custasse.[6]

Chang percebeu que a TSMC poderia superar as rivais tecnologicamente porque era uma participante neutra em torno da qual outras empresas projetariam seus produtos. Ele chamou isso de "Grande Aliança" da TSMC, uma parceria de dezenas de empresas que projetam chips, comercializam propriedade intelectual, produzem materiais ou fabricam maquinário. Muitas dessas empresas concorrem entre si, mas, como nenhuma delas fabrica *wafers*, nenhuma concorre com a TSMC, que poderia, portanto, coordená-las, estabelecendo padrões que a maioria das outras empresas da indústria de chips concordaria em utilizar. Elas não tinham escolha, porque a compatibilidade com os processos da TSMC era fundamental para quase todas as empresas. Para empresas sem fábricas, a TSMC era sua fonte mais competitiva de serviços de fabricação. Para as de equipamentos e materiais, a TSMC costumava ser sua maior cliente. À medida que os smartphones começaram a decolar, aumentando a demanda por silício, Morris Chang estava sentado ao centro. "A TSMC sabe que é importante utilizar a inovação de todos", declarou Chang, "a nossa, a dos fabricantes de equipamentos, de nossos clientes e dos fornecedores de propriedade intelectual. Esse é o poder da Grande Aliança." As implicações financeiras disso foram profundas. "Os gastos combinados em P&D da TSMC e de seus dez maiores clientes", ele se gabava, "excedem os da Samsung e da Intel juntas." O antigo modelo de integração de concepção e fabricação enfrentaria dificuldades em competir quando o restante da indústria se unia em torno da TSMC.[7]

A posição da TSMC no centro do universo de semicondutores exigia que ela tivesse a capacidade de produzir chips para todos os seus maiores clientes. Fazer isso não sairia barato. Em meio à crise financeira, o sucessor escolhido a dedo por Chang, Rick Tsai, havia feito o que praticamente todos os CEOS fizeram — demitir funcionários e cortar despesas. Chang queria fazer o contrário. Para retomar a fabricação de chips de 40 nanômetros da empresa, foi necessário investir em pessoal e tecnologia. Tentar conquistar mais negócios de smartphones — sobretudo o do iPhone, da Apple, lançado em 2007 e que a princípio comprava seus principais chips da arquirrival da TSMC, a Samsung — exigia um investimento volumoso na capacidade de fabricação de chips. Chang enxergava os cortes de despesas de Tsai como uma postura derrotista. "Havia muito, muito pouco investimento", disse Chang a jornalistas posteriormente. "Sempre pensei que a empresa podia fazer mais [...]. Isso não aconteceu. Houve uma estagnação."[8]

Então, Chang demitiu seu sucessor e retomou o controle direto da TSMC.[9] O preço das ações da empresa caiu naquele dia, pois os investidores temiam que ele lançasse um arriscado programa de gastos com retornos incertos. Chang achava que o risco de verdade era aceitar o *status quo*. Ele não estava disposto a deixar uma crise financeira ameaçar a TSMC na corrida pela liderança do setor. Ele tinha um histórico de meio século na fabricação de chips, uma reputação que aprimorou desde meados da década de 1950. Portanto, no auge da crise, Chang recontratou os trabalhadores que o ex--CEO havia demitido e duplicou os investimentos em novas habilidades e em P&D. Ele anunciou diversos aumentos multibilionários nos gastos em 2009 e 2010, apesar da crise. Era melhor "ter capacidade demais do que faltar", declarou Chang.[10] Qualquer um que quisesse entrar no ramo de fundição enfrentaria toda a força da concorrência com a TSMC à medida que ela corria para capturar o mercado em expansão de chips para smartphones. "Estamos apenas no começo", declarou Chang em 2012 ao se lançar em sua sexta década no comando da indústria de semicondutores.[11]

38
O silício da Apple

A maior beneficiária da ascensão de fundições como a tsmc foi uma empresa que a maioria das pessoas nem percebe que projeta chips: a Apple. Contudo, a empresa que Steve Jobs construiu sempre se especializou em hardware, portanto não é surpresa que o desejo da Apple de aperfeiçoar seus dispositivos inclua o controle do silício por dentro. Desde seus primeiros dias na Apple, Steve Jobs dedicava-se a pensar na relação entre software e hardware. Em 1980, quando seus cabelos já quase chegavam aos ombros e o bigode cobria o lábio superior, Jobs deu uma palestra em que perguntou: "O que é software?".[1] "A única coisa em que consigo pensar", respondeu ele, "é que software é uma coisa que vem mudando rápido demais, ou você ainda não sabe exatamente o que quer, ou não teve tempo de fazer um hardware para isso."

Jobs não teve tempo de colocar todas as suas ideias no hardware do iPhone de primeira geração, que utilizava o próprio sistema operacional iOS da Apple, porém terceirizava a concepção e a produção de seus chips para a Samsung. O novo telefone revolucionário também tinha muitos outros chips: um chip de memória da Intel, um processador de áudio projetado pela Wolfson, um modem para conectar-se à rede de celulares produzido pela alemã Infineon, um chip bluetooth projetado pela csr e um amplificador de sinal da Skyworks, entre outros.[2] Todos foram projetados por outras empresas.

À medida que Jobs lançava novas versões do iPhone, começava a gravar sua visão do smartphone nos próprios chips de silício da Apple. Um ano após o lançamento do iPhone, a Apple comprou uma pequena empresa de projetos de chips do Vale do Silício chamada P.A. Semi, que tinha experiência em processamento com eficiência energética. Logo a Apple começou a contratar alguns dos melhores projetistas de chips da indústria. Dois anos depois, a empresa anunciou que havia projetado seu próprio processador de aplicativos, o A4, que foi utilizado no novo iPad e no iPhone 4.[3] Projetar chips complexos como os processadores que fazem smartphones funcionar sai caro, e é por isso que a maioria das empresas de smartphones de médio e pequeno portes compra chips já existentes no mercado de empresas como a Qualcomm. No entanto, a Apple investiu pesado em P&D e em instalações de projetos de chips na Baviera e em Israel, bem como no Vale do Silício, onde engenheiros projetam seus mais novos chips. Agora a Apple não só projeta os principais processadores para a maioria de seus dispositivos, como também projeta chips auxiliares que fazem funcionar acessórios como AirPods. Esse investimento em silício especializado explica por que os produtos da Apple funcionam tão sem problemas.[4] Quatro anos após o lançamento do iPhone, a Apple vinha obtendo mais de 60% de todos os lucros mundiais com a comercialização de smartphones, esmagando rivais como a Nokia e a BlackBerry e deixando as fabricantes de smartphones do Leste Asiático para competir no mercado de pequeno porte de telefones mais acessíveis financeiramente.[5]

Assim como a Qualcomm e as outras empresas fabricantes de chips que impulsionaram a revolução dos celulares, muito embora a Apple projete cada vez mais silício, ela não fabrica nenhum desses chips. A Apple é bastante conhecida por terceirizar a montagem de seus telefones, tablets e outros dispositivos para várias centenas de milhares de trabalhadores da linha de montagem na China, responsáveis por parafusar e colar suas minúsculas peças.[6] O ecossistema de instalações de montagem da China é o melhor lugar do mundo para montar dispositivos eletrônicos. Empresas taiwanesas, como a Foxconn e a Wistron, que administram essas instalações para a Apple na China, são singularmente capazes de produzir telefones, PCs e outros dispositivos eletrônicos. Embora as instalações de montagem de dispositivos eletrônicos em cidades chinesas como Dongguan e Zhengzhou sejam as mais eficientes do mundo, todavia não são insubstituíveis. O mundo ainda tem várias centenas de milhões de agricultores de subsistência que alegremente fixariam componentes a um iPhone por um dólar por hora. A Foxconn monta a maioria de seus produtos da Apple na China, mas também fabrica alguns no Vietnã e na Índia.[7]

Diferentemente dos trabalhadores da linha de montagem, os chips que existem dentro de smartphones são muito difíceis de substituir. À medida que os transistores encolhiam, ia ficando cada vez mais difícil fabricá-los. A quantidade de empresas fabricantes de semicondutores que podem produzir chips com tecnologia de ponta diminuiu. Em 2010, quando a Apple lançou seu primeiro chip, havia apenas um punhado de fundições com tecnologia de ponta: a TSMC de Taiwan, a Samsung da Coreia do Sul e — talvez — a GlobalFoundries, que dependeria da sua capacidade de conquistar participação de mercado. A Intel, que ainda era líder mundial na redução de transistores, continuava concentrada em fabricar os próprios chips para PCs e servidores em vez de fabricar processadores para telefones de outras empresas. Fundições chinesas como a SMIC tentavam alcançá-la, mas seguiam a anos de distância.

Com isso, a cadeia de suprimentos de smartphones parece muito diferente daquela associada aos PCs. Smartphones e PCs são montados em grande parte na China com componentes de alto valor projetados principalmente nos EUA, na Europa, no Japão ou na Coreia. No caso dos PCs, a maioria dos processadores vem da Intel e é produzida em uma das fábricas da empresa nos EUA, na Irlanda ou em Israel. Os smartphones são diferentes. São dispositivos repletos de chips, não só o processador principal (que a própria Apple projeta), mas chips de modem e de radiofrequência para conexão com redes de celulares, chips para conexões wi-fi e bluetooth, um sensor de imagem para a câmera, pelo menos dois chips de memória, chips que detectam movimento (para que o seu telefone saiba quando está na horizontal), bem como semicondutores que gerenciam a bateria, o áudio e o carregamento sem fio. Esses chips compõem a maior parte da lista de materiais necessários para fabricar um smartphone.

À medida que a capacidade de fabricação de semicondutores migrava para Taiwan e Coreia do Sul, o mesmo acontecia com a capacidade de produzir muitos desses chips. Os processadores de aplicativos, o cérebro eletrônico dentro de cada smartphone, são produzidos em sua maioria em Taiwan e na Coreia do Sul antes de serem enviados à China para a montagem final dentro da carcaça de plástico e da tela de vidro de um telefone. Os processadores do iPhone são fabricados exclusivamente em Taiwan. Hoje em dia, nenhuma empresa além da TSMC tem habilidade ou capacidade de produção para fabricar os chips de que a Apple precisa. Assim, o texto gravado na parte de trás de cada iPhone — "Projetado pela Apple na Califórnia. Montado na China" — é altamente enganoso. Os componentes mais insubstituíveis do iPhone são, de fato, projetados na Califórnia e montados na China. Mas só podem ser fabricados em Taiwan.

39

EUV

A APPLE NÃO é a única empresa do ramo de semicondutores com uma cadeia de suprimentos desconcertantemente complexa. No final da década de 2010, a ASML, empresa holandesa de litografia, havia passado praticamente duas décadas tentando fazer a litografia ultravioleta extrema funcionar. Fazer isso exigia vasculhar o mundo em busca dos componentes mais avançados, dos metais mais puros, dos lasers mais potentes e dos sensores mais precisos. A EUV foi uma das maiores apostas tecnológicas de nosso tempo. Em 2012, anos antes de a ASML produzir uma ferramenta funcional de EUV, a Intel, a Samsung e a TSMC haviam investido, cada uma, diretamente na ASML para garantir que a empresa tivesse o financiamento necessário para continuar a desenvolver ferramentas de EUV que suas futuras habilidades de fabricação de chips exigiriam. Só a Intel investiu 4 bilhões de dólares em 2012, uma das apostas de maior valor que a empresa já fez, um investimento que se seguiu a bilhões de dólares de concessões e investimentos anteriores que a Intel havia gastado em EUV, remontando à era de Andy Grove.[1]

A ideia por trás das ferramentas de litografia de EUV pouco mudou desde que a Intel e um consórcio de outras empresas fabricantes de chips deram a vários laboratórios nacionais dos EUA "o que parecia ser dinheiro infinito para resolver um problema impossível", como descreveu um dos cientistas que trabalharam no projeto.[2] O conceito permaneceu praticamente o mesmo do microscópio invertido de Jay Lathrop: criar um padrão de ondas de luz utilizando uma "máscara" para bloquear parte da luz e depois projetar a luz em produtos químicos fotorresistentes aplicados a um *wafer* de silício. A luz reage com os fotorresistentes, possibilitando a deposição de material ou sua gravação em formatos perfeitamente modelados, produzindo um chip operacional.

Lathrop havia utilizado uma luz visível simples e fotorresistentes já existentes no mercado produzidos pela Kodak. Utilizando lentes e produtos químicos mais complexos, aquilo acabou possibilitando a impressão em formatos tão minúsculos quanto algumas centenas de nanômetros em *wafers* de silício. O comprimento de onda da luz visível tem, por si só, diversas centenas de nanômetros dependendo da cor, então ele acabou enfrentando limites à medida que os transistores foram ficando cada vez menores. Mais tarde a indústria passou a utilizar diferentes tipos de luz ultravioleta com comprimentos de onda de 248 e 193 nanômetros. Esses comprimentos de onda podiam esculpir formatos mais precisos que a luz visível, mas também tinham limites, então a indústria colocou suas esperanças na luz ultravioleta extrema com um comprimento de onda de 13,5 nanômetros.

A utilização da luz EUV introduziu novas dificuldades que se mostraram quase impossíveis de resolver. Onde Lathrop utilizou um microscópio, luz visível e fotorresistentes produzidos pela Kodak, todos os principais componentes de EUV tiveram de ser especialmente criados. Não é possível simplesmente comprar uma lâmpada de EUV. Produzir a quantidade suficiente de luz EUV exige a pulverização de uma pequena bola de estanho com um laser. A Cymer, empresa fundada por dois especialistas em laser da Universidade da Califórnia, em San Diego, havia sido uma participante importante em fontes de luz litográfica desde a década de 1980. Os engenheiros da empresa perceberam que a melhor abordagem era atirar uma pequena bola de estanho de trinta milionésimos de metro de largura movimentando-se por um vácuo a uma velocidade de cerca de 320 quilômetros por hora. O estanho é, então, alvejado duas vezes com um laser, sendo o primeiro pulso para aquecê-lo e o segundo para explodi-lo em um plasma com uma temperatura de cerca de meio milhão de graus, muitas vezes mais quente que a superfície do Sol.

Esse processo de explodir estanho é repetido 50 mil vezes por segundo para produzir luz EUV nas quantidades necessárias para fabricar chips. O processo de litografia de Jay Lathrop dependia de uma simples lâmpada como fonte de luz. O aumento da complexidade desde então foi impressionante.

Entretanto, a fonte de luz da Cymer só funcionava graças a um novo laser capaz de pulverizar as gotículas de estanho com energia suficiente. Isso exigia um laser baseado em dióxido de carbono mais potente que qualquer um que já existia. No verão de 2005, dois engenheiros da Cymer abordaram uma empresa alemã de ferramentas de precisão chamada Trumpf para ver se ela conseguiria fabricar um laser desse tipo. A Trumpf já fabricava os melhores lasers à base de dióxido de carbono do mundo para aplicações industriais como corte de precisão. Esses lasers eram monumentos de usinagem na melhor tradição industrial alemã. Como cerca de 80% da energia produzida por um laser de dióxido de carbono é de calor e apenas 20% é de luz, extrair calor da máquina é um desafio fundamental. A Trumpf já havia desenvolvido um sistema de insufladores com ventoinhas que giravam mil vezes por segundo, rápido demais para depender de rolamentos físicos. Em vez disso, a empresa aprendeu a utilizar ímãs, de modo que as ventoinhas flutuavam no ar, sugando o calor do sistema de lasers sem se desgastar chocando-se com outros componentes e comprometendo a confiabilidade.[3]

A Trumpf tinha uma reputação e um histórico de fornecer a precisão e a confiabilidade de que a Cymer precisava. E potência? Conseguiria entregar? Os lasers para EUV precisavam ser significativamente mais potentes que os lasers que a Trumpf já produzia. Além disso, a precisão exigida pela Cymer era mais minuciosa que qualquer coisa com a qual a Trumpf já havia trabalhado. A empresa propôs um laser com quatro componentes: dois lasers "fonte" que são de baixa potência, mas cronometram cada pulso com precisão, de modo que o laser possa atingir 50 milhões de gotas de estanho por segundo; quatro ressonadores que aumentam a potência do feixe; um "sistema de transporte de feixes" ultrapreciso que direciona o feixe ao longo de trinta metros rumo à câmara de gotículas de estanho; e um dispositivo de focagem final para garantir que o laser consiga um impacto direto milhões de vezes por segundo.[4]

Cada etapa exigia mais inovações. Os gases especializados na câmara do laser tinham de ser mantidos em densidades constantes. As próprias gotículas de estanho refletiam a luz, que ameaçava voltar ao laser e interferir no sistema; para evitar isso, foi necessária uma óptica especial. A empresa precisava de diamantes industriais para fornecer as "janelas" pelas quais o laser saía da câmara e teve de trabalhar com parceiros para desenvolver novos diamantes ultrapuros. A Trumpf levou uma década para dominar esses desafios e produzir lasers com potência e confiabilidade suficientes. Cada um exigia exatamente 457.329 componentes.[5]

Depois que a Cymer e a Trumpf encontraram uma maneira de explodir o estanho para que emitisse luz EUV suficiente, o passo seguinte foi criar espelhos que coletassem a luz e a direcionassem para um chip de silício. A Zeiss, empresa alemã que fabrica os sistemas ópticos mais avançados do mundo, já fabricava espelhos e lentes para sistemas de litografia desde os dias de Perkin Elmer e a GCA. A diferença entre a óptica utilizada no passado e aquela exigida pela EUV, no entanto, era tão grande quanto o contraste entre a lâmpada de Lathrop e o sistema de explosão de gotículas de estanho da Cymer.

O principal desafio da Zeiss foi que a EUV é difícil de refletir. O comprimento de onda de 13,5 nanômetros da EUV está mais próximo dos raios X que da luz visível, e, como é o caso dos raios X, muitos materiais absorvem a EUV em vez de refleti-la. A Zeiss começou a desenvolver espelhos feitos com cem camadas alternadas de molibdênio e silício, nos quais cada camada tinha alguns nanômetros de espessura. Pesquisadores do Lawrence Livermore National Lab identificaram isso como um espelho ideal de EUV em um artigo publicado em 1998, mas fabricar esse espelho com precisão em escala nanométrica provou-se quase impossível.[6] Por fim, a Zeiss criou espelhos que eram os objetos mais lisos já feitos, com impurezas quase imperceptíveis. Se os espelhos de um sistema de EUV tivessem o tamanho da Alemanha, disse a empresa, suas maiores irregularidades seriam um décimo de milímetro. Para direcionar a luz EUV com precisão, eles devem ser mantidos perfeitamente imóveis, exigindo mecânica e sensores tão exatos, que a Zeiss se gabava de que poderiam ser utilizados para apontar um laser e acertar uma bola de golfe tão longe quanto a Lua.[7]

Para Frits van Houts, que assumiu a liderança dos negócios de EUV da ASML em 2013, a contribuição mais importante para um sistema de litografia de EUV não era nenhum componente individual, mas a própria habilidade da empresa no gerenciamento da cadeia de suprimentos. A ASML concebia essa rede de relacionamentos comerciais "como uma máquina", explicou Van Houts, produzindo um sistema bem ajustado de vários milhares de empresas capaz de atender às minuciosas exigências da ASML.[8] A própria ASML produzia apenas 15% dos componentes de uma ferramenta de EUV, ele estimou, e comprava o restante de outras empresas. Isso possibilitou que ela acessasse os produtos mais refinados do mundo, mas também exigia vigilância constante.

A empresa não tinha escolha a não ser confiar em uma única fonte para os principais componentes de um sistema EUV. Para gerenciar isso, a ASML se aprofundou nos fornecedores de seus fornecedores para entender os riscos. A ASML recompensava determinados fornecedores com investimentos, como o 1 bilhão de dólares que pagou à Zeiss em 2016 para financiar o processo de P&D desta empresa.[9] Contudo, cobrava de todos eles padrões exigentes. "Se você não se comportar, vamos comprar você", disse o CEO da ASML, Peter Wennink, a um fornecedor.[10] Não foi brincadeira: a ASML acabou comprando vários fornecedores, inclusive a Cymer, depois de concluir que poderia administrá-los melhor por conta própria.

O resultado foi uma máquina com centenas de milhares de componentes que levou dezenas de bilhões de dólares e várias décadas para ser desenvolvida. O milagre não é simplesmente a litografia de EUV funcionar, mas funcionar de maneira confiável o suficiente para produzir chips com boa relação custo-benefício. A confiabilidade extrema era crucial para qualquer componente que fosse colocado no sistema EUV. A ASML havia estabelecido uma meta para que cada componente durasse em média pelo menos 30 mil horas — cerca de quatro anos — antes de precisar de reparo.[11] Na prática, os reparos seriam necessários com mais frequência, porque não é toda peça que quebra ao mesmo tempo. Cada máquina de EUV custa mais de 100 milhões de dólares, então, cada hora que uma fica desligada custa aos fabricantes de chips milhares de dólares em produção perdida.

As ferramentas de EUV funcionam em parte porque seu software funciona. A ASML utiliza algoritmos de manutenção preditiva para supor quando os componentes precisam ser trocados antes de quebrarem, por exemplo. Também utiliza um software para um processo chamado litografia computacional para imprimir padrões com mais exatidão. A imprevisibilidade em nível atômico na reação das ondas de luz com produtos químicos fotorresistentes criou novos problemas com a EUV que praticamente não existiam com a litografia de comprimento de onda maior. Para ajustar as anomalias na refração da luz, as ferramentas da ASML projetam a luz em um padrão diferente daquele que as fabricantes de chips querem imprimir em um chip. A impressão de um X exige que se utilize um padrão com um formato muito diferente, mas que acaba criando um X quando as ondas de luz atingem o *wafer* de silício.[12]

O produto final — chips — funciona de forma tão confiável porque possui apenas um único componente: um bloco de silício coberto com outros metais. Não há peças móveis em um chip, a menos que se contem os elétrons que circulam dentro dele. A produção de semicondutores avançados, no entanto, dependeu de algumas das máquinas mais complexas já feitas. A ferramenta de litografia de EUV da ASML é a máquina-ferramenta produzida em massa mais cara da história, tão complexa que é impossível utilizá-las em um treinamento extensivo do pessoal da ASML, que permanece no local por toda a vida útil da ferramenta. Cada escâner de EUV possui um logotipo da ASML na lateral. Mas a perícia da ASML, a empresa admite prontamente, era sua capacidade de orquestrar uma ampla rede de especialistas em óptica, projetistas de softwares, empresas de laser e muitos outros cujas habilidades eram necessárias para tornar realidade o sonho da EUV.

É fácil lamentar a internacionalização da fabricação, como Andy Grove fez durante os últimos anos de sua vida. O fato de uma empresa holandesa, a ASML, ter comercializado uma tecnologia pioneira no National Labs dos EUA e amplamente financiada pela Intel teria, sem dúvida, irritado os nacionalistas econômicos dos EUA se algum deles tivesse tomado conhecimento da história da litografia ou da tecnologia de EUV. Ainda assim, as ferramentas de EUV da ASML não eram de fato holandesas, embora fossem amplamente montadas na Holanda. Componentes cruciais vinham da Cymer, na Califórnia, e da Zeiss e da Trumpf, na Alemanha. E mesmo essas empresas alemãs dependiam de peças críticas de equipamentos produzidos nos EUA.[13] A questão é que, em vez de um único país poder reivindicar o orgulho da propriedade dessas ferramentas milagrosas, elas são o produto de muitos países. Uma ferramenta com centenas de milhares de peças tem muitos pais.

"Será que vai dar certo?", Andy Grove perguntara a John Carruthers antes de investir seus primeiros 200 milhões de dólares em EUV. Após três décadas de investimentos, bilhões de dólares, uma série de inovações tecnológicas e o estabelecimento de uma das cadeias de suprimentos mais complexas do mundo, em meados da década de 2010, as ferramentas de EUV da ASML estavam finalmente preparadas para serem implantadas nas fábricas de chips mais avançadas do mundo.

40
"Não há plano B"

Em 2015, perguntaram a Tony Yen o que aconteceria se a nova ferramenta de litografia com luz ultravioleta extrema que a ASML estava desenvolvendo não funcionasse. Yen havia passado os 25 anos anteriores trabalhando na vanguarda da litografia. Em 1991, recém-saído do MIT, ele foi contratado pela Texas Instruments, onde mexeu em uma das últimas ferramentas de litografia que a GCA produziu antes de falir. Então, entrou para a TSMC no final da década de 1990, à época em que as ferramentas de litografia ultravioleta profunda, que produziam luz com um comprimento de onda de 193 nanômetros, estavam entrando em operação. Por quase duas décadas, a indústria dependeu dessas ferramentas para fabricar transistores cada vez menores, utilizando uma série de truques ópticos como lançar luz através de água ou de várias máscaras para permitir que ondas de luz de 193 nanômetros modelassem formatos em uma fração do tamanho. Esses truques mantiveram viva a Lei de Moore, pois a indústria de chips encolheu transistores desde o nó de 180 nanômetros no final da década de 1990 até os estágios iniciais dos chips FinFET tridimensionais, que estavam prontos para fabricação em massa em meados da década de 2010.

Todavia, não eram muitos os truques ópticos que poderiam ajudar a luz de 193 nanômetros a esculpir produtos menores. Cada nova solução alternativa significava mais demora e custava dinheiro. Em meados da década de 2010, talvez até fosse possível obter algumas melhorias a mais, mas a Lei de Moore precisava de melhores ferramentas de litografia para esculpir formatos menores. A única esperança era que as ferramentas de litografia de EUV extremamente atrasadas, que estavam em desenvolvimento desde o início da década de 1990, pudessem enfim ser colocadas para funcionar em escala comercial. Qual era a alternativa? "Não há plano B", Yen sabia.[1]

Morris Chang apostou mais pesado na EUV que qualquer outra pessoa na indústria de semicondutores. A equipe de litografia da empresa estava dividida em relação a se as ferramentas de EUV estavam preparadas para fabricação em massa, mas Shang-yi Chiang, o engenheiro de fala mansa que chefiou a P&D da TSMC e amplamente creditado pela tecnologia de fabricação de alto nível da empresa, estava convencido de que a EUV era o único caminho a seguir. Chiang nasceu em Xunquim, onde, assim como Morris Chang, sua família fugira dos exércitos japoneses durante a Segunda Guerra Mundial. Ele cresceu em Taiwan antes de estudar engenharia elétrica em Stanford e conseguir empregos na Texas Instruments, no Texas, e depois na HP, no Vale do Silício. Quando a TSMC ligou do nada com uma oferta de emprego — e uma quantia enorme de luvas —, ele voltou para Taiwan em 1997 para ajudar a construir a empresa. Em 2006, ele tentou se aposentar na Califórnia, mas, quando a TSMC enfrentou um atraso em seu processo de fabricação de 40 nanômetros em 2009, um frustrado Morris Chang ordenou que Chiang retornasse a Taiwan e, durante uma refeição com sopa de macarrão e carne, pediu que ele assumisse mais uma vez a responsabilidade de administrar a P&D.

Após ter trabalhado no Texas e na Califórnia, assim como em Taiwan, Chiang sempre ficava impressionado com a ambição e a ética de trabalho que impulsionavam a TSMC. A ambição se originava da visão de Morris Chang de tecnologia de ponta, evidente em sua disposição de gastar muito dinheiro expandindo a equipe de P&D da TSMC de 120 pessoas em 1997 para 7 mil em 2013. Essa ânsia estava presente na empresa como um todo. "As pessoas trabalhavam com muito mais afinco em Taiwan", explicou Chiang. Como as ferramentas de fabricação representam grande parte do custo de uma fábrica avançada, manter o equipamento em operação é fundamental para a lucratividade. Nos EUA, disse Chiang, se algo quebrasse à uma da manhã, o engenheiro consertaria na manhã seguinte. Na TSMC, eles consertariam às duas da manhã. "Eles não reclamam", explicou ele, e "a cônjuge da pessoa também não."[2] Com Chiang de volta ao comando da P&D, a TSMC avançou rumo à EUV. Ele não teve dificuldade em encontrar funcionários para trabalhar a noite toda. Solicitou que três escâneres de EUV para teste fossem construídos no meio de uma das maiores instalações da empresa, a Fab 12, e, na parceria da empresa com a ASML, não poupou despesas com testes e melhorias nas ferramentas de EUV.[3]

Assim como a TSMC, a Samsung e a Intel, a GlobalFoundries considerava adotar a EUV enquanto se preparava para seu próprio nó de 7 nanômetros. Desde sua criação, a GlobalFoundries sabia que precisava crescer para prosperar. A empresa havia herdado as fábricas da AMD, mas era muito menor que suas rivais. Para crescer, a GlobalFoundries comprou a Chartered Semiconductor, uma fundição com sede em Cingapura, em 2010.[4] Vários anos depois, em 2014, comprou o ramo de microeletrônica da IBM, prometendo produzir chips para a Big Blue, que havia decidido se tornar uma empresa sem fábricas pelo mesmo motivo que a AMD. Os executivos da IBM costumavam compartilhar uma imagem do ecossistema de computação: uma pirâmide invertida com semicondutores na parte inferior, dos quais todas as outras computações dependiam.[5] Entretanto, embora a IBM tivesse desempenhado um papel fundamental no crescimento do ramo de semicondutores, seus líderes concluíram que fabricar chips não fazia nenhum sentido financeiro. Diante de uma decisão de investir bilhões para construir uma nova fábrica avançada, ou bilhões em softwares de margem elevada, eles escolheram o último e venderam sua divisão de chips para a GlobalFoundries.[6]

Em 2015, graças a essas aquisições, a GlobalFoundries era, de longe, a maior fundição dos EUA e uma das maiores do mundo, mas ainda era pequena em comparação com a TSMC. A GlobalFoundries concorreu com a UMC, de Taiwan, pelo papel de segunda maior fundição do mundo, com cada empresa tendo cerca de 10% do mercado mundial de fundição.[7] Contudo, a TSMC tinha mais de 50% desse mercado. A Samsung tinha apenas 5% do mercado de fundição em 2015, mas produzia mais *wafers* que qualquer um quando se incluía sua vasta produção de chips projetados internamente (por exemplo, chips de memória e chips para processadores de smartphones). Medida em milhares de *wafers* por mês — o padrão da indústria —, a TSMC tinha a capacidade de produzir 1,8 milhão, enquanto a da Samsung era de 2,5 milhões. A da GlobalFoundries era de apenas 700 mil.[8]

TSMC, Intel e Samsung, sem dúvida adotariam a EUV, embora tivessem estratégias diferentes com relação a quando e como adotá-la. A GlobalFoundries estava menos confiante. A empresa havia enfrentado dificuldades com seu processo de 28 nanômetros. Para reduzir o risco de atrasos, decidiram licenciar seu processo de 14 nanômetros da Samsung em vez de desenvolvê-lo internamente, uma decisão que não sugeria confiança em seus esforços de P&D.[9]

Em 2018, a GlobalFoundries comprara várias ferramentas de litografia de EUV e as instalava em sua fábrica mais avançada, a Fab 8, quando os executivos da empresa ordenaram que parassem aquele trabalho. O programa de EUV estava sendo cancelado.[10] A GlobalFoundries desistia da produção de novos nós com tecnologia de ponta. Não iria atrás de um processo de 7 nanômetros baseado em litografia de EUV, que já havia custado 1,5 bilhão de dólares em desenvolvimento e exigiria uma quantidade comparável de gastos adicionais para ser colocado em operação. TSMC, Intel e Samsung tinham posições financeiras fortes o suficiente para lançar os dados e torcer para que conseguissem fazer a EUV funcionar. A GlobalFoundries decidiu que, em sua condição de fundição de médio porte, nunca poderia viabilizar financeiramente um processo de 7 nanômetros. A empresa anunciou que deixaria de fabricar transistores cada vez menores, cortou os gastos com P&D em um terço e não demorou a obter lucro após vários anos de prejuízos. Fabricar processadores com tecnologia de ponta era caro demais para todos, exceto para as maiores empresas fabricantes de chips do mundo. Mesmo os cofres abarrotados da realeza do Golfo Pérsico que era proprietária da GlobalFoundries não eram abarrotados o suficiente. A quantidade de empresas capazes de fabricar chips lógicos com tecnologia de ponta caiu de quatro para três.

41
Como a Intel esqueceu a inovação

Pelo menos os eua podiam contar com a Intel. A empresa tinha uma posição sem paralelos na indústria de semicondutores. A antiga liderança havia muito tinha ido embora — Andy Grove morreu em 2016, e Gordon Moore, agora na casa dos noventa, aposentou-se no Havaí —, mas a reputação de ter comercializado a Dram e inventado o microprocessador permaneceu. Nenhuma empresa tinha um histórico melhor em combinar projetos inovadores de chips com proeza em fabricação. A arquitetura x86 da Intel permanecia sendo o padrão da indústria para pcs e data centers. O mercado de pcs estava estagnado, porque parecia que praticamente todo mundo já tinha um pc, mas continuava sendo muitíssimo lucrativo para a Intel, fornecendo bilhões de dólares por ano que poderiam ser reinvestidos em P&D. A empresa gastou mais de 10 bilhões de dólares por ano em P&D na década de 2010, quatro vezes mais que a tsmc e três vezes mais que todo o orçamento da Darpa. Apenas duas empresas no mundo gastaram mais.

À medida que a indústria de chips entrava na era da euv, a Intel parecia pronta para dominar. A empresa fora crucial para o surgimento da euv, graças à aposta inicial de 200 milhões de dólares de Andy Grove na tecnologia no início da década de 1990. Agora, depois de bilhões de dólares de investimentos — investimentos esses que tiveram uma parte substancial proveniente da Intel —, a ASML enfim havia tornado a tecnologia uma realidade. Entretanto, em vez de capitalizar nessa nova era de transistores cada vez menores, a Intel desperdiçou sua liderança, ficando de fora de grandes mudanças na arquitetura de semicondutores necessária para a inteligência artificial e, depois, arruinando seus processos de fabricação e fracassando em manter-se a par com a Lei de Moore.

A Intel segue sendo extremamente lucrativa hoje em dia. Ainda é a maior e mais avançada fabricante de chips dos EUA. No entanto, seu futuro está mais em dúvida do que em qualquer momento desde a decisão de Grove na década de 1980 de abandonar a memória e apostar tudo em microprocessadores. Ela ainda tem chance de recuperar sua posição de liderança ao longo da próxima meia década, mas também pode, tão facilmente quanto, acabar extinta. O que está em jogo não é só uma empresa, mas o futuro da indústria de fabricação de chips dos EUA. Sem a Intel, não haverá uma única empresa dos EUA — ou uma única instalação fora de Taiwan ou da Coreia do Sul — capaz de fabricar processadores com tecnologia de ponta.

A Intel entrou na década de 2010 como uma forasteira no Vale do Silício. Grande parte das maiores empresas dos EUA do mercado de chips lógicos, incluindo a arquirrival da Intel, AMD, havia vendido suas fábricas e se concentrado apenas nos projetos. A Intel agarrou-se com teimosia a seu modelo integrado — combinando concepção e fabricação de semicondutores em uma única empresa —, que os executivos de lá achavam que ainda era a melhor maneira de produzir chips. Os processos de concepção e fabricação da empresa eram otimizados um para o outro, os líderes da Intel argumentavam. A TSMC, por outro lado, não teve escolha a não ser adotar processos genéricos de fabricação que poderiam funcionar da mesma maneira para um processador de smartphone da Qualcomm e para um chip de servidor da AMD.

A Intel acertou em perceber algumas vantagens de um modelo integrado, mas havia desvantagens significativas. Como a TSMC produz chips para muitas empresas diferentes, no momento fabrica quase o triplo de *wafers* de silício por ano que a Intel, então tem mais chances de aprimorar seu processo.[1] Além disso, se a Intel via as startups de projetos de chips como uma ameaça, a TSMC via clientes em potencial para serviços de fabricação. Como a TSMC tinha apenas uma única proposta de valor — fabricação eficaz —, sua liderança se concentrava incansavelmente na fabricação de semicondutores cada vez mais avançados a um custo menor. Os líderes da Intel tinham de dividir sua atenção entre o projeto de chips e sua fabricação. Acabaram arruinando os dois.

O primeiro problema da Intel foi a inteligência artificial. No início da década de 2010, o principal mercado da empresa — fornecer processadores para PCs — estava estagnado. Hoje em dia, além dos usuários que montam seus computadores para jogos on-line, quase ninguém moderniza seu PC com entusiasmo quando um novo modelo é lançado, e a maioria das pessoas não pensa muito sobre qual tipo de processador há em seu interior. O outro principal mercado da Intel — a comercialização de processadores para servidores de data centers — explodiu ao longo da década de 2010. Amazon Web Services, Microsoft Azure, Google Cloud e outras empresas construíram redes de vastos data centers, que forneciam a capacidade de computação que possibilitava "a nuvem". A maioria dos dados que utilizamos na internet é processada em um dos data centers dessas empresas, todos eles repletos de chips da Intel. No entanto, no início da década de 2010, assim que a Intel concluiu sua conquista do data center, as exigências de processamento começaram a mudar. A nova tendência era a inteligência artificial — uma tarefa para a qual os principais chips da empresa eram mal projetados.

Desde a década de 1980, a Intel se especializou em um tipo de chip chamado CPU, uma unidade central de processamento, do qual um microprocessador em um PC é um exemplo. Esses são os chips que servem como o "cérebro" de um computador ou data center. São burros de carga de uso geral, igualmente capazes de abrir um navegador de internet ou fazer funcionar o Microsoft Excel. Eles podem realizar muitos tipos diferentes de cálculos, o que os torna versáteis, mas fazem esses cálculos em série, um após o outro.

É possível rodar qualquer algoritmo de inteligência artificial em uma CPU de uso geral, mas a escala de computação necessária para a inteligência artificial torna a utilização de CPUs uma coisa proibitiva de tão dispendiosa do ponto de vista financeiro. O custo de *treinar* um único modelo de inteligência artificial — os chips que ela utiliza e a eletricidade que consome — pode chegar a milhões de dólares.[2] (Para *treinar* um computador para reconhecer um gato, é necessário mostrar muitos gatos e cachorros para que ele aprenda a diferenciar os dois. Quanto mais animais seu algoritmo exigir, de mais transistores você vai precisar.)

Como a carga de trabalho da inteligência artificial em geral exige a execução do mesmo cálculo repetidamente utilizando dados diferentes a cada vez, encontrar uma maneira de personalizar os chips para algoritmos de inteligência artificial é essencial para torná-los economicamente viáveis. Grandes empresas de computação em nuvem como Amazon e Microsoft, que operam os data centers em que a maioria dos algoritmos das empresas rodam, gastam dezenas de bilhões de dólares anualmente comprando chips e servidores. Também gastam muito dinheiro fornecendo eletricidade para esses data centers. Extrair eficiências de seus chips é uma necessidade, pois elas concorrem para vender espaço em sua "nuvem" para as empresas. Chips otimizados para inteligência artificial podem funcionar mais rápido, ocupar menos espaço em data centers e utilizar menos energia que CPUs de uso geral da Intel.

No início da década de 2010, a Nvidia — a empresa projetista de chips gráficos — começou a ouvir boatos de que alunos de doutorado de Stanford utilizavam suas unidades de processamento de gráficos (GPUs) para coisas que não eram gráficos. As GPUs eram projetadas para funcionar de maneira diferente das CPUs padrão da Intel ou da AMD, que são infinitamente flexíveis, mas executam todos os seus cálculos um após o outro. As GPUs, por outro lado, são projetadas para rodar várias iterações do mesmo cálculo de uma só vez. Esse tipo de "processamento paralelo", logo ficou claro, tinha aplicações para além do controle de pixels de imagens em jogos de computador. Também poderia treinar sistemas de inteligência artificial com eficiência. Onde uma CPU alimentaria um algoritmo com muitos dados, um após o outro, uma GPU poderia processar vários dados ao mesmo tempo. Para aprender a reconhecer imagens de gatos, uma CPU processaria pixel após pixel, enquanto uma GPU poderia "olhar" vários pixels de uma só vez. Assim, o tempo necessário para treinar um computador para reconhecer gatos diminuiu de forma drástica.

Desde então, a Nvidia apostou seu futuro na inteligência artificial. Desde sua fundação, a empresa terceirizava sua fabricação, em grande parte para a TSMC, e se concentrava incansavelmente em projetar novas gerações de GPUs e lançar aprimoramentos frequentes para sua linguagem de programação especial chamada Cuda, que simplifica o desenvolvimento de programas que utilizam os chips da Nvidia. À medida que os investidores apostavam que os data centers exigiriam cada vez mais GPUs, a Nvidia ia se tornando a empresa de fabricação de semicondutores mais valiosa dos EUA.[3]

Contudo, sua ascensão não é garantida, porque, além de comprar chips da Nvidia, as grandes empresas de nuvem — Google, Amazon, Microsoft, Facebook, Tencent, Alibaba e outras — também começaram a projetar seus próprios chips, especializados para suas necessidades de processamento, com foco em inteligência artificial e aprendizagem de máquina. Por exemplo, a Google projetou seus próprios chips chamados de unidades de processamento Tensor (TPUs), otimizados para serem utilizados com a biblioteca de softwares TensorFlow, da Google. É possível alugar a utilização da TPU mais simples da Google em seu data center de Iowa por 3 mil dólares por mês, mas os preços de TPUs mais potentes podem chegar a mais de 100 mil dólares mensais.[4] A nuvem pode parecer etérea, mas o silício em que vivem todos os nossos dados é muito real — e muito dispendioso financeiramente.

Seja a Nvidia ou as grandes empresas de nuvem que estão vencendo, o quase monopólio da Intel nas vendas de processadores para data centers está chegando ao fim. Perder essa posição de domínio teria sido menos problemático se a Intel tivesse descoberto novos mercados. Todavia, a incursão da empresa no ramo da fundição em meados da década de 2010, quando tentou concorrer cabeça a cabeça com a TSMC, foi um fracasso. A Intel tentou abrir suas linhas de fabricação para qualquer cliente que estivesse buscando serviços de fabricação de chips, admitindo com discrição que o modelo de concepção e fabricação integradas não era nem de perto tão bem-sucedido quanto proclamavam os executivos da companhia. A empresa tinha todos os ingredientes para se tornar uma grande participante da fundição, incluindo tecnologia avançada e intensa capacidade de produção, mas o sucesso exigiria uma grande mudança cultural. A TSMC era aberta com a propriedade intelectual, mas a Intel era fechada e secreta. A TSMC era direcionada para serviços, enquanto a Intel achava que os clientes deveriam seguir as próprias regras. A TSMC não concorria com seus clientes, pois não projetava nenhum chip. A Intel era a gigante da indústria cujos chips concorriam com quase todo mundo.

Brian Krzanich, que foi o CEO da Intel de 2013 a 2018, dizia para quem quisesse ouvir: "estou praticamente comandando nosso ramo de fundição nos últimos anos", e descreveu o esforço como "estrategicamente importante".[5] Mas não parecia assim para os clientes, que achavam que a empresa não conseguiu colocar os clientes de fundição em primeiro lugar. Dentro da Intel, o ramo de fundição não era tratado como prioridade. Comparado à fabricação de chips para PCs e data centers — que continuaram sendo ramos muito lucrativos —, o novo empreendimento de fundição tinha pouco apoio interno.[6] Assim, o ramo de fundição da Intel conquistou apenas um único cliente importante enquanto estava em operação na década de 2010. Foi fechado depois de apenas alguns anos.[7]

À medida que a empresa se aproximava de seu cinquentenário em 2018, a decadência já era uma realidade. A participação de mercado da Intel estava encolhendo. A burocracia era estupidificante. A inovação acontecia em outros lugares. A gota d'água foi o fato de a Intel ter arruinado a Lei de Moore, pois a empresa enfrentava uma série de atrasos nas melhorias planejadas em seu processo de fabricação, os quais ela ainda enfrenta dificuldades para corrigir. Desde 2015, a Intel vem sempre anunciando atrasos em seus processos de fabricação de 10 e 7 nanômetros, mesmo com os avanços reconhecidos da TSMC e da Samsung.

A empresa se esforçou pouco para explicar o que deu errado.[8] A Intel já passou meia década anunciando atrasos "temporários" de fabricação, cujos detalhes técnicos são obscurecidos pelo sigilo dos contratos de confidencialidade dos funcionários. A maioria das pessoas no setor acha que muitos dos problemas da empresa decorrem da adoção tardia de ferramentas de EUV pela Intel.[9] Em 2020, metade de todas as ferramentas de litografia de EUV, financiadas e fomentadas pela Intel, foram instaladas na TSMC.[10] Por outro lado, a Intel mal havia começado a utilizar a EUV em seu processo de fabricação.

No final da década, apenas duas empresas podiam fabricar os processadores mais avançados, a TSMC e a Samsung. E, no que dizia respeito aos EUA, ambas eram problemáticas pelo mesmo motivo: sua localização. Agora, toda a produção mundial de processadores avançados ocorria em Taiwan e na Coreia — que ficavam pertinho do litoral da emergente concorrente estratégica dos EUA: a República Popular da China.

PARTE VII
O desafio da China

42

FABRICADO NA CHINA

"SEM A SEGURANÇA cibernética não existe segurança nacional", declarou Xi Jinping, secretário-geral do Partido Comunista Chinês, em 2014, "e sem informatização não existe modernização."[1] Filho de um dos primeiros líderes do Partido Comunista da China, Xi estudou engenharia na faculdade antes de galgar os quadros da política chinesa graças ao seu jeitão camaleônico de parecer ser qualquer coisa que uma determinada plateia achasse que queria. Para os nacionalistas chineses, seu programa de um "Sonho Chinês" prometia rejuvenescimento nacional e uma posição de grande potência. Para as empresas, ele prometia uma reforma econômica. Alguns estrangeiros até o viam como um democrata enrustido, com a revista norte-americana *New Yorker* declarando logo após ele assumir o poder que Xi era "um líder que percebe que a China deve realizar uma reforma política de verdade".[2] A única certeza era o talento de Xi como político. Suas próprias opiniões estavam ocultas atrás de lábios franzidos e um sorriso fingido.

Por trás desse sorriso há uma sensação torturante de insegurança que impulsionou as políticas de Xi durante a década em que governou a China. O principal risco, ele acreditava, era o mundo digital. A maioria dos observadores achava que Xi tinha pouco a temer quando se tratava de garantir a própria segurança digital. Os líderes da China têm o sistema de controle de internet mais eficaz do mundo, empregando milhares e milhares de censores para policiar conversas na internet.[3] O firewall da China tornou grande parte da internet inacessível para seus cidadãos, refutando decisivamente as previsões do Ocidente de que a internet seria uma força política liberalizante. Xi se sentiu forte o suficiente na internet para zombar da crença do Ocidente de que a internet espalharia valores democráticos. "A internet transformou o mundo em uma aldeia global", declarou Xi, ignorando o fato de que muitos dos sites mais populares do mundo, como Google e Facebook, eram proibidos na China.[4] Ele tinha em mente um tipo de rede global diferente dos utópicos do início da era da internet — uma rede que o governo da China pudesse utilizar para projetar poder. "Devemos marchar, aprofundar o intercâmbio e a colaboração internacionais na internet e participar vigorosamente da construção de 'um cinturão, uma estrada'", declarou ele em outra ocasião, referindo-se ao seu plano de envolver o mundo na infraestrutura construída pelos chineses que incluía não apenas estradas e pontes, como também equipamentos de rede e ferramentas de censura.

Nenhum país teve mais sucesso que a China em aproveitar o mundo digital para fins autoritários. Ela domou as gigantes de tecnologia dos EUA. Google e Facebook foram banidos e substituídos por empresas locais como Baidu e Tencent, que, do ponto de vista tecnológico, são praticamente idênticas às suas rivais dos EUA. As empresas de tecnologia dos EUA que conquistaram acesso ao mercado chinês, como a Apple e a Microsoft, só foram autorizadas a entrar depois que concordaram em colaborar com os esforços de censura de Pequim. Muito mais que qualquer outro país, a China tornou a internet subserviente aos desejos de seus líderes. As empresas estrangeiras de internet e software ou aderiam a quaisquer regras de censura que o Partido Comunista desejava ou perdiam acesso a um mercado vasto.

Por que, então, Xi Jinping estava preocupado com a segurança digital? Quanto mais os líderes da China estudavam sua capacidade tecnológica, menos importantes pareciam suas empresas de internet. O mundo digital da China funciona com algarismos — uns e zeros — que são processados e armazenados principalmente por semicondutores importados. As gigantes de tecnologia da China dependem de data centers repletos de chips estrangeiros, em grande parte produzidos nos EUA. Os documentos que Edward

Snowden vazou em 2013 antes de fugir para a Rússia demonstraram que os EUA tinham capacidade de escuta de rede que surpreendera até mesmo os detetives cibernéticos em Pequim. Empresas chinesas haviam replicado a perícia do Vale do Silício na fabricação de software para comércio eletrônico, pesquisa na internet e pagamentos digitais. No entanto, todos esses softwares dependem do hardware estrangeiro. Quando se trata das principais tecnologias que sustentam a computação, a China é incrivelmente dependente de produtos estrangeiros, muitos dos quais são projetados no Vale do Silício e quase todos produzidos por empresas sediadas nos EUA ou em um de seus aliados.

Xi achava que isso representava um risco insustentável. "Por maior que seja seu porte, por maior que seja sua capitalização de mercado, se uma empresa de internet depende criticamente do mundo exterior para obter seus componentes principais, o 'portão vital' da cadeia de suprimentos fica nas mãos de terceiros", declarou Xi em 2016.[5] Quais são as principais tecnologias que mais preocupam Xi? Uma delas é um software, o Microsoft Windows, utilizado pela maioria dos PCs na China, apesar dos repetidos esforços para desenvolver sistemas operacionais chineses competitivos. Não obstante, ainda mais importante no pensamento de Xi são os chips que alimentam os computadores, smartphones e data centers da China. Como ele observou, "o sistema operacional Windows, da Microsoft, só pode ser emparelhado com chips da Intel".[6] Assim, a maioria dos computadores na China precisava de chips dos EUA para funcionar.[7] Durante a maior parte das décadas de 2000 e 2010, a China gastou mais dinheiro importando semicondutores que petróleo.[8] Chips de alta potência eram tão importantes quanto hidrocarbonetos para alimentar o crescimento econômico do país. Ao contrário do petróleo, porém, o fornecimento de chips é monopolizado pelos rivais geopolíticos da China.

Grande parte dos estrangeiros enfrentava dificuldades para compreender por que a China estava nervosa. O país não havia construído grandes empresas de tecnologia que valiam centenas de bilhões de dólares? As manchetes dos jornais repetidamente declaravam que a China era uma das principais potências tecnológicas do mundo. Quando se tratava de inteligência artificial, o país era uma das duas Superpotências de Inteligência Artificial do mundo, de acordo com um livro amplamente discutido de Kai-Fu Lee, ex-diretor da Google China. Pequim criou uma fusão do século XXI de inteligência artificial e autoritarismo, maximizando a utilização de tecnologia de vigilância.[9] Mas mesmo os sistemas de vigilância que rastreiam os dissidentes da China e suas minorias étnicas dependem de chips de empresas dos EUA como a Intel e a Nvidia.[10] Toda a tecnologia mais importante da China repousa sobre uma frágil base de silício importado.

Os líderes chineses não precisavam ser paranoicos para pensar que seu país deveria fabricar mais chips internamente. O importante não era apenas evitar a vulnerabilidade da cadeia de suprimentos. Assim como seus vizinhos, a China só pode conquistar negócios mais valiosos se produzir o que os líderes de Pequim chamam de "tecnologias essenciais" — produtos sem os quais o resto do mundo não consegue viver. Caso contrário, a China corre o risco de continuar no padrão de baixo lucro que acometeu o iPhone. Milhões de chineses estão envolvidos na montagem dos telefones, mas, quando os dispositivos são vendidos para os usuários finais, a Apple ganha a maior parte do dinheiro, com grande parte do restante indo para as fabricantes dos chips dentro de cada telefone.

A questão para os líderes da China era como se concentrar na produção do tipo de chips que o mundo cobiçava. Quando Japão, Taiwan e Coreia do Sul quiseram entrar nas partes complexas e de alto valor da indústria de chips, injetaram capital em suas empresas de semicondutores, organizando os investimentos governamentais, mas também pressionando os bancos privados a emprestar. Em segundo lugar, tentaram atrair para casa seus cientistas e engenheiros que haviam sido treinados em universidades dos EUA e trabalhavam no Vale do Silício. Terceiro, forjaram parcerias com empresas estrangeiras, mas exigiram que elas transferissem tecnologia ou treinassem trabalhadores locais. Quarto, fomentaram a concorrência entre os estrangeiros, aproveitando a competição entre as empresas do Vale do Silício — e depois entre empresas dos EUA e do Japão — para conseguir o melhor negócio para si. "Queremos promover uma indústria de semicondutores em Taiwan", disse o poderoso ministro da ilha, K.T. Li,[11] a Morris Chang ao fundar a TSMC. Foi alguma surpresa quando Xi Jinping também quis uma?

43
"Convocar o ataque"

Em janeiro de 2017, Xi subiu ao palco do Fórum Econômico Mundial na estância de esqui suíça de Davos, três dias antes de Donald Trump ser empossado como presidente dos EUA, para delinear a visão econômica da China. À medida que Xi prometia "resultados onde todos vencem" por intermédio de um "modelo de crescimento dinâmico e orientado pela inovação", a plateia de CEOs e bilionários aplaudia com educação. "Ninguém sai vencedor de uma guerra comercial", declarou o presidente chinês em uma crítica nem tão sutil assim para seu interlocutor dos EUA.[1] Três dias depois, em Washington, Trump fez um discurso de posse surpreendentemente combativo, condenando que "outros países fabricam nossos produtos, roubam nossas empresas e destroem nossos empregos". Em vez de abraçar o comércio, Trump declarou que "a proteção levará a grandes prosperidade e força".[2]

O discurso de Xi foi o tipo de conversa mole que os líderes globais deveriam dizer ao se dirigir a magnatas do mundo empresarial. Os meios de comunicação bajularam sua suposta defesa da abertura econômica e da globalização contra choques populistas como Trump e o Brexit. "Xi parece mais presidencial que o presidente eleito dos EUA", tuitou o palestrante Ian Bremmer.[3] "Xi Jinping propaga uma defesa robusta da globalização", noticiava a manchete principal do *Financial Times*.[4] "Líderes mundiais encontram esperança para a globalização em Davos em meio à revolta populista", declarava o *Washington Post*.[5] "A comunidade internacional está olhando para a China", explicou Klaus Schwab, presidente do Fórum Econômico Mundial.[6]

Meses antes de seu primeiro discurso em Davos, Xi havia adotado um tom diferente em um discurso para titãs chineses da tecnologia e líderes do Partido Comunista em Pequim para uma conferência sobre "segurança cibernética e informatização". Para uma plateia que incluía o fundador da Huawei, Ren Zhengfei, o CEO do Alibaba, Jack Ma, pesquisadores de destaque do Exército de Libertação Popular (PLA na sigla em inglês) e grande parte da elite política da China, Xi incitou a China a se concentrar em "obter avanços na tecnologia essencial o mais rápido possível". Acima de tudo, "tecnologia essencial" significava semicondutores. Xi não convocou uma guerra comercial, mas sua visão também não tinha a cara de uma paz comercial.

> Devemos promover alianças fortes e atacar passagens estratégicas de forma coordenada.[7] Devemos atacar as fortificações de pesquisa e desenvolvimento de tecnologia essencial [...] Devemos não só convocar o ataque, devemos também fazer uma convocação para uma assembleia, o que significa que devemos concentrar as forças mais poderosas para atuar em conjunto, compor brigadas de choque e forças especiais para invadir as passagens.

Donald Trump, ao que parecia, não era o único líder mundial que misturava metáforas marciais com política econômica. A indústria de chips enfrentava um ataque organizado da segunda maior economia do mundo e do Estado de partido único que a governava.

Os líderes chineses contavam com uma mistura de métodos mercadológicos e militares para desenvolver chips avançados internamente. Embora Xi tenha colocado seus rivais na cadeia e se tornado o líder mais poderoso da China desde Mao Tsé-Tung, seu controle sobre a China estava longe de ser absoluto. Ele podia colocar dissidentes na cadeia e censurar até as críticas mais veladas na internet, mas muitas facetas da agenda econômica de Xi, desde a reestruturação industrial à reforma do mercado financeiro, permaneceram natimortas, obstruídas pelos burocratas do Partido Comunista e por autoridades do governo local que preferiam o *status quo*.[8] As autoridades muitas vezes agiam com intencional morosidade quando se deparavam com instruções de Pequim que não aprovavam.

Contudo, a retórica militar de Xi não era apenas uma tática para mobilizar burocratas preguiçosos. A cada ano que passava, a precariedade da posição tecnológica da China ficava mais clara. As importações de semicondutores da China aumentavam ano após ano. A indústria de chips mudava de formas nada favoráveis à China. "A escala de investimentos aumentava rapidamente, e a participação de mercado acelerava para a concentração de empresas dominantes", observou o Conselho de Estado da China em um relatório de política de tecnologia.[9] Essas empresas dominantes — TSMC e Samsung, as principais delas — seriam extremamente difíceis de substituir. No entanto, a demanda por chips "explodia", percebiam os líderes da China, impulsionada por "computação em nuvem, Internet das Coisas e grandes volumes de dados". Essas tendências eram perigosas: os chips estavam ficando cada vez mais importantes, mas, ainda assim, a concepção e a produção dos chips mais avançados eram monopolizadas por um punhado de empresas, todas localizadas fora da China.

O problema da China não está apenas na fabricação de chips. Em quase todas as etapas do processo de produção de semicondutores, a China é espantosamente dependente da tecnologia estrangeira, que é quase toda controlada por seus rivais geopolíticos — Taiwan, Japão, Coreia do Sul ou EUA. As ferramentas de software utilizadas para projetar os chips são dominadas por empresas dos EUA, enquanto a China possui menos de 1% do mercado global de ferramentas de software, de acordo com dados agregados por acadêmicos do Centro de Segurança e Tecnologia Emergente da Universidade de Georgetown.[10] Quando o assunto é propriedade intelectual essencial — os blocos de construção dos padrões de transistores que servem como modelo para a fabricação de muitos chips —, a participação de mercado da China é de 2%; grande parte do restante é dos EUA ou britânica. A China fornece 4% dos *wafers* de silício do mundo e outros materiais para a fabricação de chips; 1% das ferramentas utilizadas para fabricar chips; 5% do mercado referente a projetos de chips. O país asiático tem apenas 7% de participação de mercado no ramo de fabricação de chips. Nenhuma parte dessa capacidade de fabricação envolve tecnologia de ponta de alto valor.

Em toda a cadeia de suprimentos de semicondutores, agregando o impacto dos projetos de chips, da propriedade intelectual, das ferramentas, da fabricação e de outras etapas, as empresas chinesas têm uma participação de mercado de 6% em comparação com os 39% dos EUA, os 16% da Coreia do Sul ou os 12% de Taiwan de acordo com os pesquisadores de Georgetown. Quase todos os chips produzidos na China também podem ser fabricados em outros lugares. Entretanto, no caso de chips lógicos avançados, de memória e analógicos, a China é crucialmente dependente dos softwares e dos projetos dos EUA; do maquinário dos EUA, da Holanda e do Japão; e da fabricação da Coreia do Sul e de Taiwan. Não é de admirar que Xi Jinping estivesse preocupado.

À medida que as empresas de tecnologia da China avançavam em esferas como computação em nuvem, veículos autônomos e inteligência artificial, era garantido que sua demanda por semicondutores cresceria. Os chips para servidor com arquitetura x86 que seguem sendo o carro-chefe dos data centers modernos ainda são dominados pela AMD e pela Intel. Nenhuma empresa chinesa produz uma GPU comercialmente competitiva, e isso torna a China dependente da Nvidia e da AMD para obter esses chips também.[11] Quanto mais a China se tornar uma superpotência em inteligência artificial, como prometem os reforços de Pequim e como espera o governo da China, mais a dependência de chips estrangeiros do país aumentará, a menos que a China encontre uma maneira de projetar e fabricar seus próprios. A convocação de Xi para "compor brigadas de choque e forças especiais para invadir as passagens" parecia urgente. O governo da China firmou um plano intitulado Made in China 2025, que previa a redução da participação importada da China em sua produção de chips de 85% em 2015 para 30% até 2025.[12]

Todos os líderes chineses desde a fundação da República Popular quiseram uma indústria de semicondutores, é claro. O sonho da Revolução Cultural de Mao de que todo trabalhador pudesse produzir seus próprios transistores havia sido um fracasso abjeto. Décadas depois, os líderes chineses recrutaram Richard Chang para fundar a SMIC e "compartilhar o amor de Deus com os chineses". Ele construiu uma fundição capaz, mas enfrentou dificuldades para ganhar dinheiro e sofreu com uma série de contundentes processos judiciais de propriedade intelectual com a TSMC. Por fim, Chang foi deposto, e os investidores do setor privado foram deslocados pelo Estado chinês.[13] Em 2015, uma ex-autoridade do Ministério da Indústria e Informação da China foi indicada como presidente, solidificando a relação entre a SMIC e o governo chinês. A empresa continuava a ficar significativamente atrás da TSMC em termos de proeza de fabricação.

A SMIC, por sua vez, era a história de sucesso comparativa na indústria de fabricação da China. Huahong e Grace, duas outras fundições chinesas, conquistaram pouca participação de mercado, em grande parte porque as empresas estatais e os governos municipais que as controlavam se intrometiam sem parar nas decisões de negócios. Um ex-CEO de uma fundição chinesa explicou que todos os governantes queriam uma fábrica de chips em sua província e ofereceram uma mistura de subsídios e ameaças veladas para garantir que uma fábrica fosse construída. Assim, as fundições da China acabaram com um conjunto ineficiente de pequenas fábricas espalhadas por todo o país.[14] Os estrangeiros viam um potencial imenso na indústria chinesa de chips, mas só se processos desastrosos de negócios e governança corporativa pudessem, de alguma forma, ser corrigidos. "Quando uma empresa chinesa dizia 'Vamos abrir uma iniciativa conjunta'", explicou um executivo europeu de semicondutores, "eu ouvia 'Vamos perder dinheiro'."[15] As iniciativas conjuntas que chegaram a surgir eram, em geral, viciadas em subsídios do governo e quase nunca produziam novas tecnologias significativas.

A estratégia de subsídios da China da década de 2000 não havia criado uma indústria nacional de chips com tecnologia de ponta. Todavia, não fazer nada — e tolerar a dependência contínua de semicondutores estrangeiros — não era politicamente tolerável. Então, já em 2014, Pequim decidiu dobrar os subsídios a semicondutores lançando o que ficou conhecido como "Big Fund" [Grande Fundo] para apoiar um novo avanço na fabricação de chips. Os principais "investidores" do fundo são o Ministério das Finanças da China, a estatal China Development Bank e uma série de outras empresas de propriedade do governo, incluindo a China Tobacco e veículos de investimento dos governos municipais de Pequim, Xangai e Wuhan.[16]

Alguns analistas saudaram esse como um novo modelo de "capital de risco" com apoio do Estado, mas a decisão de obrigar a empresa estatal de cigarros da China a financiar circuitos integrados estava o mais distante possível do modelo operacional de capital de risco do Vale do Silício.[17]

Pequim acertou em concluir que a indústria de chips do país precisava de mais dinheiro. Em 2014, quando o fundo foi lançado, fábricas avançadas custavam bem mais de 10 bilhões de dólares. A SMIC declarou uma receita de somente alguns bilhões de dólares por ano ao longo da década de 2010, menos que um décimo da TSMC. Seria impossível replicar os planos de investimento da TSMC apenas com o financiamento do setor privado. Só um governo poderia fazer uma aposta dessas.[18] É difícil calcular quanto dinheiro a China investiu em subsídios e "investimentos" em chips, já que grande parte dos gastos é feita por governos locais e bancos estatais opacos, mas acredita-se amplamente que chegue às dezenas de bilhões de dólares.

Contudo, a China foi prejudicada pelo desejo do governo não de construir conexões com o Vale do Silício, mas de se libertar dele. Japão, Coreia do Sul, Holanda e Taiwan haviam passado a dominar etapas importantes do processo de produção de semicondutores, integrando-se profundamente com a indústria de chips dos EUA. A indústria de fundição de Taiwan só enriqueceu graças às empresas sem fábricas dos EUA, enquanto as ferramentas de litografia mais avançadas da ASML só funcionam graças a fontes de luz especializadas produzidas na subsidiária da empresa em San Diego. Apesar de uma ou outra tensão sobre comércio, esses países têm interesses e visões de mundo semelhantes, de modo que a dependência mútua entre si para projetos de chips, ferramentas e serviços de fabricação era vista como um preço razoável a se pagar pela eficiência da produção globalizada.

Se a China quisesse apenas uma participação maior nesse ecossistema, suas ambições poderiam ter sido acomodadas. No entanto, Pequim não estava buscando uma posição melhor em um sistema dominado pelos EUA e por seus amigos. A convocação de Xi para "atacar as fortificações" não foi um pedido por uma participação de mercado ligeiramente maior. Tratava-se de reconstruir a indústria mundial de semicondutores, não de se integrar a ela. Alguns formuladores de políticas econômicas e executivos da indústria de semicondutores na China teriam preferido uma estratégia de integração mais profunda, mas os líderes em Pequim, que pensavam mais em segurança do que em eficiência, enxergavam na interdependência uma ameaça. O plano Made in China 2025 não defendia a integração econômica, e sim o contrário. Ele determinava que a China reduzisse sua dependência dos chips importados. A principal meta do plano Made in China 2025 é reduzir a participação de chips estrangeiros utilizados na China.[19]

Essa visão econômica ameaçava transformar os fluxos comerciais e a economia global. Desde a primeira fábrica da Fairchild Semiconductor em Hong Kong, o comércio de chips havia ajudado a construir a globalização. Os valores em dólar em jogo na visão da China de retrabalhar as cadeias de suprimentos de semiconductores eram desconcertantes. A importação de chips pela China — 260 bilhões de dólares em 2017, o ano do primeiro discurso de Xi em Davos — foi muito maior que a exportação de petróleo da Arábia Saudita ou que a exportação de carros da Alemanha. A China gasta mais dinheiro comprando chips a cada ano do que todo o comércio global de aeronaves. Nenhum produto é mais essencial para o comércio internacional que os semiconductores.

Não eram só os lucros do Vale do Silício que estavam em risco. Se a busca da China por autossuficiência em semiconductores fosse bem-sucedida, seus vizinhos sofreriam ainda mais, pois grande parte deles tinha economias dependentes das exportações. Os circuitos integrados representavam 15% das exportações da Coreia do Sul em 2017; 17% das exportações de Cingapura; 19% das exportações da Malásia; 21% das exportações das Filipinas; e 36% das exportações de Taiwan. O plano Made in China 2025 questionava tudo isso. Em jogo estava a rede mais densa de cadeias de suprimentos e fluxos comerciais do mundo, as indústrias de eletrônicos que haviam sustentado o crescimento econômico e a estabilidade política da Ásia ao longo do último meio século.

O Made in China 2025 era apenas um plano, é claro. Os governos muitas vezes têm planos que fracassam terrivelmente. O histórico da China em estimular a produção de chips com tecnologia de ponta estava longe de impressionar. No entanto, as ferramentas que a China poderia utilizar — enormes subsídios governamentais, roubo de segredos comerciais apoiado pelo Estado e a capacidade de utilizar o acesso ao segundo maior mercado consumidor do mundo para obrigar empresas estrangeiras a seguir sua ordem — deram a Pequim um poder sem paralelos para moldar o futuro da indústria de chips. Se algum país poderia realizar uma transformação tão ambiciosa dos fluxos comerciais, era a China. Muitos países da região achavam que Pequim poderia ter êxito. A indústria de tecnologia de Taiwan começou a se preocupar com o que os taiwaneses chamavam de "cadeia de suprimentos vermelha" — as empresas do continente que se concentravam em componentes eletrônicos de alto valor que Taiwan dominava antes.[20] Era fácil imaginar que os semicondutores viriam a seguir.

A convocação de Xi Jinping para que o governo da China e suas empresas "atacassem as fortificações da pesquisa de tecnologia essencial" repercutiu no Leste Asiático muito antes de causar tanto impacto no Ocidente. As declarações de Donald Trump sobre protecionismo renderam milhões de retuítes, mas Pequim tinha um plano, ferramentas poderosas e um histórico de quarenta anos de surpreender o mundo com as capacidades econômica e tecnológica da China. Essa visão de independência dos semicondutores prometia virar a globalização de cabeça para baixo, transformando a produção de um dos bens mais amplamente comercializados e valiosos do mundo. Ninguém na plateia do discurso de Xi em Davos em 2017 percebeu o que estava em jogo por trás das banalidades, mas mesmo um populista como Trump jamais teria imaginado uma reformulação mais radical da economia global.

44
Transferência de tecnologia

"Se você fosse um país, como a China é, com 1,3 bilhão de pessoas, você iria querer uma indústria de TI", disse Ginni Rometty, a CEO da IBM, a uma plateia no Fórum de Desenvolvimento da China de 2015, um evento anual sediado pelo governo da China em Pequim. "Acho que algumas empresas acham isso assustador. Nós, no entanto, na IBM, achamos que é uma ótima oportunidade."[1] De todas as empresas fabricantes de tecnologia dos EUA, nenhuma tinha um relacionamento mais próximo com o governo dos EUA do que a IBM. Durante praticamente um século, a empresa construiu sistemas computadorizados avançados para as aplicações de segurança nacional mais sensíveis dos EUA. A equipe da IBM tinha relacionamentos pessoais profundos com autoridades do Pentágono e das agências de inteligência norte-americanas. Quando Edward Snowden roubou e vazou documentos sobre as operações de inteligência estrangeira dos EUA antes de fugir para Moscou, não foi surpresa ver que a IBM era suspeita de colaborar com detetives cibernéticos dos EUA.[2]

Após os vazamentos de Snowden, as vendas da IBM na China caíram 20%, à medida que as empresas chinesas passaram a buscar servidores e equipamentos de rede em outros lugares. O CFO da IBM, Martin Schroeter, disse aos investidores que "a China está passando por um conjunto de reformas econômicas muito significativas", uma maneira eloquente de explicar que o governo chinês estava punindo a IBM limitando suas vendas.[3] Rometty decidiu oferecer a Pequim um ramo de oliveira na forma de tecnologia de semicondutores. Ela fez várias visitas à China nos anos seguintes a 2014, reunindo-se com importantes autoridades chinesas, como o primeiro-ministro Li Keqiang, o prefeito de Pequim, Wang Anshun, e o vice-primeiro-ministro Ma Kai, que estava pessoalmente encarregado dos esforços da China para modernizar sua indústria de chips.[4] A IBM disse aos meios de comunicação que as visitas de Rometty a Pequim tinham como objetivo "enfatizar o compromisso da gigante da tecnologia com parcerias locais, cooperação futura e segurança da informação", como colocou um relatório da agência de notícias Reuters.[5] O serviço de notícias estatal chinês Xinhua foi ainda mais contundente a respeito da troca de favores, relatando que Rometty e Ma discutiram "melhorar a cooperação no desenvolvimento de circuitos integrados".[6]

Em sua busca pela autossuficiência nos semicondutores, uma das áreas de foco de Pequim eram os chips para servidores. A metade da década de 2010 era muito parecida com os dias de hoje, quando os data centers do mundo dependem principalmente de chips que utilizam a arquitetura de conjunto de instruções x86, embora as GPUs da Nvidia estivessem começando a conquistar participação de mercado. Apenas três empresas tinham a propriedade intelectual necessária para produzir chips com a x86: a Intel e a AMD, dos EUA, bem como uma pequena empresa taiwanesa chamada Via. Na prática, a Intel dominava o mercado. A arquitetura de chips "Power" da IBM já havia desempenhado um papel importante quanto aos servidores corporativos, mas havia perdido tudo na década de 2010. Alguns pesquisadores achavam que a arquitetura da Arm — popular em dispositivos móveis — também poderia desempenhar um papel em futuros data centers, embora à época os chips baseados em Arm tivessem pouca participação no mercado de servidores.[7] Qualquer que fosse a arquitetura, a China praticamente não tinha capacidade doméstica de produzir chips competitivos para data centers. O governo da China se dispôs a adquirir essa tecnologia, fortalecendo as empresas dos EUA e pressionando-as a transferir tecnologia para parceiros chineses.

A Intel, que dominava as vendas de semicondutores para servidores, tinha poucos incentivos para fechar acordos com Pequim sobre processadores para data centers (embora estivesse fechando acordos separadamente com empresas estatais chinesas e governos locais no mercado de chips móveis e chips de memória Nand, no qual a posição da Intel era mais fraca). As fabricantes de chips dos EUA que haviam perdido participação no mercado de data centers para a Intel, no entanto, buscavam uma vantagem competitiva. Na IBM, Rometty anunciava uma mudança de estratégia que atrairia Pequim. Em vez de tentar vender chips e servidores para clientes chineses, ela anunciou que a IBM abriria sua tecnologia de chips para parceiros chineses, possibilitando que eles, como ela explicou, "criassem um ecossistema novo e vibrante de empresas chinesas que produziriam sistemas computadorizados desenvolvidos internamente para os mercados local e internacional".[8] A decisão da IBM de trocar tecnologia por acesso ao mercado fazia sentido no mundo dos negócios. A tecnologia da empresa era vista como de segunda categoria, e, sem o *imprimatur* de Pequim, era improvável que revertesse seu encolhimento de mercado pós-Snowden. A IBM estava ao mesmo tempo tentando mudar seu negócio global de venda de hardware para venda de serviços, portanto compartilhar o acesso aos seus projetos de chips parecia lógico.

Para o governo da China, no entanto, essa parceria não dizia respeito apenas a negócios. Uma das pessoas que trabalhavam com a tecnologia de chips recém-disponível da IBM era o ex-chefe de segurança cibernética do arsenal de mísseis nucleares da China, Shen Changxiang, como informou o *New York Times*. Apenas um ano antes, Shen vinha alertando sobre os "enormes riscos de segurança" ao trabalhar com empresas dos EUA.[9] Agora, ele parecia ter concluído que a oferta da IBM de entregar a tecnologia de chips apoiava a estratégia de semicondutores de Pequim e os interesses nacionais da China.

A IBM não era a única empresa disposta a ajudar empresas chinesas a desenvolverem chips para data centers. Mais ou menos na mesma época, a Qualcomm, empresa especializada em chips para smartphones, vinha tentando entrar no ramo de chips para data centers utilizando uma arquitetura Arm. Simultaneamente, a Qualcomm estava lutando contra os reguladores chineses, que queriam que ela reduzisse as taxas cobradas das empresas chinesas que licenciavam sua tecnologia de chips para smartphones, uma fonte importante da receita da Qualcomm.[10] Na condição de maior mercado para os chips da Qualcomm, a China tinha uma enorme influência sobre a empresa. Assim, alguns analistas do setor enxergaram uma ligação quando, pouco após resolver a disputa de preços com Pequim, a Qualcomm concordou em formar uma iniciativa conjunta com uma empresa chinesa chamada Huaxintong a fim de desenvolver chips para servidores. A Huaxintong não tinha um histórico de projetos de chips avançados, mas ficava na província de Guizhou, então governada por um promissor funcionário do partido chinês chamado Chen Min'er, observaram analistas do setor.[11]

A iniciativa conjunta entre Qualcomm e Huaxintong não durou muito. Foi encerrada em 2019 depois de produzir pouca coisa de valor. Mas parte do conhecimento especializado desenvolvido parece ter sido transferido para outras empresas chinesas que fabricavam chips para data centers baseados na arquitetura Arm. Por exemplo, a Huaxintong participava de um consórcio para desenvolver chips energeticamente eficientes que incluía a Phytium, outra empresa chinesa que fabricava chips baseados na arquitetura Arm.[12] Pelo menos um engenheiro projetista de chips parece ter deixado a Huaxintong em 2019 para trabalhar para a Phytium, o que mais tarde os EUA alegaram ter ajudado os militares chineses a projetar sistemas bélicos avançados, como mísseis hipersônicos.[13]

O exemplo mais controverso de transferência de tecnologia, no entanto, ficou a cargo da arquirrival da Intel, a AMD. Em meados da década de 2010, a empresa enfrentava dificuldades financeiras após ter perdido participação no mercado de PCs e data centers para a Intel. A AMD nunca esteve à beira da falência, mas também não estava longe disso. A empresa queria dinheiro para ganhar tempo à medida que colocava novos produtos no mercado. Em 2013, ela vendeu sua sede corporativa em Austin, no Texas, para levantar dinheiro, por exemplo. Em 2016, vendeu para uma empresa chinesa uma participação de 85% em suas instalações de montagem, testes e embalagem de semicondutores em Penang, na Malásia, e em Suzhou, na China, por 371 milhões de dólares. Para a AMD, essas instalações estavam "entre as melhores do mundo".[14]

Nesse mesmo ano, a AMD fechou um acordo com um consórcio de empresas e órgãos governamentais chineses para licenciar a produção de chips x86 modificados para o mercado chinês.[15] O acordo, profundamente controverso dentro do setor e em Washington, foi estruturado de uma forma que não exigia a aprovação do CFIUS, o comitê do governo dos EUA que analisa compras estrangeiras de ativos americanos. A AMD levou a transação às autoridades relevantes do Departamento de Comércio, que não "sabem nada sobre microprocessadores, semicondutores ou sobre a China", como disse um integrante do setor.[16] A Intel supostamente alertou o governo sobre o acordo, sugerindo que prejudicava os interesses dos EUA e que ameaçaria os negócios da Intel. No entanto, o governo não tinha uma maneira simples de detê-lo, então o acordo acabou sendo aprovado, o que enfureceu o Congresso e o Pentágono.

Logo que a AMD finalizou o acordo, sua nova série de processadores, chamada "Zen", começava a chegar ao mercado, mudando a sorte da empresa, então a AMD acabou não dependendo do dinheiro de seu acordo de licenciamento.[17] Entretanto, a iniciativa conjunta já havia sido assinada e a tecnologia foi transferida. O *Wall Street Journal* publicou diversas matérias argumentando que a AMD havia vendido as "joias da coroa" e "as chaves do reino". Outros analistas do setor sugeriram que a transação foi elaborada para permitir que as empresas chinesas alegassem para o governo chinês que estavam projetando microprocessadores com tecnologia de ponta na China, quando, na realidade, estavam apenas aprimorando os projetos da AMD.[18] A transação foi retratada nos meios de comunicação de língua inglesa como um acordo de licenciamento sem importância, mas os principais especialistas chineses disseram à mídia estatal que o acordo apoiava o esforço da China em domesticar as "tecnologias essenciais" para que "nunca mais possamos ser puxados pelo nariz". Autoridades do Pentágono que se opuseram ao acordo concordam que a AMD seguiu escrupulosamente a letra da lei, mas dizem não estar convencidos de que a transação foi tão inócua quanto alegam os defensores. "Continuo muito cético de que a AMD estivesse nos contando história toda", diz uma ex-autoridade do Pentágono. O *Wall Street Journal* informou que a iniciativa conjunta envolvia a Sugon, uma empresa chinesa de supercomputadores que descreveu que "fazer contribuições para a defesa e a segurança nacionais da China" era sua "missão fundamental".[19] A AMD descreveu a Sugon como uma "parceira estratégica" em comunicados à imprensa pela última vez em 2017, o que com certeza franziria algumas testas em Washington.[20]

O que fica claro é que a Sugon queria ajuda para construir alguns dos principais supercomputadores do mundo, que são comumente utilizados para desenvolver "armas nucleares e armas hipersônicas", como explicou a secretária de Comércio Gina Raimondo em 2021.[21] A própria Sugon anunciava suas ligações com as Forças Armadas chinesas, de acordo com Elsa Kania, uma das principais especialistas dos EUA nas Forças Armadas chinesas.[22] Mesmo depois que o governo Trump decidiu colocar a Sugon na lista de exclusão, cortando o relacionamento com a AMD, o analista da indústria de chips Anton Shilov encontrou placas de circuito da Sugon com chips da AMD que ela não deveria poder comprar. A AMD disse aos jornalistas que não havia fornecido suporte técnico para o dispositivo em questão e não sabia ao certo como a Sugon adquiriu os chips.[23]

O mercado chinês era tão atraente que as empresas achavam quase impossível evitar a transferência de tecnologia. Algumas empresas foram até induzidas a transferir o controle de todas as suas subsidiárias na China. Em 2018, a Arm, empresa britânica que projeta a arquitetura dos chips, desmembrou sua divisão na China, vendendo 51% da Arm China para um grupo de investidores e mantendo os outros 49% para si. Dois anos antes, a Arm havia sido comprada pela Softbank, uma empresa japonesa que investiu bilhões em startups chinesas de tecnologia. A Softbank dependia, portanto, de um tratamento regulatório chinês favorável para o sucesso de seus investimentos. Ela enfrentou a investigação dos reguladores dos EUA, que temiam que sua exposição à China a tornasse vulnerável à pressão política de Pequim.[24] A Softbank havia comprado a Arm em 2016 por 40 bilhões de dólares, mas vendeu uma participação de 51% na divisão da China — que, segundo a Softbank, representava um quinto das vendas globais da Arm — por apenas 775 milhões de dólares.[25]

Qual era a lógica em desmembrar a Arm China? Não há provas concretas de que a Softbank tenha sofrido pressão de autoridades chinesas para vender a subsidiária chinesa da empresa. Os executivos da Arm foram abertos, no entanto, ao descrever a lógica. "Se alguém estivesse construindo [um sistema em um chip] para a vigilância da China ou das Forças Armadas da China", disse um executivo da Arm ao *Nikkei Asia*, "a China quer que isso exista apenas dentro do país.[26] Com esse tipo de nova iniciativa conjunta, essa empresa pode desenvolver isso. No passado, era algo que não conseguíamos fazer". "A China quer ser segura e controlável", continuou esse executivo. "Em última análise, eles querem ter o controle de sua tecnologia [...] Se for baseado na tecnologia que trazemos, podemos nos beneficiar disso", ele explicou. Nem as autoridades japonesas que regulam a Softbank, nem as autoridades do Reino Unido que regulam a Arm, nem as autoridades dos EUA com jurisdição sobre uma parte significativa da propriedade intelectual da Arm optaram por investigar as implicações.

As empresas fabricantes de chips simplesmente não podem ignorar o maior mercado mundial de semicondutores. As fabricantes de chips guardam com muito zelo suas tecnologias críticas, é claro. Mas quase todas as empresas fabricantes de chips têm tecnologia não essencial, em subsetores que não lideram, que ficariam felizes em compartilhar por um preço. Além disso, quando as empresas estão perdendo participação de mercado ou precisam de financiamento, elas não podem se dar ao luxo de focar o longo prazo. Isso dá à China vantagens poderosas para induzir empresas estrangeiras fabricantes de chips a transferir tecnologia, abrir instalações de produção ou licenciar propriedade intelectual, mesmo quando as empresas estrangeiras percebem que estão ajudando a desenvolver concorrentes. Para as empresas fabricantes de chips, muitas vezes é mais fácil arrecadar fundos na China do que em Wall Street. Aceitar capital chinês pode ser uma exigência implícita para fazer negócios no país.

Vistos em seus próprios termos, os negócios que a IBM, a AMD e a Arm fecharam na China eram orientados por uma lógica empresarial razoável. Coletivamente, eles correm o risco de vazamento de tecnologia. As arquiteturas e os projetos de chips dos EUA e do Reino Unido, bem como as fundições de Taiwan, vêm desempenhando um papel essencial no desenvolvimento de programas de supercomputadores da China. Em comparação com uma década antes, embora suas habilidades ainda estejam de maneira significativa atrás da vanguarda, a China é bem menos dependente de estrangeiros para projetar e produzir os chips necessários em data centers. A CEO da IBM, Ginni Rometty, acertou ao sentir uma "grande oportunidade" em contratos de transferência de tecnologia com a China. Ela só errou ao pensar que sua empresa seria a beneficiária.

45
"Incorporações são propensas a acontecer"

Para Zhao Weiguo, foi um trajeto longo e sinuoso desde uma infância na qual criava porcos e ovelhas ao longo da fronteira ocidental da China até ser celebrado como um bilionário dos chips pelos meios de comunicação chineses.[1] Zhao acabou na parte rural da China depois que o pai foi banido por escrever poemas subversivos durante a Revolução Cultural, mas ele nunca planejou aceitar uma vida de criador de gado no campo. Ele conseguiu entrar na Universidade Tsinghua, uma das melhores da China, e se formou em engenharia elétrica. Tsinghua havia liderado os esforços da China no ramo de semicondutores desde os primeiros dias do setor no país, mas não está claro quanta experiência em transistores e capacitores Zhao desenvolveu como estudante. Ele trabalhou em uma empresa de tecnologia depois de terminar o bacharelado, em seguida mudou de rumo e passou a investir como vice-presidente do Tsinghua Unigroup. Essa empresa foi criada pela universidade que ele cursou para transformar a pesquisa científica da instituição de ensino em negócios lucrativos, mas parece ter investido pesadamente em imóveis. Zhao construiu uma reputação de ser um negociador corporativo e se colocou no caminho rumo a uma fortuna bilionária.[2]

Em 2004, Zhao lançou o próprio fundo de investimento, o Beijing Jiankun Group, investindo em imóveis, mineração e outros setores nos quais conexões políticas de alto nível costumam ser essenciais para o sucesso. Ricos retornos financeiros se seguiram, com Zhao em tese transformando 1 milhão de yuans de capital investido inicial em 4,5 bilhões. Em 2009, ele utilizou essa riqueza para comprar uma participação de 49% de seu ex-empregador, o Tsinghua Unigroup. A universidade continuou a ser a proprietária dos outros 51% das ações. Foi uma transação bizarra: uma empresa privada de investimento imobiliário agora era proprietária de praticamente metade de uma empresa que em tese deveria estar transformando em dinheiro tecnologias produzidas pela principal universidade de pesquisa da China. Mas o Tsinghua Unigroup nunca foi uma mera empresa "normal". O filho do ex-presidente chinês Hu Jintao — considerado um "amigo pessoal"[3] de Zhao — trabalhava como secretário do Partido Comunista para o grupo controlador que era o proprietário do Unigroup. O presidente da Universidade Tsinghua durante a década de 2000, enquanto isso, era o colega de quarto de Xi Jinping na faculdade.[4]

Em 2013, quatro anos depois de comprar sua participação no Tsinghua Unigroup, e pouco antes de o Partido Comunista da China anunciar novos planos para fornecer grandes subsídios às empresas de semicondutores do país, Zhao decidiu que era o momento de investir na indústria de chips. Ele nega que a estratégia de semicondutores do Tsinghua Unigroup tenha sido uma resposta aos desejos do governo. "Todo mundo acha que o governo está impulsionando o desenvolvimento do setor de chips, mas não é assim", disse ele à *Forbes* em 2015. Em vez disso, ele leva o crédito por atrair a atenção de Pequim para o setor. "As empresas fizeram algumas coisas primeiro e depois o governo começou a perceber [...] Todos os nossos negócios são orientados para o mercado."[5]

"Orientada para o mercado" não é como a maioria dos analistas descreveria a estratégia de Zhao. Em vez de investir nas melhores empresas fabricantes de chips, ele tentou comprar qualquer coisa no mercado. Sua explicação da estratégia de investimento do Tsinghua não sugeria nuanças ou sofisticação. "Se você sobe a montanha com uma arma, você sobe sem saber se há animais lá em cima para caçar", foi uma frase atribuída a ele. "Talvez você cace um cervo, talvez uma cabra, mas o fato é que não se sabe."[6] Não obstante, ele era um caçador confiante. As empresas fabricantes de chips do mundo eram sua presa.

Mesmo considerando sua fortuna, estimada em 2 bilhões de dólares, as quantias que Zhao gastou construindo seu império de chips foram chocantes.[7] Em 2013, o Tsinghua Unigroup começou sua farra de compras em casa, gastando vários bilhões de dólares comprando duas das empresas de projetos de chips sem fábricas mais bem-sucedidas da China, a Spreadtrum Communications e a RDA Microelectronics, que fabricavam chips de baixo custo para smartphones. Zhao declarou que a incorporação produziria "enormes sinergias na China e no exterior",[8] porém, praticamente uma década depois, são poucas as evidências de que quaisquer sinergias tenham se materializado.

Um ano depois, em 2014, Zhao fechou um acordo com a Intel para acoplar os chips de modem sem fio da empresa aos processadores de smartphones do Tsinghua Unigroup.[9] A Intel esperava que a parceria aumentasse suas vendas no mercado de smartphones da China, enquanto Zhao queria que suas empresas aprendessem com a experiência em projetos de chips da Intel. Ele era sincero quanto aos objetivos do Tsinghua Unigroup: semicondutores eram a "prioridade nacional" da China, dissera ele.[10] Trabalhar com a Intel "aceleraria o desenvolvimento da tecnologia e fortaleceria ainda mais a competitividade e a posição de mercado das empresas chinesas fabricantes de semicondutores".

A parceria de Zhao com a Intel tinha alguma lógica empresarial por trás, mas muitas outras decisões não pareciam motivadas pelo desejo de obter lucro. Por exemplo, o Tsinghua Unigroup se ofereceu para financiar a XMC (mais tarde comprada pela YMTC), uma empresa chinesa que vinha tentando entrar no mercado de chips de memória Nand. O CEO da empresa admitiu em um evento público que, a princípio, pediu 15 bilhões de dólares para construir uma nova fábrica, mas foi instruído a, em vez dos 15, receber 24 bilhões, "com base no fato de que, se eles fossem levar a sério a coisa de ser um líder mundial, então precisariam igualar o investimento dos líderes mundiais".[11] Até os pastores de cabras que acompanharam Zhao em seu crescimento no Oeste da China teriam reconhecido que ele estava distribuindo cheques multibilionários com uma total e imprudente falta de apego. Quando posteriormente surgiu a notícia de que, além de semicondutores, o Tsinghua Unigroup também estava investindo em imóveis e em apostas na internet, quase ninguém se surpreendeu.[12]

A GUERRA DOS CHIPS 321

Enquanto isso, o Big Fund apoiado pelo Estado chinês anunciava planos de investir uma parcela inicial de mais de 1 bilhão de dólares no Tsinghua Unigroup.[13] Aquilo colocava um selo de aprovação do governo na estratégia da empresa. Zhao voltou seus esforços para o exterior. Não bastava ser o proprietário de empresas sem fábricas na China ou atrair empresas estrangeiras para investir no país. Ele queria controlar os postos de comando da indústria de chips do mundo. Contratou vários dos principais executivos de semicondutores de Taiwan, incluindo o ex-CEO da UMC, a segunda maior fundição de Taiwan.[14] Em 2015, o próprio Zhao visitou Taiwan e pressionou a ilha a suspender suas restrições ao investimento chinês em setores como projeto e fabricação de chips. Ele comprou uma participação de 25% na taiwanesa Powertech Technology, que monta e testa semicondutores, uma transação que era autorizada pelas regras de Taiwan. Ele buscou participações e iniciativas conjuntas com várias outras grandes montadoras de chips de Taiwan.[15]

No entanto, o real interesse de Zhao era comprar as joias da coroa da ilha — a MediaTek, a principal empresa projetista de chips fora dos EUA, e a TSMC, a fundição de que dependem quase todas as empresas de chips sem fábrica do mundo.[16] Ele lançou a ideia de comprar uma participação de 25% da TSMC e defendeu a incorporação da MediaTek com os negócios de projeto de chips do Tsinghua Unigroup. Nenhuma dessas transações era legal nos termos das regras para investimento estrangeiro existentes em Taiwan, mas, quando Zhao retornou de lá, subiu ao palco em uma conferência pública em Pequim e sugeriu que a China proibisse as importações de chips taiwaneses se Taipei não alterasse essas restrições.[17]

Essa campanha de pressão colocou a TSMC e a MediaTek em uma situação difícil. Ambas as empresas dependiam crucialmente do mercado chinês. A maioria dos chips produzidos pela TSMC era montada em produtos eletrônicos em oficinas por toda a China. A ideia de vender as joias tecnológicas da coroa de Taiwan para um investidor apoiado pelo Estado no continente fazia pouco sentido. A ilha acabaria dependente de Pequim. Além da abolição de sua ocupação militar ou de acolhimento pelo Exército de Libertação Popular, era difícil pensar em uma atitude que faria mais para minar a autonomia de Taiwan.

Tanto a TSMC como a MediaTek emitiram declarações expressando vagamente uma abertura ao investimento chinês. Morris Chang disse que suas únicas condições eram "se o preço for justo e se for benéfico para os acionistas"[18] — não chegava perto de ser a resposta que se esperaria para um acordo que ameaçava minar a independência econômica de Taiwan. Mas Chang também alertou que, se os investidores chineses pudessem indicar integrantes para os conselhos de administração de empresas taiwanesas, "não será tão fácil proteger a propriedade intelectual".[19] A MediaTek dizia que apoiava os esforços "de dar as mãos e elevar a condição e a competitividade das empresas chinesas e taiwanesas na indústria global de chips"[20] — mas só se o governo de Taiwan permitisse. Em Taipei, porém, o governo parecia estar oscilando. John Deng, o ministro da Economia da ilha, sugeriu relaxar as restrições de Taiwan ao investimento chinês no setor de chips. Em meio à pressão chinesa, ele sinalizou que um maior controle chinês do setor de chips de Taiwan era inevitável. "Fica impossível fugir dessa questão", Deng disse a jornalistas.[21] Mas, em meio a uma eleição presidencial conflituosa em Taiwan, o governo atrasou todas as mudanças de política.

Logo Zhao voltou suas atenções para a indústria de semicondutores dos EUA. Em julho de 2015, o Tsinghua Unigroup lançou a ideia de comprar a Micron, a empresa fabricante de chips de memória dos EUA, por 23 bilhões de dólares, o que teria sido a maior aquisição chinesa de uma empresa dos EUA em qualquer setor.[22] Ao contrário do caso dos titãs da tecnologia de Taiwan e seus tecnocratas econômicos, os esforços do Tsinghua para comprar a Micron foram firmemente rejeitados. A Micron declarou não achar que a transação fosse realista, dadas as preocupações de segurança do governo dos EUA.[23] Logo depois, em setembro de 2015, o Tsinghua Unigroup tentou mais uma vez, oferecendo 3,7 bilhões de dólares por uma participação de 15% em outra empresa dos EUA que fabricava chips de memória Nand.[24] O CFIUS, o órgão do governo norte-americano que avalia investimentos estrangeiros, rejeitou a oferta por motivos de segurança.

Então, na primavera de 2016, o Tsinghua comprou discretamente 6% das ações da Lattice Semiconductor, outra empresa fabricante de chips dos EUA. "É um investimento puramente financeiro", disse Zhao ao *Wall Street Journal*. "Não temos nenhuma intenção de tentar adquirir a Lattice."[25]

Poucas semanas após a divulgação do investimento, o Tsinghua Unigroup começou a vender suas ações da Lattice.[26] Pouco tempo depois, a Lattice recebeu uma oferta de aquisição do controle societário proveniente de uma empresa de investimentos com sede na Califórnia chamada Canyon Bridge, que jornalistas da Reuters revelaram ter sido discretamente financiada pelo governo chinês.[27] O governo dos EUA rejeitou o acordo com determinação.

O mesmo fundo de investimento comprou ao mesmo tempo a Imagination, uma empresa projetista de chips sediada no Reino Unido que estava em dificuldades financeiras.[28] A transação foi estruturada com cautela para excluir os ativos da Imagination nos EUA para que Washington também não a obstruísse.[29] Os reguladores britânicos aprovaram o acordo apenas para se arrependerem da decisão quando, três anos depois, os novos proprietários tentaram reestruturar o conselho de administração com conselheiros indicados por um fundo de investimento do governo chinês.[30]

O problema não era simplesmente o fato de que os fundos ligados ao governo chinês estivessem comprando todas as empresas fabricantes de chips estrangeiras. Eles estavam fazendo isso de maneiras que descumpriam leis de manipulação de mercado e utilização indevida de informação confidencial.[31] Enquanto a Canyon Bridge estava manobrando para comprar a Lattice Semiconductor, por exemplo, um dos cofundadores da Canyon Bridge alertou um colega em Pequim sobre isso, repassando detalhes sobre a transação pelo WeChat e em reuniões em um Starbucks em Pequim. O colega comprou ações com base nesse conhecimento; o executivo da Canyon Bridge foi condenado por utilização indevida de informação confidencial.

De sua parte, Zhao se enxergava como um simples empreendedor comprometido. "Incorporações entre grandes empresas dos EUA e da China são propensas a acontecer", ele declarou.[32] "Elas devem ser vistas de uma perspectiva empresarial, e não serem tratadas em termos de contextos nacionalistas ou políticos." Mas as atividades do Tsinghua Unigroup eram impossíveis de compreender do ponto de vista da lógica empresarial. Havia muitas empresas estatais chinesas e de "capital privado" financiadas pelo Estado que circulavam pelas empresas fabricantes de semicondutores do mundo para que aquilo pudesse ser descrito como algo além de um esforço liderado pelo governo para apreender empresas estrangeiras fabricantes de chips. "Convocar o ataque", Xi Jinping havia exigido. Zhao, o Tsinghua Unigroup e outros veículos de "investimento" apoiados pelo governo estavam apenas seguindo essas instruções proferidas publicamente. Em meio a essas frenéticas assinaturas de acordos, o Tsinghua Unigroup anunciou em 2017 que havia recebido um novo "investimento": cerca de 15 bilhões de dólares do China Development Bank e 7 bilhões do Integrated Circuit Industry Investment Fund — ambos de propriedade do Estado chinês e controlados por ele.[33]

46

A ascensão da Huawei

Quando Ren Zhengfei dá entrevistas para os meios de comunicação na sede da Huawei, a empresa chinesa de tecnologia que ele fundou, seu paletó e suas calças largas feitos sob medida, o colarinho desabotoado e o sorriso vivaz o fazem parecer um executivo do Vale do Silício. De certa maneira, ele é. Os equipamentos de telecomunicações de sua empresa — os rádios em torres de celular que transmitem ligações, fotos e e-mails de e para smartphones — formam a espinha dorsal da internet móvel do mundo. Enquanto isso, a unidade de smartphones da Huawei era, até pouco tempo, uma das maiores do mundo, rivalizando com Apple e Samsung em números de telefones vendidos. A empresa também fornece outros tipos de infraestrutura de tecnologia, desde cabos submarinos de fibra óptica até computação em nuvem. Em muitos países, é impossível utilizar um telefone sem usar alguns dos equipamentos da Huawei — tão difícil quanto utilizar um PC sem produtos da Microsoft ou navegar na internet (fora da China) sem a Google. Entretanto, a Huawei é diferente das outras grandes empresas de tecnologia do mundo em um aspecto importante: sua luta de duas décadas com o estado de segurança nacional dos EUA.

Lendo as manchetes dos jornais dos EUA sobre o papel da Huawei na espionagem do governo chinês, seria fácil concluir que a empresa surgiu como um apêndice das agências de segurança da China. Os laços entre a Huawei e o Estado chinês estão bem documentados, porém explicam pouco sobre como a empresa construiu um negócio global.[1] Para entender a expansão da companhia, é mais útil comparar a trajetória da Huawei com a de outro conglomerado concentrado em tecnologia, a sul-coreana Samsung. Ren nasceu uma geração depois de Lee Byung-Chul, da Samsung, mas os dois magnatas têm um modelo operacional semelhante. Lee transformou a Samsung de uma negociadora de peixe seco em uma empresa de tecnologia que produz alguns dos chips de memória e processadores mais avançados do mundo contando com três estratégias. Primeira, cultivar assiduamente relações políticas para obter regulamentação favorável e capital barato. Segunda, identificar produtos pioneiros no Ocidente e no Japão e aprender a fabricá-los com qualidade equivalente e custo mais baixo. Terceira, globalizar sem parar, não apenas para buscar novos clientes, mas também para aprender concorrendo com as melhores empresas do mundo. A execução dessas estratégias fez da Samsung uma das maiores empresas do mundo, alcançando receitas equivalentes a 10% de todo o PIB da Coreia do Sul.

Poderia uma empresa chinesa executar um conjunto semelhante de estratégias? Grande parte das empresas de tecnologia da China tentava uma abordagem diferente com uma concentração menos global. Apesar de todas as proezas de exportação do país, as empresas de internet da China ganham quase todo o seu dinheiro dentro do mercado doméstico chinês, onde são protegidas por regulamentação e censura. Tencent, Alibaba, Pinduoduo e Meituan seriam peixe pequeno se não fosse seu domínio do mercado doméstico. Quando as empresas chinesas de tecnologia foram para o exterior, muitas vezes enfrentaram dificuldades para competir.

Por outro lado, a Huawei abraçou a concorrência estrangeira desde seus primeiros dias. O modelo de negócios de Ren Zhengfei tem sido fundamentalmente diferente do da Alibaba ou da Tencent. Ele pegou conceitos pioneiros no exterior, produziu versões de qualidade a um custo menor e os vendeu para o mundo, conquistando participação de mercado internacional de rivais internacionais. Esse modelo de negócios enriqueceu os fundadores da Samsung e colocou a empresa no centro do ecossistema de tecnologia do mundo. Até muito recentemente, a Huawei parecia trilhar o mesmo caminho.

A orientação internacional da empresa era visível desde sua fundação em 1987. Ren havia crescido em uma família de professores do ensino médio na província rural de Guizhou, no Sul da China. Ele se formou como engenheiro na capital de Sujuão antes de servir no Exército chinês, onde afirma ter trabalhado em uma fábrica que produzia fibras sintéticas para vestimentas.[2] Depois de supostamente abandonar o Exército (alguns céticos se perguntam sobre em que circunstâncias e se ele realmente cortou totalmente os laços com os militares), mudou-se para Shenzhen, então uma pequena cidade do outro lado da fronteira com Hong Kong. À época, Hong Kong ainda era governada pelos britânicos, um pequeno posto avançado de prosperidade ao longo da empobrecida costa meridional da China. Os líderes da China haviam começado a implementar reformas econômicas cerca de uma década antes, experimentando permitir que pessoas físicas formassem empresas privadas como forma de estimular o crescimento econômico. Shenzhen foi uma das diversas cidades selecionadas como "Zona Econômica Especial", onde leis restritivas foram canceladas e o investimento estrangeiro era incentivado. A cidade explodia à medida que o dinheiro de Hong Kong entrava e os pretensos empresários da China afluíam à cidade em busca de liberdade e fugindo da regulamentação.

Ren viu a oportunidade de importar comutadores de telecomunicações, os equipamentos que conectam as pessoas que se telefonam. Com 5 mil dólares de capital inicial, ele começou a importar esses equipamentos de Hong Kong. Quando perceberam que ele estava ganhando um bom dinheiro revendendo seus equipamentos, seus sócios do outro lado da fronteira o tiraram da jogada, então Ren decidiu fabricar os próprios equipamentos. No início da década de 1990, a Huawei tinha várias centenas de pessoas trabalhando com P&D, principalmente concentradas na fabricação de equipamentos de comutação.[3] Desde aqueles dias, a infraestrutura de telecomunicações foi incorporada à infraestrutura digital. As mesmas torres de celular que transmitem ligações também enviam outros tipos de dados. Portanto, os equipamentos da Huawei agora desempenham um papel importante — e, em muitos países, crucial — na transmissão de dados do mundo. Hoje é uma das três maiores fornecedoras mundiais de equipamentos para torres de celular, ao lado da Nokia, da Finlândia, e da Ericsson, da Suécia.

Os críticos da Huawei costumam alegar que seu sucesso se baseia em propriedade intelectual roubada, apesar de isso ser verdade apenas em parte. A empresa admitiu ter cometido algumas violações de propriedade intelectual e já foi acusada de muito mais coisas. Em 2003, por exemplo, a Huawei reconheceu que 2% do código de um de seus roteadores foi copiado diretamente da Cisco, uma concorrente dos EUA.[4] Enquanto isso, jornais canadenses publicavam que as agências de espionagem do país acreditavam que houve uma campanha de invasão de computadores e espionagem, apoiada pelo governo chinês, contra a gigante canadense de telecomunicações Nortel na década de 2000 que em tese beneficiou a Huawei.[5]

O roubo de propriedade intelectual pode muito bem ter beneficiado a empresa, mas não pode explicar seu sucesso. Nenhuma quantidade de propriedade intelectual ou segredos comerciais é suficiente para construir uma empresa do tamanho da Huawei. A empresa desenvolveu processos de fabricação eficientes que reduziram custos e fabricaram produtos que os clientes consideram de alta qualidade. Enquanto isso, os gastos da Huawei em P&D são os maiores do mundo. A empresa gasta várias vezes mais em P&D que outras empresas chinesas de tecnologia. Seu orçamento anual de P&D de aproximadamente 15 bilhões de dólares encontra paralelo em apenas um punhado de empresas, incluindo as de tecnologia como Google e Amazon, empresas farmacêuticas como Merck e montadoras como Daimler ou Volkswagen.[6] Mesmo ao pesar o histórico de roubo de propriedade intelectual da Huawei, os gastos multibilionários da empresa com P&D sugerem um sistema de valores fundamentalmente diferente da mentalidade "copiem-no" da soviética Zelenograd, ou das muitas outras empresas chinesas que tentaram entrar na indústria de chips economizando.

Os executivos da Huawei dizem que investem em P&D porque aprenderam com o Vale do Silício. Ren supostamente levou um grupo de executivos da Huawei para os EUA em 1997, para visitar empresas como HP, IBM e Bell Labs.[7] Saíram convencidos da importância não só de P&D, mas também de processos de gestão eficazes. A partir de 1999, a Huawei contratou o braço de consultoria da IBM para ensiná-la a operar como uma das maiores empresas do mundo. Um ex-consultor da IBM disse que a Huawei gastou 50 milhões de dólares em 1999 com honorários de consultoria em uma época em que toda a sua receita era inferior a 1 bilhão de dólares. A certa altura, ela empregou cem funcionários da IBM para refazer processos corporativos. "Eles não ficaram muito assustados com as tarefas de engenharia", relatou esse ex-consultor, mas "sentiam que estavam cem anos atrasados quando se tratava de conhecimento econômico e empresarial".[8] Graças à IBM e a outros consultores do Ocidente, a empresa aprendeu a gerenciar sua cadeia de suprimentos, prever a demanda do cliente, desenvolver marketing de primeira classe e vender produtos no mundo todo.

A Huawei juntou isso a um sistema de valores militarista que ela celebra como "cultura do lobo". A caligrafia em uma parede de um dos laboratórios de pesquisa da empresa diz: "O sacrifício é a maior causa de um soldado. A vitória é a maior contribuição de um soldado", de acordo com uma reportagem do *New York Times*.[9] No contexto da indústria de chips, porém, o militarismo de Ren Zhengfei não era tão singular. Andy Grove escreveu um best-seller sobre os benefícios da paranoia. Morris Chang, enquanto isso, dizia que tinha estudado Stalingrado, a batalha mais sangrenta da Segunda Guerra Mundial, para aprender lições sobre negócios.[10]

Além das consultorias ocidentais, a Huawei contou com a ajuda de outra instituição poderosa: o governo da China. Em momentos diferentes de seu desenvolvimento, a Huawei se beneficiou do apoio do governo local em Shenzhen, de bancos estatais e do governo central de Pequim. Uma análise do *Wall Street Journal* do total de subsídios fornecidos pelo governo chinês chegou a um valor de 75 bilhões de dólares na forma de terrenos subsidiados, crédito apoiado pelo Estado e renúncias fiscais em uma escala muito acima do que a maioria das empresas ocidentais obtém de seus governos, embora os benefícios fornecidos à Huawei possam não ser tão diferentes daqueles que outros governos do Leste Asiático fornecem a empresas prioritárias.[11]

A escala do apoio estatal a uma empresa ostensivamente privada levantou bandeiras vermelhas, sobretudo nos EUA. Os líderes da China certamente apoiaram a expansão global da empresa. Mesmo em meados da década de 1990, quando a Huawei ainda era uma pequena empresa, altas autoridades chinesas como o vice-primeiro-ministro Wu Bangguo visitaram a empresa e prometeram apoiá-la.[12] Ele também viajou para o exterior com Ren Zhengfei para ajudar a Huawei a vender equipamentos de telecomunicações na África. Contudo, é difícil distinguir se isso representou um apoio especial para a Huawei ou se era simplesmente um procedimento operacional-padrão, dada a abordagem mercantilista da China com relação ao comércio internacional e às fronteiras difusas entre a propriedade pública e a privada.

A falta de clareza sobre a transição de Ren do Exército de Libertação Popular para a Huawei continua intrigante. A complexa e opaca estrutura societária da empresa também provocava questionamentos razoáveis. O argumento do executivo da Huawei, Ken Hu, para uma investigação do Congresso dos EUA de que a participação de Ren Zhengfei no Partido Comunista da China era exatamente como "alguns empresários dos EUA são democratas ou republicanos" soou para os analistas dos EUA como uma ofuscação intencional do papel do Partido Comunista na governança da empresa.[13] Não obstante, a tese de que a Huawei fora construída de propósito pelo Estado chinês nunca tivera fortes evidências para receber apoio.

A ascensão da Huawei, no entanto, atendeu ao interesse do Estado chinês, já que a empresa conquistou participação de mercado e incorporou seus equipamentos nas redes de telecomunicações do mundo. Por muitos anos, apesar do alerta das agências de espionagem dos EUA, a Huawei se espalhou com rapidez pelo mundo. À medida que ela crescia, as tradicionais empresas ocidentais que vendiam equipamentos de telecomunicações foram forçadas a se fundir ou eliminadas do mercado. A canadense Nortel faliu. A Alcatel-Lucent, empresa que herdou a Bell Labs após a dissolução da AT&T, vendeu suas operações para a finlandesa Nokia.

As ambições da Huawei só cresciam. Tendo fornecido a infraestrutura que possibilitava ligações telefônicas, ela começou a vender telefones também. Logo seus smartphones estavam entre os mais vendidos do mundo. Em 2019, a empresa estava atrás apenas da Samsung considerando a quantidade de unidades vendidas. A Huawei ainda ganhava significativamente menos dinheiro por telefone que a Samsung ou a Apple, sendo que esta tinha o marketing e o ecossistema para cobrar preços muito maiores. Entretanto, a capacidade da Huawei de entrar no mercado de smartphones e logo conquistar uma posição de liderança deixou a Apple e a Samsung em alerta.

Além disso, a Huawei progredia projetando alguns dos chips críticos de seus próprios telefones. Fontes de dentro da empresa afirmam que as ambições de projeto de chips da empresa aceleraram em março de 2011, quando um terremoto próximo à Costa Leste do Japão provocou um tsunami que atingiu o país. A atenção do mundo se concentrou no reator nuclear de Fukushima Daiichi, que foi danificado pelas inundações, mas dentro da Huawei os executivos se preocupavam com a ameaça à cadeia de suprimentos da empresa. Assim como todos os grandes produtores de eletrônicos, a Huawei dependia de fornecedores japoneses para obter componentes essenciais para seus equipamentos de telecomunicações e smartphones e temia que o desastre pudesse causar imensos atrasos. No final das contas, a Huawei teve sorte. Poucos de seus fornecedores de componentes tiveram a produção paralisada por muito tempo. Todavia, a empresa pediu a seus consultores que determinassem o risco para a sua cadeia de suprimentos. Eles concluíram que a empresa apresentava duas vulnerabilidades principais: acesso ao sistema operacional Android, da Google, o principal software em que rodam todos os smartphones que não são da Apple, e o fornecimento dos semicondutores que todos os smartphones exigem.

A empresa identificou os 250 semicondutores mais importantes que seus produtos exigiam e começou a projetar a maior quantidade possível deles internamente.[14] Esses chips estavam amplamente relacionados ao negócio de construção de estações-base de telecomunicações, mas também incluíam os processadores de aplicativos para os smartphones da empresa, semicondutores que eram monstruosamente complexos e exigiam a mais avançada tecnologia de fabricação de chips. Como a Apple e grande parte das outras maiores empresas fabricantes de chips, a Huawei optou por terceirizar a fabricação desses chips, porque precisava utilizar processos de fabricação que, no máximo, umas duas empresas poderiam proporcionar. A taiwanesa TSMC foi a escolha natural deles.

No final da década de 2010, a unidade HiSilicon da Huawei projetava alguns dos chips para smartphones mais complexos do mundo e se tornou a segunda maior cliente da TSMC.[15] Os telefones da Huawei ainda exigiam chips de outras empresas também, como os de memória ou vários tipos de processadores de sinal. Mas dominar a produção de processadores para celulares foi um feito impressionante. O quase monopólio dos EUA sobre os negócios de projeto de chips mais lucrativos do mundo estava ameaçado. Aquilo era mais uma evidência de que a Huawei estava replicando com sucesso o que a sul-coreana Samsung ou a japonesa Sony haviam feito décadas antes: aprender a produzir tecnologia avançada, conquistar mercados globais, investir em P&D e desafiar os líderes em tecnologia dos EUA. Além disso, a Huawei parecia excepcionalmente bem posicionada para uma nova era de computação onipresente que acompanharia o lançamento da próxima geração de infraestrutura de telecomunicações: o 5G.

47
O futuro do 5G

Quando Ren Zhengfei começou a importar *switches* telefônicos de Hong Kong, os equipamentos de rede não faziam muito além de conectar um telefone a outro. Nos primórdios dos telefones, a comutação era feita manualmente, com fileiras de mulheres sentadas em frente a uma parede de plugues, conectando-os em diversas combinações dependendo de quem estava ligando. Na década de 1980, as humanas haviam sido substituídas por *switches* eletrônicos, que muitas vezes dependiam de dispositivos semicondutores. Mesmo assim, eram necessários equipamentos de comutação do tamanho de um armário para gerenciar as linhas telefônicas de um único prédio.[1] Atualmente, os provedores de telecomunicações dependem mais do que nunca do silício, mas os equipamentos de um armário podem processar ligações, mensagens de texto e vídeos, agora muitas vezes enviados por redes de rádio em vez de linhas de telefone fixo.

A Huawei dominou a geração mais recente de equipamentos para envio de chamadas e dados pelas redes celulares, chamada de 5G. Ainda assim, o 5G, de fato, não é para os telefones — é para o futuro da computação e, portanto, para semicondutores. O G de 5G significa "geração". Já passamos por quatro gerações de padrões de rede móvel, e cada uma exigiu novos hardwares em telefones e em torres de celulares. Assim como a Lei de Moore nos permitiu atulhar mais transistores nos chips, houve um aumento constante na quantidade de uns e zeros que entram e saem voando de telefones celulares por ondas de rádio. Telefones 2G podiam enviar textos com imagens; telefones 3G abriam páginas da internet; e o 4G possibilitou a transmissão de vídeos de praticamente qualquer lugar. O 5G proporcionará um avanço semelhante.

Hoje em dia, a maioria das pessoas não dá valor ao seu smartphone, mas é só por causa dos semicondutores cada vez mais potentes que não nos maravilhamos mais com textos com imagens e, em vez disso, frustramo-nos com atrasos de frações de segundo em transmissões de vídeo. Os chips de modem que gerenciam a conexão de um telefone com redes celulares possibilitam o envio de muito mais uns e zeros nas ondas de rádio por meio de uma antena de telefone.

Houve uma mudança comparável nos chips ocultos dentro de uma rede celular e no topo de torres de celular. Enviar uns e zeros pelo ar ao mesmo tempo em que minimiza ligações não atendidas ou atrasos em transmissões de vídeo é assustadoramente complicado. A quantidade de espaço disponível na respectiva parte do espectro de ondas de rádio é limitada. São limitadas as frequências de ondas de rádio, e muitas delas não são ideais para enviar muitos dados ou transmitir por longas distâncias. Portanto, as empresas de telecomunicações se basearam nos semicondutores para atulhar cada vez mais dados no espaço existente do espectro. "Espectro é muito mais caro que silício", explica Dave Robertson, especialista em chips da Analog Devices, empresa especializada em semicondutores que gerenciam transmissão de rádio. Os semicondutores foram, portanto, fundamentais para a capacidade de enviar mais dados sem fios. Empresas projetistas de chips como a Qualcomm encontraram novas maneiras de otimizar a transmissão de dados por meio do espectro de rádio, e fabricantes de chips como a Analog Devices fabricaram semicondutores chamados de transceptores de radiofrequência, que podem enviar e receber ondas de rádio com mais precisão utilizando menos energia.[2]

A próxima geração de tecnologia de rede, o 5G, possibilitará a transmissão sem fio de mais dados ainda. Em parte, isso se dará por meio de métodos ainda mais intrincados de compartilhamento de espaço de espectro, que exigem algoritmos mais complexos e maior capacidade de computação em telefones e em torres de celular para que uns e zeros possam ser encaixados até mesmo no espaço livre mais minúsculo do espectro sem fio. Em parte, as redes 5G enviarão mais dados utilizando um novo espectro de radiofrequência vazio que antes se considerava impraticável preencher. Semicondutores avançados possibilitam não apenas atulhar mais uns e zeros em uma determinada frequência de ondas de rádio, como também enviar ondas de rádio mais longe e direcioná-las com precisão sem precedentes. As redes celulares identificam a localização de um telefone e enviam ondas de rádio diretamente para ele utilizando uma técnica chamada *beamforming*. Uma onda de rádio típica, como aquela que envia música para o rádio do seu carro, envia sinais em todas as direções, porque não sabe onde está o seu carro. Isso representa um desperdício de energia e cria mais ondas e mais interferência. Com o *beamforming*, uma torre de celular identifica a localização de um dispositivo e envia o sinal necessário apenas na direção dele. Resultado: menos interferência e sinais mais fortes para todos.

Redes mais rápidas capazes de transportar mais dados não só permitirão que os telefones existentes funcionem mais rápido — elas mudarão a forma como pensamos sobre computação móvel. Na era das redes 1G, os telefones celulares eram caros demais para a maioria das pessoas. Com as redes 2G, chegamos a supor que os telefones poderiam enviar mensagens de texto e voz. Hoje, esperamos que telefones e tablets tenham quase todos os recursos dos PCs. À medida que for ficando possível enviar ainda mais dados por redes celulares, conectaremos cada vez mais dispositivos à rede celular. Quanto mais dispositivos tivermos, mais dados eles produzirão, o que exigirá mais capacidade de processamento para colocar sentido nisso tudo.

A promessa de conectar muito mais dispositivos a redes celulares e coletar dados deles pode não parecer revolucionária. Talvez você não imagine que uma rede 5G possa preparar um café melhor, mas não demorará muito para a sua cafeteira coletar e processar dados sobre a temperatura e a qualidade de cada xícara que produz. Existem inúmeras maneiras nos negócios e na indústria em que mais dados e mais conectividade produzirão melhores serviços e custos mais baixos, desde a otimização de como tratores percorrem campos até a coordenação de robôs nas linhas de montagem. Dispositivos médicos e sensores rastrearão e diagnosticarão mais problemas de saúde. O mundo apresenta muito mais informações sensoriais do que nossa capacidade atual de digitalizar, comunicar e processar.

Não há estudo de caso melhor que mostre como a conectividade e a capacidade de computação transformarão produtos antigos em máquinas digitalizadas que a Tesla, empresa automobilística de Elon Musk. O culto de seguidores da Tesla e o aumento vertiginoso do preço de suas ações atraíram muita atenção, mas o que é menos percebido é que a Tesla também é uma das maiores empresas projetistas de chips. A empresa contratou verdadeiros astros projetistas de semicondutores como Jim Keller para fabricar um chip especializado para suas necessidades de direção automatizada, que é fabricado utilizando tecnologia de ponta. Já em 2014, alguns analistas percebiam que os carros da Tesla "se assemelham a um smartphone".[3] A empresa tem sido frequentemente comparada à Apple, que também projeta seus próprios semicondutores. Assim como os produtos da Apple, a experiência do usuário bem ajustada da Tesla e sua integração aparentemente sem esforço de computação avançada em um produto do século xx — um carro — só são possíveis por causa de chips personalizados. Os carros vêm incorporando chips simples desde a década de 1970. Contudo, a disseminação de veículos elétricos que exigem semicondutores especializados para gerenciar o fornecimento de energia, juntamente com o aumento da demanda por recursos de direção autônoma, prevê que a quantidade e o custo dos chips em um carro típico aumentarão de forma considerável.

Os carros são apenas o exemplo mais proeminente de como a capacidade de enviar e receber mais dados criará mais demanda por capacidade de computação — em dispositivos no "limite" da rede, na própria rede celular, e em grandes data centers. Por volta de 2017, quando as empresas de telecomunicações de todo o mundo começaram a assinar contratos com fornecedores de equipamentos para montar redes 5G, descobriu-se que a chinesa Huawei estava em uma posição de liderança, oferecendo equipamentos que eram percebidos pela indústria como de alta qualidade e preços competitivos.[4] Parecia provável que a Huawei desempenharia um papel maior na construção de redes 5G do que qualquer outra empresa, ultrapassando a sueca Ericsson e a finlandesa Nokia, as únicas outras principais fabricantes dos equipamentos em torres de celular.

Dentro dos equipamentos da Huawei em torres de celular, como os de suas rivais, há uma grande quantidade de silício. Um estudo das unidades de rádio da Huawei, feito pelo jornal japonês *Nikkei Asia*, descobriu uma forte dependência de chips fabricados nos EUA, como arranjos de portas programáveis em campo da Lattice Semiconductor, empresa do Oregon que o Tsinghua Unigroup comprou e depois vendeu uma participação minoritária vários anos antes.[5] As empresas Texas Instruments, Analog Devices, Broadcom e Cypress Semiconductor também projetaram e fabricaram chips de que dependiam os equipamentos de rádio da Huawei. De acordo com essa análise, os chips dos EUA e outros componentes constituem praticamente 30% do custo de cada sistema da Huawei. Todavia, o principal chip de processador foi projetado internamente pelo braço de projeto de chips HiSilicon da Huawei e fabricado na TSMC. A Huawei não havia atingido a autossuficiência tecnológica. Dependia de várias empresas estrangeiras fabricantes de chips para produzir semicondutores especializados e da TSMC para fabricar os chips que projetava internamente. Ainda assim, a Huawei produzia alguns dos componentes eletrônicos mais complexos de cada sistema de rádio e entendia os detalhes de como integrar todos os componentes.

Com o braço de projeto da Huawei provando ser um dos melhores do mundo, não era difícil imaginar um futuro em que empresas chinesas de projeto de chips fossem clientes tão importantes da TSMC quanto as gigantes do Vale do Silício. Se as tendências do final da década de 2010 fossem projetadas para o futuro, até 2030 a indústria de chips da China poderia rivalizar com o Vale do Silício em termos de influência. Isso não só iria atrapalhar as empresas de tecnologia e os fluxos comerciais — também redefiniria o equilíbrio do poderio militar.

48
A PRÓXIMA COMPENSAÇÃO

DE ENXAMES DE drones autônomos a batalhas invisíveis no ciberespaço e em todo o espectro eletromagnético, o futuro da guerra será definido pela capacidade de computação. Os militares dos EUA não são mais os líderes incontestáveis. Longe estão os dias em que o Pentágono tinha acesso inigualável aos mares e ao espaço aéreo do mundo, garantido por mísseis de precisão e sensores que tudo veem. As ondas de choque que repercutiram nos ministérios da Defesa do mundo todo após a Guerra do Golfo Pérsico de 1991 — e o medo de que os ataques cirúrgicos que detonaram o exército de Saddam pudessem ser usados contra qualquer força militar do mundo — foram sentidas em Pequim como um "ataque nuclear psicológico", segundo um relato.[1] Nos trinta anos que se passaram desde aquele conflito, a China injetou fundos em armamento de alta tecnologia, abandonando as doutrinas da era Mao de travar uma Guerra Popular de tecnologia subdesenvolvida e abraçando a ideia de que as batalhas do futuro dependerão dos avanços nas áreas de sensores, comunicações e computação. Agora, a China está desenvolvendo a infraestrutura de computação necessária para uma força de combate avançada.

O objetivo de Pequim não é apenas se igualar aos EUA em termos de sistemas, mas desenvolver habilidades que possam "compensar" as vantagens dos EUA, pegando o conceito do Pentágono da década de 1970 e virando-o contra eles mesmos. A China colocou em campo uma série de armas que minam sistematicamente as vantagens dos EUA. Seus mísseis antinavio de precisão fazem com que seja extremamente perigoso para os navios de superfície dos EUA transitarem pelo estreito de Taiwan em tempos de guerra, mantendo o poderio naval norte-americano a distância. Novos sistemas de defesa antiaérea contestam a capacidade dos EUA de dominar o espaço aéreo em um conflito. Mísseis de ataque terrestre de longo alcance ameaçam a rede de bases militares americanas do Japão a Guam. As armas antissatélite da China ameaçam desativar as comunicações e as redes de GPS. As habilidades de guerra cibernética da China ainda não foram experimentadas em tempos de guerra, mas os chineses tentariam derrubar sistemas inteiros das Forças Armadas dos EUA. Enquanto isso, no espectro eletromagnético, a China pode tentar bloquear as comunicações dos EUA e cegar seus sistemas de vigilância, deixando os militares norte-americanos incapazes de ver os inimigos ou se comunicar com os aliados.

Subjacente a todas essas habilidades, está a crença, nos círculos militares chineses, de que a guerra não está apenas se tornando "informacionalizada", mas "inteligentizada" — jargão deselegante dos militares dos EUA (do inglês, "*intelligentized*") que significa aplicar inteligência artificial a sistemas bélicos. Obviamente, a capacidade de computação tem sido fundamental para a guerra no último meio século, embora a quantidade de uns e zeros que podem ser aproveitados para oferecer suporte a sistemas militares seja milhões de vezes maior do que nas décadas anteriores. A novidade atualmente é que os EUA agora têm um desafiante digno de crédito. A União Soviética podia igualar os EUA em termos de mísseis, mas não em termos de bytes. A China acha que pode fazer as duas coisas. O destino da indústria de semicondutores da China não é meramente uma questão de comércio. O país que conseguir produzir mais uns e zeros também terá uma séria vantagem militar.

Quais fatores definirão essa corrida por computação? Em 2021, um grupo de grandes nomes da tecnologia e da política externa dos EUA, presidido pelo ex-CEO da Google, Eric Schmidt, divulgou um relatório prevendo que "a China poderia superar os EUA como a maior superpotência de inteligência artificial do mundo".[2] Os líderes chineses parecem concordar. Como observa a especialista nas Forças Armadas chinesas Elsa Kania, o Exército de Libertação Popular vem falando sobre "armas de inteligência artificial" há pelo menos uma década, referindo-se a sistemas que utilizam "inteligência artificial para perseguir, distinguir e destruir alvos inimigos automaticamente".[3] O próprio Xi Jinping pediu ao Exército de Libertação Popular que "acelere o desenvolvimento da inteligentização militar" como uma prioridade de defesa.

A ideia de inteligência artificial militar evoca imagens de robôs assassinos, mas são muitas as esferas nas quais a aplicação da aprendizagem de máquina pode aprimorar sistemas militares. A manutenção preditiva — saber quando máquinas precisam ser consertadas — já está ajudando a manter aviões no céu e navios no mar. Sonares submarinos ou imagens de satélites habilitados para inteligência artificial podem identificar ameaças com mais precisão. Novos sistemas bélicos podem ser projetados com mais rapidez. Bombas e mísseis podem ser direcionados com mais precisão, sobretudo quando se trata de alvos em movimento. Veículos autônomos no ar, debaixo d'água e em terra já estão aprendendo a manobrar, identificar adversários e destruí-los. Nem tudo isso é tão revolucionário quanto frases como "armas de inteligência artificial" podem sugerir. Já temos mísseis autoguiados do tipo *fire-and-forget* [atire e esqueça] há décadas, por exemplo. Mas, à medida que as armas ficam mais inteligentes e autônomas, suas demandas por capacidade de computação só crescem.

Não é garantido que a China vencerá a corrida para desenvolver e implantar sistemas movidos por inteligência artificial, em parte porque essa "corrida" não se baseia em uma única tecnologia, mas em sistemas complexos. A corrida armamentista da Guerra Fria, vale lembrar, não foi vencida pelo primeiro país a colocar um satélite no espaço. No entanto, as habilidades da China quando se trata de sistemas de inteligência artificial são inegavelmente impressionantes. Ben Buchanan, da Universidade de Georgetown, observou que uma "tríade" de dados, algoritmos e capacidade de computação é necessária para aproveitar a inteligência artificial.[4] Com exceção da capacidade de computação, as habilidades da China já podem se igualar às dos EUA.

Quando se trata de acessar o tipo de dados que pode ser inserido em algoritmos de inteligência artificial, nem a China nem os EUA têm uma vantagem nítida. Os defensores de Pequim argumentam que as condições de vigilância do país e sua enorme população permitem que eles coletem mais dados, embora a capacidade de reunir dados sobre a população da China provavelmente não ajude muito na esfera militar. Nenhuma quantidade de dados sobre hábitos de compras na internet ou sobre a estrutura facial de todos os 1,3 bilhão de cidadãos da China treinará um computador para reconhecer os sons de um submarino à espreita no estreito de Taiwan, por exemplo. A China não tem vantagens integradas na coleta de dados relevantes para sistemas militares.[5]

É mais difícil dizer se um lado tem vantagem quando se trata de desenvolver algoritmos inteligentes. Medidos pela quantidade de especialistas em inteligência artificial, a China parece ter habilidades comparáveis às dos EUA. Pesquisadores do MacroPolo, um laboratório de ideias focado na China, descobriram que 29% dos principais pesquisadores do mundo em inteligência artificial são da China, comparados com 20% dos EUA e 18% da Europa. Entretanto, uma parcela impressionante desses especialistas acaba trabalhando nos EUA, que emprega 59% dos principais pesquisadores de inteligência artificial do mundo.[6] A combinação de novas restrições de vistos e viagens, além do esforço da China em reter mais pesquisadores, pode neutralizar a habilidade histórica dos EUA de despojar rivais geopolíticos de suas mentes mais inteligentes.

Na terceira parte da "tríade" de Buchanan, a capacidade de computação, os EUA ainda têm uma liderança significativa, embora ela tenha diminuído de modo significativo nos últimos anos. A China ainda é assombrosamente dependente da tecnologia de semicondutores estrangeiros — sobretudo de processadores projetados nos EUA e fabricados em Taiwan — para tarefas complexas de computação. Não são apenas os smartphones e PCs chineses que dependem de chips estrangeiros. O mesmo acontece com a maior parte dos data centers chineses — o que explica por que o país se esforçou tanto em adquirir tecnologia de empresas como a IBM e a AMD. Um estudo chinês estimou que uma quantidade aproximada de 95% das GPUs de servidores chineses que rodam cargas de trabalho de inteligência artificial são projetadas pela Nvidia, por exemplo.[7] Chips da Intel, da Xilinx, da AMD e outras são de importância crucial para os data centers chineses. Mesmo nas projeções mais otimistas, levará meia década para que a China possa projetar chips competitivos e o ecossistema de softwares em torno deles, e muito mais para que possa fabricar esses chips no mercado interno.

Para muitos sistemas militares chineses, no entanto, a aquisição de chips fabricados em Taiwan e projetados nos EUA não tem sido difícil. Uma análise recente de 343 contratos de compras do Exército de Libertação Popular relacionados a inteligência artificial disponíveis ao público, feita por pesquisadores da Universidade de Georgetown, descobriu que menos de 20% dos contratos envolviam empresas sujeitas a controles de exportação dos EUA.[8] Em outras palavras, os militares chineses tiveram pouca dificuldade em simplesmente comprar chips com tecnologia de ponta dos EUA já existentes no mercado e conectá-los a sistemas militares. Os pesquisadores de Georgetown descobriram que os fornecedores militares chineses até anunciam em seus sites que utilizam chips dos EUA. A controversa política de "Fusão Militar Civil" do governo chinês, um esforço para aplicar tecnologia civil avançada a sistemas militares, parece estar funcionando. Na ausência de uma mudança importante nas restrições de exportação dos EUA, o Exército de Libertação Popular adquirirá grande parte da capacidade de computação de que precisa simplesmente comprando-a do Vale do Silício.

É claro que o Exército de Libertação Popular não é a única força militar que está tentando aplicar computação avançada a sistemas bélicos. À medida que a capacidade de combate das Forças Armadas da China ia crescendo, o Pentágono percebeu que precisava de uma nova estratégia. Em meados da década de 2010, autoridades como o secretário de Defesa Chuck Hagel começaram a falar sobre a necessidade de uma nova "compensação", evocando os esforços de Bill Perry, Harold Brown e Andrew Marshall durante a década de 1970 para superar a vantagem quantitativa da URSS. Os EUA encaram basicamente o mesmo dilema hoje: a China pode enviar mais navios e aviões que os EUA, sobretudo em cenários importantes, como o estreito de Taiwan. "Nunca tentaremos igualar nossos oponentes ou nossos concorrentes em termos de quantidade de tanques, aviões ou pessoas", declarou Bob Work, ex-vice-secretário de Defesa, padrinho intelectual dessa nova compensação, em uma clara repercussão da lógica do final da década de 1970. Os militares dos EUA só terão êxito, em outras palavras, se tiverem uma vantagem tecnológica decisiva.[9]

Como será essa vantagem tecnológica? A compensação da década de 1970 foi impulsionada por "microprocessadores digitais, tecnologias da informação, novos sensores, discrição", argumentou Work. Desta vez, será por "avanços em inteligência artificial (IA) e autonomia". Os militares dos EUA já estão colocando em campo a primeira geração de novos veículos autônomos, como o *Saildrone*, um windsurfista não tripulado que pode passar meses percorrendo os oceanos enquanto rastreia submarinos ou intercepta comunicações dos adversários. Esses dispositivos custam uma minúscula fração de um navio típico da Marinha, o que possibilita que os militares coloquem muitos deles em campo e fornece plataformas para sensores e comunicações pelos oceanos do planeta. Navios de superfície, aviões e submarinos autônomos também estão sendo desenvolvidos e implantados. Essas plataformas autônomas exigirão inteligência artificial para orientá-los e tomar decisões. Quanto mais capacidade de computação puder ser colocada a bordo, mais decisões inteligentes eles tomarão.

A Darpa desenvolveu a tecnologia que tornou possível a compensação da década de 1970; agora está desenvolvendo sistemas que prometem novas transformações habilitadas para computação na guerra. Os líderes da Darpa preveem "computadores distribuídos pelo espaço de batalha, todos capazes de se comunicar e se coordenar uns com os outros", desde a maior embarcação naval até o menor drone.[10] O desafio não é apenas incorporar capacidade de computação em um único dispositivo, como um míssil teleguiado, e sim conectar milhares de dispositivos em rede ao longo de um campo de batalha, possibilitando o compartilhamento de dados entre eles e colocando as máquinas em posição de tomar mais decisões. A Darpa financiou programas de pesquisa sobre "integração homem-máquina", prevendo, por exemplo, um caça pilotado voando ao lado de vários drones autônomos, formando um conjunto adicional de olhos e ouvidos para o piloto humano.[11]

Assim como a Guerra Fria foi decidida por elétrons que corriam em torno dos computadores de orientação dos mísseis dos EUA, os combates do futuro podem ser decididos no espectro eletromagnético. Quanto mais as forças armadas do mundo dependerem de sensores e comunicação eletrônicos, mais terão de batalhar pelo acesso ao espaço do espectro necessário para enviar mensagens ou detectar e rastrear adversários. Tivemos apenas um vislumbre de como serão as operações do espectro eletromagnético em tempos de guerra. Por exemplo, a Rússia utilizou diversos bloqueadores de sinais e radares em sua guerra contra a Ucrânia. O governo russo também supostamente obstrui os sinais de GPS que cercam as viagens oficiais do presidente Vladimir Putin, talvez como medida de segurança.[12] Não por coincidência, a Darpa vem pesquisando sistemas de navegação alternativos que não dependam de sinais de GPS ou de satélites para possibilitar que mísseis dos EUA atinjam seus alvos, mesmo que os sistemas de GPS estejam inoperantes.[13]

A batalha pelo espectro eletromagnético será uma luta invisível conduzida por semicondutores. Radares, interferências e comunicações são todos gerenciados por complexos chips de radiofrequência e conversores analógico-digitais, que modulam os sinais para aproveitar o espaço de espectro aberto, enviam sinais em um sentido específico e tentam confundir os sensores dos adversários. Ao mesmo tempo, poderosos chips digitais rodarão algoritmos complexos dentro de um radar ou bloqueador que avalia os sinais recebidos e decide quais sinais enviar em questão de milissegundos. O que está em jogo é a capacidade de uma força militar ver e se comunicar.[14] Drones autônomos não valerão muito se os dispositivos não puderem determinar onde estão ou para onde rumam.

A guerra do futuro dependerá mais do que nunca de chips — processadores potentes para rodar algoritmos de inteligência artificial, grandes chips de memória para processar dados e chips analógicos perfeitamente ajustados para detectar e produzir ondas de rádio. Em 2017, a Darpa lançou um novo projeto intitulado Electronics Resurgence Initiative (Iniciativa de Ressurgimento de Eletrônicos, em tradução livre) para ajudar a construir a próxima onda de tecnologia de chip relevante do ponto de vista militar.[15] De certa forma, o renovado interesse da Darpa em chips decorre naturalmente de seu histórico. Ela financiou acadêmicos pioneiros como Carver Mead, da Caltech, e catalisou pesquisas em softwares de projeto de chips, novas técnicas de litografia e estruturas de transistores.[16]

Ainda assim, a Darpa e o governo dos EUA acharam mais difícil que nunca moldar o futuro da indústria de chips. O orçamento da Darpa é de uns 2 bilhões de dólares por ano, menos que os orçamentos de P&D de grande parte das maiores empresas do setor. É óbvio que a Darpa gasta muito mais em ideias de pesquisa que estão distantes de serem concretizadas, enquanto empresas como a Intel e a Qualcomm gastam a maior parte de seu dinheiro em projetos a apenas uns dois anos da concretização. Todavia, o governo dos EUA em geral está comprando uma parcela menor dos chips do mundo do que em toda a sua história. O governo dos EUA comprava quase todos os primeiros circuitos integrados que a Fairchild e a Texas Instruments produziam no início da década de 1960. Na de 1970, esse número havia caído para entre 10% e 15%.[17] Agora é de cerca de 2% do mercado de chips dos EUA. Na condição de comprador de chips, o CEO da Apple, Tim Cook, tem mais influência no setor que qualquer autoridade do Pentágono hoje em dia.

Fabricar semicondutores é tão dispendioso do ponto de vista financeiro que nem mesmo o Pentágono tem recursos para fabricá-los internamente. A Agência de Segurança Nacional dos EUA costumava ter uma fábrica de chips em sua sede em Fort Meade, em Maryland. Na década de 2000, contudo, o governo decidiu que saía muito caro continuar com as modernizações de acordo com a cadência ditada pela Lei de Moore. Hoje em dia, até mesmo projetar um chip com tecnologia de ponta — o que pode custar várias centenas de milhões de dólares — sai caro demais e só vale a pena para os projetos mais importantes.[18]

Tanto os militares dos EUA como as agências de espionagem de seu governo terceirizam a produção de seus chips para "fundições de confiança". Isso é relativamente simples para muitos tipos de chips analógicos ou de radiofrequência, nos quais os EUA têm recursos de alto nível. Quando se trata de chips lógicos, porém, isso representa um dilema. Os recursos de produção da Intel estão logo atrás da vanguarda, embora a empresa produza principalmente chips para os próprios negócios de PCs e servidores. Enquanto isso, a TSMC e a Samsung mantêm seus recursos de fabricação mais avançados em Taiwan e na Coreia do Sul, e grande parte da montagem e da embalagem de chips também ocorre na Ásia. Enquanto o Departamento de Defesa tentar utilizar mais componentes já existentes no mercado para reduzir custos, comprará ainda mais dispositivos do exterior.

Os militares temem que chips fabricados ou montados no exterior sejam mais suscetíveis a adulterações, com a proposital inclusão de *backdoors* ou erros de segurança. Contudo, até os chips projetados e produzidos internamente podem ter vulnerabilidades não intencionais. Em 2018, pesquisadores descobriram dois erros fundamentais na arquitetura de microprocessadores amplamente utilizada na Intel, intitulados Spectre e Meltdown, que possibilitavam a cópia de dados, por exemplo, senhas — uma enorme falha de segurança.[19] De acordo com o *Wall Street Journal*, a Intel divulgou a falha primeiro aos clientes, incluindo as empresas chinesas de tecnologia, antes de notificar o governo dos EUA, fato que apenas intensificou a preocupação das autoridades do Pentágono sobre sua influência em declínio na indústria de chips.[20]

A Darpa vem investindo em uma tecnologia capaz de garantir que os chips sejam invioláveis ou para verificar se são fabricados exatamente como pretendido. Ficaram para trás os dias em que os militares dos EUA podiam contar com empresas como a Texas Instruments para projetar, fabricar e montar dispositivos eletrônicos analógicos e digitais com tecnologia de ponta, tudo isso dentro dos próprios EUA. Hoje em dia, não há como evitar comprar algumas coisas do exterior — e muitas delas de Taiwan. Assim, a Darpa está apostando na tecnologia para possibilitar uma abordagem de "confiança zero"[21] à microeletrônica: não confiar em nada e verificar tudo por meio de tecnologias como minúsculos sensores implantados em um chip capaz de detectar esforços para modificá-lo.

Todos esses esforços para utilizar a microeletrônica a fim de estimular uma nova "compensação" e restabelecer uma vantagem militar decisiva sobre a China e a Rússia, no entanto, pressupõem que os EUA manterão sua liderança na indústria de chips. Agora essa parece uma aposta arriscada. A era da estratégia de "correr mais rápido" fez com que os EUA ficassem para trás em determinados segmentos do processo de fabricação de chips, principalmente na crescente dependência de Taiwan para a fabricação de chips lógicos avançados. A Intel, que durante três décadas fora a campeã dos chips dos EUA, agora muito claramente tropeçava. Muitas pessoas na indústria consideram que ela ficou para trás de uma vez por todas. Enquanto isso, a China vem injetando bilhões de dólares em sua indústria de chips e pressionando empresas estrangeiras a entregarem suas tecnologias sensíveis. Para todas as grandes empresas de fabricação de chips, o mercado consumidor chinês é um cliente muito mais importante que o governo dos EUA.

Os esforços de Pequim para adquirir tecnologias avançadas, as profundas interligações entre as indústrias de eletrônicos dos EUA e da China e a dependência mútua dos dois países na fabricação em Taiwan... tudo isso levanta questões. Os EUA já estavam correndo mais devagar. Agora estão apostando o futuro de suas Forças Armadas em uma tecnologia sobre a qual seu domínio vem caindo.[22] "Essa ideia de avançar com uma compensação", argumenta Matt Turpin, um diretor que trabalhou nessa questão no Pentágono, "é praticamente impossível se os chineses estiverem dentro do carro conosco."[23]

"Convocar o ataque", declarou Xi Jinping. Os líderes da China identificaram sua dependência de fabricantes estrangeiros de chips como uma vulnerabilidade crítica. Eles firmaram um plano para reformular a indústria mundial de chips comprando empresas estrangeiras fabricantes de chips, roubando sua tecnologia e fornecendo bilhões de dólares em subsídios para empresas chinesas fabricantes de chips. O Exército de Libertação Popular agora conta com esses esforços para o ajudar a evitar as restrições dos EUA, embora ainda possa comprar legalmente muitos chips dos EUA em sua busca por "inteligentização militar". Por sua vez, o Pentágono lançou a própria compensação depois de admitir que a modernização militar da China fechou o espaço vazio que havia entre as Forças Armadas das duas superpotências, sobretudo nas águas contestadas próximas à costa chinesa. Taiwan não é apenas a origem dos chips avançados em que apostam os militares de ambos os países. É também o campo de batalha futuro mais provável.

PARTE VIII
O ESTRANGULAMENTO DE CHIPS

49
"Tudo em que estamos competindo"

O CEO DA Intel, Brian Krzanich, não conseguia esconder sua ansiedade com o esforço da China em conquistar uma fatia maior da indústria mundial de chips. Como presidente em 2015 da Associação da Indústria de Semicondutores, o grupo comercial da indústria de chips dos EUA, Krzanich foi encarregado de confraternizar com autoridades do governo norte-americano. Normalmente, isso significava pedir isenções de impostos ou redução de regulamentação. Dessa vez, o assunto era outro: convencer o governo dos EUA a fazer algo com relação aos enormes subsídios para semicondutores da China. As empresas fabricantes de chips dos EUA foram todas pegas na mesma enrascada. A China era um mercado crucial para quase todas as empresas fabricantes de semicondutores dos EUA, seja porque essas empresas vendiam diretamente para clientes chineses ou porque seus chips eram montados em smartphones ou computadores na China. Os métodos de queda de braço de Pequim forçaram as empresas fabricantes de chips dos EUA a não falarem nada sobre os subsídios da China, muito embora o governo chinês tivesse adotado uma política formal de tentar eliminá-los da cadeia de suprimentos do país.

Autoridades do governo Obama estavam acostumadas com reclamações sobre a China feitas por indústrias como a de siderurgia ou de painéis solares. A alta tecnologia deveria ser a especialidade dos EUA, uma esfera na qual tinha uma vantagem competitiva. Então, quando as altas autoridades do governo perceberam uma "sensação palpável de medo em seus olhos" ao se encontrar com Krzanich, ficaram preocupados.[1] Os CEOs da Intel tinham um longo histórico de paranoia, é claro. Mas agora havia mais motivos que nunca para a empresa, e para toda a indústria de chips dos EUA, ficar preocupada. A China havia levado a fabricação de painéis solares dos EUA à falência. Será que não poderia fazer o mesmo com semicondutores? "Esse imenso fundo de 250 bilhões de dólares vai nos enterrar", temia uma autoridade de Obama referindo-se aos subsídios que os governos regionais e central da China prometeram para oferecer suporte aos fabricantes de chips locais.[2]

Por volta de 2015, das profundezas do governo dos EUA, as engrenagens começaram a se movimentar lentamente. Os negociadores comerciais do governo enxergaram nos subsídios para chips da China uma violação flagrante dos acordos internacionais. O Pentágono assistia com nervosismo aos esforços da China em aplicar capacidade de computação a novos sistemas bélicos. As agências de inteligência e o Departamento de Justiça descobriram mais evidências de conluio entre o governo da China e suas indústrias para expulsar as empresas fabricantes de chips dos EUA. Não obstante, os dois pilares da política de tecnologia dos EUA — abraçar a globalização e "correr mais rápido" — estavam profundamente arraigados, não apenas pelos lobbies da indústria, como também pelo consenso intelectual de Washington. Além disso, a maioria das pessoas em Washington mal sabia o que era um semicondutor. O governo Obama avançou lentamente com relação aos semicondutores, lembrou uma pessoa envolvida no esforço, porque muitas altas autoridades não enxergavam os chips como uma questão importante.[3]

Só nos últimos dias do governo Obama, portanto, o governo começou a agir. No final de 2016, seis dias antes da eleição presidencial daquele ano, a secretária de Comércio Penny Pritzker fez um discurso sobre semicondutores para altas autoridades em Washington, declarando ser "imperativo que a tecnologia de semicondutores continue sendo uma característica central da engenhosidade dos EUA e um motor de nosso crescimento econômico.[4] Não podemos nos dar ao luxo de ceder nossa liderança". Ela identificou a China como o desafio central, condenando "práticas comerciais desleais e enorme intervenção estatal não baseada no mercado" e citou "novas tentativas da China de adquirir empresas e tecnologias com base no interesse de seu governo, não em objetivos comerciais", uma acusação impulsionada pela onda de aquisições do Tsinghua Unigroup.

No entanto, faltando pouco tempo para acabar o governo Obama, Pritzker já não podia fazer muita coisa. Em vez disso, o modesto objetivo do governo foi iniciar uma discussão que — eles esperavam — o governo que se seguiria, de Hillary Clinton, levasse adiante. Pritzker também ordenou que o Departamento de Comércio realizasse um estudo da cadeia de suprimentos de semicondutores e prometeu "deixar claro para os líderes da China, em todas as oportunidades, que não aceitaremos uma política industrial de 150 bilhões de dólares projetada para apropriar-se dessa indústria". Mas era fácil condenar os subsídios da China. Era muito mais difícil fazê-los parar.

Mais ou menos na mesma época, a Casa Branca incumbiu um grupo de executivos e acadêmicos de semicondutores de estudar o futuro da indústria. Eles apresentaram um relatório dias antes de Obama deixar o cargo, o que instou os EUA a dobrarem a aposta em sua estratégia preexistente.[5] A principal recomendação do relatório foi: "Ganhem a corrida correndo mais rápido" — um conselho que poderia ter sido copiado e colado direto da década de 1990. A necessidade de continuar inovando era obviamente importante. A continuação da Lei de Moore era uma necessidade concorrencial. Mas, durante as décadas em que Washington pensou que estava "correndo mais rápido", seus adversários aumentaram sua participação de mercado enquanto o mundo inteiro havia se tornado assustadoramente dependente de um punhado de pontos de estrangulamento vulneráveis, sobretudo Taiwan.

Em Washington e na indústria de chips, quase todos haviam comprado a ideia da globalização de corpo e alma. Tanto os jornais como a academia relatavam que ela era, de fato, "global", que a difusão tecnológica era irrefreável, que a capacidade tecnológica que avançava de outros países era do interesse dos EUA e que, mesmo que não fosse, nada poderia deter o progresso tecnológico. "A ação unilateral vai ficando cada vez mais ineficaz em um mundo onde a indústria de semicondutores é globalizada", declarou o relatório sobre semicondutores do governo Obama. "Uma política pode, em princípio, retardar a difusão da tecnologia, mas não pode impedir a disseminação." Nenhuma dessas alegações era apoiada por evidências; eram apenas suposições tidas como verdadeiras. Entretanto, a "globalização" da fabricação de chips não havia ocorrido; a "taiwanização" havia. A tecnologia não havia sido difundida. Fora monopolizada por um punhado de empresas insubstituíveis. A política tecnológica dos EUA foi mantida como refém de banalidades sobre globalização que eram facilmente vistas como falsas.

A liderança tecnológica dos EUA em termos de fabricação, litografia e em outros campos havia se dissipado porque Washington se convenceu de que as empresas deveriam concorrer entre si, mas que os governos deveriam fornecer condições equitativas. Um sistema liberalista funciona se todos os países concordam com ele. Muitos governos, sobretudo na Ásia, estavam profundamente envolvidos no apoio às suas indústrias de fabricação de chips. Todavia, as autoridades dos EUA acharam mais fácil ignorar os esforços dos outros países em conquistar fatias valiosas da indústria de chips, optando por papaguear chavões sobre livre comércio e concorrência aberta. Enquanto isso, a posição dos EUA ia se desgastando.

Em companhia civilizada em Washington e no Vale do Silício, era mais fácil apenas repetir palavras como multilateralismo, globalização e inovação, conceitos vazios demais para ofender qualquer pessoa que ocupasse uma posição de poder. A própria indústria de chips — profundamente temerosa de irritar a China ou a TSMC — colocou seus consideráveis recursos de lobby para apoiar a repetição de falsos chavões sobre o quão "global" a indústria havia se tornado. Esses conceitos se encaixavam de forma natural com o sistema de valores internacionalista liberal, que orientou os dirigentes de ambos os partidos políticos em meio ao momento unipolar dos EUA. As reuniões com empresas e governos estrangeiros eram mais agradáveis quando todos dissimulavam que a cooperação era algo em que todos ganhavam. Então, Washington seguia se convencendo de que os EUA estavam correndo mais rápido, ignorando cegamente a deterioração de sua posição, o crescimento das habilidades da China e a dependência desconcertante de Taiwan e da Coreia do Sul, que ia se tornando cada vez mais evidente a cada ano que passava.

Contudo, nas profundezas do governo dos EUA, a burocracia da segurança nacional começava a adotar uma visão diferente. Essa parte do governo é paga para ser paranoica, então não surpreende que as autoridades de segurança tenham visto a indústria de tecnologia da China com mais ceticismo, e seu governo, com mais cinismo. Muitas autoridades temiam que a influência da China sobre os sistemas tecnológicos críticos do mundo estivesse crescendo. Também presumiram que a China utilizaria sua posição na condição de principal fabricante mundial de eletrônicos para inserir *backdoors* e espionar com mais eficiência, assim como os EUA passaram décadas fazendo. Autoridades do Pentágono que desenvolviam armas do futuro começaram a perceber quão dependentes seriam dos semicondutores. Enquanto isso, dirigentes concentrados na infraestrutura de telecomunicações temiam que os aliados dos EUA estivessem comprando menos equipamentos de telecomunicações da Europa e dos EUA e mais de empresas chinesas como ZTE e Huawei.

A inteligência dos EUA havia passado muitos anos manifestando preocupações sobre os supostos vínculos da Huawei com o governo chinês, embora tenha sido apenas em meados da década de 2010 que a empresa e seu par menor, a ZTE, começaram a atrair a atenção pública. Ambas vendiam equipamentos de telecomunicações concorrentes; a ZTE era uma empresa estatal, enquanto a Huawei era privada, mas pairava sobre esta a suspeita de autoridades dos EUA de nutrir laços estreitos com o governo. Ambas haviam passado décadas contestando alegações de que tinham subornado dirigentes em vários países para amealhar contratos.[6] E em 2016, último ano do governo Obama, ambas foram acusadas de violar sanções dos EUA ao fornecer mercadorias para Irã e Coreia do Norte.[7]

O governo Obama considerou impor sanções financeiras à ZTE, o que teria cortado o acesso da empresa ao sistema bancário internacional, mas, em vez disso, optou por puni-la em 2016, impedindo as empresas dos EUA de vender para a organização.[8] Controles de exportação como esse já haviam sido utilizados principalmente contra alvos militares para impedir a transferência de tecnologia a empresas que fornecem componentes para o programa de mísseis do Irã, por exemplo. Mas o Departamento de Comércio também tinha ampla autoridade para proibir a exportação de tecnologias civis. A ZTE dependia muito dos componentes dos EUA em seus sistemas — acima de tudo, chips. No entanto, em março de 2017, antes que as restrições ameaçadas fossem implementadas, a empresa assinou um acordo judicial com o governo dos EUA e pagou uma multa, de modo que as restrições à exportação foram removidas antes de entrarem em vigor.[9] Quase ninguém entendia quão drástico teria sido proibir uma grande empresa chinesa de tecnologia de comprar chips dos EUA.

O acordo judicial da ZTE foi assinado assim que o governo Trump assumiu. Trump fazia ataques constantes à China por "nos roubar", mas tinha pouco interesse em detalhes de políticas e nenhum em tecnologia.[10] Seu foco estava no comércio e nas tarifas, para os quais seus dirigentes, como Peter Navarro e Robert Lighthizer, tentaram, e em grande parte fracassaram, reduzir o déficit comercial bilateral e desacelerar a internacionalização. Não obstante, longe dos holofotes políticos, no Conselho de Segurança Nacional dos EUA, um punhado de autoridades discretas lideradas por Matt Pottinger, ex-jornalista e fuzileiro naval que acabou galgando posições até se tornar vice-conselheiro de Segurança Nacional de Trump, estavam transformando a política dos EUA com relação à China, descartando várias décadas de política tecnológica enquanto o faziam. Em vez das tarifas, os dirigentes do Conselho de Segurança Nacional dos EUA contrários à China tinham verdadeira fixação na agenda geopolítica de Pequim e em sua base tecnológica. Eles achavam que a posição dos EUA havia ficado perigosamente enfraquecida e que a culpa disso era da inércia de Washington. "Isso é muito importante", um dirigente indicado por Trump relatou o que uma autoridade de Obama lhe disse durante a transição presidencial com relação aos avanços tecnológicos da China, "mas não há nada que se possa fazer".[11]

A equipe responsável pela China do novo governo discordou. Eles concluíram, como colocou uma alta autoridade, "que tudo em que estamos competindo no século XXI [...] isso tudo se baseia no pilar do domínio dos semicondutores".[12] A inércia não era uma opção viável, eles acreditavam. Tampouco a de "correr mais rápido" — que eles enxergavam como um código para inércia. "Seria ótimo se conseguíssemos correr mais rápido", disse um dirigente do Conselho de Segurança Nacional, mas a estratégia não funcionou devido à "enorme influência da China em forçar a rotatividade da tecnologia". O novo Conselho de Segurança Nacional adotou uma abordagem muito mais combativa e de ganhadores contra perdedores com relação à política tecnológica. Dos dirigentes da unidade de triagem de investimentos do Departamento do Tesouro aos que gerenciavam as cadeias de suprimentos do Pentágono para sistemas militares, elementos-chave do governo começaram a se concentrar em semicondutores como parte de sua estratégia para lidar com a China.[13]

Isso causou um profundo desconforto com os líderes da indústria de semicondutores. Eles queriam a ajuda do governo, mas temiam a retaliação chinesa. A indústria de chips aceitaria de bom grado impostos mais baixos ou redução de regulamentação, pois ambas medidas tornariam mais atraente fazer negócios nos EUA, mas não queria ter de mudar seu modelo de negócios multinacional. Não ajudava em nada que muitos no Vale do Silício detestassem Trump. O CEO da Intel, Brian Krzanich, enfrentou uma reação negativa depois de concordar em realizar uma arrecadação de fundos para Trump quando ele era candidato.[14] Então, depois de ingressar em um conselho consultivo convocado pela Casa Branca, Krzanich renunciou dele. Mesmo quando os executivos do setor ignoravam as políticas internas de Trump, sua volatilidade o tornava um aliado problemático. Anunciar tarifas pelo Twitter nunca chegou a ser uma tática que impressionaria CEOs.

Entretanto, as mensagens vindas da indústria de chips não eram mais coerentes que os vazamentos contraditórios da Casa Branca de Trump. Publicamente, os CEOs das fabricantes de semicondutores e seus lobistas instavam o novo governo a trabalhar com a China e incentivá-la a cumprir os acordos comerciais. Em particular, eles admitiam que essa estratégia era uma causa perdida e temiam que os concorrentes chineses apoiados pelo Estado conquistassem participação de mercado à sua custa. Toda a indústria de chips dependia das vendas para a China — fossem as fabricantes de chips como a Intel, as projetistas sem fábricas como a Qualcomm ou as fabricantes de equipamentos como a Applied Materials. Um executivo de uma fabricante de semicondutores dos EUA resumiu com sarcasmo o assunto para uma autoridade da Casa Branca: "Nosso problema fundamental é que o nosso principal cliente é o nosso principal concorrente".[15]

Os dirigentes do Conselho de Segurança Nacional dos EUA contrários à China concluíram que a indústria norte-americana de semicondutores precisava ser salva de si mesma. Deixadas ao capricho de seus acionistas e às forças do mercado, as empresas fabricantes de chips transfeririam lentamente os funcionários, a tecnologia e a propriedade intelectual para a China até que o Vale do Silício fosse esvaziado. Os EUA precisavam de um regime de controle de exportação mais forte, acreditavam as autoridades contrárias à China. Elas achavam que a discussão de Washington sobre os controles de exportação havia sido sequestrada pela indústria, permitindo que as empresas chinesas adquirissem muitos projetos e maquinários avançados de fabricação de chips. Membros do governo citaram a porta giratória entre o Departamento de Comércio e escritórios de advocacia que trabalhavam para a indústria de chips e faziam lobby contra os controles de exportação, embora esses membros também estivessem entre as poucas pessoas do governo que entendiam a complexidade das cadeias de suprimentos de semicondutores. Por causa dessa porta giratória, acreditavam os membros do governo Trump, as regulamentações permitiam um vazamento tecnológico em excesso, enfraquecendo a posição dos EUA com relação à China.[16]

Em meio ao fogo e à fúria das postagens do Twitter do presidente Trump, a maioria das pessoas mal percebia como as diversas partes do governo — do Congresso ao Departamento de Comércio, da Casa Branca ao Pentágono — estavam reajustando seu foco para os semicondutores de maneiras nunca vistas em Washington desde o final da década de 1980. A atenção dos meios de comunicação se concentrava na "guerra comercial" de Trump com Pequim e em seus aumentos de tarifas, cuidadosamente anunciados para maximizar a atenção dos meios de comunicação. Entre os muitos produtos sobre os quais Trump impôs tarifas estavam os chips, fazendo com que alguns analistas enxergassem os semicondutores principalmente como uma questão comercial.[17] Dentro da burocracia da segurança nacional do governo, porém, as tarifas do presidente e sua guerra comercial eram vistas como uma distração da luta tecnológica de alto risco que estava em andamento.

Em abril de 2018, à medida que a disputa comercial de Trump com a China aumentava, o governo dos EUA concluiu que a ZTE havia violado os termos de seu acordo judicial ao fornecer informações falsas às autoridades dos EUA.[18] Wilbur Ross, secretário de Comércio de Trump, levou isso "muito pessoalmente", de acordo com um assessor, pois havia exercido influência na negociação do acordo com a ZTE no ano anterior. O Departamento de

Comércio começou a impor mais uma vez as restrições à capacidade das empresas dos EUA de vender para a ZTE, uma decisão que passou pela burocracia "quase sem que ninguém soubesse", segundo um participante.[19] Quando as regras voltaram, a ZTE estava novamente desprovida de sua capacidade de comprar semicondutores dos EUA, entre outros produtos. Se os EUA não mudassem sua política, a empresa entraria em colapso.

Não obstante, o próprio Trump estava mais interessado em comércio que em tecnologia. Ele enxergava o possível estrangulamento da ZTE só como uma vantagem sobre Xi Jinping. Então, quando o líder chinês propôs um acordo, Trump aceitou a oferta com entusiasmo e tuitou que encontraria uma maneira de manter a ZTE operacional com a preocupação de que a empresa fosse "perder muitos empregos na China".[20] Logo a ZTE concordou em pagar outra multa em troca de recuperar o acesso aos fornecedores dos EUA. Trump achou que havia conquistado uma vantagem na guerra comercial, embora isso tenha se mostrado ilusório. Os dirigentes de Washington contrários à China pensaram que ele havia sido enganado por autoridades como o secretário do Tesouro Steven Mnuchin, que por várias vezes instava Trump a oferecer concessões a Pequim. O que a saga da ZTE mostrou, acima de tudo, foi até que ponto todas as grandes empresas de tecnologia do mundo dependiam dos chips dos EUA. Os semicondutores não eram apenas o "pilar" de "tudo em que estamos competindo", como havia colocado um membro do governo. Também poderiam ser uma arma devastadoramente poderosa.

50
Jinhua de Fujian

"Apagar os dados do computador",[1] Kenny Wang digitou no Google, buscando um programa para cobrir seus rastros enquanto baixava arquivos confidenciais da rede da Micron. Insatisfeito com os resultados, ele experimentou uma busca diferente. "Apagar registros de utilização do computador", digitou. Ele acabou encontrando e executando um programa chamado CCleaner, aparentemente tentando limpar arquivos de seu laptop da HP fornecido pela empresa. Isso não impediu que os investigadores descobrissem que ele havia feito o download de novecentos arquivos de sua empregadora, a Micron, a campeã de chips de memória dos EUA, colocado em uma unidade USB e feito o upload deles para o Google Drive. Ele colocou o nome "Material Confidencial da Micron / Não duplicar" nos arquivos. Wang não estava simplesmente duplicando arquivos: ele planejava duplicar a receita secreta da Micron para chips Dram de última geração, baixando arquivos que detalhavam os layouts dos chips da Micron, detalhes de como a empresa fabricava máscaras para seus processos de litografia e detalhes de testes e rendimento — segredos que teriam levado vários anos e centenas de milhões de dólares para replicar, estimou a Micron.

Três empresas dominam o mercado mundial de chips Dram atualmente: a Micron e suas duas rivais coreanas, Samsung e SK Hynix. As empresas taiwanesas gastaram bilhões tentando entrar no ramo de Dram nas décadas de 1990 e 2000, mas nunca conseguiram estabelecer negócios lucrativos. O mercado de Dram exige economias de escala, por isso é difícil para os pequenos produtores serem competitivos em termos de preços. Embora Taiwan nunca tenha conseguido construir uma indústria sustentável de chips de memória, tanto o Japão como a Coreia do Sul haviam se concentrado em chips Dram quando entraram na indústria de chips nas décadas de 1970 e 1980. A Dram exige um know-how especializado, equipamentos avançados e grandes quantidades de investimento de capital. Em geral, equipamentos avançados podem ser comprados diretamente das prateleiras dos grandes fabricantes de ferramentas dos EUA, do Japão e da Holanda. O know-how é a parte difícil. Quando a Samsung entrou no ramo no final da década de 1980, ela licenciou tecnologia da Micron, abriu uma instalação de P&D no Vale do Silício e contratou dezenas de PhDs formados nos EUA. Outro método mais rápido para adquirir know-how é aliciar funcionários e roubar arquivos.

A província chinesa de Fujian fica do outro lado do estreito de Taiwan. No porto da histórica cidade portuária de Xiamen, em Fujian, fica a ilha de Kinmen, controlada por Taiwan, que os exércitos de Mao Tsé-Tung bombardearam diversas vezes durante os momentos mais tensos da Guerra Fria. A relação entre Taiwan e a província de Fujian é próxima, mas nem sempre amigável. Entretanto, quando o governo da província de Fujian decidiu abrir uma fábrica de chips Dram chamada Jinhua e forneceu para Taiwan mais de 5 bilhões de dólares em financiamento governamental, a Jinhua apostou que uma parceria com Taiwan seria seu melhor caminho para o sucesso.[2] Taiwan não tinha nenhuma empresa líder de fabricação de chips de memória, mas tinha fábricas de Dram, que a Micron havia comprado em 2013.

A Micron não ofereceria nenhuma ajuda à Jinhua, que considerava uma concorrente perigosa. Se a Jinhua algum dia conseguisse aprender a dominar a tecnologia de Dram, os enormes subsídios governamentais que ela recebia a deixariam em grande vantagem competitiva, permitindo que ela inundasse esse mercado com chips baratos, reduzindo as margens de lucro de Micron, Samsung e Hynix. As três grandes fabricantes de Dram haviam passado décadas investindo em processos tecnológicos ultraespecializados, que não apenas criaram os chips de memória mais avançados do mundo, como também produziram uma cadência regular de aprimoramentos e reduções de custos. Seu conhecimento especializado era protegido por patentes, mas ainda mais importante era o know-how que apenas seus engenheiros possuíam.

Para competir, a Jinhua tinha de adquirir esse know-how de fabricação por meios justos ou injustos. Existe um vasto histórico na indústria de fabricação de chips de aquisição de tecnologia de rivais que remonta à série de alegações sobre roubo de propriedade intelectual japonesa na década de 1980. A técnica da Jinhua, contudo, estava mais próxima daquela utilizada pela Diretoria T, da KGB. Primeiro, a Jinhua firmou um acordo com a UMC, de Taiwan, que fabricava chips lógicos (não de memória), pelos quais a UMC receberia cerca de 700 milhões de dólares em troca do fornecimento de mão de obra especializada na produção de Dram.[3] Contratos de licenciamento são comuns no setor de semicondutores, mas esse contrato tinha uma distorção. A UMC prometia fornecer tecnologia de Dram, mas não integrava o ramo de Dram.[4] Assim, em setembro de 2015, a UMC contratou vários funcionários da fábrica da Micron em Taiwan, começando pelo presidente, Steven Chen, que foi colocado a cargo de desenvolver a tecnologia de Dram da UMC e administrar sua relação com a Jinhua. No mês seguinte, a UMC contratou um gerente de processo da fábrica da Micron em Taiwan chamado J. T. Ho. Ao longo do ano seguinte, Ho recebeu uma série de documentos de seu ex-colega da Micron, Kenny Wang, que ainda trabalhava nas instalações da fabricante de chips de Idaho em Taiwan. Wang acabou deixando a Micron e indo para a UMC, levando novecentos arquivos carregados no Google Drive com ele.[5]

Promotores de Taiwan foram notificados da conspiração pela Micron e começaram a reunir provas grampeando o telefone de Wang.[6] Logo acumularam o suficiente para apresentar acusações contra a UMC, que desde então havia solicitado patentes de boa parte das tecnologias que roubou da Micron. Quando a Micron processou a UMC e a Jinhua por violar suas patentes, elas entraram com uma ação de regresso na província chinesa de Fujian. Um tribunal dessa província decidiu que a Micron foi responsável por violar as patentes da UMC e da Jinhua — patentes que haviam sido solicitadas utilizando material roubado da Micron. Para "sanar" a situação, o Tribunal

Popular Intermediário de Fucheu proibiu a Micron de vender 26 produtos na China, o maior mercado da empresa.[7]

Esse foi um estudo de caso perfeito do roubo de propriedade intelectual apoiado pelo Estado do qual as empresas estrangeiras que operavam na China havia muito se queixavam. Os taiwaneses entendiam naturalmente por que os chineses preferiam não respeitar as regras de propriedade intelectual, é claro. Quando a Texas Instruments chegou a Taiwan na década de 1960, o ministro K.T. Li tinha dito com desprezo que "direitos de propriedade intelectual é como os imperialistas intimidam países atrasados".[8] Todavia, Taiwan concluíra que seria melhor respeitar as normas de propriedade intelectual, sobretudo porque suas empresas começavam a desenvolver as próprias tecnologias e tinham as próprias patentes para proteger. Muitos especialistas em propriedade intelectual previram que a China logo começaria a roubar menos propriedade intelectual à medida que suas empresas produzissem bens mais sofisticados. No entanto, as evidências dessa tese eram confusas. Os esforços do governo Obama em firmar um acordo com as agências de espionagem da China pelo qual elas concordariam em parar de fornecer segredos roubados para empresas chinesas duraram pouco tempo, mas o suficiente para que os EUA se esquecessem do problema, momento em que as invasões foram prontamente retomadas.[9]

A Micron tinha poucos motivos para esperar um julgamento justo na China. Ganhar processos judiciais em Taiwan ou na Califórnia significava pouca coisa quando tribunais fantoches em Fujian podiam impedir a empresa de fazer negócios com seu maior mercado. Mais ou menos na mesma época, a Veeco, uma produtora de equipamentos de fabricação de semicondutores dos EUA, havia protocolado uma ação de propriedade intelectual nos tribunais dos EUA contra uma concorrente chinesa, a AMEC, que entrou com uma ação de regresso em um tribunal provinciano de Fujian — a mesma província em que a concorrente da Micron ficava. Um juiz de Nova York concedeu uma medida liminar em favor da Veeco. O tribunal de Fujian retaliou com sua própria medida liminar, proibindo a Veeco de importar máquinas para a China, uma medida que ocorre em apenas 0,01% dos casos de patentes chinesas, segundo uma pesquisa de Mark Cohen, professor de Berkeley e especialista em direito chinês. Enquanto o processo judicial nos EUA levou meses, o tribunal de Fujian chegou à sua decisão em apenas nove dias úteis. A decisão em si ainda é secreta.[10]

A Micron parecia destinada a encarar um destino semelhante. Com seus segredos à disposição da Jinhua, alguns analistas pensaram que demoraria alguns anos para a Jinhua produzir chips Dram em escala — ponto em que não importaria se a Micron fosse autorizada a retornar ao mercado chinês, porque a Jinhua estaria produzindo chips utilizando a tecnologia dela e vendendo-os a preços subsidiados. Se isso tivesse ocorrido durante o governo Obama, o caso teria resultado em declarações severas, porém pouco mais que isso. Os ceos dos eua, conscientes de que não poderiam contar com o apoio sério do governo dos eua, teriam tentado firmar um acordo com Pequim, abrindo mão de sua propriedade intelectual na esperança de recuperar o acesso ao mercado chinês. A Jinhua, consciente de que não deveria esperar nada pior que um comunicado irritado à imprensa, teria pressionado a empresa o máximo possível. Outras empresas estrangeiras teriam ficado quietas, mesmo sabendo que poderiam ser as próximas.

Os dirigentes do Conselho de Segurança Nacional dos eua contrários à China estavam determinados a mudar essa dinâmica. Eles enxergavam o caso Micron como o tipo de relação comercial injusta que Trump havia prometido consertar, muito embora o próprio presidente não demonstrasse nenhum interesse especial na Micron. Alguns membros do governo defenderam a imposição de sanções financeiras à Jinhua utilizando poderes estabelecidos em um decreto presidencial sobre espionagem cibernética assinado pelo presidente Obama em 2015, embora o decreto não tenha sido utilizado contra uma grande empresa chinesa.[11] Após deliberar, o governo Trump decidiu utilizar a mesma ferramenta que havia implantado contra a zte, argumentando que fazia mais sentido resolver uma disputa comercial com uma regulamentação comercial. A Jinhua foi impedida de comprar equipamentos para fabricação de chips dos eua.

Empresas dos eua como a Applied Materials, a Lam Research e a kla integram um pequeno oligopólio de companhias que produzem maquinário insubstituível, como as ferramentas que depositam camadas microscopicamente finas de materiais em *wafers* de silício ou reconhecem defeitos em escala nanométrica. Sem esse maquinário — grande parte dele ainda construída nos EUA — é impossível produzir semicondutores avançados. Apenas o Japão tem empresas produzindo algumas máquinas comparáveis, portanto, se Tóquio e Washington concordassem, poderiam impossibilitar que qualquer empresa, em qualquer país, fabricasse chips avançados. Após consultas detalhadas com autoridades do poderoso Ministério da Economia, Comércio e Indústria do Japão, o governo Trump estava confiante de que Tóquio apoiaria uma medida severa contra a Jinhua e se certificaria de que as empresas japonesas não prejudicassem as restrições dos EUA com relação à empresa.[12] Isso dava aos EUA uma nova e poderosa ferramenta para levar à falência qualquer fabricante de chips em qualquer lugar do mundo. Alguns dos integrantes conciliatórios do governo Trump, como o secretário do Tesouro, Mnuchin, estavam nervosos. Mas o secretário de Comércio, Wilbur Ross, que tinha autoridade para impor controles de exportação, pensou "por que diabos deveríamos abrir mão de usar isso?", segundo um assessor.[13] Então, depois que a Jinhua pagou as faturas para as empresas dos EUA que lhe forneceram suas ferramentas cruciais para a fabricação de chips, os EUA proibiram sua exportação. Em poucos meses, a produção da Jinhua foi decaindo até parar.[14] A empresa de Dram mais avançada da China estava destruída.

51
O ataque à Huawei

"Eu chamo de espionagem", explicou o presidente Trump aos apresentadores do *Fox & Friends*, um de seus programas de TV favoritos, quando perguntado sobre a Huawei.[1] "Não queremos os equipamentos deles nos EUA porque eles nos espionam [...] Eles sabem de tudo." Não chegava a ser uma revelação que a infraestrutura de tecnologia poderia ser utilizada para surrupiar informações confidenciais. Depois que Edward Snowden, ex-funcionário da Agência de Segurança Nacional, desertou para a Rússia em 2013 enquanto divulgava muitos dos segredos mais bem guardados da agência, notícias sobre a aptidão dos detetives cibernéticos dos EUA eram frequentemente discutidas nos jornais do mundo. A impressionante habilidade de invasão de computadores da China também era bastante conhecida após uma série de violações de grande repercussão de dados ostensivamente secretos do governo dos EUA.

Dentro do Pentágono e do Conselho de Segurança Nacional dos EUA, a Huawei era vista menos como um desafio de espionagem — embora as autoridades dos EUA tivessem poucas dúvidas de que a empresa apoiaria a espionagem chinesa — que como a primeira batalha em uma longa luta por domínio tecnológico. Matt Turpin, um dirigente do Pentágono que trabalhara na nova estratégia de compensação dos militares, enxergava a Huawei como sintoma de um problema maior na indústria de tecnologia dos EUA: as empresas chinesas "estavam efetivamente dentro do sistema com os EUA", considerando que projetavam chips com softwares dos EUA, produziam-nos utilizando maquinário dos EUA e muitas vezes os conectavam a dispositivos fabricados para consumidores dos EUA. Diante disso, era impossível "para os EUA superarem a China em termos de inovação e depois negar-lhes os frutos dessa inovação".[2] A Huawei e outras empresas chinesas estavam assumindo papéis centrais em subsetores de tecnologia que os EUA achavam que precisavam dominar para manter uma vantagem tecnológica sobre a China em termos militares e estratégicos. "A Huawei tornou-se realmente uma representante de tudo em que erramos em nossa concorrência tecnológica com a China", disse outro alto dirigente do governo Trump.[3]

A preocupação com a Huawei não se limitava ao governo Trump ou aos EUA. A Austrália banira a empresa das redes 5G depois que seus serviços de segurança concluíram que o risco não poderia ser atenuado, mesmo que a Huawei entregasse o acesso ao código-fonte de todos os seus softwares e hardwares. O primeiro-ministro australiano, Malcolm Turnbull, a princípio ficara cético com relação a um banimento irrestrito. De acordo com o jornalista australiano Peter Hartcher, Turnbull comprou um livro de 474 páginas intitulado *A Comprehensive Guide to 5G Security* [Um guia completo para a segurança 5G] para estudar o tema de modo a poder fazer perguntas melhores a seus especialistas em tecnologia.[4] Ele acabou se convencendo de que a única opção era banir a empresa. A Austrália foi o primeiro país a eliminar formalmente os equipamentos da Huawei de suas redes 5G, uma decisão logo seguida por Japão, Nova Zelândia e outros.

Nem todos os países tiveram a mesma avaliação de ameaça. Muitos dos vizinhos da China estavam céticos com relação à empresa e não estavam dispostos a correr riscos com segurança da rede. Na Europa, por outro lado, vários aliados tradicionais dos EUA olhavam com cautela para a campanha de pressão do governo Trump para convencê-los a banir a Huawei. Alguns aliados próximos dos EUA na Europa Oriental baniram abertamente a empresa, como a Polônia, que, também em 2019, prendeu um ex-executivo da empresa por acusações de espionagem.[5] A França também impôs, discretamente, restrições rigorosas.[6] Outros grandes países europeus tentaram

370 *Chris Miller*

encontrar um meio-termo. A Alemanha, que exporta grandes quantidades de carros e maquinário para a China, foi alertada pelo embaixador chinês das "consequências" se banisse a Huawei.[7] "O governo chinês não ficará de braços cruzados", ameaçou o diplomata chinês.

No final das contas, o governo Trump esperava uma reação da Alemanha, país que enxergava como um aliado de carona em uma série de questões. A maior surpresa foi com a Grã-Bretanha, que, apesar de seu "relacionamento especial" com os EUA, estava rejeitando as solicitações norte-americanas para banir a Huawei das redes 5G do Reino Unido e, no lugar, comprar equipamentos de fornecedores alternativos, como a sueca Ericsson ou a finlandesa Nokia. Em 2019, o Centro Nacional de Segurança Cibernética do governo do Reino Unido concluiu que o risco dos sistemas da Huawei poderia ser administrado sem o banimento.

Por que os especialistas em segurança cibernética da Austrália e da Grã-Bretanha discordam em sua avaliação do risco da Huawei? Não há evidências de discordâncias técnicas. Os reguladores do Reino Unido criticaram bastante as deficiências nas práticas de segurança cibernética da Huawei, por exemplo.[8] O debate era realmente sobre se a China deveria ser impedida de desempenhar um papel cada vez maior na infraestrutura de tecnologia do mundo. Robert Hannigan, ex-diretor da Signals Intelligence Agency do Reino Unido (agência que coleta informações ou inteligência por meio da interceptação de sinais de comunicação entre pessoas ou máquinas), argumentou que "deveríamos aceitar que a China será uma potência tecnológica global no futuro e começar a administrar o risco agora, em vez de fingir que o Ocidente pode ignorar a ascensão tecnológica da China".[9] Muitos europeus também achavam que o avanço tecnológico da China era inevitável, portanto não valia a pena tentar detê-lo.

O governo dos EUA não concordou. O problema com a Huawei ia muito além do debate sobre se a empresa ajudou a grampear telefones ou surrupiar dados. A admissão dos executivos da Huawei de que haviam violado as sanções dos EUA ao Irã irritou muitos em Washington, mas acabou sendo um espetáculo à parte.[10] A verdadeira questão era que uma empresa da República Popular da China havia escalado os rankings de tecnologia — desde simples *switches* telefônicos no final da década de 1980 até, no final da década de

2010, os equipamentos mais avançados de telecomunicações e conexões de rede. Seus gastos anuais com P&D agora rivalizavam com gigantes da tecnologia dos EUA como Microsoft, Google e Intel. De todas as empresas de tecnologia da China, foi a exportadora mais bem-sucedida, fornecendo para o país um conhecimento detalhado dos mercados estrangeiros. Não só produzia hardwares para torres de celular, como também projetava chips de última geração para smartphones. Tornara-se a segunda maior cliente da TSMC, atrás apenas da Apple. A questão premente era: será que os EUA poderiam deixar uma empresa chinesa como essa ter sucesso?

Perguntas assim deixavam muita gente em Washington pouco à vontade. Durante uma geração, a elite dos EUA havia acolhido e possibilitado a ascensão econômica da China. Os EUA também tinham incentivado empresas de tecnologia em toda a Ásia, fornecendo acesso ao mercado para empresas japonesas como a Sony durante os anos de rápido crescimento do Japão e fazendo o mesmo para a sul-coreana Samsung várias décadas depois. O modelo de negócios da Huawei não era muito diferente do da Sony ou da Samsung quando elas conquistaram pela primeira vez posições importantes no ecossistema de tecnologia mundial. Um pouco mais de concorrência não seria bom?

Entretanto, no Conselho de Segurança Nacional dos EUA, a concorrência com a China agora era vista principalmente em termos de que, se um lado ganhasse, o outro perderia. Essas autoridades interpretavam a Huawei não como um desafio comercial, mas estratégico. Sony e Samsung eram empresas de tecnologia sediadas em países aliados dos EUA. A Huawei era a campeã nacional da principal rival geopolítica dos EUA. Vista dessa perspectiva, a expansão da Huawei era uma ameaça. O Congresso norte-americano também queria uma política mais severa e combativa. "Os EUA precisam estrangular a Huawei", declarou o senador republicano Ben Sasse em 2020. "As guerras modernas são travadas com semicondutores, e estávamos deixando a Huawei utilizar projetos americanos."[11]

O ponto principal se voltava menos para o fato de a Huawei apoiar diretamente as Forças Armadas da China do que ela estar avançando no nível geral de projetos de chips e know-how de microeletrônica do país. Quanto mais eletrônicos avançados o país produzisse, mais chips de última geração compraria e mais o ecossistema de semicondutores do mundo dependeria da China à custa dos EUA. Além disso, mirar na empresa de tecnologia de maior notoriedade desse país enviaria uma mensagem para todo o mundo, alertando outros países de que se preparassem para escolher um lado. Retardar a ascensão da Huawei tornou-se uma ideia fixa para o governo.

Quando o governo Trump decidiu aumentar a pressão sobre a Huawei, proibiu a venda de chips fabricados nos EUA para a empresa. Essa restrição por si só foi devastadora, considerando que os chips da Intel são onipresentes e muitas outras empresas dos EUA fabricam chips analógicos praticamente insubstituíveis. Ainda assim, após décadas de internacionalização, muito menos do processo de produção de semicondutores ocorria nos EUA em comparação com antes. Por exemplo, a Huawei produzia os chips que projetava não nos EUA — que não tinham fábricas capazes de produzir processadores avançados para smartphones —, mas na TSMC de Taiwan. Restringir a exportação de produtos fabricados nos EUA não adiantaria nada para impedir a TSMC de fabricar chips avançados para a Huawei.

Seria natural esperar que a internacionalização da fabricação de chips tivesse reduzido a capacidade do governo dos EUA de restringir o acesso a esse tipo de produção. Sem dúvida teria sido mais fácil eliminar a Huawei se toda a fabricação avançada de chips do mundo ainda estivesse sediada nos EUA. Contudo, o país ainda tinha cartas na manga. Por exemplo, esse processo de internacionalização havia coincidido com uma crescente monopolização dos pontos de estrangulamento da indústria de chips. Quase todos os chips do mundo utilizam softwares de pelo menos uma das três empresas com sede nos EUA: a Cadence, a Synopsys e a Mentor (esta última de propriedade da alemã Siemens, mas com sede no estado do Oregon). Excluindo os chips que a Intel fabrica internamente, todos os chips lógicos mais avançados são fabricados por apenas duas empresas: Samsung e TSMC, ambas localizadas em países que dependem das Forças Armadas dos EUA para sua segurança. Além disso, a fabricação de processadores avançados exige máquinas de litografia de EUV produzidas por apenas uma empresa, a holandesa ASML, que por sua vez depende de sua subsidiária de San Diego, a Cymer (que comprou em 2013), para proporcionar as fontes de luz insubstituíveis de suas ferramentas de litografia de EUV. É muito mais fácil controlar pontos de estrangulamento no processo de fabricação de chips quando tantas etapas essenciais exigem ferramentas, materiais ou softwares produzidos por apenas umas cinco empresas. Muitos desses pontos de estrangulamento permaneceram nas mãos dos EUA. Aqueles que não permaneceram foram controlados principalmente por aliados próximos dos norte-americanos.

Mais ou menos nessa época, dois acadêmicos, Henry Farrell e Abraham Newman, perceberam que as relações políticas e econômicas internacionais eram cada vez mais impactadas pelo que chamaram de "interdependência armada".[12] Os países estavam mais entrelaçados que nunca, apontaram, mas, em vez de desarmar conflitos e incentivar a cooperação, a interdependência estava criando novos espaços para concorrência. Redes que reuniam nações haviam se tornado um domínio de conflito. Na esfera financeira, os EUA tinham armado a dependência de outros países no acesso ao sistema bancário para punir o Irã, por exemplo. Esses acadêmicos temiam que a utilização do comércio e dos fluxos de capital pelo governo dos EUA como armas políticas ameaçasse a globalização e tivesse consequências não intencionais perigosas. O governo Trump, por outro lado, concluiu que tinha a capacidade singular de armar as cadeias de suprimentos de semicondutores.

Em maio de 2020, o governo reforçou ainda mais as restrições à Huawei.[13] Agora, o Departamento de Comércio declarou que "protegeria a segurança nacional dos EUA restringindo a capacidade da Huawei de utilizar tecnologia e softwares dos EUA para projetar e fabricar seus semicondutores no exterior". As novas regras do Departamento de Comércio não só impediam a comercialização de bens produzidos nos EUA para a Huawei, como também restringiam que quaisquer produtos fabricados com tecnologia produzida nos EUA fossem vendidos para a empresa. Em uma indústria de chips repleta de pontos de estrangulamento, isso significava quase qualquer chip. A TSMC não pode fabricar chips avançados para a Huawei sem utilizar equipamentos de fabricação dos EUA. A Huawei não pode projetar chips sem softwares produzidos nos EUA. Mesmo a fundição mais avançada da China, a SMIC, depende amplamente das ferramentas dos EUA. A Huawei tinha sido simplesmente eliminada de toda a infraestrutura de fabricação de chips do mundo, exceto quando o Departamento de Comércio dos EUA se dignava a lhe conceder uma licença especial para comprá-los.

A indústria mundial de chips rapidamente começou a implementar as regras dos EUA. Muito embora os Estados Unidos estivessem tentando estripar sua segunda maior cliente, o presidente da TSMC, Mark Liu, prometeu não apenas cumprir a letra da lei, mas também seu espírito.[14] "Isso é uma coisa que pode ser resolvida não apenas por meio da interpretação das regras, como também tem a ver com as intenções do governo dos EUA", disse ele a jornalistas. Desde então, a Huawei vem sendo obrigada a alienar parte de seus negócios de smartphones e servidores,[15] já que não consegue obter os chips necessários.[16] O lançamento de sua própria rede de telecomunicações 5G pela China, que já foi uma notória prioridade do governo, foi adiado devido à escassez de chips.[17] Após a implementação das restrições dos EUA, outros países, principalmente a Grã-Bretanha, decidiram banir a Huawei argumentando que, na ausência de chips dos EUA, a empresa enfrentaria dificuldades para fazer a manutenção de seus produtos.

O ataque à Huawei foi seguido pela entrada de várias outras empresas de tecnologia da China em uma lista de restrição. Após discussões com os EUA, a Holanda decidiu não aprovar a venda das máquinas de EUV da ASML para empresas chinesas.[18] A Sugon, empresa de fabricação de supercomputadores que a AMD descreveu em 2017 como uma "parceira estratégica", foi colocada na lista de restrição pelos EUA em 2019.[19] O mesmo aconteceu com a Phytium, uma empresa que, segundo autoridades dos EUA, projetou chips para supercomputadores que foram utilizados para testar mísseis hipersônicos, de acordo com uma reportagem do *Washington Post*.[20] Os chips da Phytium foram projetados utilizando softwares dos EUA e produzidos em Taiwan na TSMC. O acesso ao ecossistema de semicondutores norte-americanos e de seus aliados permitiu o crescimento da Phytium. Todavia, a dependência da empresa de softwares e fabricação estrangeiros a deixou criticamente vulnerável às restrições dos EUA.

No final das contas, porém, o ataque dos EUA às empresas de tecnologia da China foi limitado. Muitas das maiores empresas de tecnologia da China, como Tencent e Alibaba, ainda não enfrentam limites específicos para suas compras de chips dos EUA ou para sua capacidade de fazer com que a TSMC fabrique seus semicondutores. A SMIC, a produtora de chips lógicos mais avançada da China, enfrenta novas restrições de suas compras de ferramentas avançadas de fabricação de chips, mas não foi levada à falência. Mesmo a Huawei tem autorização para comprar semicondutores mais antigos, como os utilizados para se conectar a redes 4G.

Apesar de tudo, é surpreendente que a China não tenha feito nada para retaliar a ruína de sua empresa de tecnologia mais global. O país asiático ameaçou repetidamente punir empresas de tecnologia dos EUA, mas não chegou a fazê-lo. Pequim anunciou que estava elaborando uma "relação de entidades não confiáveis" de empresas estrangeiras que colocam em risco a segurança chinesa, mas não parece ter adicionado nenhuma empresa à lista.[21] Pequim evidentemente calculou que é melhor aceitar que a Huawei se tornará uma desenvolvedora de tecnologia de segunda categoria do que revidar os EUA, que, ao que parece, têm o domínio da intensificação quando se trata de eliminar cadeias de suprimentos. "Interdependência armada", refletiu um ex-dirigente da alta administração após o ataque à Huawei. "É uma coisa linda."[22]

52
O momento *Sputnik* da China?

Quando entrou em lockdown no dia 23 de janeiro de 2020, em meio a um tsunami de casos de covid-19, Wuhan enfrentou algumas das restrições mais severas e longas que qualquer cidade em qualquer momento da pandemia. O coronavírus e a doença que ele causava ainda eram pouco compreendidos. O governo da China havia eliminado a discussão sobre o vírus até que ele se espalhou por Wuhan e estava se alastrando por toda a China e pelo mundo. O governo proibiu tardiamente as viagens que chegavam e saíam de Wuhan, impondo postos de controle no perímetro da cidade, fechando negócios e ordenando que quase todos os 10 milhões de habitantes da cidade não saíssem de seus apartamentos até que o lockdown terminasse. Nunca antes uma metrópole tão grande havia simplesmente "congelado". As estradas estavam vazias. As calçadas, desoladas. Os aeroportos e as estações de trem, fechados. A não ser pelos hospitais e supermercados, quase tudo estava fechado.

Ou melhor, exceto uma instalação. A Yangzte Memory Technologies Corporation (YMTC), com sede em Wuhan, é a principal produtora chinesa de memória Nand, um tipo de chip onipresente em dispositivos de consumo, de smartphones a cartões de memória USB. São cinco as empresas que fabricam chips Nand competitivos atualmente; nenhuma tem sede na

China. Muitos especialistas do setor, no entanto, pensam que, de todos os tipos de chips, a melhor chance de a China alcançar potência de fabricação de nível mundial está na produção de Nand. O Tsinghua Unigroup, o fundo de reserva de semicondutores que investiu em empresas fabricantes de chips no mundo inteiro, forneceu à YMTC pelo menos 24 bilhões de dólares em financiamento, junto com o fundo nacional de chips da China e o governo da província.

O apoio do governo da China à YMTC é tão grande que, mesmo durante o *lockdown* devido à covid, ela foi autorizada a continuar funcionando, de acordo com o *Nikkei Asia*, um jornal japonês que faz algumas das melhores coberturas da indústria de chips da China. Os trens que passavam por Wuhan transportavam carros de passageiros especiais especificamente para funcionários da YMTC, possibilitando que eles entrassem em Wuhan apesar do lockdown. A empresa estava até contratando para cargos na cidade no final de fevereiro e início de março de 2020, enquanto o resto do país permanecia "congelado".[1] Os líderes chineses estavam dispostos a fazer quase qualquer coisa em sua luta contra o coronavírus, mas seu esforço em construir uma indústria de semicondutores tinha prioridade.

Costuma-se dizer que a crescente concorrência tecnológica com os EUA é semelhante a um "momento *Sputnik*" para o governo da China. A alusão é ao temor dos EUA, após o lançamento da *Sputnik* em 1957, de estar ficando para trás com relação à sua rival, levando Washington a injetar financiamento em ciência e tecnologia. A China sem dúvida enfrentou um choque na escala do *Sputnik* depois que os EUA proibiram as vendas de chips para empresas como a Huawei. Dan Wang, um dos analistas mais inteligentes da política de tecnologia do país, argumentou que as restrições dos EUA "impulsionaram a busca de Pequim pelo domínio da tecnologia" ao catalisar novas políticas governamentais para apoiar a indústria de chips.[2] Na ausência de novos controles de exportação dos EUA, ele argumenta, o Made in China 2025 teria terminado da mesma maneira que os esforços anteriores de política industrial da China, com o governo desperdiçando quantias significativas de dinheiro. Graças à pressão dos EUA, o governo da China pode fornecer aos fabricantes de chips chineses mais apoio do que eles teriam recebido se as coisas tivessem acontecido de outra forma.

378 *Chris Miller*

O debate é sobre se os EUA deveriam tentar inviabilizar o crescente ecossistema de chips da China — estimulando, assim, uma inevitável reação — ou se é mais inteligente apenas investir em casa e torcer para que o impulso de chips da China se esgote. As restrições dos EUA sem dúvida catalisaram uma nova onda de apoio do governo para os fabricantes de chips chineses. Xi Jinping recentemente nomeou seu principal assessor econômico, Liu He, para trabalhar como um "czar dos chips", administrando os esforços do país na indústria de semicondutores.[3] Não há dúvida de que a China vem gastando bilhões para subsidiar as empresas de chips.[4] Ainda não se sabe se esse financiamento produzirá novas tecnologias. Por exemplo, a cidade de Wuhan abriga não apenas a YMTC, a esperança de maior notoriedade da China na busca pela paridade em termos de chips Nand, como também o maior escândalo recente do país em termos de semicondutores.

O caso da Wuhan Hongxin (HSMC) mostra o risco de injetar dinheiro em semicondutores sem fazer as perguntas que devem ser feitas. De acordo com uma reportagem da mídia chinesa que já foi retirada da internet, a HSMC foi fundada por um grupo de golpistas que portavam falsos cartões de visita que traziam escrito "TSMC – Vice-Presidente" e espalhavam boatos de que seus familiares eram dirigentes importantes do Partido Comunista. Eles ludibriaram o governo local de Wuhan para que investisse na empresa deles e depois utilizaram o dinheiro para contratar como CEO o ex-diretor de P&D da TSMC. Com ele a bordo, adquiriram uma máquina de litografia de ultravioleta profunda da ASML e utilizaram esse feito para arrecadar mais dinheiro de investidores. Mas a fábrica em Wuhan era uma cópia malfeita de uma antiga fábrica da TSMC; a HSMC ainda tentava produzir seu primeiro chip quando a empresa faliu.

Não foram apenas os experimentos provincianos que fracassaram. Recentemente, o Tsinghua Unigroup ficou sem dinheiro após uma sequência de aquisições globais e deixou de pagar alguns de seus títulos. Mesmo as conexões políticas no alto escalão de Zhao Weiguo, CEO do Tsinghua, não bastaram para salvar a empresa, embora suas empresas fabricantes de chips provavelmente acabem por sobreviver praticamente sem nenhum arranhão. Um membro da agência de planejamento do governo da China lamentou publicamente que a indústria de chips do país não tivesse "nenhuma experiência, nenhuma tecnologia e nenhum talento".[5] Isso foi um exagero, mas fica claro que bilhões de dólares foram desperdiçados na China em projetos de semicondutores que são ou irremediavelmente irreais ou, como a HSMC, fraudes gritantes. Se o momento *Sputnik* da China inspirar mais programas de semicondutores apoiados pelo Estado como esses, o país nunca entrará no rumo da independência tecnológica.

Em um setor com uma cadeia de suprimentos tão multinacional, a independência tecnológica sempre foi uma utopia, mesmo para os EUA, que seguem sendo o maior participante do setor de semicondutores do mundo. Para a China, que carece de empresas competitivas em muitas partes da cadeia de suprimentos, de maquinário a software, a independência tecnológica é ainda mais difícil. Para ser totalmente independente, a China precisaria adquirir softwares de projeto de última geração, perícia de projeto, materiais avançados e know-how de fabricação, entre outras etapas. A China indubitavelmente fará progresso em algumas dessas esferas, mas outras são muito difíceis e dispendiosas demais para a China replicar dentro de casa.

Considere, por exemplo, o que seria necessário para replicar uma das máquinas de EUV da ASML, que levou quase três décadas para ser desenvolvida e comercializada. As máquinas de EUV têm diversos componentes que, por si só, constituem desafios de engenharia epicamente complexos. Replicar apenas o laser em um sistema de EUV exige identificar e montar perfeitamente 457.329 peças. Um único defeito pode provocar problemas de confiabilidade ou atrasos debilitantes. Sem dúvida, o governo chinês enviou alguns de seus melhores espiões para estudar os processos de produção da ASML. Entretanto, mesmo que eles já tenham invadido os respectivos sistemas e feito o download de especificações de projeto, não há como um maquinário dessa complexidade ser simplesmente copiado e colado como um arquivo surrupiado. Mesmo que um espião tivesse acesso a informações especializadas, ele precisaria de um doutorado em óptica ou laser para entender a ciência — e, mesmo assim, não teria as três décadas de experiência acumulada pelos engenheiros que desenvolveram a EUV.

Quiçá em uma década a China *possa* ser bem-sucedida na construção de seu próprio escâner de EUV. Se assim for, o programa custará dezenas de bilhões de dólares, porém — em uma revelação que certamente será desanimadora —, quando estiver pronto, não será mais tecnologia de ponta. A essa altura, a ASML terá inventado uma ferramenta de nova geração, chamada EUV de alta abertura, que tem previsão para estar pronta em meados da década de 2020 e custa 300 milhões de dólares por máquina, o dobro do custo da máquina de EUV de primeira geração.[6] Mesmo que um futuro escâner de EUV chinês funcione tão bem quanto os equipamentos atuais da ASML — o que é difícil de imaginar, já que os EUA tentarão restringir sua capacidade de acesso a componentes de outros países —, os fabricantes de chips chineses que estiverem utilizando essa hipotética máquina de EUV alternativa terão dificuldades para produzir lucrativamente com ela, porque até 2030 a TSMC, a Samsung e a Intel já terão utilizado os próprios escâneres de EUV durante uma década e, nesse período, terão aperfeiçoado sua utilização e o custo dessas ferramentas terá se pagado. Poderão vender chips produzidos com EUV por um preço muito mais baixo que uma empresa chinesa que estiver utilizando uma hipotética ferramenta de EUV construída na China.

As máquinas de EUV são apenas uma das muitas ferramentas que são produzidas por intermédio das cadeias de suprimentos multinacionais. Domar todas as partes da cadeia de suprimentos seria uma coisa impossível de se fazer de tão financeiramente dispendioso. A indústria global de chips gasta mais de 100 bilhões de dólares por ano em despesas de capital. A China teria de replicar esses gastos, além de montar uma base de conhecimentos e instalações de que carece no momento. Estabelecer uma cadeia de suprimentos totalmente interna com tecnologia de ponta levaria mais de uma década e custaria bem mais de 1 trilhão de dólares nesse período.

É por isso que, apesar da retórica, a China não está de fato buscando uma cadeia de suprimentos totalmente interna. Pequim reconhece que isso é impossível. A China gostaria de ter uma cadeia de suprimentos que não necessitasse dos EUA, mas, devido ao peso norte-americano na indústria de chips e à capacidade extraterritorial de sua regulamentação de exportação, uma cadeia de suprimentos que não necessite dos EUA também é irreal, exceto talvez em um futuro distante. O que é plausível é que a China reduza sua dependência dos EUA em determinadas esferas e aumente seu peso geral na indústria de chips, desmamando-se do maior número possível de tecnologias de ponto de estrangulamento.

Um dos principais desafios da China hoje é que muitos chips utilizam ou a arquitetura x86 (para PCs e servidores) ou a arquitetura Arm (para dispositivos móveis); a x86 é dominada por duas empresas dos EUA, Intel e AMD, enquanto a Arm, que licencia outras empresas para utilizar sua arquitetura, está sediada no Reino Unido. Todavia, agora há uma nova arquitetura de conjunto de instruções intitulada Risc-V, que possui código aberto, de modo que está disponível e é gratuita para qualquer pessoa. A ideia de uma arquitetura de código aberto atrai muitas partes da indústria de chips. Qualquer pessoa que atualmente precise pagar à Arm por uma licença preferiria uma alternativa gratuita. Além disso, o risco de defeitos de segurança pode ser menor, porque a natureza aberta de uma arquitetura de código aberto como a Risc-V significa que mais engenheiros poderão verificar detalhes e identificar erros. Pela mesma razão, o ritmo da inovação também pode ser mais rápido. Esses dois fatores explicam por que a Darpa financiou diversos projetos relacionados ao desenvolvimento da Risc-V. As empresas chinesas também adotaram essa arquitetura, pois a consideram geopoliticamente neutra. Em 2019, a Fundação Risc-V, que administra a arquitetura, mudou-se dos EUA para a Suíça por esse motivo.[7] Empresas como a Alibaba estão projetando processadores com base na Risc-V pensando nisso.

Além de trabalhar com arquiteturas emergentes, a China também está se concentrando em tecnologias de processo mais antigas para fabricar chips lógicos. Smartphones e data centers exigem os chips mais avançados, porém carros e outros dispositivos de consumo costumam utilizar tecnologias de processo mais antigas, que são suficientemente potentes e muito mais baratas. A maior parte do investimento em novas fábricas na China, inclusive em empresas como a SMIC, está na capacidade de produção em nós mais antigos. A SMIC já mostrou que a China tem força de trabalho para produzir chips lógicos competitivos dos mais antigos. Mesmo que as restrições de exportação dos EUA fiquem mais rígidas, é improvável que eles proíbam a exportação de equipamentos de fabricação com décadas de antiguidade. A China também está investindo pesado em materiais semicondutores emergentes, como carbeto de silício e nitreto de gálio, que provavelmente não substituirão o silício puro na maioria dos chips, mas devem desempenhar um papel mais importante na administração de sistemas de energia em veículos elétricos. Aqui, também, a China provavelmente tem a tecnologia necessária, de modo que os subsídios do governo podem ajudá-la a conquistar negócios com base no preço.[8]

A preocupação para outros países é que a enorme quantidade de subsídios da China permitirá que ela conquiste participação de mercado em diversas partes da cadeia de suprimentos, sobretudo naquelas que não exigem as tecnologias mais avançadas. Salvo em caso de novas restrições severas ao acesso a softwares e maquinários estrangeiros, parece provável que a China vá desempenhar um papel muito maior na produção de chips lógicos que não são de última geração. Além disso, o país está investindo pesado nos materiais necessários para desenvolver chips de gerenciamento de energia para veículos elétricos. Enquanto isso, a chinesa YMTC tem uma chance real de conquistar uma fatia do mercado de memórias Nand. Em toda a indústria de chips, as estimativas sugerem que a participação da China na fabricação crescerá de 15% no início da década para 24% da capacidade global até 2030, superando Taiwan e Coreia do Sul em termos de volume.[9] É quase certo que a China ainda ficará para trás em termos de tecnologia, entretanto, se mais fábricas da indústria de chips se mudarem para a China, o país terá mais influência na exigência de transferência de tecnologia. Ficará mais dispendioso para os EUA e outros países imporem restrições à exportação, e a China terá um grupo mais amplo de trabalhadores a quem recorrer. Quase todas as empresas fabricantes de chips do país dependem de subsídios do governo, por isso são orientadas para cumprir objetivos nacionais tanto quanto comerciais. "Obter lucros e abrir o capital não são a prioridade" na YMTC, disse um executivo ao jornal *Nikkei Asia*. Em vez disso, a empresa está concentrada em "fabricar os próprios chips do país e tornar o sonho chinês uma realidade".[10]

53

Escassez e cadeias de suprimentos

"Durante muito tempo, como nação, não temos feito os grandes e ousados investimentos de que precisamos para superar nossos concorrentes globais", declarou o presidente Biden a uma tela de monitor repleta de CEOs. Sentado na Casa Branca debaixo de um quadro de Teddy Roosevelt, segurando no alto um *wafer* de silício de trinta centímetros, Biden olhava para a tela do Zoom e criticava os executivos por "ficarem para trás em pesquisa, desenvolvimento e fabricação [...]. Precisamos melhorar nosso desempenho", disse a eles.[1] Muitos dos dezenove executivos na tela concordaram. Para discutir a resposta dos EUA à escassez de chips, Biden convidou empresas estrangeiras como a TSMC ao lado de fabricantes de chips dos EUA como a Intel, bem como usuários proeminentes de semicondutores que sofriam grave escassez de semicondutores. Os CEOs da Ford e da GM normalmente não eram convidados para reuniões de alto nível sobre chips — e, normalmente, não teriam interesse nisso. Mas ao longo de 2021, à medida que a economia mundial e suas cadeias de suprimentos convulsionavam entre interrupções induzidas pela pandemia, as pessoas em todo o mundo começaram a entender quanto suas vidas, e muitas vezes seus meios de subsistência, dependiam dos semicondutores.

Em 2020, assim que os EUA começaram a impor um estrangulamento de chips à China, impedindo algumas das principais empresas de tecnologia do país de acessar a tecnologia de chips norte-americana, um segundo estrangulamento começou a asfixiar partes da economia mundial. Determinados tipos de chips ficaram difíceis de adquirir, sobretudo os lógicos básicos que são amplamente utilizados em automóveis. Os dois estrangulamentos estavam parcialmente inter-relacionados. Empresas chinesas como a Huawei vinham estocando chips desde pelo menos 2019 em preparação para possíveis sanções futuras dos EUA, enquanto as fábricas chinesas vinham comprando o máximo possível de equipamentos de fabricação caso os EUA decidissem aumentar as restrições à exportação de ferramentas de fabricação de chips.

Contudo, as empresas chinesas estocarem chips explica apenas parte desse estrangulamento da era covid. A maior causa são as grandes oscilações nas encomendas de chips após o início da pandemia, conforme empresas e consumidores ajustavam sua demanda por diferentes produtos. A demanda por PCs aumentou em 2020, quando milhões de pessoas modernizaram seus computadores para trabalhar em casa. A demanda de data centers para servidores também cresceu, pois grande parte da vida passou a ser on-line. As montadoras, a princípio, cortaram as encomendas de chips esperando que as vendas de carros caíssem. Quando a demanda se recuperou rapidamente, eles descobriram que os fabricantes de chips já haviam realocado a capacidade para outros clientes. De acordo com o Conselho Americano de Política Automotiva, um grupo do setor, as maiores montadoras do mundo podem utilizar mais de mil chips em cada carro. Se só um estiver faltando, o carro não poderá ser despachado. As montadoras passaram grande parte de 2021 enfrentando dificuldades e muitas vezes fracassando na aquisição de semicondutores. Estima-se que essas empresas tenham produzido 7,7 milhões de carros a menos em 2021 do que teria sido possível se *não* tivessem enfrentado a escassez de chips, o que implica uma perda de receita coletiva de 210 bilhões de dólares, segundo estimativas do setor.[2]

O governo Biden e a maior parte dos meios de comunicação interpretaram essa escassez como um problema da cadeia de suprimentos. A Casa Branca encomendou um relatório de 250 páginas sobre as vulnerabilidades dessa cadeia com foco em semicondutores. Entretanto, a escassez de semicondutores não foi causada principalmente por problemas nesse ponto. Houve algumas interrupções no fornecimento, como lockdowns devidos à covid na Malásia, que afetaram as operações de embalagem de semicondutores por lá. Mas o mundo produziu mais chips em 2021 do que nunca — mais de 1,1 trilhão de dispositivos semicondutores, de acordo com a empresa de pesquisas IC Insights. Um aumento de 13% em relação a 2020.[3] A escassez de semicondutores é principalmente uma história de crescimento de demanda, e não de problemas de fornecimento. É impulsionada por novos PCs, telefones 5G, data centers com habilitação de inteligência artificial e, em última análise, nossa demanda insaciável por capacidade de computação.

Políticos de todo o mundo, portanto, diagnosticaram erroneamente o dilema da cadeia de suprimentos de semicondutores. O problema não é que os vastos processos de produção da indústria de chips lidaram muito mal com a covid e com os lockdowns resultantes. Foram poucas as indústrias que passaram pela pandemia com tão pouca interrupção. Esses problemas que surgiram, sobretudo a escassez de chips automotivos, são principalmente culpa do cancelamento frenético e imprudente de encomendas de chips das montadoras nos primeiros dias da pandemia, juntamente com suas práticas de fabricação *just-in-time*, que permitem pouca margem de erro. Para a indústria automobilística, que sofreu um impacto de várias centenas de bilhões de dólares na receita, há muitas razões para repensar a forma como ela administrou suas próprias cadeias de suprimentos. A indústria de semicondutores, no entanto, teve um ano marcante. Além de um terremoto colossal — um risco de probabilidade baixa, mas não nula —, é difícil imaginar um choque em tempos de paz mais grave para as cadeias de suprimentos do que aquele ao qual a indústria sobreviveu desde o início de 2020. O aumento significativo na produção de chips durante 2020 e 2021 não é um sinal de que essas cadeias multinacionais estão destruídas. É um sinal de que elas trabalharam.

Entretanto, os governos devem dar mais atenção às cadeias de suprimentos de semicondutores do que antes. A verdadeira lição em relação a essa questão nos últimos anos não é sobre fragilidade, e sim lucros e poder. A extraordinária ascensão de Taiwan mostra como uma empresa — com visão e com apoio financeiro do governo — pode remodelar toda uma indústria. Enquanto isso, as restrições dos EUA ao acesso da China à tecnologia de chips demonstram exatamente quão poderosos são os pontos de estrangulamento da indústria de chips. A ascensão da indústria de semicondutores da China ao longo da última década, contudo, é um lembrete de que esses pontos de estrangulamento não duram para sempre. Países e governos muitas vezes podem encontrar maneiras de contornar os pontos de estrangulamento, embora isso seja demorado e dispendioso, às vezes até extraordinariamente demorado e financeiramente dispensioso. Mudanças tecnológicas também podem corroer a eficácia dos pontos de estrangulamento.

Esses pontos só funcionam se forem controlados por umas duas empresas, mas o ideal é que seja uma só. Embora o governo Biden tenha prometido trabalhar "com a indústria, aliados e parceiros", os EUA e seus aliados não estão totalmente alinhados quando se trata do futuro da indústria de chips.[4] Os EUA desejam reverter sua participação decrescente na fabricação de chips e manter sua posição dominante em termos de projetos e maquinários de semicondutores. Não obstante, países da Europa e da Ásia gostariam de conquistar uma fatia maior do mercado de projeto de chips de alto valor. Taiwan e Coreia do Sul, por sua vez, não têm planos de abdicar de suas posições de liderança de mercado na fabricação de chips lógicos e de memória avançados. Com a China encarando a expansão de sua própria capacidade de fabricação como uma necessidade de segurança nacional, é limitada a quantidade de negócios futuros de fabricação de chips que podem ser compartilhados entre os EUA, a Europa e a Ásia. Se os EUA desejam aumentar sua participação de mercado, a participação de mercado de algum outro país deve diminuir. Os EUA têm implicitamente a esperança de conquistar participação de mercado de alguma das outras áreas com instalações modernas de fabricação de chips. No entanto, fora da China, todas as fábricas de chips avançados do mundo estão em países que são aliados ou amigos próximos dos EUA.

A Coreia do Sul, todavia, planeja manter sua posição de liderança na fabricação de chips de memória ao mesmo tempo que tenta expandir seu papel na fabricação de chips lógicos. "As rivalidades entre os ramos de semicondutores começaram agora a atrair países", observou o presidente sul-coreano, Moon Jae-in. "Meu governo também trabalhará com as empresas coletivamente para que a Coreia continue sendo uma potência no ramo de semicondutores."[5] O governo coreano injetou dinheiro em uma cidade chamada Pyeongtaek, que chegou a abrigar uma base militar dos EUA, mas agora abriga uma grande fábrica da Samsung. Todas as principais empresas de equipamentos para fabricação de chips, da Applied Materials à Tokyo Electron, abriram escritórios na cidade. A Samsung disse planejar gastar mais de 100 bilhões de dólares até 2030 em seu negócio de chips lógicos, além de investir quantias comparáveis na produção de chips de memória. O neto do fundador da Samsung, Lee Jay-yong, saiu da prisão em liberdade condicional em 2021, onde cumpria pena por suborno. O Ministério da Justiça da Coreia citou "fatores econômicos"[6] para justificar sua liberdade, incluindo, como sugeriram reportagens, expectativas de que ele ajudará a empresa a tomar importantes decisões de investimento em semicondutores.

A Samsung e sua rival coreana menor, SK Hynix, beneficiam-se do apoio do governo coreano, mas se veem travadas entre China e EUA, que ficam tentando persuadir as gigantes de chips da Coreia do Sul a construir mais fábricas em seus países. A Samsung anunciou recentemente seus planos para expandir e modernizar suas instalações de produção de chips lógicos avançados em Austin, no Texas, por exemplo. Um investimento cuja estimativa de custo fica em 17 bilhões de dólares. Contudo, ambas as empresas passam pelo controle rígido dos EUA com relação a propostas para modernizar suas instalações na China. A pressão dos EUA para restringir a transferência de ferramentas de EUV para as instalações da SK Hynix em Wuxi, na China, estaria, segundo relatos, retardando sua modernização — e possivelmente impondo um custo substancial à empresa.[7]

A Coreia do Sul não é o único país em que empresas de chips e o governo trabalham "coletivamente", para usar a frase do presidente Moon. O governo de Taiwan continua protegendo com ferocidade sua indústria de chips, que reconhece ser sua maior fonte de influência no cenário internacional. Morris Chang, agora em tese totalmente aposentado da TSMC, trabalhou como emissário comercial para Taiwan. Seu principal interesse — e o de Taiwan — continua sendo garantir que a TSMC mantenha seu papel central na indústria mundial de chips. A própria empresa planeja investir mais de 100 bilhões de dólares entre 2022 e 2024 para atualizar sua tecnologia e expandir sua capacidade de fabricação de chips. A maior parte desse dinheiro será investida em Taiwan, embora a empresa planeje modernizar suas instalações em Nanjing, na China, e abrir uma nova fábrica no Arizona. Contudo, nenhuma dessas novas fábricas produzirá os chips mais avançados, portanto a tecnologia mais avançada da TSMC permanecerá em Taiwan. Chang continua pedindo "livre comércio" na indústria de semicondutores, ameaçando que, caso contrário, "os custos subirão e o desenvolvimento tecnológico ficará mais lento". Enquanto isso, o governo de Taiwan tem feito diversas interferências para oferecer apoio à TSMC por meio de medidas como manter a moeda corrente de Taiwan desvalorizada para tornar as exportações taiwanesas mais competitivas.[8]

Europa, Japão e Cingapura são outras três regiões que buscam novos investimentos em semicondutores. Alguns líderes da União Europeia sugeriram que o continente pode "investir pesado" e produzir chips de três ou dois nanômetros, colocando as fábricas europeias perto da vanguarda.[9] Considerando a baixa participação de mercado do continente em lógica avançada, isso é improvável. Mais plausível é que a Europa convença uma grande empresa estrangeira fabricante de chips, como a Intel, a construir uma nova instalação que proporcione uma fonte constante de fornecimento para as montadoras europeias. Cingapura continua a fornecer incentivos significativos para a fabricação de chips, ganhando recentemente um investimento de 4 bilhões de dólares da GlobalFoundries, que tem sede nos EUA, para construir uma nova fábrica. Enquanto isso, o Japão vem subsidiando intensamente a TSMC para que ela construa uma nova fábrica de chips em parceria com a Sony.[10] O Japão perdeu grande parte de sua capacidade de fabricação de chips nas décadas que se passaram desde que executivos como Akio Morita deixaram a cena, mas a Sony ainda mantém um negócio considerável e lucrativo de fabricação de semicondutores capazes de detectar imagens e que são utilizados nas câmeras de muitos dispositivos de consumo. Entretanto, a decisão do Japão de subsidiar uma nova instalação da TSMC não foi tomada principalmente para ajudar a Sony. O governo do Japão temia que, se a fabricação continuasse mudando para o exterior, as partes da cadeia de suprimentos em que o Japão mantém uma posição forte, como máquinas-ferramentas e materiais avançados, também seguiriam o mesmo rumo.

Enquanto o surgimento de um novo Akio Morita poderia ser útil para o Japão, os EUA precisam desesperadamente de um novo Andy Grove. O país ainda tem uma posição invejável na indústria de chips. Seu controle sobre muitos dos pontos de estrangulamento do setor, incluindo software e maquinário, está mais forte que nunca. Empresas como a Nvidia parecem propensas a desempenhar um papel fundamental no futuro das tendências da computação, como a inteligência artificial. Além disso, depois de uma década em que as startups de chips estavam fora de moda, nos últimos anos o Vale do Silício injetou dinheiro em empresas sem fábricas que projetam novos chips, muitas vezes focadas em novas arquiteturas que são otimizadas para aplicações de inteligência artificial.

Quando se trata de fabricar esses chips, no entanto, os EUA hoje em dia ficam para trás. A principal esperança para a fabricação avançada nos EUA é a Intel. Após passar anos à deriva, a empresa nomeou Pat Gelsinger como seu CEO em 2021. Natural de um pequeno município da Pensilvânia, Gelsinger começou sua carreira na Intel e teve Andy Grove como mentor. Acabou saindo para assumir cargos de maior importância em duas empresas de computação em nuvem antes de ser levado de volta para liderar a reviravolta da Intel. Ele estabeleceu uma estratégia ambiciosa e dispendiosa com três frentes. A primeira é recuperar a liderança na fabricação, deixando para trás a Samsung e a TSMC. Para isso, Gelsinger fechou um acordo com a ASML para possibilitar que a Intel adquira a primeira máquina de EUV da próxima geração, que tem previsão de ficar pronta em 2025. Se a Intel for capaz de aprender a utilizar essas novas ferramentas antes das rivais, isso poderá lhe proporcionar uma vantagem tecnológica.

A segunda frente da estratégia é lançar um negócio de fundição que concorra diretamente com a Samsung e a TSMC, produzindo chips para empresas sem fábrica e ajudando a Intel a conquistar mais participação de mercado. A empresa está investindo pesado em novas instalações nos EUA e na Europa para aumentar a capacidade que potenciais futuros clientes de fundição exigirão. Entretanto, tornar o negócio de fundição viável do ponto de vista financeiro provavelmente exigirá a conquista de alguns clientes que estiverem produzindo na vanguarda tecnológica — o que significa que o negócio de fundição da Intel só funcionará se a empresa puder reduzir seu atraso tecnológico com relação à Samsung e à TSMC. O pivô da fundição da Intel ocorre à medida que sua participação de mercado em termos de chips para data centers segue caindo, tanto por causa da concorrência da AMD e da Nvidia como porque empresas de computação em nuvem como a Amazon Web Services e a Google estão projetando os próprios chips.

O sucesso ou o fracasso da Intel dependerá de ela ser capaz de executar a estratégia de Gelsinger e se a Samsung ou a TSMC deixarão espaço. A Lei de Moore exige que essas empresas lancem novas tecnologias em intervalos curtos de poucos anos, então uma ou ambas as concorrentes da Intel podem facilmente enfrentar grandes atrasos. Todavia, a estratégia da empresa possui uma terceira e desconfortável frente: conseguir a ajuda da TSMC. Publicamente, a Intel vem incentivando uma nova onda de nacionalismo em termos de chips e nervosismo com relação à dependência da produção na Ásia. Ela vem tentando extrair subsídios dos governos dos EUA e da Europa para construir fábricas em seu território. "O mundo precisa de uma cadeia de suprimentos mais equilibrada", argumenta Gelsinger. "Deus decidiu onde ficam as reservas de petróleo, mas nós é que decidimos onde ficam as fábricas."[11] Ainda assim, enquanto a Intel tenta resolver sua fabricação interna de chips, ela terceiriza a produção de uma fatia crescente de seus projetos avançados de chips para as instalações mais avançadas da TSMC em Taiwan.

À medida que começava a reconhecer a concentração da fabricação avançada de chips na Ásia Oriental, o governo dos EUA convenceu a TSMC e a Samsung a abrirem novas instalações nos EUA, com a TSMC planejando uma nova fábrica no Arizona e a Samsung expandindo uma instalação perto de Austin, no Texas. Essas fábricas destinam-se em parte a apaziguar os políticos americanos, embora também vão produzir chips para defesa e outras infraestruturas críticas que os EUA prefeririam fabricar no próprio território. No entanto, ambas planejam manter a grande maioria de sua capacidade de produção — e sua tecnologia mais avançada — dentro de casa. Mesmo promessas de subsídios do governo dos EUA provavelmente não mudarão isso.

Entre as autoridades de segurança nacional dos EUA, há uma discussão crescente sobre a possibilidade de utilizar ameaças de controles de exportação de equipamentos de fabricação e softwares de projeto de chips para pressionar a TSMC a lançar suas mais novas tecnologias de processo ao mesmo tempo nos EUA e em Taiwan. Como alternativa, a TSMC poderia ser pressionada a assumir um compromisso de que cada dólar de despesa de capital em Taiwan será correspondido, por exemplo, por um dólar de despesa de capital em uma das novas instalações da TSMC no Japão, no Arizona ou em Cingapura. Essas medidas podem começar a reduzir a dependência mundial da fabricação de chips em Taiwan. Mas, por enquanto, Washington não está disposta a exercer a pressão que seria necessária. A dependência mundial de Taiwan, portanto, segue crescendo.

54
O dilema de Taiwan

"Seus clientes ficam preocupados",[1] um analista financeiro perguntou ao presidente da TSMC, Mark Liu, quando a China de vez em quando ameaça "uma guerra contra Taiwan?". CEOS estão acostumados com perguntas difíceis em ligações de resultados trimestrais, mas elas costumam abordar metas de lucro não atingidas ou lançamentos fracassados de produtos. No momento dessa ligação, 15 de julho de 2021, as finanças da TSMC estavam com uma boa cara. A empresa havia resistido bem à sanção de sua segunda maior cliente, a Huawei, com impacto quase inexistente em seu desempenho. O preço das ações da TSMC estava próximo a uma alta recorde. A escassez global de semicondutores havia tornado seu negócio ainda mais lucrativo. Durante algum tempo em 2021, ela foi a empresa de capital aberto mais valiosa da Ásia, uma das dez mais valiosas do mundo desse tipo de empresa.

Contudo, quanto mais indispensável ficou a TSMC, mais o risco aumentou — não para as finanças da TSMC, mas para suas instalações. Mesmo os investidores que durante anos optaram por ignorar a gravidade do antagonismo EUA-China começaram a olhar com nervosismo para o mapa das fábricas de chips da TSMC, dispostas ao longo da costa oeste de Taiwan. O presidente da TSMC insistia que não havia motivo para preocupação. "Quanto à invasão da China, vou dizer uma coisa", ele declarou, "todo mundo deseja um estreito de Taiwan pacífico." Natural de Taipei, formado em Berkeley e treinado na Bell Labs, Liu tem um histórico impecável no ramo de fabricação de chips. Sua habilidade na avaliação do risco de guerra, no entanto, ainda está para ser testada. A paz no estreito de Taiwan "é em benefício de todos os países", ele argumentou, considerando a dependência do mundo da "cadeia de suprimentos de semicondutores de Taiwan. Ninguém deseja interrompê-la".

No dia seguinte, 16 de julho, dezenas de veículos blindados anfíbios Tipo 05 do Exército de Libertação Popular saíram em disparada do litoral chinês oceano adentro. Embora tenham a aparência de tanques, esses veículos são igualmente capazes de ser conduzidos em praias e de acelerar pela água como pequenos barcos. Seriam fundamentais em qualquer ataque anfíbio do Exército de Libertação Popular. Após avançarem oceano adentro, dezenas desses veículos se aproximaram de navios de desembarque estacionados no mar, saindo da água para os navios, onde se prepararam para "uma travessia marítima de longa distância", informou a mídia estatal da China. Os navios de desembarque seguiram soltando fumaça rumo ao seu alvo. Ao chegarem, as amplas portas da proa dos navios se abriram e os veículos anfíbios saíram para a água rumo à praia e disparando suas armas enquanto avançavam.[2]

Dessa vez, era apenas um exercício. No decorrer dos dias seguintes, o Exército de Libertação Popular lançou outros exercícios de combate perto das entradas norte e sul do estreito de Taiwan. "Devemos treinar duro em cenários exatamente iguais aos que enfrentamos em batalhas reais, estar preparados para o combate a todo momento e proteger com determinação a soberania nacional e a integridade territorial", disse o jornal chinês *Global Times* citando um comandante de batalhão.[3] O jornal mostrou incisivamente que os exercícios ocorreram a apenas trezentos quilômetros das Ilhas Pratas, um pequeno atol equidistante entre Hong Kong e Taiwan e administrado por esta.

Há muitas maneiras de uma guerra por Taiwan começar, mas alguns planejadores de defesa acham que uma disputa intensificada sobre as isoladas Ilhas Pratas é a mais provável. Um recente jogo de guerra organizado por especialistas em defesa dos EUA previu tropas chinesas desembarcando na ilha e tomando a pequena guarnição de Taiwan sem disparar um tiro. Taiwan

Taiwan e os EUA enfrentariam a difícil escolha de iniciar uma guerra por um atol irrelevante ou estabelecer um precedente de que a China pode cortar pedaços do território taiwanês como quem fatia uma peça macia de salame.[4] As respostas "moderadas" seriam estacionar numerosas tropas dos EUA em Taiwan ou lançar ataques cibernéticos contra a China, sendo que essas duas medidas poderiam facilmente piorar a situação e a coisa se transformar em um conflito desenfreado.

Os relatórios públicos do Pentágono referentes ao poderio militar chinês identificaram várias maneiras pelas quais a China poderia utilizar a força contra Taiwan. A mais direta — e mais improvável — é uma invasão no estilo do Dia D, com centenas de navios chineses atravessando o estreito e desembarcando milhares de soldados de infantaria do Exército de Libertação Popular na ilha. Entretanto, a história das invasões anfíbias está repleta de desastres, e o Pentágono julga que uma operação dessas "extenuaria" as habilidades do Exército de Libertação Popular. A China teria pouca dificuldade em derrubar os aeródromos e as instalações navais de Taiwan, bem como a eletricidade e outras infraestruturas críticas antes de qualquer ataque, mas, mesmo assim, seria uma batalha complicada.[5]

Outras opções seriam mais fáceis para o Exército de Libertação Popular implementar, no julgamento do Pentágono. Um bloqueio aéreo e marítimo parcial seria impossível de Taiwan derrotar por conta própria. Mesmo que as Forças Armadas dos EUA e do Japão se unissem a Taiwan para tentar quebrar o bloqueio, seria difícil fazê-lo. A China possui poderosos sistemas bélicos dispostos ao longo de seus litorais. Um bloqueio não precisaria ser perfeitamente eficaz para estrangular o comércio da ilha. Acabar com um bloqueio exigiria que Taiwan e seus amigos — principalmente os EUA — desativassem centenas de sistemas militares chineses que ficam em território chinês.[6] Uma operação de quebra de bloqueio poderia facilmente se transformar em uma guerra sangrenta entre grandes potências.

Mesmo sem isso, uma campanha aérea e de mísseis por parte da China poderia, sozinha, enfraquecer as Forças Armadas de Taiwan e paralisar a economia do país sem colocar um único par de botas chinesas no chão. Em uns dois dias, sem o auxílio imediato dos EUA e do Japão, as forças aéreas e de mísseis da China provavelmente poderiam desarmar os principais ativos militares taiwaneses — aeródromos, instalações de radar, centros de comunicação e instalações semelhantes — sem afetar gravemente a capacidade produtiva da ilha.

O presidente da TSMC sem dúvida tem razão quando diz que ninguém deseja "interromper" as cadeias de suprimentos de semicondutores que cruzam o estreito de Taiwan. Mas tanto Washington como Pequim gostariam de ter mais controle sobre elas. A ideia de que a China simplesmente destruiria as fábricas da TSMC por despeito não faz sentido, porque o país sofreria tanto quanto qualquer um, principalmente porque os EUA e seus amigos ainda teriam acesso às fábricas de chips da Intel e da Samsung. Tampouco jamais foi realista a ideia de que as forças chinesas pudessem invadir e apropriar-se sem complicação das instalações da TSMC. Elas logo descobririam que materiais e atualizações de softwares fundamentais para ferramentas insubstituíveis devem ser comprados dos EUA, do Japão e de outros países. Além disso, se a China acabar invadindo, é improvável que capture todos os funcionários da TSMC. Se a China o fizesse, bastaria um punhado de engenheiros furiosos para sabotar toda a operação. O Exército de Libertação Popular provou-se capaz de apropriar-se dos picos do Himalaia da Índia na questionada fronteira entre os dois países, mas agarrar as fábricas mais complexas do mundo, repletas de gases explosivos, produtos químicos perigosos e as máquinas mais precisas do mundo — isso é uma questão totalmente diferente.

No entanto, é fácil imaginar de que forma um acidente, como uma colisão no ar ou no mar, pode se transformar em uma guerra desastrosa que nenhum dos lados deseja. Também é perfeitamente razoável imaginar que a China pode concluir que a pressão militar sem uma invasão em grande escala poderia minar decisivamente a garantia de segurança implícita dos EUA e desmoralizar Taiwan fatalmente. Pequim tem consciência de que a estratégia de defesa de Taiwan é lutar por tempo suficiente para que os EUA e o Japão cheguem e ajudem. A ilha é tão pequena em relação à superpotência que fica do outro lado do estreito que não existe uma opção realista além de contar com os amigos. Imagine se Pequim utilizasse sua Marinha para impor controles alfandegários a uma fração dos navios que entram e saem de Taipei. Como os EUA reagiriam? Um bloqueio é um ato de guerra, mas ninguém iria querer atirar primeiro. Se os EUA não fizessem nada, o impacto na disposição de lutar de Taiwan poderia ser devastador. Se a China, então, exigisse que a TSMC retomasse a fabricação de chips para a Huawei e outras empresas chinesas, ou até transferisse pessoal crítico e know-how para o continente, Taiwan seria capaz de negar?

Uma série de manobras desse tipo seria arriscada para Pequim, mas não inimaginável. O maior objetivo do partido que se encontra no poder na China é afirmar o controle sobre Taiwan. Seus líderes prometem constantemente fazê-lo. O governo aprovou uma "Lei Antissecessão" prevendo a possível utilização do que chama de "meios não pacíficos" no estreito de Taiwan.[7] Esse governo investiu pesado no tipo de sistemas militares — como veículos anfíbios de ataque — necessários para uma invasão contra o outro lado do estreito. Eles promovem exercícios com esses recursos com frequência. Os analistas são unânimes em concordar que o equilíbrio militar no estreito mudou decisivamente na direção da China. Longe estão os dias, como durante a crise do estreito de Taiwan de 1996, em que os EUA poderiam passar com todo um grupo de batalha de porta-aviões pelo estreito para obrigar Pequim a se render. Agora, uma operação dessas seria repleta de riscos para os navios de guerra dos EUA. Hoje, os mísseis chineses ameaçam não só os navios americanos em torno de Taiwan, como também bases distantes como em Guam e no Japão. Quanto mais forte fica o Exército de Libertação Popular, é menos provável que os EUA arrisquem entrar em guerra para defender Taiwan. Se a China tentar uma campanha de pressão militar limitada sobre a ilha, é mais provável do que nunca que os EUA analisem a correlação de forças e concluam que reagir com agressão não vale o risco.

Se a China conseguisse pressionar Taiwan a dar a Pequim acesso igual — ou mesmo acesso preferencial — às fábricas da TSMC, EUA e Japão certamente reagiriam colocando novos limites à exportação de máquinas e materiais avançados, que em grande parte se originam desses dois países e de seus aliados europeus. Mas levaria anos para replicar a capacidade de fabricação de chips de Taiwan em outros países, e, enquanto isso, ainda dependeríamos de Taiwan. Nesse caso, ficaríamos não só dependentes da China para montar nossos iPhones. É concebível que Pequim poderia ganhar influência ou controle sobre as únicas fábricas com capacidades tecnológica e de produção para produzir os chips dos quais dependemos.

Um cenário desses seria desastroso para a posição econômica e geopolítica dos EUA. Seria ainda pior se uma guerra derrubasse as fábricas da TSMC. A economia mundial e as cadeias de suprimentos que cruzam a Ásia e o estreito de Taiwan baseiam-se nessa paz precária.Todas as empresas que investiram em qualquer um dos lados do estreito de Taiwan, da Apple à Huawei e à TSMC, estão apostando implicitamente na paz. Trilhões de dólares são investidos em empresas e instalações que ficam à distância de um lançamento de míssil do estreito de Taiwan, de Hong Kong a Hsinchu. A indústria mundial de chips, bem como a montagem de todos os produtos eletrônicos que os chips possibilitam, depende mais do estreito de Taiwan e do litoral meridional da China do que de qualquer outro pedaço do território mundial, exceto o Vale do Silício.

A normalidade não é nem de perto tão tensa assim no epicentro de tecnologia da Califórnia. Grande parte do conhecimento do Vale do Silício poderia ser realocada com facilidade em caso de guerra ou terremoto. Isso foi testado durante a pandemia, quando quase todos os trabalhadores da região foram orientados a ficar em casa. Os lucros das grandes empresas de tecnologia até aumentaram. Se a pomposa sede do Facebook acabasse afundando na falha de San Andreas, talvez a empresa mal percebesse.

Se as fábricas da TSMC afundassem na falha de Chelungpu, cuja movimentação provocou o último grande terremoto de Taiwan em 1999, as reverberações abalariam a economia global. Seria preciso apenas um punhado de explosões, intencionais ou acidentais, para causar danos comparáveis. Algumas estimativas de cálculo ilustram o que está em jogo. Taiwan produz 11% dos chips de memória do mundo. Mais importante, fabrica 37% dos chips lógicos do mundo. Computadores, telefones, data centers e a maioria dos outros dispositivos eletrônicos simplesmente não conseguem funcionar sem eles, então, se as fábricas de Taiwan fossem derrubadas, nós produziríamos 37% menos em termos de capacidade de computação durante o ano seguinte.

O impacto na economia mundial seria catastrófico. A escassez de semicondutores pós-covid foi um lembrete de que os chips não são necessários apenas em telefones e computadores. Aeronaves e automóveis, micro-ondas e equipamentos de fabricação — produtos de todos os tipos enfrentariam atrasos devastadores. Em torno de um terço da produção de processadores para PCs, incluindo chips projetados pela Apple e pela AMD, seria derrubado até que novas fábricas pudessem ser construídas em outros lugares. O crescimento na capacidade de data centers ficaria drasticamente mais lento, sobretudo para servidores concentrados em algoritmos de inteligência artificial, que são mais dependentes de chips fabricados em Taiwan por empresas como a Nvidia e a AMD. Outras infraestruturas de dados seriam atingidas com maior impacto. Novos aparelhos de rádio 5G, por exemplo, exigem chips de diversas empresas, muitos dos quais são fabricados em Taiwan. Haveria uma paralisação quase total do lançamento de redes 5G.

Faria sentido interromper as modernizações das redes de telefonia celular porque também seria extremamente difícil comprar um telefone novo. A maioria dos processadores de smartphones é fabricada em Taiwan, assim como muitos dos dez ou mais chips que vêm dentro de um telefone típico. Os automóveis em geral precisam de centenas de chips para funcionar, então enfrentaríamos atrasos muito mais graves que a escassez de 2021. É claro que, em caso de guerra, precisaríamos pensar sobre muito mais coisas do que chips. A ampla infraestrutura de montagem de eletrônicos da China poderia ser cortada. Teríamos de encontrar outras pessoas para montar quaisquer telefones e computadores para os quais tivéssemos componentes.

No entanto, seria muito mais fácil encontrar novos trabalhadores de montagem — por mais difícil que fosse — que replicar as instalações de fabricação de chips de Taiwan. O desafio não seria simplesmente construir novas fábricas. Essas instalações precisariam de pessoal treinado, a menos que, de alguma forma, muitos funcionários da TSMC pudessem ser surrupiados de Taiwan. Ainda assim, novas fábricas devem ser abastecidas com maquinários, como ferramentas da ASML e da Applied Materials. Durante a escassez de chips de 2020 a 2021, a ASML e a Applied Materials anunciaram que estavam enfrentando atrasos na produção de máquinas porque não conseguiam adquirir semicondutores suficientes.[8] No caso de uma crise em Taiwan, elas enfrentariam atrasos na aquisição dos chips de que suas máquinas necessitam.

Após um desastre em Taiwan, em outras palavras, os custos totais seriam medidos aos trilhões. Perder 37% de nossa produção de capacidade de computação a cada ano poderia muito bem sair mais caro que a pandemia de covid e seus lockdowns economicamente desastrosos. Levaria pelo menos meia década para recuperar a capacidade perdida de fabricação de chips. Hoje, quando olhamos para daqui a cinco anos, esperamos estar construindo redes 5G e metaversos, mas, se Taiwan for derrubada, podemos enfrentar dificuldades para adquirir máquinas de lavar louça.

A presidenta de Taiwan, Tsai Ing-wen, argumentou recentemente na revista *Foreign Affairs* que a indústria de chips da ilha é um "'escudo de silício' que permite que Taiwan se proteja e proteja terceiros de tentativas agressivas de regimes autoritários de interromper as cadeias de suprimentos globais".[9] Essa é uma maneira muito otimista de enxergar a situação. A indústria de chips da ilha certamente obriga os EUA a levar a defesa de Taiwan mais a sério. Contudo, a concentração da produção de semicondutores em Taiwan também coloca a economia mundial em risco se o "escudo de silício" não detiver a China.

Em uma pesquisa de 2021, a maioria dos taiwaneses relatou pensar que uma guerra entre China e Taiwan era ou improvável (45%) ou impossível (17%).[10] A invasão da Ucrânia pela Rússia, todavia, é um lembrete de que, só porque o estreito de Taiwan andou em grande parte em paz nas últimas décadas, uma guerra de conquista está longe de ser impensável. A guerra entre Rússia e Ucrânia também ilustra até que ponto qualquer grande conflito será determinado em parte pela posição de um país na cadeia de suprimentos de semicondutores, o que moldará sua capacidade de exercer poderio militar e econômico.

A indústria de chips da Rússia, que ficou atrás do Vale do Silício desde os dias do ministro soviético Shokin e da fundação de Zelenograd, decaiu desde o fim da Guerra Fria, já que a maioria dos clientes russos optou por parar de comprar de fabricantes de chips nacionais e terceirizou a produção para a TSMC. Os únicos clientes restantes foram as indústrias de defesa e espacial da Rússia, que não eram compradoras de chips grandes o bastante para financiar a fabricação avançada de chips dentro de casa. Em consequência, mesmo os projetos de defesa de alta prioridade na Rússia enfrentaram dificuldades para adquirir os chips de que precisavam. O equivalente russo dos satélites de GPS, por exemplo, enfrentou atrasos angustiantes devido a problemas de fornecimento de semicondutores.[11]

As dificuldades atuais da Rússia com a fabricação e a aquisição de chips explicam por que os drones do país abatidos sobre a Ucrânia estão repletos de microeletrônicos estrangeiros.[12] Também explicam por que as Forças Armadas da Rússia continuam a depender amplamente de munições guiadas sem precisão. Uma análise recente da guerra da Rússia contra a Síria descobriu que até 95% das munições lançadas não eram guiadas.[13] O fato de a Rússia ter enfrentado períodos de escassez de mísseis de cruzeiro teleguiados durante várias semanas após o ataque à Ucrânia também se deve em parte ao estado lamentável de sua indústria de semicondutores. Enquanto isso, a Ucrânia vem recebendo enormes estoques de munições teleguiadas do Ocidente, como os mísseis antitanque *Javelin*, que contam cada um com mais de duzentos semicondutores para detectar tanques inimigos.[14]

A dependência da Rússia com relação à tecnologia estrangeira de semicondutores deu aos EUA e a seus aliados um trunfo poderoso. Depois que a Rússia invadiu, os EUA lançaram amplas restrições à comercialização de determinados tipos de chips para os setores de tecnologia, defesa e telecomunicações russos, o que foi coordenado com parceiros na Europa, no Japão, na Coreia do Sul e em Taiwan. As principais fabricantes de chips, desde a Intel, dos EUA, à TSMC, de Taiwan, já eliminaram o Kremlin.[15] O setor fabril da Rússia tem enfrentado fortes interrupções, com uma parcela significativa da produção automotiva russa tendo sido derrubada. Mesmo em setores sensíveis como o de defesa, as fábricas russas estão realizando manobras evasivas, como implantar chips destinados para máquinas lava-louças em sistemas de mísseis, de acordo com a inteligência dos EUA.[16] A Rússia tem poucos recursos além de reduzir seu consumo de chips, porque sua capacidade de fabricação de chips hoje em dia está ainda mais fragilizada que durante o apogeu da corrida espacial.

A Guerra Fria emergente entre EUA e China, no entanto, será uma luta menos desequilibrada quando se trata de semicondutores, considerando o investimento de Pequim na indústria e o fato de que grande parte da capacidade de fabricação de chips de que os EUA dependem está ao alcance simples de mísseis do Exército de Libertação Popular. Seria ingênuo supor que o que aconteceu na Ucrânia não poderia acontecer na Ásia Oriental. Olhando para o papel desempenhado pelos semicondutores na guerra entre Rússia e Ucrânia, analistas do governo chinês já argumentaram publicamente que, se as tensões entre EUA e China se intensificarem, "devemos nos apropriar da TSMC".[17]

A primeira Guerra Fria teve seus próprios impasses com relação a Taiwan, em 1954 e novamente em 1958, depois que as Forças Armadas de Mao Tsé-Tung bombardearam as ilhas controladas por Taiwan com artilharia. Hoje, Taiwan está ao alcance de forças chinesas que são muito mais destrutivas — não só uma série de mísseis de curto e médio alcances, como também aeronaves das bases aéreas de Longtian e Huian, no lado chinês do estreito, que está a apenas um voo de sete minutos de Taiwan. Não por coincidência, em 2021, essas bases aéreas foram modernizadas com novos abrigos, prolongamentos de pistas e defesas antimísseis.[18] Uma nova crise do estreito de Taiwan seria muito mais perigosa que as crises da década de 1950. Ainda haveria o risco de uma guerra nuclear, sobretudo considerando o crescente arsenal atômico da China. Mas, em vez de um impasse com relação a uma ilha empobrecida, dessa vez o campo de batalha seria o coração pulsante do mundo digital. O pior é que, ao contrário da década de 1950, não está claro se o Exército de Libertação Popular acabaria recuando. Dessa vez, talvez Pequim aposte que pode muito bem vencer.

Conclusão

Apenas cinco dias depois que as forças do Exército de Libertação Popular começaram a bombardear a ilha de Quemói, controlada por Taiwan, em 1958, em meio ao escaldante verão de Dallas, Jack Kilby demonstrou para seus colegas que todos os componentes de um circuito — transistores, resistores e capacitores — poderiam ser fabricados de materiais semicondutores.[1] Quatro dias depois, Jay Lathrop entrou pela primeira vez no estacionamento da Texas Instruments. Ele já havia feito uma solicitação de patente com relação ao processo de fabricação de transistores utilizando fotolitografia, mas ainda não havia recebido o prêmio do Exército que lhe permitiria comprar uma caminhonete nova. Vários meses antes, Morris Chang havia deixado seu emprego em uma empresa de eletrônicos de Massachusetts e entrado para a Texas Instruments, conquistando a reputação de ter uma capacidade quase mágica de eliminar erros dos processos de fabricação de semicondutores da empresa. Naquele mesmo ano, Pat Haggerty foi indicado como presidente da Texas Instruments, com o conselho de administração apostando que sua visão de fabricação de dispositivos eletrônicos para sistemas militares era um negócio melhor que produzir os instrumentos de exploração de petróleo que a empresa havia sido fundada para criar. Haggerty já havia reunido uma equipe talentosa de engenheiros como Weldon Word, que estava construindo a eletrônica necessária para armas "inteligentes" e sensores precisos.[2]

O Texas estava do lado oposto de Taiwan no mundo, mas não foi por acaso que Kilby inventou seu circuito integrado em meio a uma crise entre EUA e China. Os dólares de defesa entravam nas empresas de eletrônicos. As Forças Armadas norte-americanas contavam com a tecnologia para preservar sua vantagem. Com a Rússia soviética e a China comunista construindo Forças Armadas em escala industrial, os EUA não podiam contar com exércitos maiores ou mais tanques. Mas *podiam* fabricar mais transistores, sensores mais precisos e equipamentos de comunicação mais eficazes, e tudo isso acabaria por tornar as armas dos EUA muito mais capazes.

Tampouco foi por acaso que Morris Chang estivesse procurando trabalho no Texas em vez de, digamos, Tianjin. Para uma criança ambiciosa de uma família de classe alta, ficar na China representava risco de assédio ou até de morte. Em meio ao caos da Guerra Fria e às rupturas da descolonização que varreu o mundo, os melhores e mais brilhantes de muitos países tentavam chegar aos EUA. John Bardeen e Walter Brattain inventaram o primeiro transistor, mas foram seus colegas da Bell Labs, Mohamed Atalla e Dawon Kahng, que desenvolveram uma estrutura de transistor que poderia ser produzida em massa. Dois dos "oito traidores" engenheiros que fundaram a Fairchild Semiconductor com Bob Noyce não haviam nascido nos EUA. Alguns anos depois, um agressivo emigrante húngaro, anteriormente conhecido como Andras Grof, ajudou a Fairchild a otimizar a utilização de produtos químicos nos processos de fabricação de chips da empresa e se colocou no caminho para se tornar CEO.

Em uma época em que a maior parte do mundo nunca tinha ouvido falar de chips de silício, e menos gente ainda entendia qualquer coisa sobre como funcionavam, os centros de produção de semicondutores dos EUA atraíam as mentes mais brilhantes do mundo para o Texas, Massachusetts e, acima de tudo, Califórnia. Esses engenheiros e físicos eram impulsionados pela crença de que a miniaturização de transistores poderia literalmente mudar o futuro. Acabou se provando que eles tinham razão muito além de seus sonhos mais loucos. Visionários como Gordon Moore e o professor da Caltech Carver Mead enxergavam décadas à frente, mas a previsão de Moore de 1965 de "computadores domésticos" e "equipamentos portáteis e pessoais de comunicação" mal começa a descrever a centralidade dos chips em nossa vida atual.[3] A ideia de que a indústria de semicondutores acabaria produzindo mais transistores por dia do que há células no corpo humano foi uma coisa que os fundadores do Vale do Silício considerariam inconcebível.[4]

À medida que a indústria foi crescendo e os transistores foram diminuindo, a necessidade de mercados globais vastos ficou mais forte que nunca. Hoje em dia, até o orçamento de 700 bilhões de dólares do Pentágono não é grande o suficiente para bancar instalações de fabricação de chips de última geração para fins de defesa em solo norte-americano. O Departamento de Defesa tem dedicado estaleiros para submarinos de bilhões de dólares e porta-aviões de 10 bilhões, mas compra muitos dos chips que utiliza de fornecedores comerciais, em geral em Taiwan. Até o custo de *projetar* um chip com tecnologia de ponta, o que pode passar dos 100 milhões de dólares, está ficando do ponto de vista financeiro dispendioso demais para o Pentágono. Uma instalação para fabricar os chips lógicos mais avançados custa o dobro de um porta-aviões, mas só será de última geração durante uns dois anos.

A espantosa complexidade na produção de capacidade de computação mostra que o Vale do Silício não é só uma história de ciência ou engenharia. A tecnologia só avança quando encontra um mercado. A história dos semicondutores também é uma história de vendas, comercialização, gestão de cadeia de suprimentos e redução de custos. O Vale do Silício não existiria sem os empreendedores que o construíram. Bob Noyce era um físico formado pelo MIT, mas deixou sua marca como empresário, percebendo um amplo mercado para um produto que ainda não existia. A capacidade da Fairchild Semiconductor de "atulhar mais componentes em circuitos integrados" — como Gordon Moore colocou em seu famoso artigo de 1965 — dependia não só dos físicos e químicos da empresa, mas também de exigentes chefões de fabricação como Charlie Sporck. Buscar fábricas que não sofressem a influência de sindicatos e oferecer opções de ações para a maioria dos funcionários aumentou a produtividade de forma inexorável. Os transistores atualmente custam muito menos de um milionésimo de seu preço de 1958 graças ao estado de espírito expresso pelo agora esquecido funcionário da Fairchild que escreveu em seu questionário de saída ao deixar a empresa: "EU... QUERO... FICAR... RICO".[5]

Refletindo agora, é simplório demais dizer que o chip moldou o mundo moderno, porque nossa sociedade e nossa política estruturaram como os chips eram pesquisados, projetados, produzidos, montados e utilizados. Por exemplo, a Darpa, unidade de P&D do Pentágono, literalmente moldou o semicondutor financiando pesquisas essenciais sobre as estruturas de transistores tridimensionais, chamadas FinFETs, utilizadas nos chips lógicos mais avançados. E, no futuro, o dilúvio de subsídios da China remodelará profundamente a cadeia de suprimentos de semicondutores, quer a China atinja ou não seu objetivo de supremacia em termos de semicondutores.

Não há garantia, é claro, de que os chips continuarão sendo tão importantes quanto no passado. É improvável que nossa demanda por capacidade de computação algum dia diminua, mas *poderíamos* ficar sem suprimentos. A famosa lei de Gordon Moore é uma mera previsão, não um fato da física. Os luminares da indústria, do CEO da Nvidia, Jensen Huang, ao ex-presidente de Stanford e presidente da Alphabet, John Hennessy, decretaram que a Lei de Moore estava morta.[6] Em algum momento, as leis da física tornarão impossível encolher ainda mais os transistores. Mesmo antes disso, sua fabricação pode acabar ficando financeiramente dispendiosa demais. A proporção de declínios de custos já diminuiu de forma significativa. As ferramentas necessárias para fabricar chips cada vez menores são incrivelmente dispendiosas do ponto de vista financeiro. Um exemplo bem ilustrativo são as máquinas de litografia de EUV, que custam mais de 100 milhões de dólares cada.

O fim da Lei de Moore seria devastador para a indústria de semicondutores — e para o mundo. Produzimos mais transistores a cada ano só porque é economicamente viável fazê-lo. Esta não é a primeira vez, porém, que a Lei de Moore foi dada como quase morta. Em 1988, Erich Bloch, um estimado especialista da IBM e mais tarde diretor da Fundação Nacional de Ciência, declarou que a Lei de Moore pararia de funcionar quando os transistores encolhessem até um quarto de mícron — uma barreira que a indústria derrubou uma década depois.[7] Gordon Moore evidenciou um temor em uma apresentação de 2003: "os negócios, como sempre, sem dúvida vão encontrar obstáculos na próxima década ou por aí", mas todos esses possíveis obstáculos foram superados. À época, Moore achava que uma estrutura de transistor tridimensional era uma "ideia radical",[8] mas menos de duas décadas depois já produzíamos trilhões desses transistores FinFET tridimensionais. Carver Mead, professor da Caltech que cunhou o termo "Lei de Moore", chocou os cientistas de semicondutores do mundo com sua previsão de meio século atrás de que os chips poderiam acabar contendo 100 milhões de transistores por centímetro quadrado. Hoje em dia, as fábricas mais avançadas podem espremer cem vezes mais transistores em um chip do que até Mead pensava ser possível.[9]

A durabilidade da Lei de Moore, em outras palavras, surpreendeu até mesmo a pessoa de quem recebeu o nome e a pessoa que a batizou. Também pode surpreender os pessimistas dos dias de hoje. Jim Keller, o astro projetista de semicondutores amplamente creditado pelo trabalho transformador em chips da Apple, da Tesla, da AMD e da Intel, disse que vê um caminho claro rumo a um aumento de cinquenta vezes na densidade com que os transistores podem ser colocados em chips.[10] Primeiro, ele argumenta, os transistores existentes em formato de aleta podem ser impressos mais finos para possibilitar que três vezes mais deles sejam colocados juntos. Em seguida, os transistores em formato de aleta serão substituídos por novos transistores em formato de tubo, muitas vezes chamados de "porta circundante", que são tubos em formato de fio que permitem que um campo elétrico seja aplicado em todas as direções — para cima, para os lados e para baixo —, proporcionando um melhor controle da "alternância" para assimilar os desafios à medida que os transistores encolhem. Esses fios minúsculos duplicam a densidade em que os transistores podem ser colocados juntos. Empilhar esses fios uns sobre os outros pode aumentar a densidade oito vezes mais, ele prevê. Isso representa um aumento de aproximadamente cinquenta vezes na quantidade de transistores que podem caber em um chip. "Não estamos ficando sem átomos", Keller já disse. "Sabemos como imprimir camadas simples de átomos."

Apesar de toda a conversa fiada sobre o fim da Lei de Moore, há mais dinheiro que nunca entrando na indústria de chips. Startups que projetam chips otimizados para algoritmos de inteligência artificial arrecadaram bilhões de dólares nos últimos anos, todas torcendo para conseguir virar a próxima Nvidia. Grandes empresas de tecnologia — Google, Amazon, Microsoft, Apple, Facebook, Alibaba e outras — agora estão investindo pesado nos projetos de seus próprios chips. Claramente não há atraso nas inovações.

O melhor argumento a favor da tese de que a Lei de Moore está acabando é que toda essa nova atividade com os chips para fins específicos, ou mesmo para empresas individuais, está substituindo as melhorias na computação "para fins gerais" que a cadência regular da Intel de microprocessadores cada vez mais potentes forneceu durante o último meio século. Neil Thompson e Svenja Spanuth, dois pesquisadores, chegaram ao ponto de argumentar que estamos vendo um "declínio dos computadores como uma tecnologia para fins gerais". Eles acham que o futuro da computação será dividido entre "aplicações de 'via rápida' que recebem potentes chips personalizados e aplicações de 'via lenta' que têm de se contentar com os chips para fins gerais cujo progresso desaparece".

É inegável que o microprocessador, o carro-chefe da computação moderna, está sendo em parte substituído por chips fabricados para fins específicos. O que fica menos claro é se isso é problemático. As GPUs da Nvidia não são para fins gerais como um microprocessador da Intel no sentido de que são projetadas especificamente para gráficos e, cada vez mais, para inteligência artificial. Contudo, a Nvidia e outras empresas que oferecem chips otimizados para inteligência artificial tornaram essa tecnologia muito mais barata de implementar e, portanto, mais amplamente acessível. A inteligência artificial tornou-se muito mais "para fins gerais" nos dias de hoje do que era concebível há uma década, em grande parte graças a chips novos e mais potentes.

A recente tendência de grandes empresas de tecnologia como Amazon e Google projetarem seus próprios chips marca mais uma mudança com relação às últimas décadas. Tanto Amazon como Google entraram no ramo de projeto de chips para melhorar a eficiência dos servidores que rodam suas nuvens disponíveis ao público. Qualquer pessoa é capaz de acessar os chips TPU da Google na nuvem da empresa por uma taxa. A visão pessimista é olhar para isso como uma bifurcação da computação em uma "via lenta" e uma "via rápida".[11] O que surpreende, entretanto, é a facilidade para quase qualquer pessoa acessar a via rápida comprando um chip da Nvidia ou alugando acesso a uma nuvem otimizada com inteligência artificial.

Além disso, está mais fácil do que nunca combinar tipos de chips diferentes.[12] No passado, um dispositivo costumava ter um único chip de processador. Agora pode ter vários processadores, alguns focados em operações gerais, e outros otimizados para gerenciar recursos específicos, como uma câmera. Isso é possível porque as novas tecnologias de empilhamento facilitam a conexão eficiente dos chips, possibilitando que as empresas troquem com facilidade determinados chips, colocando-os ou retirando-os de um dispositivo à medida que mudam as exigências de processamento ou as considerações de custos. As grandes fabricantes de chips agora pensam mais do que nunca nos sistemas em que seus chips vão operar. Então, a questão importante não é se estamos finalmente atingindo os limites da Lei de Moore da maneira como Gordon Moore a definiu a princípio — o aumento exponencial da quantidade de transistores por chip —, mas se chegamos ao máximo da capacidade de computação que um chip pode produzir com uma boa relação custo-benefício. Muitos milhares de engenheiros e muitos bilhões de dólares apostam que não.

Em dezembro de 1958 — o mesmo ano em que Morris Chang, Pat Haggerty, Weldon Word, Jay Lathrop e Jack Kilby trabalhavam todos na Texas Instruments —, uma conferência de eletrônica ocorreu em uma invernal Washington, D.C. Naquele dia estavam presentes Chang, Gordon Moore e Bob Noyce, que saíram para tomar cerveja e depois, nas últimas horas do dia, voltaram tortos para o hotel, jovens e animados, cantando em meio aos montes de neve.[13] Ninguém por quem eles passaram na rua teria adivinhado que aqueles eram três futuros titãs da tecnologia. No entanto, eles deixaram uma marca duradoura não apenas em bilhões de *wafers* de silício, mas em todas as nossas vidas. Os chips que eles inventaram e a indústria que construíram fornecem os circuitos ocultos que têm estruturado nossa história e moldarão nosso futuro.

AGRADECIMENTOS

A FABRICAÇÃO DE um chip de última geração envolve centenas de etapas e uma cadeia de suprimentos que se estende por vários países. Escrever este livro foi apenas um pouco menos complexo do que fabricar um chip. Sou grato às muitas pessoas, de muitos países, que me ajudaram no caminho.

Por disponibilizar material de arquivo, em especial em meio às restrições da pandemia, agradeço aos bibliotecários e arquivistas da Biblioteca do Congresso, em Washington, D.C.; da Southern Methodist University; da Universidade Stanford; da Hoover Institution; do Arquivo da Academia Russa de Ciências; e da Academia Sinica, de Taiwan.

Sou igualmente grato pela oportunidade de ter realizado bem mais de cem entrevistas com especialistas em semicondutores da indústria, da academia e do governo. Várias dezenas de entrevistados pediram para não serem citados nominalmente no livro para que pudessem falar com liberdade sobre seu trabalho. Não obstante, eu gostaria de agradecer publicamente às seguintes pessoas por compartilharem ideias ou ajudarem a organizar as entrevistas: Bob Adams, Richard Anderson, Susie Armstrong, Jeff Arnold, David Attwood, Vivek Bakshi, Jon Bathgate, Peter Bealo, Doug Bettinger, Michael Bruck, Ralph Calvin, Gordon Campbell, Walter Cardwell, John Carruthers, Rick Cassidy, Anand Chandrasekher, Morris Chang, Shang-yi Chiang, Bryan Clark, Lynn Conway, Barry Couture, Andrea Cuomo, Aart de Geus, Seth

Davis, Anirudh Devgan, Steve Director, Greg Dunn, Mark Durcan, John East, Kenneth Flamm, Igor Fomenkov, Gene Frantz, Adi Fuchs, Mike Geselowitz, Lance Glasser, Jay Goldberg, Peter Gordon, John Gowdy, Doug Grouse, Chuck Gwyn, Rene Haas, Wesley Hallman, David Hanke, Bill Heye, Chris Hill, David Hodges, Sander Hofman, Tristan Holtam, Eric Hosler, Gene Irisari, Nina Kao, John Kibarian, Valery Kotkin, Michael Kramer, Lev Lapkis, Steve Leibiger, Chris Mack, Chris Malachowsky, Dave Markle, Christopher McGuire, Marshall McMurran, Carver Mead, Bruno Murari, Bob Nease, Daniel Nenni, Jim Neroda, Ron Norris, Ted Odell, Sergei Osokin, Ward Parkison, Jim Partridge, Malcolm Penn, William Perry, Pasquale Pistorio, Mary Anne Potter, Stacy Rasgon, Griff Resor, Wally Rhines, Dave Robertson, Steve Roemerman, Aldo Romano, Jeanne Roussel, Rob Rutenbar, Zain Saidin, Alberto Sangiovanni-Vincentelli, Robin Saxby, Brian Shirley, Peter Simone, Marko Slusarczuk, Randy Steck, Sergey Sudjin, Will Swope, John Taylor, Bill Tobey, Roger van Art, Dick van Atta, Gil Varnell, Michael von Borstel, Stephen Welby, Lloyd Whitman, Pat Windham, Alan Wolff, Stefan Wurm, Tony Yen, Ross Young, Victor Zhirnov e Annie Zhou. Nenhuma dessas pessoas, é claro, é responsável por qualquer conclusão a que eu tenha chegado.

Ajit Manocha, presidente e CEO da Semi, me apresentou pessoas que foram muito úteis para a obra. John Neuffer, Jimmy Goodrich e Meghan Biery, da Associação das Indústrias de Semicondutores, me ajudaram a entender sua perspectiva sobre o setor. Terry Daly, um veterano da indústria, foi extraordinariamente generoso com seu tempo, e sou grato por sua orientação. Bob Loynd e Craig Keast, do Lincoln Labs do MIT, tiveram a gentileza de me mostrar sua fábrica de microeletrônica. Também me beneficiei da orientação de um revisor técnico do setor — que deseja permanecer anônimo — por meio de FinFETs, materiais com constante dielétrica alta, e muitos outros detalhes da ciência subjacente aos semicondutores.

Meu jeito de pensar sobre a interseção dos chips com a política foi moldado por uma série fascinante de conversas com Danny Crichton e Jordan Schneider. Jordan e Dong Yan leram o manuscrito e me ajudaram a aprimorar os argumentos. Kevin Xu e seu indispensável boletim informativo forneceram alguns episódios cruciais de Morris Chang que, sem sua ajuda, eu jamais teria conseguido. Algumas conversas com Sahil Mahtani, Philip

Saunders e sua equipe cristalizaram meu jeito de pensar sobre os desafios de fabricação de chips da China.

Partes desta pesquisa foram apresentadas nos Estudos de Segurança Internacional da Universidade Yale. Sou grato a Paul Kennedy e a Arne Westad pela oportunidade. Também me beneficiou bastante a oportunidade de apresentar pesquisas em fase inicial no Naval War College e agradeço a Rebecca Lissner o convite. Além disso, o workshop de história da Hoover Institution e o American Enterprise Institute forneceram fóruns para perguntas difíceis que aprimoraram meu argumento.

Este livro se baseou fortemente em pesquisas e reportagens sobre as origens do Vale do Silício e a história da computação. Aprendi muito com os acadêmicos e jornalistas que já haviam examinado diferentes ângulos desse tópico e cujo trabalho é citado nas notas. Sou especialmente grato a Leslie Berlin, Geoffrey Cain, Doug Fuller, Slava Gerovitch, Paul Gillespie, Philip Hanson, James Larson, David Laws, Wen-Yee Lee, Willy Shih, Denis Fred Simon, Paul Snell, David Stumpf, David Talbot, Zachary Wasserman e Debby Wu por compartilharem suas pesquisas e seus conhecimentos comigo. George Leopold foi um guia muito útil da indústria contemporânea de chips e eletrônicos. José Moura foi generoso com as apresentações aos seus colegas na fase inicial deste projeto. Murray Scott foi uma fonte frequente de ideias e incentivo.

Agradeço a Danny Gottfried, Jacob Clemente, Gertie Robinson, Ben Cooper, Claus Soong, Wei-Ting Chen, Mindy Tu, Freddy Lin, Will Baumgartner, Soyoung Oh, Miina Matsuyama, Matyas Kisiday, Zoe Huang, Chihiro Aita e Sara Ashbaugh a ajuda na coleta e na tradução de fontes. Ashley Theis foi extremamente útil em todos os aspectos. O apoio da Smith Richardson Foundation e da Sloan Foundation possibilitou esta pesquisa.

Meus colegas e alunos da Fletcher School me proporcionaram uma caixa de ressonância para muitas das ideias que constam neste livro, sobretudo o workshop de 2019 de Dan Drezner sobre "independência armada". No FPRI, Rollie Flynn, Maia Otarashvili e Aaron Stein apoiaram esta pesquisa desde seus primeiros passos. Kori Schake, Dany Pletka e Hal Brands ajudaram a tornar o American Enterprise Institute um lar intelectual enquanto eu dava os retoques finais no manuscrito. Meus colegas da Greenmantle proporcionaram um ambiente estimulante para pensar sobre a interseção de tecnologia, finanças, macroeconomia e política. Sou grato a Niall Ferguson por seu entusiasmo precoce com este projeto; Pierpaolo Barbieri por todas as valiosas apresentações; Alice Han por me ajudar a entender a política tecnológica chinesa; e Stephanie Petrella por suas críticas incisivas nas fases iniciais do projeto.

Trabalhar com Rick Horgan e com toda a equipe da Scribner tem sido um prazer. Sem a confiança precoce de Toby Mundy neste livro, eu não teria dado nem sequer os primeiros passos. Jon Hillman fez uma apresentação inicial que colocou o projeto em andamento.

Por fim, e mais importante, minha família tem me apoiado sempre ao longo deste projeto. Meus pais têm sido críticos duros de cada capítulo. Lucy e Vlad foram as melhores babás que qualquer pessoa poderia pedir. Liya, Anton e Evie toleraram que este livro interrompesse manhãs, noites, fins de semana, férias e licenças parentais. Dedico este livro a eles.

Notas

Introdução

1. "uss Mustin Transits the Taiwan Strait", *Navy Press Releases*, 19 de agosto de 2020. Disponível em: https://www.navy.mil/Press-Office/Press-Releases/display-pressreleases/Article/2317449/uss-mustin-transits-the-taiwan-strait/#images-3; Sam LaGrone, "Destroyer uss Mustin Transits Taiwan Strait Following Operations with Japanese Warship", *usni News*, 18 de agosto de 2020. Disponível em: https://news.usni.org/2020/08/18/destroyer-uss-mustin--transits-taiwan-strait-following-operations-with-japanese-warship.

2. "China Says Latest us Navy Sailing Near Taiwan 'Extremely Dangerous'", *Straits Times*, 20 de agosto de 2020. Disponível em: https://www.straitstimes.com/asia/east-asia/china-says--latest-us-navy-sailing-near-taiwan-extremely-dangerous; Liu Xuanzun, "pla Holds Concentrated Military Drills to Deter Taiwan Secessionists, us", *Global Times*, 23 de agosto de 2020. Disponível em: https://www.globaltimes.cn/page/202008/1198593.shtml.

3. Essa expressão foi cunhada por Murray Scott, cujo boletim *Zen on Tech* moldou meu pensamento sobre a geopolítica dos semicondutores.

4. Antonio Varas, Raj Varadarajan, Jimmy Goodrich e Falan Yinug, "Strengthening the Global Semiconductor Supply Chain in an Uncertain Era", *Semiconductor Industry Association*, abril de 2021, anexo 2. Disponível em: https://www.semiconductors.org/wp-content/uploads/2021/05/BCG-x-SIA-Strengthening-the-Global-Semiconductor-Value-Chain-April-2021_1.pdf. Os telefones representam 26% das vendas de semicondutores em valor em dólares.

5. "iPhone 12 and 12 Pro Teardown", *IFixit*, 20 de outubro de 2020. Disponível em:https://www.ifixit.com/Teardown/iPhone+12+and+12+Pro+Teardown/137669.

6. "A Look Inside the Factory Around Which the Modern World Turns", *Economist*, 21 de dezembro de 2019.

7. Angelique Chatman, "Apple iPhone 12 Has Reached 100 Million Sales, Analyst Says", CNET, 30 de junho de 2021; Omar Sohail, "Apple A14 Bionic Gets Highlighted with 11.8 Billion Transistors", WCC *FTech*, 15 de setembro de 2020.

8. Isy Haas, Jay Last, Lionel Kattner e Bob Norman mediados por David Laws, "Oral History of Panel on the Development and Promotion of Fairchild Micrologic Integrated Circuits", *Computer History Museum*, 6 de outubro de 2007. Disponível em: https://archive.computerhistory.org/resources/access/text/2013/05/102658200-05-01-acc.pdf; Entrevista com David Laws, 2022.

9. Gordon E. Moore, "Cramming More Components onto Integrated Circuits", *Electronics* 38, nº 8, 19 de abril de 1965. Disponível em: https://newsroom.intel.com/wp-content/uploads/sites/11/2018/05/moores-law-electronics.pdf; Intel 1103: dados de "Memory Lane", *Nature Electronics* 1, 13 de junho de 2018. Disponível em: https://www.nature.com/articles/s41928-018-0098-9.

10. De acordo com os dados da Semiconductor Industry Association, 37% dos chips de lógica foram produzidos em Taiwan em 2019; Varas et al., "Strengthening the Global Semiconductor Supply Chain in an Uncertain Era".

11. Varas et al., "Strengthening the Global Semiconductor Supply Chain in an Uncertain Era", p. 35.

12. Mark Fulthorpe e Phil Amsrud, "Global Light Vehicle Production Impacts Now Expected Well into 2022", IHS *Market*, 19 de agosto de 2021. Disponível em: https://ihsmarkit.com/research-analysis/global-light-vehicle-production-impacts-now-expected-well-into.html.

13. Varas et al., "Strengthening the Global Semiconductor Supply Chain in an Uncertain Era".

14. Entrevista com Morris Chang, 2022.

1. Do aço ao silício

1. Os detalhes sobre a vida de Morita foram retirados de Akio Morita, *Made in Japan. Akio Morita e a Sony*. Nova York: Harper Collins, 1987.

2. Morris C. M. Chang, *The Autobiography of Morris C. M. Chang*. Margate: Commonwealth Publishing, 2018. Agradecimento a Mindy Tu pela ajuda com a tradução.

3. Andrew Grove, *Swimming Across*. Nova York: Warner Books, 2002, p. 52.

4. John Nathan, *Sony: A Private Life*. Boston: Houghton Mifflin, 2001, p. 16.

5. Chang, *Autobiography of Morris C. M. Chang*.

6. Morita, *Made in Japan*, p. 1.

7. David Alan Grier, *When Computers Were Human*. Princenton: Princeton University Press, 2005, cap. 13; Mathematical Tables Project, *Table of Reciprocals of the Integers from 100,000 through 200,009*. Nova York: Columbia University Press,1943.

8. Robert P. Patterson, *The United States Strategic Bombing Survey: Summary Report* (Secretaria de Guerra dos EUA, 1945), p. 15, em *The United States Strategic Bombing Surveys* (Maxwell: Air University Press, 1987). Consultar também: https://www.airuniversity.af.edu/Portals/10/AUPress/Books/B_0020_SPANGRUD_STRATEGIC_BOMBING_SURVEYS.pdf.

9. T.R. Reid, *The Chip*. Nova York: Random House, 2001, p. 11.

10. Derek Cheung e Eric Brach, *Conquering the Electron: The Geniuses, Visionaries, Egomaniacs, and Scoundrels Who Built Our Electronic Age*. Lanham: Roman & Littlefield, 2011, p. 173.

2. O INTERRUPTOR

1. Joel Shurkin, *Broken Genius: The Rise and Fall of William Shockley, Creator of the Electronic Age* (Nova York: Macmillan, 2006) é a melhor apresentação de Shockley. Ver também Michael Riordan e Lillian Hoddeson, *Crystal Fire: The Birth of the Information Age* (Nova York: Norton, 1997).

2. Gino Del Guercio e Ira Flatow, "Transistorized!", PBS, 1999. Disponível em: https://www.pbs.org/transistor/tv/script1.html.

3. Riordan e Hoddeson, *Crystal Fire*, sobr. p. 112-114.

4. Essa representação do transistor baseia-se fortemente em Riordan e Hoddeson, *Crystal Fire*, e em Cheung e Brach, *Conquering the Electron*.

5. Cheung e Brach, *Conquering the Electron*, p. 206-207.

6. Riordan e Hoddeson, *Crystal Fire*, p. 165; "SCIENCE 1948: Little Brain Cell", *Time*, 1948. Disponível em: http://content.time.com/time/subscriber/article/0,33009,952095,00.html.

3. NOYCE, KILBY E O CIRCUITO INTEGRADO

1. Cheung e Brach, *Conquering the Electron*, p. 228.

2. Ibid., p. 214.

3.   Entrevista com Ralph Calvin, 2021; Jay W. Lathrop, uma história oral conduzida em 1996 por David Morton, IEEE History Center, Piscataway, NJ, EUA.

4.   Entrevista com Jack Kilby por Arthur L. Norberg, Charles Babbage Institute, 21 de junho de 1984, p. 11-19. Disponível em: https://conservancy.umn.edu/bitstream/handle/11299/r107410/oh074jk.pdf?sequence=1&isAllowed=y.

5.   Caleb III Pirtle, *Engineering the World: Stories from the First 75 Years of Texas Instruments*. University Park: Southern Methodist University Press, 2005, p. 29.

6.   David Brock e David Laws, "The Early History of Microcircuitry", *IEEE Annals of the History of Computing* 34, nº 1, janeiro de 2012. Disponível em: https://ieeexplore.ieee.org/document/6109206; T. R. Reid, *The Chip*.

7.   Shurkin, *Broken Genius*, p. 173; "Gordon Moore", PBS, 1999. Disponível em: https://www.pbs.org/transistor/album1/moore/index.html. Outros livros importantes sobre a Fairchild incluem Arnold Thackray, David C. Brock e Rachel Jones, *Moore's Law: The Life of Gordon Moore, Silicon Valley's Quiet Revolutionary* (Nova York: Basic, 2015), e Leslie Berlin, *The Man Behind the Microchip: Robert Noyce and the Invention of Silicon Valley* (Oxford: Oxford University Press, 2005).

8.   "1959: Practical Monolithic Integrated Circuit Concept Patented", Computer History Museum. Disponível em: https://www.computerhistory.org/siliconengine/practical-monolithic-integrated-circuit-concept-patented/; Christophe Lecuyer e David Brock, *Makers of the Microchip* (Cambridge: MIT Press, 2010); Robert N. Noyce, Semiconductor Device-and-Lead Structure, EUA, 2981877, depositado em 30 de julho de 1959 e emitido em 25 de abril de 1961. Disponível em: https://patentimages.storage.googleapis.com/e1/73/1e/7404cd5ad6325c/US2981877.pdf; Michael Riordan, "The Silicon Dioxide Solution", *IEEE Spectrum*, 1º de dezembro de 2007. Disponivel em: https://spectrum.ieee.org/the-silicon-dioxide-solution; Berlin, *The Man Behind the Microchip*, p. 53-81.

9.   Berlin, *The Man Behind the Microchip*, p. 112.

4. Ao infinito e além

1.   "Satellite Reported Seen over S.F.", *San Francisco Chronicle*, 5 de outubro de 1957, p. 1.

2.   Robert Divine, *The Sputnik Challenge*. Oxford: Oxford University Press, 1993. Meu pensamento sobre o impacto da Guerra Fria na ciência dos EUA foi moldado por Margaret O'Mara, *Cities of Knowledge: Cold War Science and the Search for the Next Silicon Valley* (Princenton: Princeton University Press, 2015); Audra J. Wolfe, *Competing with the Soviets:*

Science, Technology, and the State in Cold War America (Baltimore: Johns Hopkins University Press, 2013); e Steve Blank, "Secret History of Silicon Valley", palestra no Computer History Museum, 20 de novembro de 2008. Disponível em: https://www.youtube.com/watch?v=ZTC_RxWN_xo.

3. Eldon C. Hall, *Journey to the Moon: The History of the Apollo Guidance Computer* (American Institute of Aeronautics, 1996), p. xxi, 2; Paul Cerruzi, "The Other Side of Moore's Law: The Apollo Guidance Computer, the Integrated Circuit, and the Microelectronics Revolution, 1962-1975", em R. Lanius e H. McCurdy, *Nasa Spaceflight* (Palgrave: Macmillan, 2018).

4. Hall, *Journey to the Moon*, p. 80.

5. Hall, *Journey to the Moon*, p. xxi, 2, 4, 19, 80, 82; Tom Wolfe, "The Tinke Rings of Robert Noyce", *Esquire*, dezembro de 1983.

6. Robert N. Noyce, "Integrated Circuits in Military Equipment", *Institute of Electrical and Electronics Engineers Spectrum*, junho de 1964; Christophe Lecuyer, "Silicon for Industry: Component Design, Mass Production, and the Move to Commercial Markets at Fairchild Semiconductor, 1960-1967", *History and Technology* 16, 1999, p. 183; Michael Riordan, "The Silicon Dioxide Solution", IEEE *Spectrum*, 1º de dezembro de 2007. Disponível em: https://spectrum.ieee.org/the-silicon-dioxide-solution.

7. Hall, *Journey to the Moon*, p. 83.

8. Charles Phipps, "The Early History of ICs at Texas Instruments: A Personal View", IEEE *Annals of the History of Computing* 34, nº 1, janeiro de 2012, p. 37-47.

9. Norman J. Asher e Leland D. Strom, "The Role of the Department of Defense in the Development of Integrated Circuits", *Institute for Defense Analyses*, 1º de maio de 1977, p. 54.

10. Entrevista com Bill Heye, 2021; entrevista com Morris Chang, 2022.

11. Patrick E. Haggerty, "Strategies, Tactics, and Research", *Research Management* 9, nº 3, maio de 1966, p. 152-153.

12. Marshall William McMurran, *Achieving Accuracy: A Legacy of Computers and Missiles*. Bloomington: Xlibris, 2008, p. 281.

13. Entrevistas com Bob Nease, Marshall McMurran e Steve Roemerman, 2021; David K. Stumpf, *Minuteman: A Technical History of the Missile That Defined American Nuclear Warfare* (Fayetteville: University of Arkansas Press, 2020), p. 214; Patrick E. Haggerty, "Strategies, Tactics, and Research", *Research Management* 9, nº 3, maio de 1966, p. 152-153. Ver também Bob Nease e D. C. Hendrickson, *A Brief History of Minuteman Guidance and Control*

(Rockwell Autonetics Defense Electronics, 1995); McMurran, *Achieving Accuracy*, cap. 12. Sou grato a David Stumpf por compartilhar comigo o trabalho de Nease e Henderson.

14. Asher e Strom, "The Role of the Department of Defense in the Development of Integrated Circuits", p. 83; Hall, *Journey to the Moon*, p. 19; "Minuteman Is Top Semiconductor User", *Aviation Week & Space Technology*, 26 de julho de 1965, p. 83.

5. MORTEIROS E PRODUÇÃO EM MASSA

1. Correspondência com Jay Lathrop, 2021; entrevista com Walter Cardwell, 2021; entrevista com John Gowdy, 2021; Jay Lathrop e James R. Nall, Semiconductor Construction, USA, 2890395A, registrado em 31 de outubro de 1957 e emitido em 9 de junho de 1959. Disponível em https://patentimages.storage.googleapis.com/e2/4d/4b/8d90caa48db31b/US2890395.pdf; Jay Lathrop, "The Diamond Ordinance Fuze Laboratory's Photolitographic Approach to Microcircuits", IEEE *Annals of the History of Computing* 35, n° 1, 2013, p. 48-55.

2. Correspondência com Jay Lathrop, 2021; entrevista com Mary Anne Potter, 2021.

3. Entrevista com Mary Anne Potter, 2021; Mary Anne Potter, "Oral History", *Transistor Museum*, setembro de 2001. Disponível em: http://www.semiconductormuseum.com/Transistors/TexasInstruments/OralHistories/Potter/Potter_Page2.htm.

4. Chang, *Autobiography of Morris Chang*; "Stanford Engineering Hero Lecture: Morris Chang in Conversation with President John L. Hennessy", Stanford Online, vídeo do YouTube, 25 de abril de 2014. Disponível em: https://www.youtube.com/watch?v=wEh3ZgbvBrE.

5. História oral de Morris Chang, entrevistado por Alan Patterson, Computer History Museum, 24 de agosto de 2007; entrevista com Morris Chang, 2022.

6. Entrevistas com Bill Heye e Gil Varnell, 2021.

7. História oral de Morris Chang, entrevistado por Alan Patterson, Computer History Museum, 24 de agosto de 2007.

8. Tekla S. Perry, "Morris Chang: Foundry Father", *Institute of Electrical and Electronics Engineers Spectrum*, 19 de abril de 2011. Disponível em: https://spectrum.ieee.org/at-work/tech-careers/morris-chang-foundry-father.

9. David Laws, "A Company of Legend: The Legacy of Fairchild Semiconductor", IEEE *Annals of the History of Computing* 32, n° 1, janeiro de 2010, p. 64.

10. Charles E. Sporck e Richard Molay, *Spinoff: A Personal History of the Industry That Changed the World* (Saranac Lake: Saranac Lake Publishing, 2001), p. 71-72; Christophe Lecuyer, "Silicon for Industry", p. 45.

6. "Eu... quero... ficar... rico"

1. Asher e Strom, "The Role of the Department of Defense in the Development of Integrated Circuits", p. 74.

2. Robert Noyce, "Integrated Circuits in Military Equipment", IEEE *Spectrum*, junho de 1964, p. 71.

3. Thomas Heinrich, "Cold War Armory: Military Contracting in Silicon Valley", *Enterprise & Society* 3, nº 2 , junho de 2002, p. 269; Lecuyer, "Silicon for Industry", p. 186.

4. Reid, *The Chip*, p. 151.

5. Dirk Hanson, *The New Alchemists: Silicon Valley and the Microelectronics Revolution*. Nova York: Avon Books, 1983, p. 93.

6. Agência de Informações Técnicas dos Serviços Armados do Governo dos EUA, *Survey of Microminiaturization of Electronic Equipment*, P.V. Horton e T.D. Smith, AD269 300, Arlington, VA: Comando de Desenvolvimento de Pesquisa Aérea da Divisão de Mísseis Balísticos da Força Aérea, Força Aérea dos EUA, 1961, p. 23, 37, 39. Disponível em: https://apps.dtic.mil/sti/citations/AD0269300.

7. Moore, "Cramming More Computers onto Integrated Circuits".

8. Asher e Strom, "The Role of the Department of Defense in the Development of Integrated Circuits", p. 73; Herbert Kleiman, *The Integrated Circuit: A Case Study of Product Innovation in the Electronics Industry* (Washington: George Washington University Press, 1966), p. 57.

9. Lecuyer, "Silicon for Industry", sobr. 189, 194, 222; Kleiman, *The Integrated Circuit*, p. 212; Ernest Braun e Stuart Macdonald, *Revolution in Miniature: The History and Impact of Semiconductor Electronics* (Cambridge: Cambridge University Press, 1982), p. 114.

10. Asher e Strom, "The Role of the Department of Defense in the Development of Integrated Circuits", p. 64; Berlin, *The Man Behind the Microchip*, p. 138; Lecuyer, "Silicon for Industry", p. 180, 188.

11. "Oral History of Charlie Sporck", Computer History Museum, vídeo do YouTube, 2 de março de 2017, 1:11:48. Disponível em: https://www.youtube.com/watch?v=duMUvoKP-pk; Asher e Strom, "The Role of the Department of Defense in the Development of Integrated Circuits", p. 73; Berlin, *The Man Behind the Microchip*, p. 138.

12. Berlin, *The Man Behind the Microchip*, p. 120.

13. Michael Malone, *The Intel Trinity*. Nova York: Harper Business, 2014, p. 31.

7. Vale do Silício soviético

1.   Y. Nosov, *"Tranzistor–Nashe Vse. K Istorii Velikogo Otkrytiya"*, Elektronika, 2008. Disponível em: https://www.electronics.ru/journal/article/363; A. F. Trutko, IREX Papers, Biblioteca do Congresso, Washington. Sobre "Crothers Memorial Hall", consulte o Anuário de Stanford de 1960.

2.   CIA, "Production of Semiconductor Devices in the USSR", CIA/RR, novembro de 1959, p. 59-44.

3.   Entrevistas com Lev Lapkis, Valery Kotkin, Sergei Osokin e Sergey Sudjin, 2021; sobre o estudo soviético de publicações dos EUA: N. S. Simonov, *Nesostoyavshayasya Informatsionnaya Revolyutsiya* (Universitet Dmitriya Pozharskogo, 2013), p. 206-207; "Automate the Boss' Office", *Business Week*, abril de 1956, p. 59; A. A. Vasenkov, "Nekotorye Sobytiya iz Istorii Mikroelekroniki", *Virtualnyi Kompyuternyi Muzei*, 2010. Disponível em: https://computer--museum.ru/books/vasenkov/vasenkov_3-1.htm; B. Malashevich, *"Pervie Integralnie Skhemi"*, *Virtualnyi Kompyuternyi Muzei*, 2008. Disponível em: https://www.computer-museum.ru/histekb/integral_1.htm.

4.   Entrevistas com Lev Lapkis, Valery Kotkin e Sergey Sudjin.

5.   A. A. Shokin, *Ocherki Istorii Rossiiskoi Elektroniki*, v. 6. Tehnosfera, 2014, p. 520.

6.   Na União Soviética, Sarant atendia pelo nome "Philip Staros", enquanto Barr era conhecido como "Joseph Berg"; os detalhes de seu trabalho se baseiam fortemente em Steven T. Usdin, *Engineering Communism* (New Haven: Yale University Press, 2005).

7.   Usdin, *Engineering Communism*, p. 175; Simonov, *Nesostoyavshayasya Informatsionnaya Revolyutsiya*, p. 212. Existe certa polêmica entre os especialistas russos em microeletrônica sobre a magnitude do impacto de Barr e Sarant. Eles não criaram sozinhos a indústria soviética de computadores, mas claramente desempenharam um papel importante.

8.   Usdin, *Engineering Communism*, p. 203-209.

9.   Shokin, *Ocherki Istorii Rossiiskoi Elektroniki*, v. 6, p. 522-523, 531.

8. "Copiem-no"

1.   Simonov, *Nesostoyavshayasya Informatsionnaya Revolyutsiya*, p. 210; ver também A. A. Vasenkov, *"Nekotorye Sobytiya iz Istorii Mikroelekroniki"*, *Virtualnyi Kompyuternyi Muzei*, 2010. Disponível em: https://computer-museum.ru/books/vasenkov/vasenkov_3-1.htm; arquivo Boris Malin, Irex Papers, Biblioteca do Congresso, Washington; Shokin, *Ocherki Istorii Rossiiskoi Elektroniki*, v. 6, p. 543.

2. B. Malashevich, *"Pervie Integralnie Shemi"*, *Virtualnyi Kompyuternyi Muzei*, 2008. Disponível em: https://www.computer-museum.ru/histekb/integral_1.htm; Simonov, *Nesostoyavshayasya Informatsionnaya Revolyutsiya*, p. 65; história oral de Yury R. Nosov, entrevistado por Rosemary Remackle, Computer History Museum, 17 de maio de 2012, p. 22-23.

3. Ronald Amann et al., *The Technological Level of Soviet Industry*. New Haven: Yale University Press, 1977.

4. A. A. Vasenkov, *"Nekotorye Sobytiya iz Istorii Mikroelekroniki"*, *Virtualnyi Kompyuternyi Muzei*, 2010. Disponível em: https://computer-museum.ru/books/vasenkov/vasenkov_3-1.htm; B. V. Malin, *"Sozdanie Pervoi Otechestvennoi Mikroshemy"*, *Virtualnyi Kompyuternyi Muzei*, 2000. Disponível em: https://www.computer-museum.ru/technlgy/su_chip.htm.

5. Entrevista com Sergei Osokin, 2021.

9. O VENDEDOR DE TRANSISTORES

1. Este relato da visita de Ikeda foi obtido de fontes japonesas traduzidas por Miina Matsuyama; ver Nick Kapur, *Japan at the Crossroads After Anpo* (Cambridge: Harvard University Press, 2018), p. 84; Shiota Ushio, *Tokyo Wa Moetaka* (Tóquio: Kodansha, 1988); Shintaro Ikeda, "The Ikeda Administration's Diplomacy Toward Europe and the 'Three-Pillar' Theory", *Hiroshima Journal of International Studies*, nº 13, 2007; Kawamura Kazuhiko, *Recollections of Postwar Japan*, S25 (History Study Group, 2020).

2. Gabinete do historiador do Departamento de Estado dos EUA, "National Security Council Report", em David W. Mabon (org.), *Foreign Relations of the United States, 1955–1957, Japan*, volume XXIII, parte 1 (Washington: United States Government Printing Office, 1991). Disponível em: https://history.state.gov/historicaldocuments/frus1955-57v23p1/d28; gabinete do historiador do Departamento de Estado dos EUA, "No. 588 Note by the Executive Secretary (Lay) to the National Security Council", em David W. Mabon e Harriet D. Schwar (orgs.), *Foreign Relations of the United States, 1952–1954, China and Japan, Volume XIV, Part 2* (Washington: United States Government Printing Office, 1985). Disponível em: https://history.state.gov/historicaldocuments/frus1952-54v14p2/d588.

3. Gabinete do historiador do Departamento de Estado dos EUA, "National Security Council Report".

4. Bob Johnstone, *We Were Burning: Japanese Entrepreneurs and the Forging of the Electronic Age* (Nova York: Basic Books, 1999), p. 16; Makoto Kikuchi, uma história oral realizada em 1994 por William Aspray, IEEE History Center, Piscataway, NJ, EUA.

5.   Makoto Kikuchi, "How a Physicist Fell in Love with Silicon in the Early Years of Japanese R&D", em H. R. Huff, H. Tsuya e U. Gosele (orgs.), *Silicon Materials Science and Technology*, v. 1 (The Electrochemical Society, Inc., 1998), p. 126; Makoto Kikuchi, uma história oral realizada em 1994 por William Aspray, IEEE History Center, Piscataway, NJ, EUA; Johnstone, *We Were Burning*, p. 15.

6.   Vicki Daitch e Lillian Hoddeson, *True Genius: The Life and Science of John Bardeen: The Only Winner of Two Nobel Prize in Physics*. Washingtton: Joseph Henry Press, 2002, p. 173-174.

7.   Nathan, *Sony*, p. 13; Morita, *Made in Japan*, p. 70-71.

8.   Morita, *Made in Japan*, p. 1.

9.   Hyungsub Choi, "Manufacturing Knowledge in Transit: Technical Practice, Organizational Change, and the Rise of the Semiconductor Industry in the United States and Japan, 1948–1960", tese de doutorado, Johns Hopkins University, 2007, p. 113; Johnstone, *We Were Burning*, p. xv.

10.   Simon Christopher Partner, "Manufacturing Desire: The Japanese Electrical Goods Industry in the 1950s", tese de doutorado, Universidade Columbia, 1997, p. 296; Andrew Pollack, "Akio Morita, Co-Founder of Sony and Japanese Business Leader, Dies at 78", *New York Times*, 4 de outubro de 1999.

11.   Pirtle, *Engineering the World*, p. 73-74; Robert J. Simcoe, "The Revolution in Your Pocket", *American Heritage* 20, n° 2, outono de 2004.

12.   John E. Tilton, *International Diffusion of Technology: The Case of Semiconductors* (Brookings Institution, 1971), p. 57, 141, 148; "Leo Esaki Facts", The Nobel Foundation. Disponível em: https://www.nobelprize.org/prizes/physics/1973/esaki/facts/.

13.   Johnstone, *We Were Burning*, cap. 1 e p. 40-41.

14.   Kenneth Flamm, "Internationalization in the Semiconductor Industry", em Joseph Grunwald e Kenneth Flamm (orgs.), *The Global Factory: Foreign Assembly in International Trade* (Brookings Institution, 1985), p. 70; Bundo Yamada, "Internationalization Strategies of Japanese Electronics Companies: Implications for Asian Newly Industrializing Economies (NIES)", Centro de Desenvolvimento da OCDE, outubro de 1990. Disponível em: https://www. oecd.org/japan/33750058.pdf.

15.   Choi, *Manufacturing Knowledge in Transit*, p. 191-192.

16.   "Marketing and Export: Status of Electronics Business", *Electronics*, 27 de maio de 1960, p. 95.

17.   Henry Kissinger, "Memorandum of Conversation, Washington, April 10, 1973, 11:13 a.m. – 12:18 p.m.", em Bradley Lynn Coleman, David Goldman e David Nickles (orgs.),

Foreign Relations of the United States, 1969–1976, Volume E–12, Documents on East and Southeast Asia, 1973–1976 (Washington: Government Printing Office, 2010). Disponível em: https://history.state.gov/historicaldocuments/frus1969-76ve12/d293.

18. Entrevista com Bill Heye, 2021; entrevista com Morris Chang, 2022; J. Fred Bucy, *Dodging Elephants: The Autobiography of J. Fred Bucy* (Ward Cove: Dog Ear Publishing, 2014), p. 92-93.

19. Johnstone, *We Were Burning*, p. 364.

10. "TRANSISTOR GIRLS"

1. Paul Daniels, *The Transistor Girls* (Stag, 1964).

2. Entrevista de Eugene J. Flath para David C. Brock, Science History Institute, 28 de fevereiro de 2007.

3. História oral de Charlie Sporck, Computer History Museum; Sporck e Molay, *Spinoff: A Personal History of the Industry That Changed the World.*

4. Andrew Pollack, "In the Trenches of the Chip Wars, a Struggle for Survival", *New York Times*, 2 de julho de 1989; Sporck e Molay, *Spinoff*, p. 63; história oral de Charlie Sporck, Computer History Museum.

5. Glenna Matthew, *Silicon Valley, Women, and the California Dream: Gender, Class, and Opportunity in the Twentieth Century*. Redwood City: Stanford University Press, 2002, cap. 1-3.

6. Sporck e Molay, *Spinoff*, p. 87-88.

7. Sporck e Molay, *Spinoff*, p. 91-93; William F. Finan, *Matching Japan in Quality: How the Leading U.S. Semiconductor Firms Caught Up with the Best in Japan* (MIT Japan Program, 1993), p. 61; entrevista com Julius Blank para David C. Brock, Science History Institute, 20 de março de 2006, p. 10; história oral de Julius Blank, entrevistado por Craig Addison, Museu da História da Computação, 25 de janeiro de 2008.

8. John Henderson, *The Globalisation of High Technology Production* (Londres: Routledge, 1989), p. 110; Sporck e Molay, *Spinoff*, p. 94; história oral de Harry Sello entrevista para Craig Addison, Semi, 2 de abril de 2004.

9. Sporck e Molay, *Spinoff*, p. 95; história oral de Charlie Sporck, Computer History Museum.

10. William F. Finan, "The International Transfer of Semiconductor Technology Through U.S.-Based Firms", NBER Working Paper n° 118, dezembro de 1975, p. 61-62.

11. Craig Addison, história oral entrevista com Clements E. Pausa, 17 de junho de 2004.

12. História oral de Charlie Sporck, Museu da História da Computação; ver também a extensa discussão sobre sindicalização, negociações salariais e a regulamentação da Organização Internacional do Trabalho no Museu da História da Computação, "Fairchild Oral History Panel: Manufacturing and Support Services", 5 de outubro de 2007.

11. Ataque de precisão

1. Entrevista com Bill Heye, 2021.

2. Samuel J. Cox, "H-017-2: Rolling Thunder – A Short Overview", Naval History and Heritage Command, 27 de março de 2018. Disponível em: https://www.history.navy.mil/about-us/leadership/director/directors-corner/h-grams/h-gram-017/h-017-2.html#:~:text=These%20U.S.%20strikes%20dropped%20864%2C000,years%20of%20World%20War%20II.

3. Barry Watts, *Six Decades of Guided Munitions and Battle Networks: Progress and Prospects* (Washington: Center for Strategic and Budgetary Assessments, 2007), p. 133.

4. Comando dos Sistemas Aéreos Navais do Governo dos EUA, "Report of the Air-to-Air Missile System Capability Review July–November 1968", AD-A955-143, Comando de História e Patrimônio Navais, 23 de abril de 2021. Disponível em: https://www.history.navy.mil/research/histories/naval-aviation-history/ault-report.html; Watts, *Six Decades of Guided Munitions*, p. 140.

5. James E. Hickey, *Precision-Guided Munitions and Human Suffering in War.* Londres: Routledge, 2016, p. 98.

6. Entrevista com Steve Roemerman, 2021; Paul G. Gillespie, "Precision Guided Munitions: Constructing a Bomb More Potent Than the A-Bomb", tese de doutorado, Lehigh University, 2002.

7. Entrevista com Steve Roemerman, 2021.

8. Ibidem.

9. "Obituary of Colonel Joseph Davis Jr.", *Northwest Florida Daily News*, 24 a 26 de agosto de 2014; Gillespie, "Precision Guided Munitions", p. 117-118; Walter J. Boyne, "Breaking the Dragon's Jaw", *Air Force Magazine*, agosto de 2011, p. 58-60. Disponível em: https://www.airforcemag.com/PDF/MagazineArchive/Documents/2011/August%202011/0811jaw.pdf; Vernon Loeb, "Bursts of Brilliance", *Washington Post*, 15 de dezembro de 2002.

10. Gillespie, "Precision Guided Munitions", p. 116.

11. Ibidem, p. 125, 172.

12. William Beecher, "Automated Warfare Is Foreseen by Westmoreland After Vietnam", *New York Times*, 14 de outubro de 1969. Os teóricos da Defesa, no entanto, já haviam percebido que as munições de precisão transformariam a guerra; vide James F. Digby, *Precision-Guided Munitions: Capabilities and Consequences*, Rand Paper P-5257, junho de 1974, e *The Technology of Precision Guidance: Changing Weapon Priorities, New Risks, New Opportunities*, Rand Paper P-5537, novembro de 1975.

12. HABILIDADE NO COMANDO DA CADEIA DE SUPRIMENTOS

1. "Taiwan's Development of Semiconductors Was Not Smooth Sailing", tradução de Claus Soong, *Storm Media*, 5 de junho de 2019. Disponível em: https://www.storm.mg/article/1358975?mode=whole.000.

2. "Mark Shepherd Jr. Obituary", *Dallas Morning News*, 6 a 8 de fevereiro de 2009; Ashlee Vance, "Mark Shepherd, a Force in Electronics, Dies at 86", *New York Times*, 9 de fevereiro de 2009.

3. "Taiwan's Development of Semiconductors Was not Smooth Sailing"; entrevista com Morris Chang, 2022.

4. David W. Chang, "U.S. Aid and Economic Progress in Taiwan", *Asian Survey* 5, nº 3, março de 1965, p. 156; Nick Cullather, "'Fuel for the Good Dragon': The United States and Industrial Policy in Taiwan, 1950-1960", *Diplomatic History* 20, nº 1, inverno de 1996, p. 1.

5. Wolfgang Saxon, "Li Kwoh-ting, 91, of Taiwan Dies; Led Effort to Transform Economy", *New York Times*, 2 de junho de 2001

6. "Taiwan's Development of Semiconductors Was not Smooth Sailing".

7. L. Sophia Wang, *K.T. LI and the Taiwan Experience* (Taiwan: National Tsing Hua University Press, 2006), p. 216; "TI Taiwan Chronology", em *Far East Briefing Book*, Texas Instruments Papers, Southern Methodist University Library, 18 de outubro de 1989.

8. Henry Kissinger, "Memorandum of Conversation, Washington, April 10, 1973, 11:13 a.m. – 12:18 p.m.", em Bradley Lynn Coleman, David Goldman e David Nickles (orgs.), *Foreign Relations of the United States, 1969–1976, Volume E–12, Documents on East and Southeast Asia, 1973–1976* (Washington: Government Printing Office, 2010). Disponível em: https://history.state.gov/historicaldocuments/frus1969-76ve12/d293; Linda Lim e Pang Eng Fong, *Trade, Employment and Industrialisation in Singapore* (International Labour Office, 1986), p. 156.

9. Joseph Grunwald e Kenneth Flamm, *The Global Factory: Foreign Assembly in International Trade*. Washington: Brookings Institution Press, 1994, p. 100.

10. Kenneth Flamm, "Internationalization in the Semiconductor Industry", em Grunwald e Flamm, *The Global Factory*, p. 110; Lim e Pang Eng Fong, *Trade, Employment and Industrialisation in Singapore*, p. 156; *Hong Kong Annual Digest of Statistics* (Census and Statistics Department, 1984), tabela 3.12. Disponível em: https://www.censtatd.gov.hk/en/data/stat_report/product/B1010003/att/B10100031984AN84E0100.pdf; G. T. Harris e Tai Shzee Yew, "Unemployment Trends in Peninsular Malaysia During the 1970s", *Asean Economic Bulletin* 2, nº 2, novembro de 1985, p. 118-132.

11. *Meeting with Prime Minister Li, Taipei, September 23, 1977, e Reception/Buffett—Taipei. September 23, 1977. Mark Shepherd Remarks*, em Mark Shepherd Papers, Correspondence, Reports, Speeches, 1977, Southern Methodist University Library, pasta 90-69; Associated Press, "Mark Shepherd Jr.; led Texas Instruments", *Boston Globe*, 9 de fevereiro de 2009.

13. Os revolucionários da Intel

1. Marge Scandling, "2 of Founders Leave Fairchild; Form Own Electronics Firm", *Palo Alto Times*, 2 de agosto de 1968.

2. Lucien V. Auletta, Herbert J. Hallstead e Denis J. Sullivan, "Ferrite Core Planes and Arrays: IBM's Manufacturing Evolution", *IEEE Transactions on Magnetics* 5, nº 4, dezembro de 1969; John Markoff, "IBM's Robert H. Dennard and the Chip That Changed the World", IBM, 7 de novembro de 2019. Disponível em: https://www.ibm.com/blogs/think/2019/11/ibms--robert-h-dennard-and-the-chip-that-changed-the-world/.

3. Emma Neiman, "A Look at Stanford Computer Science, Part I: Past and Present", *Stanford Daily*, 15 de abril de 2015; "Interview with Marcian E. Hoff, Jr., 1995 March 03", Stanford Libraries, 3 de março de 1995. Disponível em: https://exhibits.stanford.edu/silicongenesis/catalog/jj158jn5943.

4. Robert N. Noyce e Marcian E. Hoff, "A History of Microprocessor Development at Intel", *IEEE Micro* 1, nº 1, fevereiro de 1981; entrevista com Ted Hoff e Stan Mazor para David Laws, Museu da História da Informática, 20 de setembro de 2006; "Ted Hoff: The Birth of the Microprocessor and Beyond", *Stanford Engineering*, novembro de 2006.

5. Sarah Fallon, "The Secret History of the First Microprocessor", *Wired*, 23 de dezembro de 2020; Ken Shirriff, "The Surprising Story of the First Microprocessors", *IEEE Spectrum*, 30 de agosto de 2016.

6. Berlin, *The Man Behind the Microchip*, p. 205; Gordon Moore, "On Microprocessors", IEEE, 1976; Ross Knox Bassett, *To the Digital Age* (Baltimore: Johns Hopkins University Press, 2002), p. 281; Malone, *The Intel Trinity*, p. 177-178; Gene Bylinsky, "How Intel Won Its Bet on Memory Chips", *Fortune*, novembro de 1973; Fallon, "The Secret History of the First Microprocessor".

7. Entrevista com Carver Mead, 2021.

8. Carver Mead, "Computers That Put the Power Where It Belongs", *Engineering and Science* XXXVI, nº 4, fevereiro de 1972.

9. Gene Bylinsky, "How Intel Won Its Bet on Memory Chips".

14. A ESTRATÉGIA DE COMPENSAÇÃO DO PENTÁGONO

1. Entrevista de William Perry para Russell Riley, The Miller Center da Universidade da Virgínia, 21 de fevereiro de 2006; William J. Perry, *My Journey at the Nuclear Brink* (Stanford Security Studies, 2015), cap. 1-2.

2. Entrevista com William Perry, 2021; Zachary Wasserman, "Inventing Startup Capitalism", tese de doutorado, Universidade Yale, 2015.

3. Andrew Krepinevich e Barry Watts, *The Last Warrior: Andrew Marshall and the Shaping of Modern American Defense Strategy*. Nova York: Basic Books, 2015, p. 4, 9, 95.

4. A. W. Marshall, "Long-Term Competition with the Soviets: A Framework for Strategic Analysis", Rand Corporation, R-862-PR, abril de 1972. Disponível em: https://www.rand.org/pubs/reports/R862.html.

5. Testemunho de William Perry, Comissão de Serviços Armados do Senado dos EUA, Departamento de Defesa, Autorização para Apropriações para FY 79, Parte 8: Pesquisa e Desenvolvimento, 96º Congresso dos EUA, 1979, p. 5.506-5.937; Kenneth P. Werrell, *The Evolution of the Cruise Missile* (Maxwell: Air University Press, 1985), p. 180.

6. Richard H. van Atta, Sidney Reed e Seymour J. Deitchman, *Darpa Technical Accomplishments,* volume II (Alexandria: Institute for Defense Analyses, 1991), p. 12-2.

7. Werrell, *Evolution of the Cruise Missile*, p. 136.

8. Van Atta et al., *Darpa Technical Accomplishments,* volume II, p. 5-10.

9. Entrevista com Steve Roemerman, 2021; entrevista de William J. Perry para Alfred Goldberg, Gabinete do Secretário de Defesa, 9 de janeiro de 1981.

10. Fred Kaplan, "Cruise Missiles: Wonder Weapon or Dud?", *High Technology*, fevereiro de 1983; James Fallows, National Defense (Nova York: Random House, 1981), p. 55; William

Perry, "Fallows' Fallacies: A Review Essay", *International Security* 6, nº 4, primavera de 1982, p. 179.

11. Entrevista de William Perry para Russell Riley, The Miller Center da Universidade da Virgínia, 21 de fevereiro de 2006.

15. "Essa competição é dura"

1. Entrevista com Richard Anderson, 2021; Michael Malone, *Bill and Dave: How Hewlett and Packard Built the World's Greatest Company* (Nova York: Portfolio, 2006); "Market Conditions and International Trade in Semiconductors", audiência de campo perante a Subcomissão de Comércio da Comissão de Formas e Meios, Câmara dos Representantes dos EUA, 96º Congresso, 28 de abril de 1980.

2. Michael Malone, *The Big Score* (São Francisco: Stripe Press, 2021), p. 248; Jorge Contreras, Laura Handley e Terrence Yang, "Breaking New Ground in the Law of Copyright", *Harvard Law Journal of Technology* 3, primavera de 1990.

3. Rosen Electronics Newsletter, 31 de março de 1980.

4. Malone, *The Intel Trinity*, p. 284; Fred Warshofsky, *Chip War: The Battle for the World of Tomorrow* (Scribner, 1989), p. 101.

5. *TPS-L2: User Manual* (Sony Corporation, 1981), p. 24.

6. "Vol. 20: Walkman Finds Its Way into the Global Vocabulary", Sony. Disponível em: https://www.sony.com/en/SonyInfo/CorporateInfo/History/capsule/20/.

7. História oral de Charlie Sporck, Museu da História da Computação.

16. "Em guerra com o Japão"

1. Mark Simon, "Jerry Sanders/Silicon Valley's Tough Guy", *San Francisco Chronicle*, 4 de outubro de 2001; Thomas Skornia, *A Case Study in Realizing the American Dream: Sanders and Advanced Micro Devices: The First Fifteen Years, 1969–1984* (1984). Disponível em: https://archive.computerhistory.org/resources/access/text/2019/01/102721657-05-01-acc.pdf.

2. História oral de Charlie Sporck, Museu da História da Computação.

3. Michael S. Malone, "Tokyo, Calif", *New York Times*, 1º de novembro de 1981; história oral de Charlie Sporck, Museu da História da Computação.

4. Thomas C. Hayes, "American Posts Bail as Details of Operation by F.B.I. Unfold", *New York Times*, 25 de junho de 1982.

5. Wende A. Wrubel, "The Toshiba-Kongsberg Incident: Shortcomings of Cocom, and Recommendations for Increased Effectiveness of Export Controls to the East Bloc", *American University International Law Review* 4, nº 1, 2011.

6. Stuart Auerbach, "CIA Says Toshiba Sold More to Soviet Bloc", *Washington Post*, 15 de março de 1988.

7. Michael E. Porter e Mariko Sakakibara, "Competition in Japan", *Journal of Economic Perspectives* 18, nº 1 (inverno de 2004), p. 36; *The Effect of Government Targeting on World Semiconductor Competition* (Semiconductor Industry Association, 1983), p. 69-74.

8. Kiyonari Sakakibara, "From Imitation to Innovation: The Very Large Scale Integrated (VLSI) Semiconductor Project in Japan", documento técnico, MIT Sloan School of Management, outubro de 1983. Disponível em: https://dspace.mit.edu/handle/1721.1/47985.

9. Reid, *The Chip*, p. 224.

10. *The Effect of Government Targeting on World Semiconductor Competition*, p. 67.

11. Jeffrey A. Frankel, "Japanese Finance in the 1980s: A Survey", National Bureau of Economic Research, 1991; dados sobre poupança e consumo das famílias e empréstimos bancários como porcentagem do PIB com informações extraídas de data.worldbank.org.

12. P. R. Morris, *A History of the World Semiconductor Industry* (Piscataway: Institute of Electrical Engineers, 1990), p. 104; Robert Burgelman e Andrew S., *Grove, Strategy is Destiny: How Strategy-Making Shapes a Company's Future* (Nova York: Free Press, 2002), p. 35.

13. Scott Callan, "Japan, Disincorporated: Competition and Conflict, Success and Failure in Japanese High-Technology Consortia", tese de doutorado, Universidade Stanford, 1993, p. 188, tabela 7.14; Clair Brown e Greg Linden, *Chips and Change: How Crisis Reshapes the Semiconductor Industry* (Cambridge: MIT Press, 2009).

17. "Despachando lixo"

1. Clayton Jones, "Computerized Laser Swiftly Carves Circuits for Microchips", *Christian Science Monitor*, 10 de março de 1981; David E. Sanger, "Big Worries Over Small GCA", *New York Times*, 19 de janeiro de 1987.

2. Berlin, *The Man Behind the Microchip*, p. 94, 119. Agradeço a Chris Mack por ter me indicado esse material.

3. Entrevista com Chris Mack, 2021; entrevista com Dave Markle, 2021; Perkin Elmer, "Micralign Projection Mask Alignment System", The Chip History Center. Disponível em: https://www.chiphistory.org/154-perkin-elmer-micralign-projection-mask-alignment-system;

Daniel P. Burbank, "The Near Impossibility of Making a Microchip", *Invention and Technology*, outono de 1999; Alexis C. Madrigal, "TOP SECRET: Your Briefing on the CIA's Cold--War Spy Satellite, 'Big Bird'", *Atlantic*, 29 de dezembro de 2011; Chris Mack, "Milestones in Optical Lithography Tool Suppliers". Disponível em: http://www.lithoguru.com/scientist/litho_history/milestones_tools.pdf.

4.   Entrevista de James E. Gallagher para Craig Addison, Semi, 9 de março de 2005; entrevista de Arthur W. Zafiropoulo para Craig Addison, Semi, 25 de maio de 2006; Geophysics Corporation of America, "About Our Corporation Members", Bulletin American Meteorological Society, 12 de dezembro de 1962; Jones, "Computerized Laser Swiftly Carves Circuits for Microchips".

5.   Entrevista com Griff Resor, 2021; "Griff Resor on Photolithography", Semi-History, vídeo do YouTube, 30 de janeiro de 2009, 2:30. Disponível em: https://www.youtube.com/watch?v=OKfdHZCEfmY.

6.   "Griff Resor on Photolithography", Semi-History, vídeo do YouTube, 30 de janeiro de 2009, 2:30. Disponível em: https://www.youtube.com/watch?v=OKfdHZCEfmY; Chris Mack, "Milestones in Optical Lithography Tool Suppliers". Disponível em: http://www.lithoguru.com/scientist/litho_history/milestones_tools.pdf; "GCA Burlington Division Shipment History of All 4800 DSW's as of September 1980", p. 1, em posse do autor.

7.   Dados de vendas de acordo com Rebecca Marta Henderson, "The Failure of Established Firms in the Face of Technical Change", tese de doutorado, Universidade Harvard, 1988, p. 217; Jones, "Computerized Laser Swiftly Carves Circuits for Microchips".

8.   Entrevistas com Peter Bealo, Ross Young e Bill Tobey, 2021; entrevista de James E. Gallagher para Craig Addison, Semi, 9 de março de 2005.

9.   Entrevistas com Bill Tobey, Jim Neroda e Peter Bealo, 2021; Ross Young, Silicon Sumo (Semiconductor Services, 1994), p. 279; Charles N. Pieczulewski, "Benchmarking Semiconductor Lithography Equipment Development & Sourcing Practices Among Leading Edge Manufacturers", dissertação de mestrado, MIT, 1995, p. 54.

10.   Entrevistas com Griff Resor, Bill Tobey, Jim Neroda e Peter Bealo, 2021; Young, *Silicon Sumo*, p. 279.

11.   Entrevista com Griff Resor, 2021.

12.   Robert Reich, *A próxima fronteira americana*. Rio de Janeiro: Record, 1983.

13.   Entrevista com Gil Varnell, 2021; Rebecca Marta Henderson, "The Failure of Established Firms in the Face of Technical Change", p. 225; Departamento de Comércio dos EUA, Escritório de Administração de Exportações, Gabinete de Indústrias Estratégicas e Segurança

Econômica, Divisão de Análise Estratégica, *National Security Assessment of the U.S. Semiconductor Wafer Processing Industry Equipament*, 1991, p. 4-10.

14. Henderson, "The Failure of Established Firms in the Face of Technical Change", p. 220--222, 227; entrevista com ex-executivo da AMD, 2021.

15. Entrevistas com Pete Bealo e Bill Tobey, 2021; Henderson, "The Failure of Established Firms in the Face of Technical Change", p. 222-225; Jay Stowsky, "The Weakest Link: Semiconductor Production Equipment, Linkages, and the Limits to International Trade", documento de trabalho, Universidade da Califórnia, Berkeley, setembro de 1987, p. 2.

16. Entrevista de Arthur W. Zafiropoulo para Craig Addison, Semi, 25 de maio de 2006; entrevistas com Peter Bealo e Jim Neroda, 2021.

18. O PETRÓLEO BRUTO DA DÉCADA DE 1980

1. Skornia, *Sanders and Advanced Micro Devices*, p. 138; Daryl Savage, "Palo Alto: Ming's Restaurant to Close Dec. 28", Palo Alto Online, 18 de dezembro de 2014. Disponível em: https://www.paloaltoonline.com/news/2014/12/18/mings-restaurant-to-close-dec-28.

2. Arthur L. Robinson, "Perilous Times for U.S. Microcircuit Makers", *Science* 208, nº 4444, 9 de maio de 1980, p. 582; Skornia, *Sanders and Advanced Micro Devices*, p. 140.

3. Marvin J. Wolf, *The Japanese Conspiracy: The Plot to Dominate Industry Worldwide*. Londres: New English Library, 1984, p. 83.

4. David E. Sanger, "Big Worries Over Small GCA", *New York Times*, 19 de janeiro de 1987.

5. Entrevista com Richard van Atta, 2021.

6. Defense Science Board, *Report on Defense Semiconductor Dependency – February 1987*, p. 1-2.

7. História oral de Charlie Sporck, Museu da História da Computação.

19. ESPIRAL DA MORTE

1. Berlin, *The Man Behind the Microchip*, p. 264.

2. Richard Langlois e Edward Steinmueller, "Strategy and Circumstance", documento técnico, Universidade de Connecticut, 1999, p. 1.166.

3. Clyde V. Prestowitz, Jr., "Beyond Laissez Faire", *Foreign Policy*, nº 87, verão de 1992, p. 71; troca de e-mails com Michael Boskin, 2021; embora essa citação seja repetida em muitos artigos, não encontrei nenhuma prova de que ele realmente tenha dito isso.

4. Berlin, *The Man Behind the Microchip*, p. 262; John G. Rauch, "The Realities of Our Times", *Fordham Intellectual Property, Media and Entertainment Law Journal* 3, nº 2, 1993, p. 412.

5. Wolf, *The Japanese Conspiracy*, p. 5, 91; entrevista com Alan Wolff, 2021; Berlin, *The Man Behind the Microchip*, p. 270.

6. Doug Irwin, "Trade Politics and the Semiconductor Industry", documento de trabalho NBER W4745, maio de 1994.

7. Young, *Silicon Sumo*, p. 262-263.

8. Ibid., p. 268-269; entrevista com funcionário da Intel destacado para o Sematech, 2021; Larry D. Browning e Judy C. Shetler, *Sematech: Saving the U.S. Semiconductor Industry* (College Station Texas A&M Press, 2000).

9. Entrevista com funcionário da Intel destacado para o Sematech, 2021.

10. Robert Noyce, testemunhando perante uma comissão do Congresso dos EUA, 8 de novembro de 1989; Peter N. Dunn, "GCA: A Lesson in Industrial Policy", *Solid State Technology* 36, nº 2, dezembro de 1993; Young, *Silicon Sumo*, p. 270-276.

11. Entrevista com Peter Simone, 2021.

12. Ibidem.

13. Entrevista com Tony Yen, 2021; entrevista com Peter Simone, 2021; Young, *Silicon Sumo*, p. 262, 285.

14. Young, *Silicon Sumo*, p. 286.

15. Berlin, *The Man Behind the Microchip*, p. 304; Young, *Silicon Sumo*, p. 294-295; Jonathan Weber, "Chip Making Pioneer GCA Corp. Closes Factory: Technology: $60 Million in Government Funds Has Failed to Restore Massachusetts Firm to Financial Health", *Los Angeles Times*, 22 de maio de 1993.

20. O Japão que sabe dizer não

1. Morita, *Made in Japan*, p. 73, 110-120, 134.

2. Nathan, *Sony*, p. 73.

3. Morita, *Made in Japan*, p. 193, 199, 205.

4. Ann Sherif, "The Aesthetics of Speed and the Illogicality of Politics: Ishihara Shintaro's Literary Debut", *Japan Forum* 17, nº 2, 2005, p. 185-211.

5. Wolf, *The Japanese Conspiracy*, p. 16.

6. Akio Morita e Shintaro Ishihara, *O Japão que sabe dizer não*. São Paulo: Siciliano, 1992.

7. Samuel Huntington, "Why International Primacy Matters", *International Security*, janeiro de 2009, p. 75-76.

8. Steven L. Herman, "Bootleg Translation of Japanese Book Hot Item in Congress", *Associated Press*, 11 de novembro de 1989.

9. James Flanigan, "U.S. Bashing Book by Sony's Chief Costs Him Credibility", *Los Angeles Times*, 11 de outubro de 1989.

10. Harold Brown, "The United States and Japan: High Tech Is Foreign Policy", *Sais Review* 9, nº 2, outono de 1989.

11. Central Intelligence Agency, "East Asia's Economic Potential for the 1990s: A Speculative Essay", CrestDatabase, 1987.

21. O REI DAS BATATAS FRITAS

1. Entrevista com funcionário da Micron, 2021; George Anders, "At Potato Empire, an Heir Peels Away Years of Tradition", *Wall Street Journal*, 7 de outubro de 2004; Laurence Zuckerman, "From Mr. Spud to Mr. Chips; The Potato Tycoon Who Is the Force Behind Micron", *New York Times*, 8 de fevereiro de 1996; Andrew E. Serwer, "The Simplot Saga: How America's French Fry King Made Billions More in Semiconductors", *Fortune*, 12 de fevereiro de 2012.

2. Entrevista com Ward Parkinson, 2021; Luc Olivier Bauer e E. Marshall Wilder, *Microchip Revolution*. Edição independente, 2020, p. 279-280.

3. Entrevista com um funcionário da lanchonete Elmer's, 2021; entrevista com Ward Parkinson, 2021.

4. Donald Woutat, "Maverick Chip Maker Shifts Stance: Micron Backs Protectionism After Launching Price War", *Los Angeles Times*, 16 de dezembro de 1985; Peter Burrows, "Micron's Comeback Kid", *Business Week*, 14 de junho de 1997.

5. David E. Sanger, "Prospects Appear Grim for U.S. Chip Makers", *New York Times*, 29 de outubro de 1985.

6. David Staats, "How an Executive's Hair Dryer Saved the Memory Chips – Tales of Micron's 40 Years", *Idaho Statesman*, 21 de julho de 2021.

7. Woutat, "Maverick Chip Maker Shifts Stance".

8. David E. Sanger, "Japan Chip 'Dumping' Is Found", *New York Times*, 3 de agosto de 1985.

9. Entrevistas com Ward Parkinson, Brian Shirley e Mark Durcan, 2021; Woutat, "Maverick Chip Maker Shifts Stance".

10. Entrevistas com Brian Shirley e Mark Durcan, 2021; Yoshitaka Okada, "Decline of the Japanese Semiconductor Industry", *Development of Japanese Semiconductor Industry*, janeiro de 2006, p. 41; Bauer e Wilder, *The Microchip Revolution*, p. 301-302.

11. Bauer e Wilder, *The Microchip Revolution*, p. 286, 302.

12. Entrevistas com Mark Durcan, Ward Parkinson e Brian Shirley, 2021.

22. Revolucionando a Intel

1. James Allworth, "Intel's Disruption Is Now Complete", *Medium*, 11 de novembro de 2020. Disponível em: https://jamesallworth.medium.com/intels-disruption-is-now--complete-d4fa771f0f2c.

2. Craig R. Barrett, entrevistas para Arnold Thackray e David C. Brock em Santa Clara, Califórnia, 14 de dezembro de 2005 e 23 de março de 2006 (Filadélfia: Chemical Heritage Foundation, transcrição da história oral 0324).

3. Andrew S. Grove, *Só os paranoicos sobrevivem*. Lisboa: Gradiva, 2000.

4. Grove, *Só os paranoicos sobrevivem*; Robert A. Burgelman, "Fading Memories: A Process Theory of Strategic Business Exist in Dynamic Environments", *Administrative Science Quarterly* 39, nº 1, março de 1994, p. 41.

5. Gerry Parker, "Intel's IBM PC Design Win", *Gerry Parker's Word Press Blog*, 20 de julho de 2014. Disponível em: https://gerrythetravelhund.wordpress.com/tag/ibm-pc/; Jimmy Maher, "The Complete History of the IBM PC, Part One: The Deal of the Century", *ars TECHNICA*, 30 de junho de 2017. Disponível em: https://arstechnica.com/gadgets/2017/06/ibm-pc-history-part-1/.

6. "The Birth of the IBM PC", IBM Debut Reference Room. Disponível em: https://www.ibm.com/ibm/history/exhibits/pc25/pc25_birth.html; "IBM Personal Computer Launch", Waldorf Astoria, 23 de janeiro de 2019.

7. Craig R. Barrett, entrevistas para Arnold Thackray e David C. Brock em Santa Clara, Califórnia, 14 de dezembro de 2005 e 23 de março de 2006.

8. Grove, *Só os paranoicos sobrevivem*.

9. Elizabeth Corcoran, "Intel CEO Andy Grove Steps Aside", *Washington Post*, 27 de março de 1998; entrevista com ex-funcionário da Intel, 2021.

10. Christophe Lecuyer, "Confronting the Japanese Challenge: The Revival of Manufacturing at Intel", *Business History Review*, julho de 2019; Berlin, *The Man Behind the Microchip*, p. 180.

11. Lecuyer, "Confronting the Japanese Challenge", p. 363-364; Craig R. Barrett, entrevistas para Arnold Thackray e David C. Brock em Santa Clara, Califórnia, 14 de dezembro de 2005 e 23 de março de 2006; Richard S. Tedlow, *Andy Grove: The Life and Times of an American Business Icon* (Nova York: Penguin, 2007).

12. Lecuyer, "Confronting the Japanese Challenge", p. 363, 364, 369, 370; Craig R. Barrett, entrevistas para Arnold Thackray e David C. Brock em Santa Clara, Califórnia, 14 de dezembro de 2005 e 23 de março de 2006, p. 65, 79.

13. Therese Poletti, "Crucial Mistakes: IBM's Stumbles Opened Door for Microsoft, Intel", *Chicago Tribune*, 13 de agosto de 2001.

23. "O inimigo do meu inimigo": a ascensão da Coreia

1. Geoffrey Cain, *Samsung Rising*. Redfern: Currency Press, 2020, p. 33.

2. Cain, *Samsung Rising*, p. 33-41.

3. Dong-Sung Cho e John A. Mathews, *Tiger Technology* (Cambridge: Cambridge University Press, 2007), p. 105-106; Cain, *Samsung Rising*, p. 40, 41, 46; sobre a riqueza de Lee, "Half a Century of Rise and Fall of the Korean Chaebol in Terms of Income and Stock Price", Yohap News Agency, 7 de novembro de 2006. Disponível em: https://www.yna.co.kr/view/AKR20110708154800008.

4. Si-on Park, *Like Lee Byung-chul*, p. 71; Cho e Mathews, *Tiger Technology*, p. 112; Daniel Nenni e Don Dingee, *Mobile Unleashed* (Semi Wiki, 2015); Kim Dong-Won e Stuart W. Leslie, "Winning Markets or Winning Nobel Prizes? KAIST and the Challenges of Late Industrialization", *Osiris* 13, 1998, p. 167-170; Donald L. Benedict, KunMo Chung, Franklin A. Long, Thomas L. Martin e Frederick E. Terman, "Survey Report on the Establishment of the Korea Advanced Institute of Science", elaborado para a Agência dos Estados Unidos para o Desenvolvimento Internacional, dezembro de 1970. Disponível em: http://large.stanford.edu/history/kaist/docs/terman/summary/. Sobre as dificuldades iniciais da Samsung, vide Hankook semiconductor; ex.: Samsung Newsroom, "Semiconductor Will Be My Last Business", *Samsung*, 30 de março de 2010. Disponível em: https://news.samsung.com/kr/91.

5. Park Si-on, *Like Lee Byung-chul*, p. 399, 436.

6. Myung Oh e James F. Larson, *Digital Development in Korea: Building an Information Society* (Londres, Routledge, 2011), p. 54; Park Si-on, *Like Lee Byung-chul*, p. 386; Cho e Mathews, *Tiger Technology*, p. 105, 119, 125; Lee Jae-goo, "Why Should We Do the Semi-

conductor Industry", tradução de Soyoung Oh, ZDNET Korea, 15 de março de 1983. Disponível em: https://zdnet.co.kr/view/?no=20110328005714.

7.   Tedlow, *Andy Grove*, p. 218; Robert W. Crandall e Kenneth Flamm, *Changing the Rules* (Brookings Institution Press, 1989), p. 315; Susan Chira, "Korea's Chip Makers Race to Catch Up", *New York Times*, 15 de julho de 1985; "Company News: Intel Chip Pact", *New York Times*, 26 de junho de 1987.

8.   Richard E. Baldwin, "The Impact of the 1986 US-Japan Semiconductor Agreement", *Japan and the World Economy* 6, n° 2, junho de 1994, p. 136-137; Douglas A. Irwin, "Trade Policies and the Semiconductor Industry", em Anne O. Krueger (org.), *The Political Economy of American Trade Policy* (Chicago: University of Chicago Press, 1994), p. 46-47.

9.   Linsu Kim, "Imitation to Innovation: The Dynamics of Korea's Technological Learning", Nova York: Columbia University East Asian Center, 1997, p. 89, cita o exemplo da Zyrtek transferir conhecimento de produção avançado por uma taxa de 2,1 milhões de dólares; entrevista com Ward Parkinson, 2021; Andrew Pollack, "U.S.-Korea Chip Ties Grow", *New York Times*, 15 de julho de 1985.

24. "Este é o futuro"

1.   Federico Faggin, "The Making of the First Microprocessor", IEEE, 2009; Federico Faggin, *Silicon* (Waterline, 2021), sobr. cap. 3.

2.   B. Hoeneisen e C. A. Mead, "Fundamental Limitations in Microelectronics—I. MOS Technology", *Solid State Electronics* 15, n° 7, julho de 1972. Disponível em: https://authors.library.caltech.edu/54798/.

3.   Entrevista com Lynn Conway, 2021, na qual ela me surpreendeu ao querer discutir as nuanças de John Gaddis, *The Landscape of History* (Oxford: Oxford University Press, 2004).

4.   Dianne Lynch, "Wired Women: Engineer Lynn Conway's Secret", *ABC News*, 7 de janeiro de 2006.

5.   Entrevista com Lynn Conway, 2021.

6.   "Lambda Magazine Lights the Way for VLSI Design", IEEE Silicon Valley History Videos, vídeo do YouTube, 27 de julho de 2015, 00:01:40. Disponível em: https://www.youtube.com/watch?v=DEYbQiXvbnc; "History of VLSI – C. Mead – 2/1/2011", California Institute of Technology, vídeo do YouTube, 29 de maio de 2018. Disponível em: https://www.youtube.com/watch?v=okZBhJ-KvaY.

7. "1981 Electronics award for achievement", Universidade de Michigan. Disponível em: https://ai.eecs.umich.edu/people/conway/Awards/Electronics/ElectAchiev.html; entrevistas com Lynn Conway e Carver Mead, 2021.

8. Van Atta et al., *Darpa Technical Accomplishments: An Historical Review of Selected Darpa Projects II*, fevereiro de 1990, AD-A239 925, p. 17-5.

9. Entrevista com Paul Losleben, 2021; Van Atta et al., *Darpa Technical Accomplishments*, p. 17-1.

10. Entrevistas com David Hodges, Steve Director, Aart de Geus, Alberto Sangiovanni-Vicentelli e Rob Rutenbar; "1984 Annual Report", Semiconductor Research Corporation, 1984. Disponível em: https://www.src.org/src/story/timeline.

11. Entrevista de Irwin Jacobs para David Morton, IEEE History Center, 29 de outubro de 1999.

12. Daniel J. Costello, Jr. e David Forney, Jr., "Channel Coding: The Road to Channel Capacity", Anais do IEEE 95, nº 6, junho de 2007; O. Aftab, P. Cheung, A. Kim, S. Thakkar e N. Yeddanapudi, "Information Theory and the Digital Age", 6.933 Project History, MIT. Disponível em: https://web.mit.edu/6.933/www/Fall2001/Shannon2.pdf; entrevista de David Forney Jr. para Andrew Goldstein, Center for the History of Electrical Engineering, 10 de maio de 1995; Daniel Nenni, "A Detailed History of Qualcomm", *SemiWiki*, 19 de março de 2018. Disponível em: https://semiwiki.com/general/7353-a-detailed-history-of-qualcomm/.

25. A Diretoria T da kgb

1. Os detalhes da vida de Vetrov se baseiam fortemente em Sergei Kostin e Eric Raynaud, *Adeus, Farewell* (Rio de Janeiro: Record, 2011).

2. CIA, "The Technology Acquisition Efforts of the Soviet Intelligence Services", 18 de junho de 1982, p. 15. Disponível em: https://www.cia.gov/readingroom/docs/DOC_0000261337.pdf; Philip Hanson, *Soviet Industrial Espionage* (Londres: Royal Institute of International Affairs, 1987).

3. Sergey Chertoprud, *Naucho-Tekhnicheskaia Razvedka* (Moscou: Olma Press, 2002), p. 283; Daniela Iacono, "A British Banker Who Plunged to His Death", United Press International, 15 de maio de 1984; Michael S. Malone, "Going Underground in Silicon Valley", *New York Times*, 30 de maio de 1982.

4. Jay Tuck, *High-Tech Espionage* (Nova York: St. Martin's Press, 1986), p. 107; Simonov, *Nesostoyavshayasya Informatsionnaya Revolyutsiya*, p. 34.

5.   Edgar Ulsamer, "Moscow's Technology Parasites", *Air Force Magazine*, 1º de dezembro de 1984.

6.   Central Intelligence Agency, "Soviet Acquisition of Militarily Significant Western Technology: An Update", setembro de 1985, p. 25. Disponível em: http://insidethecoldwar.org/sites/default/files/documents/CIA%20Report%20on%20Soviet%20Acquisition%20of%20Militarily%20Significant%20Western%20Technology%20September%201985.pdf.

7.   Kostin e Raynaud, *Adeus, Farewell*.

8.   Hanson, *Soviet Industrial Espionage*; Central Intelligence Agency, "Soviet Acquisition of Militarily Significant Western Technology: An Update"; Kostin e Raynaud, *Adeus, Farewell*; Thierry Wolton, *Le KGB en France* (Paris: Club Express, 1986).

9.   Central Intelligence Agency, "Soviet Computer Technology: Little Prospect of Catching Up", Arquivo de Segurança Nacional dos EUA, março de 1985, p. 4. Disponível em: https://nsarchive.gwu.edu/document/22579-document-02-central-intelligence-agency-soviet; Bruce B. Weyrauch, "Operation Exodus", *Computer/Law Journal* 7, nº 2, outono de 1986; Hanson, *Soviet Industrial Espionage*; Jon Zonderman, "Policing High-Tech Exports", *New York Times*, 27 de novembro de 1983.

26. "Armas de destruição em massa": o impacto da compensação

1.   Dale Roy Herspring, *The Soviet High Command, 1967–1989* (Princeton: Princeton University Press, 2016), p. 175.

2.   Christopher Andrew e Oleg Gordievsky, "1983 Downing of KAL Flight Showed Soviets Lacked Skill of the Fictional 007", *Los Angeles Times*, 11 de novembro de 1990.

3.   Brian A. Davenport, "The Ogarkov Ouster", *Journal of Strategic Studies* 14, nº 2, 1991, p. 133; CIA e Departamento de Defesa, "US and Soviet Strategic Forces: Joint Net Assessment", Secretaria de Defesa, 14 de novembro de 1983. Disponível em: https://nsarchive2.gwu.edu/NSAEBB/NSAEBB428/docs/1.US%20and%20Soviet%20Strategic%20Forces%20Joint%20Net%20Assessment.pdf.

4.   Centro de Análises Navais, *Marshal Ogarkov on Modern War: 1977–1985*, AD-A176 138, p. 27; Dima P. Adamsky, "Through the Looking Glass: The Soviet Military-Technical Revolution and the American Revolution in Military Affairs", *Journal of Strategic Studies* 31, nº 2, 2008.

5.   Há uma excelente visão geral das tecnologias da compensação, considerando que todas dependem fundamentalmente de semicondutores, em David Burbach, Brendan Rittenhouse

Green e Benjamin Friedman, "The Technology of the Revolution in Military Affairs", em Harvey Sapolsky, Benjamin Friedman e Brendan Green (orgs.), *U.S. Military Innovation Since the Cold War: Creation Without Destruction* (Londres: Routledge, 2012), p. 14-42; CIA, "Soviet Defense Industry: Coping with the Military-Technological Challenge", CIA Historical Review Program, julho de 1987, p. 17. Disponível em: https://www.cia.gov/readingroom/docs/DOC_0000499526.pdf; Adamsky, "Through the Looking Glass", p. 260.

6. Anatoly Krivonosov, "Khartron: Computers for Rocket Guidance Systems", em Boris Malinovsky, "History of Computer Science and Technology in Ukraine", tradução de Slava Gerovitch, *Computing in the Soviet Space Program*, 16 de dezembro de 2002. Disponível em: https://web.mit.edu/slava/space/essays/essay-krivonosov.htm; Donald MacKenzie, "The Soviet Union and Strategic Missile Guidance", *International Security* 13, nº 2, outono de 1988; entrevista com Georgii Priss para Slava Gerovitch, *Computing in the Soviet Space Program*, 23 de maio de 2002. Disponível em: https://web.mit.edu/slava/space/interview/interview-priss.htm#q3.

7. MacKenzie, "The Soviet Union and Strategic Missile Guidance", p. 30-32, 35.

8. MacKenzie, "The Soviet Union and Strategic Missile Guidance", p. 52, citando um processamento de eventos complexo (CEP na sigla em inglês) de 0,06 milha náutica; Pavel Podvig, "The Window of Opportunity That Wasn't: Soviet Military Buildup in the 1970s", *International Security*, verão de 2008, p. 129, cita um CEP de 0,35-0,43 quilômetro. Existem outras variáveis em que mísseis podem ser comparados, incluindo o tamanho e a quantidade de ogivas que portam e a velocidade com que podem ser lançados ou redirecionados. Mas a tendência básica da vantagem de precisão dos EUA se mantém; o número de 98% vem de John G. Hines, Ellis M. Mishulovich e John F. Shull, *Soviet Intentions, 1965–1985*, Vol. 2 (Washington: BDM Federal, Inc., 1995), p. 46, 90. Observe que esses 98% provavelmente exageraram significativamente as habilidades dos EUA, porém, não obstante, é uma evidência dos temores soviéticos. Cf. Brendan R. Green e Austin Long, "The MAD Who Wasn't There: Soviet Reactions to Late Cold War Nuclear Balance", *Security Studies* 26, nº 4, 7 de julho de 2017.

9. Owen R. Cote, Jr., "The Third Battle: Innovation in the U.S. Navy's Silent Cold War Struggle with Soviet Submarines", Newport Papers, Naval War College, 2003; Joel S. Wit, "Advances in Antisubmarine Warfare", *Scientific American* 244, nº 2, fevereiro de 1981, p. 31-41; D. L. Slotnick, "The Conception and Development of Parallel Processors: A Personal Memoir", *Annals of the History of Computing* 4, nº 1, janeiro a março de 1982; Van Atta et al., *Darpa Technical Accomplishments II*; Christopher A. Ford e David A. Rosenberg, "The Naval Intelligence Underpinnings of Reagan's Maritime Strategy", *Journal of Strategic Studies*

28, nº 2, abril de 2005, p. 398; John G. Hines, Ellis M. Mishulovich e John F. Shull, *Soviet Intentions 1965–1985*, Vol. 1, (Washington: BDM Federal, Inc., 1995), p. 75; Green e Long, "The MAD Who Wasn't There", p. 607, 639. Também houve problemas significativos com a confiabilidade dos mísseis SSBN soviéticos na década de 1980; ver Steven J. Zaloga, *The Kremlin's Nuclear Sword: The Rise and Fall of Russia's Strategic Nuclear Forces 1945–2000* (Washington: Smithsonian Books, 2014), p. 188.

10. Green e Long, "The MAD Who Wasn't There", p. 617.

11. Danilevich citado em Hines, Mishulovich e Shull, *Soviet Intentions 1965–1985*, Vol. 1, p. 57; Dale R. Herspring, "Nikolay Ogarkov and the Scientific-Technical Revolution in Soviet Military Affairs", *Comparative Strategy* 6, nº 1, 1987; Mary C. Fitzgerald, "Soviet Views on Future War: The Impact of New Technologies", *Defense Analysis* 7, nº 2-3, 1991. Dirigentes soviéticos expressaram muita preocupação com a sobrevivência dos sistemas de comando e controle e de comunicações; ver Hines, Mishulovich e Shull, *Soviet Intentions 1965–1985*, Vol. 1, p. 90; marechal Vasili Petrov, citado em 1983 como alguém que percebeu um plano da Otan para "criar e se utilizar do potencial de um primeiro ataque [convencional] 'desarmador'", em Thomas M. Nichols, *The Sacred Cause: Civil-Military Conflict Over Soviet National Security, 1917-1992* (NCROL, 1993), p. 117; Mary C. Fitzgerald, "Marshal Ogarkov on the Modern Theater Operation", *Naval War College Review* 39, nº 4, 1986; Mary C. Fitzgerald, "Marshal Ogarkov and the New Revolution in Soviet Military Affairs", *Defense Analysis* 3, nº 1, 1987.

12. Mikhail Gorbachev, "*Zasedanie Politbyuro Tsk Kpss 30 Iiulia Goda*", em *Sobranie Sochinenii*, livro 9 (Moscou: Ves' Mir, 2008), p. 339-343. Fiz uma tradução livre.

13. Entrevista com Sergei Osokin, 2021.

14. Simonov, *Nesostoyavshayasya Informatsionnaya Revolutsiya*, p. 70; Seymour Goodman e William K. McHenry, "The Soviet Computer Industry: A Tale of Two Sectors", *Communications of the ACM*, janeiro de 1991, p. 32.

15. V. V. Zhurkin, "*Ispolzovanie Ssha Noveishhikh Dostizhenii Nauki i Tekhniki v Sfere Vneshnei Politiki*", Arquivo da Academia de Ciências, 7 de agosto de 1987.

16. Charles S. Maier, *Dissolution*. Princeton: Princeton University Press, 1999, p. 74-75.

27. HERÓI DE GUERRA

1. Robert D. McFadden, "Gen. H. Norman Schwarzkopf, U.S. Commander in Gulf War, Dies at 78", *New York Times*, 27 de dezembro de 2012.

2. Rick Aktinson, *Crusade: The Untold Story of the Persian Gulf War*. Boston: Mariner Books, 1994, p. 35-37.

3. "The Theatre's Opening Act", *Washington Post*, 1998; Aktinson, *Crusade*, p. 37.

4. Detalhes sobre a eletrônica da Paveway com base em uma entrevista com Steve Roemerman, 2021.

5. Stephen P. Rosen, "The Impact of the Office of Net Assessment on the American Military in the Matter of the Revolution of Military Affairs", *Journal of Strategic Studies* 33, nº 4, 2010, p. 480.

6. Entrevista com Steve Roemerman, 2021.

7. Bobby R. Inman, Joseph S. Nye Jr., William J. Perry e Roger K. Smith, "Lessons From the Gulf War", *Washington Quarterly* 15, nº 1, 1992, p. 68; Benjamin S. Lambeth, *Desert Storm and Its Meaning* (Santa Mônica: Rand Corporation, 1992).

8. William J. Broad, "War in the Gulf: High Tech; War Hero Status Possible for the Computer Chip", *New York Times*, 21 de janeiro de 1991; Barry D. Watts, *Six Decades of Guided Munitions and Battle Networks: Progress and Prospects* (Center for Strategic and Budgetary Assessments, 2007), p. 146; entrevista com Steve Roemerman.

9. Mary C. Fitzgerald, "The Soviet Military and the New 'Technological Operation' in the Gulf", *Naval War College Review* 44, nº 4, outono de 1991, p. 16-43. Disponível em: https://www.jstor.org/stable/44638558; Stuart Kaufman, "Lessons From the 1991 Gulf War and Military Doctrine", *Journal of Slavic Military Studies* 6, nº 3, 1993; Graham E. Fuller, "Moscow and the Gulf War", *Foreign Affairs*, verão de 1991; Gilberto Villahermosa, "Desert Storm: The Soviet View", Foreign Military Studies Office, 25 de maio de 2005, p. 4.

28. "A Guerra Fria acabou e vocês ganharam"

1. Michael Pettis, *The Great Rebalancing*. Princeton: Princeton University Press, 2013.

2. Yoshitaka Okada, "Decline of the Japanese Semiconductor Industry", em Yoshitaka Okada (org.), *Struggles for Survival* (Nova York: Springer, 2006), p. 72.

3. Marie Anchordoguy, *Reprogramming Japan* (Ithaca: Cornell University Press, 2005), p. 192.

4. Sumio Saruyama e Peng Xu, *Excess Capacity and the Difficulty of Exit: Evidence from Japan's Electronics Industry* (Singapura: Springer Singapore, 2021); "Determination Drove the Development of the CCD 'Electric Eye'", Sony. Disponível em: https://www.sony.com/en/SonyInfo/CorporateInfo/History/SonyHistory/2-11.html.

5.   Kenji Hall, "Fujio Masuoka: Thanks for the Memory", *Bloomberg*, 3 de abril de 2006; Falan Yinung, "The Rise of the Flash Memory Market: Its Impact on Firm Behavior and Global Semiconductor Trade Patterns", *Journal of International Commerce and Economics*, julho de 2007.

6.   Andrew Pollack, "U.S. Chips' Gain is Japan's Loss", *New York Times*, 3 de janeiro de 1991; Okada, "Decline of the Japanese Semiconductor Industry", p. 41; "Trends in the Semiconductor Industry", Semiconductor History Museum of Japan. Disponível em: https://www.shmj.or.jp/english/trends/trd90s.html.

7.   Ministério das Relações Exteriores do Japão, "How the Gulf Crisis Began and Ended", em *Diplomatic Bluebook 1991*. Disponível em: https://www.mofa.go.jp/policy/other/bluebook/1991/1991-2-1.htm; Ministério das Relações Exteriores do Japão, "Japan's Response to the Gulf Crisis", em *Diplomatic Bluebook 1991*. Disponível em: https://www.mofa.go.jp/policy/other/bluebook/1991/1991-2-2.htm; Kent E. Calder, "The United States, Japan and the Gulf Region", The Sasakawa Peace Foundation, agosto de 2015, p. 31; T. R. Reid, "Japan's New Frustration", *Washington Post*, 17 de março de 1991.

8.   "G-Day: Soviet President Gorbachev Visits Stanford Business School", Stanford Graduate School of Business, setembro de 1990. Disponível em: https://www.gsb.stanford.edu/experience/news-history/history/g-day-soviet-president-gorbachev-visits-stanford-business--school; David Remnick, "In U.S., Gorbachev Tried to Sell a Dream", *Washington Post*, 6 de junho de 1990.

9.   Gelb contou esta história pela primeira vez em 1992; cito seu artigo de 2011 sobre o tema; Leslie H. Gelb, "Foreign Affairs; Who Won the Cold War?", *New York Times*, 20 de agosto de 1992; Leslie H. Gelb, "The Forgotten Cold War: 20 Years Later, Myths About U.S. Victory Persist", *Daily Beast*, 14 de julho de 2017.

10.   Entrevista com Peter Gordon, 2021.

29. "Queremos uma indústria de semicondutores em Taiwan"

1.   Wang, *K.T. Li and the Taiwan Experience*, p. 217; história oral de Morris Chang, tomada por Alan Patterson, 24 de agosto de 2007, Museu da História da Computação.

2.   Tekla S. Perry, "Morris Chang: Foundry Father", IEEE *Spectrum*, 19 de abril de 2011; "Stanford Engineering Hero Lecture: Morris Chang in Conversation with President John L. Hennessy", Stanford Online, vídeo do YouTube, 25 de abril de 2004, por volta do minuto 36. Disponível em: https://www.youtube.com/watch?v=wEh3ZgbvBrE.

3. "TI Board Visit to Taiwan 1978", Texas Instruments Special Collection, 90-69 TI Board Visit to Taiwan, DeGolyer Library, Southern Methodist University.

4. História oral de Morris Chang, Museu da História da Computação.

5. "Morris Chang's Last Speech", tradução Kevin Xu, *Interconnected Newsletter*, 12 de setembro de 2021. Disponível em: https://interconnected.blog/morris-changs-last-speech; sobre recusar uma oferta de emprego, vide L. Sophia Wang (org.), *K.T. Li Oral History* (2. ed., 2001), p. 239-240, com agradecimentos a Mindy Tu pela tradução; "Stanford Engineering Hero Lecture: Morris Chang in Conversation with President John L. Hennessy", por volta do minuto 34. Disponível em: https://www.youtube.com/watch?v=wEh3ZgbvBrE. Sobre a identidade texana de Chang: entrevista com Morris Chang, 2022.

6. História oral de Morris Chang, Museu da História da Computação.

7. "1976 Morris Chang Planning Doc", Texas Instruments Special Collection, Fred Bucy Papers, DeGolyer Library, Southern Methodist University.

8. Entrevista de Chintay Shih para Ling-Fei Lin, Museu da História da Computação, 21 de fevereiro de 2011; National Research Council, "Appendix A3: Taiwan's Industrial Technology Research Institute", em *21st Century Manufacturing* (Washington: The National Academies Press, 2013); história oral de Morris Chang, Museu da História da Computação.

9. Douglas B. Fuller, "Globalization for Nation Building: Industrial Policy for High-Technology Products in Taiwan", documento técnico, MIT, 2002.

10. Rene Raaijmakers, *ASML's Architects* (Nijmegen: Techwatch Books, 2018), cap. 57. Sobre a transferência de propriedade intelectual da Philips, ver John A. Mathews, "A Silicon Valley of the East", *California Management Review*, 1997, p. 36; Daniel Nenni, "A Brief History of TSMC", *SemiWiki*, 2 de agosto de 2012.

11. "Stanford Engineering Hero Lecture: Morris Chang in Conversation with President John L. Hennessy"; entrevista de Donald Brooks para Rob Walker, Stanford University Libraries, 8 de fevereiro de 2000, 1:45. Disponível em: https://exhibits.stanford.edu/silicongenesis/catalog/cj789gh7170.

12. "TSMC Announces Resignation of Don Brooks", *EE Times*, 7 de março de 1997; entrevista de Donald Brooks para Rob Walker, 1:44; "1995 Annual Report", Taiwan Semiconductor Manufacturing, Ltd., 1995; sobre vínculos educacionais, vide Douglas B. Fuller, "The Increasing Irrelevance of Industrial Policy in Taiwan, 2016–2020", em Gunter Schubert e Chun-Yi Lee (orgs.), *Taiwan During the First Administration of Tsai Ing-wen: Navigating Stormy Waters* (Londres: Routledge, 2020), p. 15.

13. AnnaLee Saxenian, *Regional Advantage: Culture and Competition in Silicon Valley and Route 128* (Harvard University Press, 1994); AnnaLee Saxenian, *The New Argonauts: Regional Advantage in a Global Economy*. Cambridge: Harvard University Press, 2006.

30. "TODAS AS PESSOAS DEVEM FABRICAR SEMICONDUTORES"

1. Jonathan Pollack, "The Chinese Electronics Industry in Transition", Rand Corporation, N-2306, maio de 1985; David Dorman, "The Military Imperative in Chinese Economic Reform: The Politics of Electronics, 1949–1999", tese de doutorado, Universidade de Maryland, College Park, 2002; sobre a Dram de 1 KB, vide Richard Baum, "DOSEX Machina", em Denis Fred Simon e Merle Goldman (orgs.), *Science and Technology in Post-Mao China* (Cambridge: Harvard University Asia Center, 1989), p. 357.

2. Yiwei Zhu, *Essays on China's IC Industry Development*, tradução de Zoe Huang, 2006, p. 140-144.

3. National Research Council, "Solid State Physics in the People's Republic of China: A Trip Report of the American Solid State Physics Delegation", 1976, p. 89.

4. "Shanghai Workers Vigorously Develop Electronics Industry", 9 de outubro de 1969, tradução do artigo de Renmin Ribao em *Survey of the Chinese Mainland Press*, nº 4.520, 21 de outubro de 1969, p. 11-13.

5. Denis Fred Simon e Detlef Rehn, *Technological Innovation in China: The Case of Shanghai Semiconductor Industry* (Pensacola: Ballinger Publishing Company, 1988), p. 47, 50; Lowell Dittmer, "Death and Transfiguration", *Journal of Asian Studies* 40, nº 3, maio de 1981, p. 463.

6. Lan You Hang, "The Construction of Commercial Electron Microscopes in China", *Advances in Imaging and Electron Physics* 96, 1996, p. 821; Sungho Rho, Keun Lee e Seong Hee Kim, "Limited Catch Up in China's Semiconductor Industry: A Sectoral Innovation System Perspective", *Millennial Asia*, 19 de agosto de 2015, p. 159.

7. Hua Guafeng, 26 de setembro de 1975, citado em Roderick MacFarquhar e Michael Schoenhals, *Mao's Last Revolution* (Belknap Press, 2008), p. 400-401.

8. National Research Council, "Solid State Physics in the People's Republic of China", p. 151.

9. Hoddeson e Daitch, *True Genius*, p. 277.

10. Baum, "DOS ex Machina", p. 347-348; National Research Council, "Solid State Physics in the People's Republic of China", p. 52-53.

11. Simon e Rehn, *Technological Innovation in China*, p. 15, 59, 66; Baum, "DOS *ex Machina*", p. 347-348.

12. Simon e Rehn, *Technological Innovation in China*, p. 17, 27, 48.

31. "COMPARTILHANDO O AMOR DE DEUS COM OS CHINESES"

1. Evelyn Iritani, "China's Next Challenge: Mastering the Microchip", *Los Angeles Times*, 22 de outubro de 2002.

2. Andrew Ross, *Fast Boat to China* (Nova York: Vintage Books, 2007), p. 250.

3. Antonio Varas, Raj Varadarajan, Jimmy Goodrich e Falan Yinug, "Government Incentives and US Competitiveness in Semiconductor Manufacturing", Boston Consulting Group and Semiconductor Industry Association, setembro de 2020, p. 7.

4. John A. Matthews, "A Silicon Valley of the East", *California Management Review*, 1997.

5. Entrevista com um executivo da Samsung, 2021.

6. Sobre subsídios de crédito, ver S. Ran Kim, "The Korean System of Innovation and the Semiconductor Industry", *Industrial and Corporate* Change 7, nº 2, 1º de junho de 1998, p. 297-298.

7. Entrevista com um analista de tecnologia da China, 2021.

8. Peter Clarke, "ST Process Technology Is Base for Chang's Next Chinese Foundry", tradução de Claus Soong, *EE News Analog*, 24 de fevereiro de 2020; "Business Figures Weekly: The Father of Chinese Semiconductors–Richard Chang", CCTV, vídeo do YouTube, 29 de abril de 2010. Disponível em: https://www.youtube.com/watch?v=NVHAyrGRM2E; http://magazine.sina.com/bg/southernpeopleweekly/2009045/2009-12-09/ba80442.html; https://www.coolloud.org.tw/node/6695.

9. Douglas B. Fuller, *Paper Tigers, Hidden Dragons* (Oxford: Oxford University Press, 2016), p. 122-126; Ver John Wey, "Chinese Semiconductor Industrial Policy: Past and Present", United States International Trade Commission, *Journal of International Commerce and Economics*, julho de 2019, p. 11.

10. Este é o julgamento de Doug Fuller, um dos principais especialistas na indústria de chips da China, em *Paper Tigers, Hidden Dragons*, p. 122.

11. Fuller, *Paper Tigers, Hidden Dragons*, p. 125; Yin Li, "From Classic Failures to Global Competitors: Business Organization and Economic Development in the Chinese Semiconductor Industry", dissertação de mestrado, Universidade de Massachusetts, Lowell, p. 32-33.

12. Lee Chyen Yee e David Lin, "Hua Hong NEC, Grace Close to Merger", Reuters, 1º de dezembro de 2011.

13. "China's Shanghai Grace Semiconductor Breaks Ground on New Fab, Report Says", *EE Times*, 20 de novembro de 2000; Warren Vieth e Lianne Hart, "Bush's Brother Has Contract to Help Chinese Chip Maker", *Los Angeles Times*, 27 de novembro de 2003.

14. Ming-chin Monique Chu, *The East Asian Computer Chip War* (Londres: Routledge, 2013), p. 212-213; "Fast-Track Success of Jiang Zemin's Eldest Son, Jiang Mianheng, Questioned by Chinese Academics for Years", *South China Morning Post*, 9 de janeiro de 2015. Sobre as dificuldades de Grace, ver Fuller, *Paper Tigers, Hidden Dragons*, cap. 5; Michael S. Chase, Kevin L. Pollpeter e James C. Mulvenon, "Shanghaied: The Economic and Political Implications for the Flow of Information Technology and Investment Across the Taiwan Strait (Technical Report)", RAND Corporation, 26 de julho de 2004, p. 127-135.

15. "Richard Chang: Taiwan's Silicon Invasion", *Bloomberg Businessweek*, 9 de dezembro de 2002; Ross, *Fast Boat to China*, p. 250.

16. Chase et al., "Shanghaied", p. 149.

17. "Richard Chang and His Smic Team", *Cheers Magazine*, 1º de abril de 2000. Disponível em: https://www.cheers.com.tw/article/article.action?id=5053843.

18. Fuller, *Paper Tigers, Hidden Dragons*, p. 132, 134-135; Ver Wey, "Chinese Semiconductor Industrial Policy", p. 11-12; Yin Li, "From Classic Failures to Global Competitors", p. 45-48; Er Hao Lu, *The Developmental Model of China's Semiconductor Industry, 2000–2005*, tese de doutorado, National Chengchi University, Taipei, Taiwan, 2008, p. 33-35, com agradecimentos a Claus Soong pela tradução; Ross, *Fast Boat to China*, p. 248.

19. Yin-Yin Chen, "The Political Economy of the Development of the Semiconductor Industry in Shanghai, 1956–2006", tese, Universidade Nacional de Taiwan, 2007, p. 71-72; Lu, *The Developmental Model of China's Semiconductor Industry*, p. 75-77. Obrigado a Claus Soong por traduzir essas fontes.

20. Yin Li, "From Classic Failures to Global Competitors", p. 45-48.

21. Fuller, *Paper Tigers, Hidden Dragons*, p. 132, 136; "Semiconductor Manufacturing International Corporation Announces Proposed Dual Listing on SEHK and NYSE", SMIC, 7 de março de 2004. Disponível em: https://www.smics.com/en/site/news_read/4212; "Chip Maker SMIC Fails on Debut", *CNN*, 18 de março de 2004.

32. Guerras de litografia

1. Entrevista com John Carruthers, 2021; este capítulo teve o benefício de entrevistas com Vivek Bakshi, Chris Mack, Chuck Gwyn, David Attwood, Frits van Houts, John Taylor, John Carruthers, Bill Siegle, Stefan Wurm, Tony Yen, Shang-yi Chiang e outros especialistas em litografia que pediram que seus nomes não fossem divulgados, porém nenhum deles é responsável pelas conclusões.

2. Mark L. Schattenburg, "History of the 'Three Beams' Conference, the Birth of the Information and the Era of Lithography Wars". Disponível em: https://eipbn.org/2020/wp-content/uploads/2015/01/EIPBN_history.pdf.

3. Peter van den Hurk, "Farewell to a 'Big Family of Top Class People'", ASML, 23 de abril de 2021. Disponível em: https://www.asml.com/en/news/stories/2021/frits-van-hout--retires-from-asml.

4. Entrevista com Frits van Hout, 2021.

5. Rene Raiijmakers, "Technology Ownership Is No Birthright", *Bits & Chips*, 24 de junho de 2021.

6. Entrevista com Fritz van Hout, 2021; "Lithography Wars (Middle): How Did TSMC's Fire Save the Lithography Giant ASML?", *iNews*, 5 de fevereiro de 2022. Disponível em: https://inf.news/en/news/5620365e89323be681610733c6a32d22.html.

7. Charles Krauthammer, "The Unipolar Moment", *Foreign Affairs*, 18 de setembro de 1990.

8. Kenichi Ohmae, "Managing in a Borderless World", *Harvard Business Review*, maio a junho de 1989.

9. De acordo com dados da Bloomberg.

10. Entrevista com John Taylor, 2021.

11. Chuck Gwyn e Stefan Wurm, "EUV LLC: A Historical Perspective", em Bakshi (org.), *EUV Lithography* (SPIE, 2008); entrevistas com John Carruthers e John Taylor, 2021.

12. Entrevistas com Kenneth Flamm e Richard van Atta, 2021.

13. David Lammers, "U.S. Gives Ok to ASML on EUV", *EE Times*, 24 de fevereiro de 1999; esta reportagem da mídia cita um acordo com o governo dos EUA em que a ASML prometeu produzir uma parte de suas máquinas nos EUA. Não me foi possível verificar a existência dessa promessa nas entrevistas com a ASML ou com as autoridades dos EUA, embora diversos ex-dirigentes tenham dito que o acordo parecia plausível e que poderia ter sido informal em vez de formal. A ASML, atualmente, produz uma parte de cada ferramenta de EUV em uma fábrica em Connecticut, então parece estar cumprindo sua parte do acordo, se é que, de fato, tenha feito tal promessa.

14. Nenhum dos meus entrevistados achou que considerações de política externa fossem essenciais para essa decisão e muitos disseram não se lembrar de nenhuma discussão sobre o assunto.

15. Don Clark e Glenn Simpson, "Opponents of svg Sale to Dutch Worry About Foreign Competition", *Wall Street Journal*, 26 de abril de 2001; entrevista com um especialista da indústria de litografia, 2021; entrevista com Dick van Atta, 2021; entrevista com um ex-funcionário do Departamento de Comércio, 2021.

16. Clark e Simpson, "Opponents of svg Sale to Dutch Worry About Foreign Competition".

17. Entrevista com John Taylor, 2021.

33. O DILEMA DO INOVADOR

1. "First Intel Mac, 10 de janeiro de 2006", all about Steve Jobs.com, vídeo do YouTube, 18 de setembro de 2009. Disponível em: https://www.youtube.com/watch?v=cp49Tmmtmf8.

2. Entrevista com um alto executivo da Intel, 2021.

3. Alexis C. Madrigal, "Paul Otellini's Intel: Can the Company That Built the Future Survive It?", *Atlantic*, 16 de maio de 2013; entrevistas com quatro ex-executivos da Intel, 2021.

4. Entrevista com Michael Bruck, 2021.

5. Kurt Shuler, "Semiconductor Slowdown? Invest!", *Semiconductor Engineering*, 26 de janeiro de 2012.

6. Entrevista com Robin Saxby, 2021; "Sir Robin Saxby: The ARM Architecture Was Invented Inside Acorn Computers", Anu Partha, vídeo do YouTube, 1º de junho de 2017. Disponível em: https://www.youtube.com/watch?v=jxUT3wE5Kwg; Don Dingee e Daniel Nenni, *Mobile Unleashed: The Origin and Evolution of ARM Processors in Our Devices* (SemiWiki LLC, 2015), p. 42; "Alumnus Receives Top Honour From Institute of Electrical and Electronics Engineers (IEEE)", Universidade de Liverpool, 17 de maio de 2019.

7. Entrevista com um ex-executivo da Intel, 2021.

8. Entrevistas com Ted Odell, 2020, e Will Swope, 2021.

9. Alexis C. Madrigal, "Paul Otellini's Intel".

10. Joel Hruska, "How Intel Lost the Mobile Market, Part 2: The Rise and Neglect of Atom", *Extreme Tech*, 3 de dezembro de 2020; Joel Hruska, "How Intel Lost $ 10 Billion and the Mobile Market", *Extreme Tech*, 3 de dezembro de 2020; Mark Lipacis et al., "Semiconductors: The 4th Tectonic Shift in Computing: To a Parallel Processing / IoT Model", *Jeffries Research Note*, 10 de julho de 2017; conversas com Michael Bruck e Will Swope ajudaram

a cristalizar este ponto; Varas et al., "Strengthening the Global Semiconductor Supply Chain in an Uncertain Area".

11. Entrevista com um ex-executivo da Intel, 2021.

34. CORRENDO MAIS RÁPIDO?

1. Andy Grove, "Andy Grove: How America Can Create Jobs", *Businessweek*, 1º de julho de 2010.

2. Ibidem.

3. Jon Stokes, "Two Billion-Transistor Beasts: POWER 7 and Niagara 3", *Ars Technica*, 8 de fevereiro de 2010.

4. Wally Rhines, "Competitive Dynamics in the Electronic Design Automation Industry", *SemiWiki*, 23 de agosto de 2019.

5. Mark Veverka, "Taiwan Quake Sends a Wakeup Call, But Effects May Be Short Lived", *Barron's*, 27 de setembro de 1999.

6. Jonathan Moore, "Fast Chips, Faster Cleanup", *BusinessWeek*, 11 de outubro de 1999.

7. Baker Li, Dow Jones Newswires, "Shortage in Parts Appears to Fade Following Earthquake in Taiwan", *Wall Street Journal*, 9 de novembro de 1999.

8. Entrevista com um executivo de uma empresa sem fábrica, 2021; "20 Largest Earthquakes in the World", USGS. Disponível em: https://www.usgs.gov/natural-hazards/earthquake-hazards/science/20-largest-earthquakes-world?qt-science_center_objects=0#qt--science_center_objects.

9. Discurso de Robert Zoellick, 21 de setembro de 2005, "Whither China? From Membership to Responsibility", Comitê Nacional de Relações EUA–China.

10. Adam Segal, "Practical Engagement: Drawing a Fine Line for U.S.-China Trade", *Washington Quarterly* 27, nº 3, 7 de janeiro de 2010, p. 162.

11. "SMIC Attains Validated End-User Status for U.S. Government", SMIC, 19 de outubro de 2007. Disponível em: https://www.smics.com/en/site/news_read/4294.

12. A melhor história do surgimento deste consenso está em Hugo Meijer, *Trading with the Enemy* (Oxford: Oxford University Press, 2016).

13. Van Atta et al., "Globalization and the US Semiconductor Industry", Institute for Defense Analyses, 20 de novembro de 2007, p. 2-3.

35. "Homens de verdade têm fábricas"

1. Craig Addison, *Silicon Shield*. Fusion PR, 2001, p. 77.

2. Peter J. Schuyten, "The Metamorphosis of a Salesman", *New York Times*, 25 de fevereiro de 1979.

3. Varas et al., "Strengthening the Global Semiconductor Supply Chain in an Uncertain Area", p. 18.

4. Ibidem, p. 17.

5. Peter Clarke, "Top Ten Analog Chip Makers in 2020", *EE News*, 3 de junho de 2021.

6. Joonkyu Kang, "A Study of the Dram Industry", dissertação de mestrado, Massachusetts Institute of Technology, 2010, p. 13.

7. Hiroko Tabuchi, "In Japan, Bankruptcy for a Builder of PC Chips", *New York Times*, 27 de fevereiro de 2012.

8. Varas et al., "Strengthening the Global Semiconductor Supply Chain in an Uncertain Area", p. 18.

9. Ken Koyanagi, "SK-Intel NAND Deal Points to Wider Shake-Up of Chip Sector", *Nikkei Asia*, 23 de outubro de 2020; "Samsung Electronics Adds Nand Flash Memory Line in Pyeongtaek", *Pulse*, 1º de junho de 2020.

10. John East, "Real Men Have Fabs. Jerry Sanders, TJ Rodgers e AMD", *SemiWiki*, 29 de julho de 2019.

36. A revolução dos sem-fábrica

1. Paul McLellan, "A Brief History of Chips and Technologies", *SemiWiki*, 19 de março de 2013. Disponível em: https://semiwiki.com/eda/2152-a-brief-history-of-chips-and-technologies/; entrevista com Gordon Campbell, 2021.

2. Entrevista com Chris Malachowsky, 2021.

3. Steve Henn, "Tech Pioneer Channels Hard Lessons Into Silicon Valley Success", NPR, 20 de fevereiro de 2012. Disponível em: https://www.npr.org/sections/alltechconsidered/2012/02/20/147162496/tech-pioneer-channels-hard-lessons-into

4. "Jen-Hsun Huang", Stanford Online, vídeo do YouTube, 23 de junho de 2011. Disponível em: https://www.youtube.com/watch?v=Xn1EsFe7snQ.

5. Ian Buck, "The Evolution of GPUs for General Purpose Computing", 20 a 23 de setembro de 2010. Disponível em: https://www.nvidia.com/content/GTC-2010/pdfs/2275_GTC2010.pdf; Don Clark, "Why a 24-Year-Old Chipmaker Is One of Tech's Hot Prospects", *New York*

Times, 1º de setembro de 2017; Pradeep Gupta, "CudaRefresher: Reviewing the Origins of GPU Computing", Nvidia, 23 de abril de 2020. Disponível em: https://developer.nvidia.com/blog/cuda-refresher-reviewing-the-origins-of-gpu-computing/.

6. Ben Thompson, "Apple to Build Own GPU, the Evolution of GPUs, Apple and the General-Purpose GPU", *Stratechery Newsletter*, 12 de abril de 2017; Ben Thompson, "Nvidia's Integration Dreams", Stratechery Newsletter, 15 de setembro de 2020.

7. Hsiao-Wen Wang, "TSMC Takes on Samsung", *CommonWealth*, 9 de maio de 2013; Timothy B. Lee, "How Qualcomm Shook Down the Cell Phone Industry for Almost 20 Years", *Ars Technica*, 30 de maio de 2019.

8. Entrevista com Susie Armstrong, 2021.

9. Daniel Nenni, "A Detailed History of Qualcomm", *SemiWiki*, 9 de março de 2018; Joel West, "Before Qualcomm: Linkabit and the Origins of San Diego's Telecom Industry", *Journal of San Diego History*. Disponível em: https://sandiegohistory.org/journal/v55-1/pdf/v55-1west.pdf.

10. Entrevista com dois executivos da Qualcomm, 2021.

37. A Grande Aliança de Morris Chang

1. Michael Kanellos, "End of Era as AMD's Sanders Steps Aside", CNET, 24 de abril de 2002; Peter Bright, "AMD Completes Exit From Chip Manufacturing Biz", *Wired*, 5 de março de 2012.

2. Entrevista com Shang-yi Chiang, 2021.

3. Mark LaPedus, "Will GlobalFoundries Succeed or Fail?", *EE Times*, 21 de setembro de 2010. Disponível em: https://www.eetimes.com/will-globalfoundries-succeed-or-fail/.

4. Claire Sung e Jessie Shen, "TSMC 40nm Yield Issues Resurface, CEO Promises Fix by Year-End", *Digitimes*, 30 de outubro de 2009; Mark LaPedus, "TSMC Confirms 40-nm Yield Issues, Gives Predictions", *EE Times*, 30 de abril de 2009.

5. Entrevista com Rick Cassidy, 2022.

6. Russell Flannery, "Ageless and Peerless in an Era of Fabless", *Forbes*, 9 de dezembro de 2012; Hsiao-Wen Wang, "TSMC Takes on Samsung", *CommonWealth*, 9 de maio de 2013.

7. Wang, "TSMC Takes on Samsung".

8. Flannery, "Ageless and Peerless in an Era of Fabless".

9. Lisa Wang, "TSMC Reshuffle Stuns Analysts", *Taipei Times*, 12 de junho de 2009; Yin-chuen Wu e Jimmy Hsiung, "I'm Willing to Start From Scratch", *CommonWealth*, 18 de junho de 2009.

10. Robin Kwong, "Too Much Capacity Better Than Too Little for TSMC", *Financial Times*, 24 de junho de 2010.

11. Flannery, "Ageless and Peerless in an Era of Fabless".

38. O silício da Apple

1. Dag Spicer, "Steve Jobs: From Garage to World's Most Valuable Company", Museu da História da Computação, 2 de dezembro de 2011; foi Steve Cheney que me direcionou para isto, "1980: Steve Jobs on Hardware and Software Convergence", *Steve Cheney–Technology, Business, and Strategy*, 18 de agosto de 2013.

2. Para obter detalhes dessas desmontagens do iPhone 1, ver Jonathan Zdziarski, "Chapter 2. Understanding the iPhone", *O'Reilly*. Disponível em: https://www.oreilly.com/library/view/iphone-forensics/9780596153588/ch02.html; "iPhone 1st Generation Teardown", *Ifixit*, 29 de junho de 2007.

3. Bryan Gardiner, "Four Reasons Apple Bought PA Semi", *Wired*, 23 de abril de 2000; Brad Stone, Adam Satariano e Gwen Ackerman, "The Most Important Apple Executive You've Never Heard Of", *Bloomberg*, 18 de fevereiro de 2016.

4. Ben Thompson, "Apple's Shifting Differentiation", *Stratechery*, 11 de novembro de 2020; Andrei Frumusanu, "Apple Announces the Apple Silicon M1: Ditching x86 – What to Expect, Based on A14", *AnandTech*, 10 de novembro de 2020.

5. Harald Bauer, Felix Grawert e Sebastian Schink, "Semiconductors for Wireless Communications: Growth Engine of the Industry", McKinsey & Company, outono de 2012, exibição 2.

6. Harrison Jacobs, "Inside 'iPhone City', the Massive Chinese Factory Town Where Half of the World's iPhones Are Produced", *Business Insider*, 7 de maio de 2018.

7. Yu Nakamura, "Foxconn Set to Make iPhone 12 in India, Shifting From China", *Nikkei Asia*, 11 de março de 2021.

39. EUV

1. Dylan McGrath, "Intel Again Cuts Stake in ASML", *EE Times*, 12 de outubro de 2018.

2. Entrevista com John Taylor, 2021.

3. Entrevista com dois executivos da Trumpf, 2021.

4. "TRUMPF Laser Amplifier", Trumpf. Disponível em: https://www.trumpf.com/en_US/products/laser/euv-drive-laser/.

5. Entrevista com dois executivos da TRUMPF, 2021; Mark Lourie, "II-VI Incorporated Expands Manufacturing Capacity of Diamond Windows for TRUMPF High Power CO2 Lasers in EUV Lithography", *GlobeNewswire*, 19 de dezembro de 2018. Disponível em: https://www.globenewswire.com/news-release/2018/12/19/1669962/11543/en/II-VI-Incorporated-Expands-Manufacturing-Capacity-of-Diamond-Windows-for-TRUMPF-High-Power-CO2-Lasers-in-EUV-Lithography.html.

6. C. Montcalm, "Multilayer Reflective Coatings for Extreme-Ultraviolet Lithography", Department of Energy Office of Scientific and Technical Information, 10 de março de 1998. Disponível em: https://www.osti.gov/servlets/purl/310916.

7. "Interview with Dr. Peter Kurz: 'Hitting a Golf Ball on the Moon'", *World of Photonics*, disponível em: https://world-of-photonics.com/en/newsroom/photonics-industry-portal/photonics-interview/dr-peter-kuerz/; "ZEISS—Breaking New Ground for the Microchips of Tomorrow", ZeissGroup, vídeo do YouTube, 2 de agosto de 2019. Disponível em: https://www.youtube.com/watch?v=XeDCrlxBtTw.

8. "Responsible Supply Chain: Setting the Bar Higher for the High-Tech Industry", ASML. Disponível em: https://www.asml.com/en/company/sustainability/responsible-supply-chain; entrevista com Frits van Houts, 2021.

9. "Press Release: Zeissand ASML Strengthen Partnership for Next Generation of EUV Lithography Due in Early 2020s", ASML, 3 de novembro de 2016. Disponível em: https://www.asml.com/en/news/press-releases/2016/zeiss-and-asml-strengthen-partnership-for-next-generation-of-euv-lithography.

10. Entrevista com um executivo de uma fornecedora da ASML, 2021.

11. Igor Fomenkov et al., "Light Sources for High-Volume Manufacturing ASML Lithography: Technology, Performance, and Power Scaling", *Advanced Optical Technologies* 6, edições 3 a 4, 8 de junho de 2017.

12. Esta descrição da litografia computacional baseia-se em Jim Keller, "Moore's Law Is Not Dead", UC Berkeley EECS Events, vídeo do YouTube, 18 de setembro de 2019. Disponível em: https://www.youtube.com/watch?v=oIG9ztQw2Gc.

13. "Trumpf Consolidates EUV Lithography Supply Chain with Access Laser Deal", Optics.org, 4 de outubro de 2017. Disponível em: https://optics.org/news/8/10/6.

40. "Não há plano B"

1. Anthony Yen, "Developing EUV Lithography for High Volume Manufacturing – A Personal Journey", *IEEE Technical Briefs*. Disponível em: https://www.ieee.org/ns/periodicals/EDS/EDS-APRIL-2021-HTML-V2/InnerFiles/LandPage.html.

2. Entrevista com Shang-yi Chiang, 2021.

3. Lisa Wang, "TSMC Stalwart Takes SMIC Role", *Taipei Times*, 22 de dezembro de 2016; Jimmy Hsiung, "Shang-yi Chiang: Rallying the Troops", *CommonWealth*, 5 de dezembro de 2007; entrevistas com Shang-yi Chiang e Tony Yen, 2021.

4. Timothy Prickett Morgan, "AMD's GlobalFoundries Consumes Chartered Semi Rival", *Register*, 14 de janeiro de 2010.

5. Entrevista com um ex-executivo da IBM, 2021.

6. Entrevistas com dois executivos de semicondutores, 2021.

7. "Apple Drove Entire Foundry Sales Increase at TSMC in 2015", IC Insights, 26 de abril de 2016.

8. "Samsung, TSMC Remain Tops in Available Wafer Fab Capacity", *IC Insights*, 6 de janeiro de 2016. Esse número é o cálculo de *wafers* por mês como wafers de 200 milímetros. À época, a vanguarda da indústria estava mudando para *wafers* de 300 milímetros, que podiam acomodar aproximadamente o dobro de chips por *wafer*. Os cálculos de *wafers* por mês, tendo como base *wafers* de 300 milímetros, são, portanto, inferiores.

9. Peter Bright, "AMD Completes Exit From Chip Manufacturing Biz", *Wired*, 5 de março de 2012.

10. Entrevistas com três ex-executivos da GlobalFoundries, entre eles um que se concentrava em EUV, 2021; sobre gastos com P&D, vide o prospecto de IPO da GlobalFoundries, Security and Exchange Commission, 4 de outubro de 2021, p. 81. Disponível em: https://www.sec.gov/Archives/edgar/data/0001709048/000119312521290644/d192411df1.htm. Ver também Mark Gilbert, "Q4 Hiring Remains Strong Outlook for Q1 2019", *SemiWiki*, 4 de novembro de 2018. Disponível em: https://semiwiki.com/semiconductor-manufacturers/globalfoundries/7749-globalfoundries-pivot-explained/q.

41. Como a Intel esqueceu a inovação

1. Nick Flaherty, "Top Five Chip Makers Dominate Global Wafer Capacity", *EE News*, 11 de fevereiro de 2021.

2. Or Sharir, Barak Peleg e Yoav Shoham, "The Cost of Training NLP Models: A Concise Overview", *AI21 Labs*, abril de 2020.

3. Wallace Witkowski, "Nvidia Surpasses Intel as Largest U.S. Chip Maker by Market Cap", *Market-Watch*, 8 de julho de 2020.

4. "Cloud TPU Pricing", Google Cloud. Disponível em: https://cloud.google.com/tpu/pricing; preços em 5 de novembro de 2021.

5. Chris Nuttall, "Chip Off the Old Block Takes Helm at Intel", *Financial Times*, 2 de maio de 2013.

6. Entrevista com um ex-executivo de fundição da Intel, 2021.

7. Dylan McGrath, "Intel Confirmed as Foundry for Second FPGA Startup", *EE Times*, 21 de fevereiro de 2012.

8. Joel Hruska, "Intel Acknowledges It Was 'Too Aggressive' with Its 10nm Plans", *Extreme Tech*, 18 de julho de 2019.

9. Entrevista com Pat Gelsinger, *Bloomberg*, 19 de janeiro de 2021. Disponível em: https://www.bloomberg.com/news/videos/2022-01-19/intel-ceo-gelsinger-on-year-ahead-for-global-business-video.

10. Ian Cutress, "TSMC: We Have 50% of All EUV Installations, 60% Wafer Capacity", *AnandTech*, 27 de agosto de 2020.

42. Fabricado na China

1. Rogier Creemers (org.), "Central Leading Group for Internet Security and Informatization Established", *China Copyright and Media*, 1º de março de 2014. Disponível em: https://chinacopyrightandmedia.wordpress.com/2014/03/01/central-leading-group-for-internet-security-and-informatization-established/.

2. Evan Osnos, "Xi's American Journey", *New Yorker*, 15 de fevereiro de 2012.

3. Katie Hunt e C.Y. Xu, "China Employs 2 Million to Police Internet", CNN, 7 de outubro de 2013.

4. Rogier Creemers (org.), Xi Jinping, "Speech at the Work Conference for Cybersecurity and Informatization", *China Copyright and Media*, 19 de abril de 2016. Disponível em: https://chinacopyrightandmedia.wordpress.com/2016/04/19/speech-at-the-work-conference-for-cybersecurity-and-informatization/, tradução ajustada.

5. Ibidem.

6. Ibidem.

7.   Quase todos os chips de CPUs em PCs são projetados pela Intel ou pela AMD, ambas dos EUA, embora essas empresas fabriquem seus chips em outros países.

8.   Ver dados de Comtrade da ONU referentes a circuitos integrados (8542) e petróleo (2709).

9.   Drew Harwell e Eva Dou, "Huawei Tested AI Software That Could Recognize Uighur Minorities and Alert Police, Report Says", *Washington Post*, 8 de dezembro de 2020.

10.   Paul Mozur e Don Clark, "China's Surveillance State Sucks Up Data. U.S. Tech Is Key to Sorting It", *New York Times*, 22 de novembro de 2020.

11.   História oral de Morris Chang, Museu da História da Computação.

43. "Convocar o ataque"

1.   Anna Bruce-Lockhart, "Top Quotes by China President Xi Jinping at Davos 2017", Fórum Econômico Mundial, 17 de janeiro de 2017. Disponível em: https://www.weforum.org/agenda/2017/01/chinas-xi-jinping-at-davos-2017-top-quotes/.

2.   "Full Text: 2017 Donald Trump Inauguration Speech Transcript", *Politico*, 20 de janeiro de 2017.

3.   Ian Bremmer, "Xi sounding rather more presidential than US president-elect. Davos", Twitter, 17 de janeiro de 2017. Disponível em: https://twitter.com/ianbremmer/status/821304485226119169.

4.   Jamil Anderlini, Wang Feng e Tom Mitchell, "Xi Jinping Delivers Robust Defense of Globalisation at Davos", *Financial Times*, 17 de janeiro de 2017; Xi Jinping, "Full Text of Xi Jinping Keynote at the World Economic Forum", CGTN, 17 de janeiro de 2017. Disponível em: https://america.cgtn.com/2017/01/17/full-text-of-xi-jinping-keynote-at-the-world-economic-forum.

5.   Max Ehrenfreund, "World Leaders Find Hope for Globalization in Davos Amid Populist Revolt", *Washington Post*, 17 de janeiro de 2017.

6.   Isaac Stone Fish, "A Communist Party Man at Davos", *Atlantic*, 18 de janeiro de 2017.

7.   http://politics.people.com.cn/n1/2016/0420/c1001-28291806.html; Creemers (org.), Xi Jinping, "Speech at the Work Conference for Cybersecurity and Informatization".

8.   Sobre a impotência de Xi contra o *status quo*, vide Daniel H. Rosen, "China's Economic Reckoning", *Foreign Affairs*, julho a agosto de 2021.

9.   Relatório do Conselho de Estado da China, "Outline for Promoting the Development of the National Integrated Circuit Industry". Disponível em: http://www.csia.net.cn/Article/ShowInfo.asp?InfoID=88343.

10. Saif M. Khan, Alexander Mann e Dahlia Peterson, "The Semiconductor Supply Chain: Assessing National Competitiveness", Center for Security and Emerging Technology, janeiro de 2021, p. 8. Disponível em: https://cset.georgetown.edu/wp-content/uploads/The-Semi-conductor-Supply-Chain-Issue-Brief.pdf.

11. Saif M. Khan e Alexander Mann, "AI Chips: What They Are and Why They Matter", Center for Security and Emerging Technology, abril de 2020, p. 29-31. Disponível em: https:// cset.georgetown.edu/publication/ai-chips-what-they-are-and-why-they-matter/.

12. "China Forecast to Fall Far Short of Its 'Made in China 2025' Goals for ICs", *IC Insights*, 6 de janeiro de 2021. Disponível em: https://www.icinsights.com/news/bulletins/China-Fore-cast-To-Fall-Far-Short-Of-Its-Made-In-China-2025-Goals-For-ICs/.

13. "Dr. Zixue Zhou Appointed as Chairman of SMIC", comunicado à imprensa, SMIC, 6 de março de 2015. Disponível em: http://www.smics.com/en/site/news_read/4539; Doug Fuller, *Paper Tigers, Hidden Dragons* (Oxford: Oxford University Press, 2016), mapeia os estágios iniciais do aumento da influência do governo.

14. Entrevista com um ex-CEO de uma fundição chinesa, 2021; Fuller, *Paper Tigers, Hidden Dragons*.

15. Entrevista com um executivo europeu de semicondutores, 2020.

16. Barry Naughton, *Rise of China's Industrial Policy, 1978 to 2020* (Academic Network of Latin America and the Caribbean on China, 2021), p. 114.

17. Arthur Kroeber, "The Venture Capitalist State", *GaveKal Dragonomics*, março de 2021.

18. Dieter Ernest, *From Catching Up to Forging Ahead: China's Policies for Semiconductors* (Honolulu, East West Center, 2015), p. 19.

19. Luffy Liu, "Countdown: How Close Is China to 40% Chip Self-Sufficiency?", *EE Times*, 11 de abril de 2019.

20. https://www.cw.com.tw/article/5053334; https://www.twse.com.tw/ch/products/publica-tion/download/0003000156.pdf. Obrigado a Wei-Ting Chen pela ajuda na tradução destes documentos.

44. Transferência de tecnologia

1. David Wolf, "Why Buy the Hardware When China Is Getting the IP for Free?", *Foreign Policy*, 24 de abril de 2015.

2. A IBM se negou a fornecer à Agência Nacional de Segurança quaisquer dados de clientes; Claire Cain Miller, "Revelations of N.S.A. Spying Cost U.S. Tech Companies", *New*

York Times, 21 de março de 2014; Sam Gustin, "IBM: We Haven't Given the NSA Any Client Data", *Time*, 14 de março de 2014.

3. Matthew Miller, "IBM's CEO Visits China for Trust-Building Talks with Govt Leaders: Sources", Reuters, 12 de fevereiro de 2014.

4. Ver reunião de julho de 2014 com o prefeito de Pequim, IBM News, "Today, #IBMCEO Ginni Rometty met with Beijing Mayor Wang Anshun at the Beijing Convention Center in #China [PHOTO]", Twitter, 9 de julho de 2014. Disponível em: https://mobile.twitter.com/ ibmnews/status/486873143911669760; reunião de 2016 com Li Keqiang, "Ginni Rometty of IBM Meets Chinese Premier Li Keqiang", *Forbes*, 22 de outubro de 2016.

5. Miller, "IBM's CEO Visits China for Trust-Building Talks with Govt Leaders: Sources".

6. "Chinese Vice Premier Meets IBM President", English.People.CN, 13 de novembro de 2014. Disponível em: http://en.people.cn/n/2014/1113/c90883-8808371.html.

7. Timothy Prickett Morgan, "X86 Servers Dominate the Datacenter–for Now", *Next Platform*, 4 de junho de 2015.

8. Paul Mozur, "IBM Venture with China Stirs Concerns", *New York Times*, 19 de abril de 2015.

9. Ibidem.

10. "China Deal Squeezes Royalty Cuts from Qualcomm", *EE Times*, 10 de fevereiro de 2015.

11. Chen Qingqing, "Qualcomm's Failed JV Reveals Poor Chipset Strategy Amid Rising Competition: Insiders", *Global Times*, 22 de abril de 2019; Aaron Tilley, Wayne Ma e Juro Osawa, "Qualcomm's China Venture Shows Risks of Beijing's Tech Ambition", *Information*, 3 de abril de 2019; Li Tao, "Qualcomm Said to End Chip Partnership with Local Government in China's Rural Guizhou Province", *South China Morning Post*, 19 de abril de 2019.

12. "Server and Cloud Leaders Collaborate to Create China-Based Green Computing Consortium", *Arm*, 15 de abril de 2016. Disponível em: https://www.arm.com/company/ news/2016/04/server-and-cloud-leaders-collaborate-to-create-china-based-green-computing- -consortium.

13. Ver "Wei Li", LinkedIn. Disponível em: https://www.linkedin.com/in/wei-li- -8b0490b/?originalSubdomain=cn; Ellen Nakashima e Gerry Shih, "China Builds Advanced Weapons Systems Using American Chip Technology", *Washington Post*, 9 de abril de 2021.

14. "AMD and Nantong Fujitsu Microelectronics Co., Ltd. Close on Semiconductor Assembly and Test Joint Venture", AMD, 29 de abril de 2016.

15. Uma das investidoras desta iniciativa conjunta com a AMD é a Academia Chinesa de Ciências, parte do Estado chinês; ver Ian Cutress e Wendell Wilson, "Testing a Chinese x86

cpu: A Deep Dive into Zen-Based Hygon Dhyana Processors", *AnandTech*, 27 de fevereiro de 2020.

16. Entrevista com um integrante da indústria de chips, 2021.

17. Entrevista com Stacy Rasgon, 2021.

18. Entrevistas com um integrante da indústria e uma ex-autoridade dos eua, 2021; Don Clark, "amd to License Chip Technology to China Chip Venture", *Wall Street Journal*, 21 de abril de 2016; Usman Pirzada, "No, amd Did Not Sell the Keys to the x86 Kingdom – Here's How the Chinese Joint Venture Works", *Wccftech*, 29 de junho de 2019; Cutress e Wilson, "Testing a Chinese x86 cpu"; Stewart Randall, "Did amd Really Give Away 'Keys to the Kingdom'?", *TechNode*, 10 de julho de 2019.

19. Kate O'Keeffe e Brian Spegele, "How a Big U.S. Chip Maker Gave China the 'Keys to the Kingdom'", *Wall Street Journal*, 27 de junho de 2019.

20. "amd epyc Momentum Grows with Datacenter Commitments From Tencent and JD.com, New Product Details From Sugon and Lenovo", comunicado à imprensa, amd, 23 de agosto de 2017. Disponível em: https://ir.amd.com/news-events/press-releases/detail/788/amd-epyc-momentum-grows-with-datacenter-commitments-from; entrevista com uma ex-autoridade dos eua, 2021.

21. Craig Timberg e Ellen Nakashima, "Supercomputing Is Latest Front in U.S.-China High-Tech Battle", *Washington Post*, 21 de junho de 2019; Industry and Security Bureau, "Addition of Entities to the Entity List and Revision of an Entry on the Entity List", Federal Register, 24 de junho de 2019. Disponível em: https://www.federalregister.gov/documents/2019/06/24/2019-13245/addition-of-entities-to-the-entity-list-and-revision-of-an-entry-on-the-entity-list; Michael Kan, "us Tries to Thwart China's Work on Exascale Supercomputer by Blocking Exports", *PC Mag*, 8 de abril de 2021.

22. "Statement of Elsa Kania", em "Hearing on Technology, Trade, and Military-Civil Fusion: China's Pursuit of Artificial Intelligence, New Materials, and New Energy", U.S.-China Economic and Security Review Commission, 7 de junho de 2019, p. 69. Disponível em: https://www.uscc.gov/sites/default/files/2019-10/June%207,%202019%20Hearing%20Transcript.pdf.

23. Anton Shilov, "Chinese Server Maker Sugon Has Its Own Radeon Instinct MI50 Compute Cards (Updated)", *Tom's Hardware*, 15 de outubro de 2020. Disponível em: https://www.tomshardware.com/news/chinese-server-maker-sugon-has-its-own-radeon-instinct-mi50-compute-cards. Um representante da amd não respondeu à minha solicitação de informações sobre a relação da empresa com a Sugon.

24. Alexandra Alper e Greg Roumeliotis, "Exclusive: U.S. Clears SoftBank's $ 2,25 Billion Investment in GM-Backed Cruise", Reuters, 5 de julho de 2019; Dan Primack, "SoftBank's Cfius Workaround", *Axios*, 29 de novembro de 2018; Heather Somerville, "SoftBank Picking Its Battles with U.S. National Security Committee", Reuters, 11 de abril de 2019.

25. Cheng Ting-Fang, Lauly Li e Michelle Chan, "How SoftBank's Sale of Arm China Sowed the Seeds of Discord", *Nikkei Asia*, 16 de junho de 2020; "Inside the Battle for Arm China", *Financial Times*, 26 de junho de 2020.

26. Cheng Ting-Fang e Debby Wu, "ARM in China Joint Venture to Help Foster 'Secure' Chip Technology", *Nikkei Asia*, 30 de maio de 2017.

45. "Incorporações são propensas a acontecer"

1. Nobutaka Hirooka, "Inside Tsinghua Unigroup, a Key Player in China's Chip Strategy", *Nikkei Asia*, 12 de novembro de 2020; "University's Deal Spree Exposes Zhao as Chip Billionaire", *China Daily*, 25 de março de 2015.

2. Hirooka, "Inside Tsinghua Unigroup"; Yue Wang, "Meet Tsinghua's Zhao Weiguo, the Man Spearheading China's Chip Ambition", *Forbes*, 29 de julho de 2015.

3. Kenji Kawase, "Was Tsinghua Unigroup's Bond Default a Surprise?", *Nikkei Asia*, 4 de dezembro de 2020; Eva Dou, "China's Biggest Chip Maker's Possible Tie-Up with H-P Values Unit at Up to $5 Billion", *Wall Street Journal*, 15 de abril de 2015; Wang, "Meet Tsinghua's Zhao Weiguo"; Yue Wang, "Tsinghua Spearheads China's Chip Drive", *Nikkei Asia*, 29 de julho de 2015.

4. Dieter Ernst, "China's Bold Strategy for Semiconductors–Zero-Sum Game or Catalyst for Cooperation?", East-West Center, setembro de 2016; Willy Wo-Lap Lam, "Members of the Xi Jinping Clique Revealed", The Jamestown Foundation, 7 de fevereiro de 2014; Chen Xi deixou o cargo de presidente da Universidade Tsinghua ao final de 2008.

5. Wang, "Meet Tsinghua's Zhao Weiguo".

6. Dou, "China's Biggest Chip Maker's Possible Tie-Up with H-P Values Unit at Up to $5 Billion".

7. Zijing Wu e Jonathan Browning, "China University Deal Spree Exposes Zhao as Chip Billionaire", *Bloomberg*, 23 de março de 2015.

8. Saabira Chaudhuri, "Spreadtrum Communications Agrees to $1.78 Billion Takeover", *Wall Street Journal*, 12 de julho de 2013.

9. "Intel and Tsinghua Unigroup Collaborate to Accelerate Development and Adoption of Intel-Based Mobile Devices", comunicado à imprensa, Intel Newsroom, 25 de setembro de 2014. Disponível em: https://newsroom.intel.com/news-releases/intel-and-tsinghua-unigroup-collaborate-to-accelerate-development-and-adoption-of-intel-based-mobile-devices/#gs.7y1hjm.

10. Eva Dou e Wayne Ma, "Intel Invests $1.5 Billion for State in Chinese Chip Maker", *Wall Street Journal*, 26 de setembro de 2014; Cheng Ting-Fang, "Intel's 5G Modem Alliance with Beijing-Backed Chipmaker Ends", *Nikkei Asia*, 26 de fevereiro de 2019.

11. Paul McLellan, "Memory in China: XMC", *Cadence*, 15 de abril de 2016. Disponível em: https://community.cadence.com/cadence_blogs_8/b/breakfast-bytes/posts/china-memory-2; "China's Tsinghua Unigroup to Build $30 Billion Nanjing Chip Plant", Reuters, 19 de janeiro de 2017; Eva Dou, "Tsinghua Unigroup Acquires Control of XMC in Chinese-Chip Deal", *Wall Street Journal*, 26 de julho de 2016.

12. Josh Horwitz, "Analysis: China's Would-Be Chip Darling Tsinghua Unigroup Bedevilled by Debt and Bad Bets", Reuters, 19 de janeiro de 2021.

13. Dou, "China's Biggest Chip Maker's Possible Tie-Up with H-P Values Unit at Up to $5 Billion".

14. Josephine Lien e Jessie Shen, "Former UMC CEO to join Tsinghua Unigroup", *Digitimes Asia*, 10 de janeiro de 2017; Matthew Fulco, "Taiwan Chipmakers Eye China Market", *Taiwan Business Topics*, 8 de fevereiro de 2017. Disponível em: https://topics.amcham.com.tw/2017/02/taiwan-chipmakers-eye-china-market/.

15. Debby Wu e Cheng Ting-Fang, "Tsinghua Unigroup-SPIL Deal Axed on Policy Worries", *Nikkei Asia*, 28 de abril de 2016.

16. Peter Clarke, "China's Tsinghua Interested in MediaTek", *EE News*, 3 de novembro de 2015.

17. Simon Mundy, "Taiwan's Chipmakers Push for China Thaw", *Financial Times*, 6 de dezembro de 2015; Zou Chi, TNL Media Group, 3 de novembro de 2015. Disponível em: https://www.thenewslens.com/article/30138.

18. Cheng Ting-Fang, "Chipmaker Would Sell Stake to China 'If the Price Is Right'", *Nikkei Asia*, 7 de novembro de 2015.

19. J. R. Wu, "Chinese Investors Should Not Get Board Seats on Taiwan Chip Firms – TSMC Chief", Reuters, 7 de junho de 2016.

20. J. R. Wu, "Taiwan's Mediatek Says Open to Cooperation with China in Chip Sector", Reuters, 2 de novembro de 2015.

21. Ben Bland e Simon Mundy, "Taiwan Considers Lifting China Semiconductor Ban", *Financial Times*, 22 de novembro de 2015.

22. Eva Dou e Don Clark, "State-Owned Chinese Chip Maker Tsinghua Unigroup Makes $23 Billion Bid for Micron", *Wall Street Journal*, 14 de julho de 2015.

23. Entrevistas com dois ex-integrantes da alta administração, 2021.

24. Eva Dou e Don Clark, "Arm of China-Controlled Tsinghua to Buy 15% Stake in Western Digital", *Wall Street Journal*, 30 de setembro de 2015.

25. Eva Dou e Robert McMillan, "China's Tsinghua Unigroup Buys Small Stake in U.S. Chip Maker Lattice", *Wall Street Journal*, 14 de abril de 2016.

26. Ed Lin, "China Inc. Retreats From Lattice Semiconductor", *Barron's*, 7 de outubro de 2016.

27. Liana Baker, Koh Gui Qing e Julie Zhu, "Chinese Government Money Backs Buy Out Firm's Deal for U.S. Chipmaker", Reuters, 28 de novembro de 2016. China Reform Holding, um fundo de investimento de propriedade do governo chinês, é um investidor-chave na Canyon Bridge; ver Junko Yoshida, "Does China Have Imagination?", *EE Times*, 14 de abril de 2020.

28. Nick Fletcher, "Imagination Technologies Jumps 13% as Chinese Firm Takes 3% Stake", *Guardian*, 9 de maio de 2016.

29. "Canyon Bridge Confident Imagination Deal Satisfies UK Government", *Financial Times*, 25 de setembro de 2017; Turner et al., "Canyon Bridge Is Said to Ready Imagination Bid Minus U.S. Unit", *Bloomberg*, 7 de setembro de 2017.

30. Nic Fides, "Chinese Move to Take Control of Imagination Technologies Stalls", *Financial Times*, 7 de abril de 2020.

31. "USA v. Chow". Disponível em: https://www.corporatedefensedisputes.com/wp-content/uploads/sites/19/2021/04/United-States-v.-Chow-2d-Cir.-Apr.-6-2021.pdf; "United States of America v. Benjamin Chow". Disponível em: https://www.justice.gov/usao-sdny/press-release/file/1007536/download; Jennifer Bennett, "Canyon Bridge Founder's Insider Trading Conviction Upheld", *Bloomberg Law*, 6 de abril de 2021.

32. Wang, "Meet Tsinghua's Zhao Weiguo".

33. Sijia Jang, "China's Tsinghua Unigroup Signs Financing Deal for Up to 150 Bln Yuan", Reuters, 28 de março de 2017.

46. A ascensão da Huawei

1. O presidente Mike Rogers e o membro do ranking C.A. Dutch Ruppersberger, "Investigative Report on the U.S. National Security Issues Posed by Chinese Telecommunications Companies Huawei and ZTE", Comitê Permanente de Inteligência, Câmara dos Representantes dos EUA, 8 de outubro de 2012. Disponível em: https://republicans-intelligence.house.gov/sites/intelligence.house.gov/files/documents/huawei-zte%20investigative%20report%20(final).pdf, p. 11-25.

2. William Kirby et al., "Huawei: A Global Tech Giant in the Crossfire of a Digital Cold War", Harvard Business School, Case N-1-320-089, p. 2.

3. Kirby et al., "Huawei"; Jeff Black, Allen Wan e Zhu Lin, "Xi Jinping's Tech Wonderland Runs Into Headwinds", *Bloomberg*, 29 de setembro de 2020.

4. Scott Thurm, "Huawei Admits Copying Code From Cisco in Router Software", *Wall Street Journal*, 24 de março de 2003.

5. Tom Blackwell, "Exclusive: Did Huawei Bring Down Nortel? Corporate Espionage, Theft, and the Parallel Rise and Fall of Two Telecom Giants", *National Post*, 20 de fevereiro de 2020.

6. Nathaniel Ahrens, "China's Competitiveness", Center for Strategic and International Studies, fevereiro de 2013. Disponível em: https://csis-website-prod.s3.amazonaws.com/s3fs--public/legacy_files/files/publication/130215_competitiveness_Huawei_casestudy_Web.pdf.

7. Tian Tao e Wu Chunbo, *The Huawei Story*. Nova York: Sage Publications, 2016, p. 53.

8. Entrevista com um ex-consultor da IBM e posteriormente funcionário da Huawei, 2021.

9. Raymond Zhong, "Huawei's 'Wolf Culture' Helped It Grow, and Got It into Trouble", *New York Times*, 18 de dezembro de 2018.

10. "Stanford Engineering Hero Lecture: Morris Chang in Conversation with President John L. Hennessy", Stanford Online, vídeo do YouTube, 25 de abril de 2014. Disponível em: https://www.youtube.com/watch?v=wEh3ZgbvBrE.

11. Chuin-Wei Yap, "State Support Helped Fuel Huawei's Global Rise", *Wall Street Journal*, 25 de dezembro de 2019.

12. Ahrens, "China's Competitiveness".

13. Tao e Chunbo, *The Huawei Story*, p. 58; Mike Rogers e Dutch Ruppersberger, "Investigative Report on the U.S. National Security Issues Posed by Chinese Telecommunications Companies Huawei and ZTE", Câmara dos Representantes dos EUA, 8 de outubro de 2012. Disponível em: https://stacks.stanford.edu/file/druid:rm226yb7473/Huawei-ZTE%20Investigative%20Report%20(FINAL).pdf.

14. Entrevista com um ex-consultor da IBM e funcionário da Huawei, 2021.

15. Cheng Ting-Fang e Lauly Li, "TSMC Halts New Huawei Orders After US Tightens Restrictions", *Nikkei Asia*, 18 de maio de 2020.

47. O FUTURO DO 5G

1. Entrevista com Ken Hunkler, 2021.
2. Entrevista com Dave Robertson, 2021.
3. Spencer Chin, "Teardown Reveals the Tesla S Resembles a Smartphone", *Power Electronics*, 28 de outubro de 2014.
4. Ray Le Maistre, "BT's McRae: Huawei Is 'the Only True 5G Supplier Right Now'", *Light Reading*, 21 de novembro de 2018.
5. Norio Matsumoto e Naoki Watanabe, "Huawei's Base Station Teardown Shows Dependence on US-Made Parts", *Nikkei Asia*, 12 de outubro de 2020.

48. A PRÓXIMA COMPENSAÇÃO

1. Liu Zhen, "China-US Rivalry: How the Gulf War Sparked Beijing's Military Revolution", *South China Morning Post*, 18 de janeiro de 2021; ver também Harlan W. Jencks, "Chinese Evaluations of 'Desert Storm': Implications for PRC Security", *Journal of East Asian Affairs* 6, nº 2, verão/outono de 1992, p. 447-477.
2. "Relatório Final", Comissão de Segurança Nacional sobre Inteligência Artificial, p. 25.
3. Elsa B. Kania, "'AI Weapons' in China's Military Innovation", Global China, Brookings Institution, abril de 2020.
4. Ben Buchanan, "The AI Triad and What It Means for National Security Strategy", Center for Security and Emerging Technology, agosto de 2020.
5. Matt Sheehan, "Much Ado About Data: How America and China Stack Up", MacroPolo, 16 de julho de 2019. Disponível em: https://macropolo.org/ai-data-us-china/?rp=e.
6. "The Global AI Talent Tracker", MacroPolo. Disponível em: https://macropolo.org/digital-projects/the-global-ai-talent-tracker/.
7. "White Paper on China's Computing Power Development Index", tradução de Jeffrey Ding, Academia Chinesa de Tecnologia da Informação e Comunicações, setembro de 2021. Disponível em: https://docs.google.com/document/d/1Mq5vpZQe7nrKgkYJA2-yZNV1E-o8swh_w36TUEzFWIWs/edit#, fonte original em chinês: http://www.caict.ac.cn/kxyj/qwfb/bps/202109/t20210918_390058.htm.

8. Ryan Fedasiuk, Jennifer Melot e Ben Murphy, "Harnessed Lightning: How the Chinese Military Is Adopting Artificial Intelligence", CSET, outubro de 2021. Disponível em: https://cset.georgetown.edu/publication/harnessed-lightning/; sobre fusão civil-militar, ver Elsa B. Kania e Lorand Laskai, "Myths and Realities of China's Military-Civil Fusion Strategy", Center for a New American Security, 28 de janeiro de 2021.

9. Gian Gentile, Michael Shurkin, Alexandra T. Evans, Michelle Grise, Mark Hvizda e Rebecca Jensen, "A History of the Third Offset, 2014–2018", Rand Corporation, 2021; "Remarks by Deputy Secretary Work on Third Offset Strategy", Departamento de Defesa dos EUA, 28 de abril de 2016.

10. "Darpa Tiles Together a Vision of Mosaic Warfare", Defense Advanced Research Projects Agency. Disponível em: https://www.darpa.mil/work-with-us/darpa-tiles-together-a-vision-of--mosiac-warfare.

11. "Designing Agile Human-Machine Teams", Defense Advanced Research Projects Agency, 28 de novembro de 2016. Disponível em: https://www.darpa.mil/program/2016-11-28.

12. Roger N. McDermott, "Russia's Electronic Warfare Capabilities to 2025", International Centre for Defence and Security, setembro de 2017; "Study Maps 'Extensive Russian GPS Spoofing'", BBC News, 2 de abril de 2019.

13. "Adaptable Navigation Systems (ANS) (Archived)", Defense Advanced Research Projects Agency. Disponível em: https://www.darpa.mil/program/adaptable-navigation--systems.

14. Bryan Clark e Dan Patt, "The US Needs a Strategy to Secure Microelectronics – Not Just Funding", Hudson Institute, 15 de março de 2021.

15. "Darpa Electronics Resurgence Initiative", Defense Advanced Research Projects Agency, 28 de junho de 2021. Disponível em: https://www.darpa.mil/work-with-us/electronics-resurgence-initiative.

16. Sobre FinFET, vide Tekla S. Perry, "How the Father of FinFETs Helped Save Moore's Law", *IEEE Spectrum*, 21 de abril de 2020.

17. Norman J. Asher e Leland D. Strom, "The Role of the Department of Defense in the Development of Integrated Circuits", Institute for Defense Analyses, maio de 1977, p. 74.

18. Ed Sperling, "How Much Will That Chip Cost?", *Semiconductor Engineering*, 27 de março de 2014.

19. Cade Metz e Nicole Perlroth, "Researchers Discover Two Major Flaws in the World's Computers", *New York Times*, 3 de janeiro de 2018.

20. Robert McMillan e Liza Lin, "Intel Warned Chinese Companies of Chip Flaws Before U.S. Government", *Wall Street Journal*, 28 de janeiro de 2018.

21. Serge Leef, "Supply Chain Hardware Integrity for Electronics Defense (SHIELD) (Archived)", Defense Advanced Research Projects Agency. Disponível em: https://www.darpa.mil/program/supply-chain-hardware-integrity-for-electronics-defense#:~:text=The%20goal%20of%20Darpa's%20SHIELD,consuming%20to%20be%20cost%20effective; "A Darpa Approach to Trusted Microelectronics". Disponível em: https://www.darpa.mil/attachments/ATrust-throughTechnologyApproach_FINAL.PDF.

22. "Remarks by Deputy Secretary Work on Third Offset Strategy".

23. Entrevista com ex-autoridades dos EUA, 2021; Gian Gentile, Michael Shurkin, Alexandra T. Evans, Michelle Grise, Mark Hvizda e Rebecca Jensen, "A History of the Third Offset, 2014–2018".

49. "Tudo em que estamos competindo"

1. Entrevista com uma ex-alta autoridade dos EUA, 2021.

2. Ibidem.

3. Ibidem.

4. "U.S. Secretary of Commerce Penny Pritzker Delivers Major Policy Address on Semiconductors at Center for Strategic and International Studies", discurso de Penny Pritzker, Departamento de Comércio dos EUA, 2 de novembro de 2016.

5. "Ensuring Long-Term U.S. Leadership in Semiconductors", relato ao presidente, Conselho de Assessores de Ciência e Tecnologia do Presidente dos EUA, janeiro de 2017.

6. Mike Rogers e Dutch Ruppersberger, "Investigative Report on the U.S. National Security Issues Posed by Chinese Telecommunications Companies Huawei and ZTE", Câmara dos Representantes dos EUA, 8 de outubro de 2012; Kenji Kawase, "ZTE's Less-Known Roots: Chinese Tech Company Falls from Grace", *Nikkei Asia*, 27 de abril de 2018; Nick McKenzie e Angus Grigg, "China's ZTE Was Built to Spy and Bribe, Court Documents Allege", *Sydney Morning Herald*, 31 de maio de 2018; Nick McKenzie e Angus Grigg, "Corrupt Chinese Company on Telstra Shortlist", *Sydney Morning Herald*, 13 de maio de 2018; "ZTE Tops 2006 International CDMA Market", CIOL Bureau. Disponível em: https://web.archive.org/web/20070927230100/http://www.ciol.com/ciol-techportal/Content/Mobility/News/2007/20703081355.asp.

7. Juro Osawa e Eva Dou, "U.S. to Place Trade Restrictions on China's ZTE", *Wall Street Journal*, 7 de março de 2016; Paul Mozur, "U.S. Subpoen as Huawei Over Its Dealings in Iran and North Korea", *New York Times*, 2 de junho de 2016.

8. Entrevistas com dois dirigentes do governo Obama, 2021; Osawa e Dou, "U.S. to Place Trade Restrictions on China's ZTE".

9. Industry and Security Bureau, "Removal of Certain Persons from the Entity List; Addition of a Person to the Entity List; and EAR Conforming Change", Federal Register, 29 de março de 2017. Disponível em: https://www.federalregister.gov/documents/2017/03/29/2017-06227/removal-of-certain-persons-from-the-entity-list-addition-of-a-person-to-the-entity-list-and--ear; Brian Heater, "ZTE Pleads Guilty to Violating Iran Sanctions, Agrees to \$892 Million Fine", *TechCrunch*, 7 de março de 2017.

10. Veronica Stracqualursi, "10 Times Trump Attacked China and Its Trade Relations with the US", ABC News, 9 de novembro de 2017.

11. Entrevistas com quatro ex-altas autoridades, 2021.

12. Entrevista com uma ex-alta autoridade, 2021.

13. Ibidem.

14. Lucinda Shen, "Donald Trump's Tweets Triggered Intel CEO's Exit from Business Council", *Fortune*, 9 de novembro de 2017; Dawn Chmielewski e Ina Fried, "Intel's CEO Planned, Then Scrapped, a Donald Trump Fundraiser", CNBC, 1º de junho de 2016.

15. Entrevista com uma ex-alta autoridade do governo, 2021.

16. Entrevista com três ex-altas autoridades, 2021.

17. Chad Bown, Euijin Jung e Zhiyao Lu, "Trump, China, and Tariffs: From Soybeans to Semiconductors", *Vox EU*, 19 de junho de 2018.

18. Steve Stecklow, Karen Freifeld e Sijia Jiang, "U.S. Ban on Sales to China's ZTE Opens Fresh Front as Tensions Escalate", Reuters, 16 de abril de 2018.

19. Entrevista com uma alta autoridade do governo, 2021.

20. Dan Strumpf e John D. McKinnon, "Trump Extends Lifeline to Sanctioned Tech Company ZTE", *Wall Street Journal*, 13 de maio de 2018; Scott Horsley e Scott Neuman, "President Trump Puts 'America First' on Hold to Save Chinese Jobs", *NPR*, 14 de maio de 2018.

50. JINHUA DE FUJIAN

1. Esse relato é retirado de "United States of America v. United Microelectronics Corporation, et al., Defendant(s)", Tribunal Distrital dos EUA para o Distrito Norte da Califórnia, 27

de setembro de 2018. Disponível em: https://www.justice.gov/opa/press-release/file/1107251/download; e "MICRON TECHNOLOGY, INC.'S COMPLAINT". A UMC se declarou culpada dessas acusações como parte de um acordo com o governo dos EUA. Os funcionários da UMC em questão foram condenados criminalmente, multados e sentenciados à prisão por um tribunal de Taiwan; Gabinete de Relações Públicas, "Taiwan Company Pleads Guilty to Trade Secret Theft in Criminal Case Involving PRC State-Owned Company", Departamento de Justiça dos EUA, 28 de outubro de 2020. Disponível em: https://www.justice.gov/opa/pr/taiwan-company--pleads-guilty-trade-secret-theft-criminal-case-involving-prc-state-owned.

2. Chuin-Wei Yap e Yoko Kubota, "U.S. Ban Threatens Beijing's Ambitions as Tech Power", *Wall Street Journal*, 30 de outubro de 2018.

3. Chuin-Wei Yap, "Micron Barred from Selling Some Products in China", *Wall Street Journal*, 4 de julho de 2018.

4. Em sua defesa no caso da Jinhua de Fujian, a UMC enfatizou sua experiência anterior em termos de chips de memória, mas seu Relatório Anual de 2016 afirmou enfaticamente que "nós não pretendemos entrar na indústria de Dram". Ver Formulário 20-F da UMC, protocolado na Comissão de Valores Mobiliários dos Estados Unidos, 2016, p. 27.

5. Paul Mozur, "Inside a Heist of American Chip Designs, as China Bids for Tech Power", *New York Times*, 22 de junho de 2018.

6. Ibidem.

7. Yap, "Micron Barred From Selling Some Products in China".

8. https://www.storm.mg/article/1358975?mode=whole, tradução de Wei-Ting Chen.

9. David E. Sanger e Steven Lee Meyers, "After a Hiatus, China Accelerates Cyberspying Efforts to Obtain U.S. Technology", *New York Times*, 29 de novembro de 2018.

10. Advanced Micro-Fabrication Equipment Inc., " Amec Wins Injunction in Patent Infringement Dispute Involving Veeco Instruments (Shanghai) Co. Ltd.", *PR Newswire*, 8 de dezembro de 2017. Disponível em: https://www.prnewswire.com/news-releases/amec--wins-injunction-in-patent-infringement-dispute-involving-veeco-instruments-shanghai-co--ltd-300569295.html; Mark Cohen, "Semiconductor Patent Litigation Part 2: Nationalism, Transparency and Rule of Law", *China IPR*, 4 de julho de 2018. Disponível em: https://chinaipr.com/2018/07/04/semiconductor-patent-litigation-part-2-nationalism-transparency--and-rule-of-law/; "Veeco Instruments Inc., Plaintiff, Against SGL Carbon, LLC, and SGL Group SE, Defendants", Tribunal Distrital dos Estados Unidos do Distrito Leste de Nova York. Disponível em: https://chinaipr2.files.wordpress.com/2018/07/uscourts-nyed-1_17--cv-02217-0.pdf.

11. Kate O'Keeffe, "U.S. Adopts New Battle Plan to Fight China's Theft of Trade Secrets", *Wall Street Journal*, 12 de novembro de 2018.

12. Entrevistas com cinco autoridades do governo em Washington e Tóquio, de 2019 a 2021.

13. Entrevista com uma ex-alta autoridade, 2021.

14. James Politi, Emily Feng e Kathrin Hille, "US Targets China Chipmaker Over Security Concerns", *Financial Times*, 30 de outubro de 2018.

51. O ataque à Huawei

1. ·Dan Strumpf e Katy Stech Ferek, "U.S. Tightens Restrictions on Huawei's Access to Chips", *Wall Street Journal*, 17 de agosto de 2020.

2. Turpin citado em Elizabeth C. Economy, *The World According to China*. Hoboken: Wiley, 2021.

3. Entrevista com duas altas autoridades do governo Trump, 2021.

4. Peter Hartcher, *Red Zone: China's Challenge and Australia's Future*. Melbourne: Black Inc., 2021, p. 18-19.

5. Alicja Ptak e Justyna Pawlak, "Polish Trial Begins in Huawei-Linked China Espionage Case", Reuters, 1º de junho de 2021.

6. Mathieu Rosemain e Gwenaelle Barzic, "Exclusive: French Limits on Huawei 5G Equipment Amount to De Facto Ban by 2028", Reuters, 22 de julho de 2020.

7. Katrin Bennhold e Jack Ewing, "In Huawei Battle, China Threatens Germany 'Where It Hurts': Automakers", *New York Times*, 16 de janeiro de 2020.

8. Gordon Corera, "Huawei 'Failed to Improve UK Security Standards'", BBC News, 1º de outubro de 2020.

9. Robert Hannigan, "Blanket Bans on Chinese Tech Companies Like Huawei Make No Sense", *Financial Times*, 12 de fevereiro de 2019.

10. Shayna Jacobs e Amanda Coletta, "Meng Wanzhou Can Return to China, Admits Helping Huawei Conceal Dealings in Iran", *Washington Post*, 24 de setembro de 2021.

11. James Politi e Kiran Stacey, "US Escalates China Tensions with Tighter Huawei Controls", *Financial Times*, 15 de maio de 2020.

12. Henry Farrell e Abraham L. Newman, "Weaponized Interdependence: How Global Economic Networks Shape State Coercion", *International Security* 44, nº 1, 2019, p. 42-79.

13. "Commerce Addresses Huawei's Efforts to Undermine Entity List, Restricts Products Designed and Produced with U.S. Technologies", Departamento de Comércio dos EUA, 15 de

maio de 2020. Disponível em: https:/2017-2021.commerce.gov/news/press-releases/2020/05/commerce-addresses-huaweis-efforts-undermine-entity-list-restricts.html.

14. Kathrin Hille e Kiran Stacey, "TSMC Falls into Line with US Export Controls on Huawei", *Financial Times*, 9 de junho de 2020.

15. "Huawei Said to Sell Key Server Division Due to U.S. Blacklisting", *Bloomberg*, 2 de novembro de 2021.

16. Craig S. Smith, "How the Huawei Fight Is Changing the Face of 5G", *IEEE Spectrum*, 29 de setembro de 2021.

17. Lauly Li e Kenji Kawase, "Huawei and ZTE Slow Down China 5G Rollout as US Curbs Start to Bite", *Nikkei Asia*, 19 de agosto de 2020.

18. Alexandra Alper, Toby Sterling e Stephen Nellis, "Trump Administration Pressed Dutch Hard to Cancel China Chip-Equipment Sale: Sources", Reuters, 6 de janeiro de 2020.

19. Industry and Security Bureau, "Addition of Entities to the Entity List and Revision of an Entry on the Entity List", Federal Register, 24 de junho de 2019. Disponível em: https://www.federalregister.gov/documents/2019/06/24/2019-13245/addition-of-entities-to-the-entity-list-and-revision-of-an-entry-on-the-entity-list.

20. Ellen Nakashima e Gerry Shih, "China Builds Advanced Weapons Systems Using American Chip Technology", *Washington Post*, 9 de abril de 2021.

21. Zhong Shan, "Mofcom Order N. 4 of 2020 on Provisions on the Unreliable Entity List", despacho do Ministério do Comércio da República Popular da China, 19 de setembro de 2020. Disponível em: http://english.mofcom.gov.cn/article/policyrelease/questions/202009/20200903002580.shtml.

22. Entrevista com uma ex-alta autoridade dos EUA, 2021.

52. O momento *Sputnik* da China?

1. Cheng Ting-Fang e Lauly Li, "How China's Chip Industry Defied the Coronavirus Lockdown", *Nikkei Asia*, 18 de março de 2020.

2. Dan Wang, "China's Sputnik Moment?", *Foreign Affairs*, 29 de julho de 2021.

3. "Xi Jinping Picks Top Lieutenant to Lead China's Chip Battle Against U.S.", *Bloomberg*, 16 de junho de 2021.

4. Manchetes de jornais que sugiram que a China está preparada para gastar até 1,4 trilhão de dólares para subsidiar tecnologia não devem ser levadas a sério. Pequim aprovou "fundos de orientação" industriais com um valor nominal de cerca de 1,5 trilhão de dólares, a maior parte

a ser arrecadada e gasta por autoridades locais. No entanto, esses valores não estão apenas concentrados em tecnologia; diretrizes oficiais permitem que esses recursos sejam gastos não só em "indústrias estratégicas emergentes", como também em infraestrutura e habitação social. Portanto, assim como muitos projetos de investimentos na China, há uma boa chance de que parte desse dinheiro acabe simplesmente subsidiando ainda mais empreendimentos imobiliários em vez de apoiar a indústria de semicondutores. Tianlei Huang, "Government-Guided Funds in China: Financing Vehicles for State Industrial Policy", *PIIE*, 17 de junho de 2019. Disponível em: https://www.piie.com/blogs/china-economic-watch/government-guided-funds-china--financing-vehicles-state-industrial-policy; Tang Ziyi e Xue Xiaoli, "Four Things to Know About China's $670 Billion Government Guidance Funds", *Caixin Global*, 25 de fevereiro de 2020.

5. Investigação do HSMC por Qiu Xiaofen e Su Jianxun, Yang Xuan (org.), tradução de Alexander Boyd, em Jordan Schneider, "Billion Dollar Heist: How Scammers Rode China's Chip Boom to Riches", *ChinaTalk*, 30 de março de 2021. Disponível em: https://chinatalk.substack.com/p/billion-dollar-heist-how-scammers; Luo Guoping e Mo Yelin, "Wuhan's Troubled $18.5 Billion Chipmaking Project Isn't as Special as Local Officials Claimed", *Caixin Global*, 4 de setembro de 2020.

6. Toby Sterling, "Intel Orders ASML System for Well Over $340 mln in Quest for Chipmaking Edge", Reuters, 19 de janeiro de 2022.

7. David Manners, "Risc-V Foundation Moves to Switzerland", *Electronics Weekly*, 26 de novembro de 2019.

8. Dylan Patel, "China Has Built the World's Most Expensive Silicon Carbide Fab, But Numbers Don't Add Up", *SemiAnalysis*, 30 de setembro de 2021. Disponível em: https://semianalysis.com/china-has-built-the-worlds-most-expensive-silicon-carbide-fab-but--numbers-dont-add-up/.

9. Varas et al., "Government Incentives and US Competitiveness in Semiconductor Manufacturing".

10. Cheng Ting-Fang e Lauly Li, "How China's Chip Industry Defied the Coronavirus Lockdown", *Nikkei Asia*, 18 de março de 2020.

53. Escassez e cadeias de suprimentos

1. "Remarks by President Biden at a Virtual CEO Summit on Semiconductor and Supply Chain Resilience", Casa Branca, 12 de abril de 2021; Alex Fang e Yifan Yu, "US to Lead World Again, Biden Tells CEOs at Semiconductor Summit", *Nikkei Asia*, 13 de abril de 2021.

2. Submissão da AAPC à Revisão da Cadeia de Suprimentos de Semicondutores do Departamento de Comércio do BIS, 5 de abril de 2021; Michael Wayland, "Chip Shortage Expected to Cost Auto Industry $ 210 Billion in Revenue in 2021", CNBC, 23 de setembro de 2021.

3. "Semiconductor Units Forecast to Exceed 1 Trillion Devices Again in 2021", *IC Insights*, 7 de abril de 2021. Disponível em: https://www.icinsights.com/news/bulletins/Semiconductor-Units-Forecast-To-Exceed-1-Trillion-Devices-Again-In-2021/.

4. "Fact Sheet: Biden-Harris Administration Announces Supply Chain Disruptions Task Force", 8 de junho de 2021. Disponível em: https://www.whitehouse.gov/briefing-room/statements-releases/2021/06/08/fact-sheet-biden-harris-administration-announces-supply-chain--disruptions-task-force-to-address-short-term-supply-chain-discontinuities/.

5. Kotaro Hosokawa, "Samsung Turns South Korea Garrison City into Chipmaking Boom Town", *Nikkei Asia*, 20 de junho de 2021.

6. Jiyoung Sohn, "Samsung to Invest $205 Billion in Chip, Biotech Expansion", *Wall Street Journal*, 24 de agosto de 2021; Song Jung-a e Edward White, "South Korean PM Backs Early Return to Work for Paroled Samsung Chief Lee Jae-yong", *Financial Times*, 30 de agosto de 2021.

7. Stephen Nellis, Joyce Lee e Toby Sterling, "Exclusive: U.S.-China Tech War Clouds SK Hynix's Plans for a Key Chip Factory", Reuters, 17 de novembro de 2021.

8. Brad W. Setser, "Shadow FX Intervention in Taiwan: Solving a 100+ Billion Dollar Enigma (Part 1)", Council on Foreign Relations, 3 de outubro de 2019.

9. "Speech by Commissioner Thierry Breton at Hannover Messe Digital Days", Comissão Europeia, 15 de julho de 2020.

10. Cheng Ting-Fang e Lauly Li, "TSMC Says It Will Build First Japan Chip Plant with Sony", *Nikkei Asia*, 9 de novembro de 2021.

11. Christiaan Hetzner, "Intel CEO Says 'Big, Honkin' Fab' Planned for Europe Will Be World's Most Advanced", *Fortune*, 10 de setembro de 2021; Leo Kelion, "Intel Chief Pat Gelsinger: Too Many Chips Made in Asia", BBC News, 24 de março de 2021.

54. O DILEMA DE TAIWAN

1. "Edited Transcript: 2330.TW — Q2 2021 Taiwan Semiconductor Manufacturing Co Ltd Earnings Call", *Refinitiv*, 15 de julho de 2021. Disponível em: https://investor.tsmc.com/english/encrypt/files/encrypt_file/reports/2021-10/44ec4960f6771366a2b992ace4ae47566d7206a6/TSMC%202Q21%20transcript.pdf.

2. Liu Xuanzun, "PLA Holds Beach Assault Drills After US Military Aircraft's Taiwan Island Landing", *Global Times*, 18 de julho de 2021.

3. Liu Xuanzun, "PLA Holds Drills in All Major Chinese Sea Areas Amid Consecutive US Military Provocations", *Global Times*, 20 de julho de 2021.

4. Chris Dougherty, Jennie Matuschak e Ripley Hunter, "The Poison Frog Strategy", Center for a New American Security, 26 de outubro de 2021.

5. "Military and Security Developments Involving the People's Republic of China", Relatório Anual ao Congresso, Gabinete do Secretário de Defesa, 2020, p. 114.

6. Lonnie Henley, "PLA Operational Concepts and Centers of Gravity in a Taiwan Conflict", depoimento perante a Audiência da Comissão de Revisão Econômica e de Segurança EUA-China sobre Dissuasão através do Estreito, 18 de fevereiro de 2021.

7. Michael J. Green, "What Is the U.S. 'One China' Policy, and Why Does it Matter?", Center for Strategic and International Studies, 13 de janeiro de 2017.

8. Debby Wu, "Chip Linchpin ASML Joins Carmakers Warning of Vicious Cycle", *Bloomberg*, 19 de janeiro de 2022.

9. Tsai Ing-wen, "Taiwan and the Fight for Democracy", *Foreign Affairs*, novembro a dezembro de 2021.

10. Sherry Hsiao, "Most Say Cross-Strait War Unlikely: Poll", *Taipei Times*, 21 de outubro de 2020.

11. Ivan Cheberko, "Kosmicheskii Mashtab Importozameshcheniia", *Vedomosti*, 27 de setembro de 2020.

12. Jack Watling e Nick Reynolds, "Operation Z: The Death Throes of an Imperial Delusion", Royal United Services Institute, 22 de abril de 2022, p. 10-12.

13. Michael Simpson et al., "Road to Damascus: The Russian Air Campaign in Syria", Rand Corporation, RR-A1170-1, 2022, p. 80.

14. Rebecca Shabad, "Biden Emphasizes the Need to Keep Arming Ukraine in Tour of Alabama Weapons Plant", CNBC, 3 de maio de 2022.

15. Sebastian Moss, "Intel and AMD Halt Chip Sales to Russia, TSMC Joins in on Sanctions", Data Center Dynamics, 28 de fevereiro de 2022. Disponível em: https://www.datacenterdynamics.com/en/news/intel-and-amd-halt-chip-sales-to-russia-tsmc-joins-in-on-sanctions/.

16. Jeanne Whalen, "Sanctions Forcing Russia to Use Appliance Parts in Military Gear", *Washington Post*, 11 de maio de 2022.

17. "Top Economist Urges China to Seize TSMC if US Ramps Up Sanctions", *Bloomberg News*, 7 de junho de 2022.

18. Keoni Everington, "China Expande Its 2 Air Force Bases Closest to Taiwan", *Taiwan News*, 8 de março de 2021; Minnie Chan, "Upgrades for Chinese Military Airbases Facing Taiwan Hint at War Plans", *South China Morning Post*, 15 de outubro de 2021; "Major Construction Underway at Three of China's Airbases Closest to Taiwan", *Drive*, 13 de outubro de 2021.

Conclusão

1. Jack Kilby, "Invention of the Integrated Circuit", *IEEE Transactions on Electron Devices* 23, nº 7, julho de 1976, p. 650.

2. Paul G. Gillespie, "Precision Guided Munitions: Constructing a Bomb More Potent Than the A-Bomb", tese de doutorado, Universidade Lehigh, p. 115. Word parece ter começado a trabalhar na Texas Instruments em 1953, de acordo com sua página no LinkedIn postumamente disponível. Não consegui confirmar isso.

3. Gordon E. Moore, "Cramming More Components Onto Integrated Circuits", *Electronics* 38, nº 8, 19 de abril de 1965.

4. Dan Hutcheson, "Graphic: Transistor Production Has Reached Astronomical Scales", *IEEE Spectrum*, 2 de abril de 2015.

5. Malone, *The Intel Trinity*, p. 31.

6. John Hennessy, "The End of Moore's Law and Faster General-Purpose Processors, and a New Path Forward", National Science Foundation, Cise Distinguished Lecture, 22 de novembro de 2019. Disponível em: https://www.nsf.gov/events/event_summ.jsp?cntn_id=299531&org=NSF.

7. Andrey Ovsyannikov, "Update From Intel: Insights Into Intel Innovations for HPC and AI", Intel, 26 de setembro de 2019. Disponível em: https://www2.cisl.ucar.edu/sites/default/files/Ovsyannikov%20-%20MC9%20-%20Presentation%20Slides.pdf.

8. Gordon E. Moore, "No Exponential Is Forever: But 'Forever' Can Be Delayed!", IEEE International Solid-State Circuits Conference, 2003.

9. Hoeneisen e Mead, "Fundamental Limitations on Microelectronics", p. 819-829; Scotten Jones, "TSMC and Samsung 5nm Comparison", *SemiWiki*, 3 de maio de 2019. Disponível em: https://semiwiki.com/semiconductor-manufacturers/samsung-foundry/8157-tsmc-and--samsung-5nm-comparison/.

10. "Jim Keller: Moore's Law Is Not Dead", UC Berkeley EECS Events, vídeo do YouTube, 18 de setembro de 2019, 22:00. Disponível em: https://www.youtube.com/watch?v=oIG9ztQw2Gc.

11. Neil C. Thompson e Svenja Spanuth, "The Decline of Computers as a General Purpose Technology: Why Deep Learning and the End of Moore's Law Are Fragmenting Computing", documento técnico, MIT, novembro de 2018. Disponível em: https://ide.mit.edu/wp-content/uploads/2018/11/SSRN-id3287769.pdf.

12. "Heterogeneous Compute: The Paradigm Shift No One Is Talking About", *Fabricated Knowledge*, 19 de fevereiro de 2020. Disponível em: https://www.fabricatedknowledge.com/p/heterogeneous-compute-the-paradigm.

13. Kevin Xu, "Morris Chang's Last Speech", *Interconnected*, 12 de setembro de 2021. Disponível em: https://interconnected.blog/morris-changs-last-speech/.

ESTE LIVRO, COMPOSTO NA FONTE FAIRFIELD,
FOI IMPRESSO EM PAPEL PÓLEN NATURAL 70G/M² NA COAN,
TUBARÃO, BRASIL, MARÇO DE 2023.